Het diepe Zuiden

Van V.S. Naipaul verscheen eveneens:

De mystieke masseur
Een huis voor meneer Biswas
Een domein van duisternis
Mr. Stone en het riddergenootschap
Een vlag op het eiland
Het verlies van Eldorado
Een staat van vrijheid
India, een gewonde beschaving
Een weg in de wereld
De terugkeer van Eva Perón
Onder de gelovigen*
Meer dan geloof*
Een half leven
Een briefwisseling tussen vader en zoon
Het raadsel van de aankomst
Een bocht in de rivier
Caribische reis*

* Verschenen als Pandora Pocket

V.S. Naipaul

Het diepe Zuiden

vertaald door Tinke Davids

PANDORA

De eerste twee drukken verschenen bij uitgeverij
Arbeiderspers bv, Amsterdam

Pandora Pockets maakt deel uit van Uitgeverij Contact

Derde druk, juli 2002
Oorspronkelijke titel: *A Turn in the South*
© 1989, 2002 V.S. Naipaul
© 1989, 2002 Nederlandse vertaling: Tinke Davids
Omslagontwerp: Jeroen van den Boom, Arnhem
Omslagillustratie: Imagebank, Amsterdam

ISBN 90 254 1033 2
NUR 315

www.boekenwereld.com

SEEPERSAD NAIPAUL

14 april 1906
3 oktober 1953

Met steeds hernieuwd eerbetoon

Inhoud

There is a history in all men's lives,
Figuring the nature of the times deceas'd.*

Shakespeare, *Henri* IV, Part 2

* Voor de vertaling van de Engelse teksten, zie de pagina's 411 tot en met 414.

Proloog
Thuis in het Zuiden. Een landschap vol kleine ruïnes

Jimmy werkte als fotograaf in New York. Howard was zijn assistent. Jimmy, die soms wat depressief kon zijn, zei op een dag tegen Howard: 'Howard, als ik het zou moeten opgeven, en als jij geen andere baan kon vinden, wat zou je dan doen?' Howard, die afkomstig was uit het Zuiden, zei: 'Ik zou terug naar huis gaan, naar mijn Mama.'

Jimmy was daar evenzeer door getroffen als ik toen Jimmy het mij vertelde: dat Howard iets had dat Jimmy noch ik had, een stukje aarde dat hij als thuis beschouwde, volkomen van hem. En dat was waar ik – maanden nadat ik dit verhaal had gehoord – vond dat ik dit boek over het Zuiden moest beginnen: met het thuis dat Howard had.

Howard regelde het bezoek. Jimmy besloot met ons mee te komen. We gingen in het paasweekend; dat was zuiver toeval.

Het regende, het had al twee dagen geregend in New York.

Op La Guardia zei Howard: 'Ik vond het er afschuwelijk, toen ik jong was, omdat alles altijd hetzelfde bleef.'

Ik dacht dat hij bedoelde dat het verleden daar bleef voortleven, in historische zin. Maar uit andere dingen die hij zei, kon ik opmaken dat hij alleen bedoelde dat het een plattelandsstadje was waar weinig veranderde en weinig gebeurde. Dat probleem had ik wel vaker met wat Howard zei: ik was te veel bereid er een betekenis in te zoeken die hij niet bedoeld had.

Howard was een meter tachtig, maar slank en bewoog zich lichtvoetig. Hij was achter in de twintig of voor in de dertig. Hij was zijn eigen heer en meester. Hij woonde alleen, en hij wilde liever niet in Harlem wonen. Hij verdiepte zich serieus in kranten en tijdschriften en hij was bijzonder geïnteresseerd in buitenlandse politiek. Hij hield van koken; en hij hield zich fit door squash te spelen in de weekends. Je voelde je gemakkelijk in zijn gezelschap, hij was niet stekelig, en ik leidde dat voor een deel af van zijn thuis waar hij zo zeker van was en waaraan hij zo gehecht was.

Howard zei: 'Je ziet, het Zuiden begint hier al. Meer zwarte mensen, hier in het vliegtuig.'

De meeste passagiers waren zwarten, en ze hadden niets van een Afrikaanse of Westindische menigte. Ze waren bijna ingetogen, nu ze uit de grote stad naar huis gingen voor de paasdagen.

We landden in Greensboro. Het was een grote luchthaven; en daarna, slechts negentien minuten verderop, wat de schaal van de dingen hier aantoonde, kwam een al even groot vliegveld. Daar gingen we van boord. Er stonden mensen van het leger in de wachtruimten. Het was warmer dan in New York; ik trok een dunner jasje aan.

Al gauw waren we op de autoweg.

Howard zei: 'Kijk, de kornoeljes en de pijnbomen. Die zie je veel in het Zuiden.'

De kornoelje was een kleine boom, en stond nu in enkelbladige witte bloei. Niet de kornoelje van Engeland, de struik of kleine boom die graag bij water groeide en rode stengels had die het prachtig deden in herfst en winter. Er waren ook – Howard vertelde me hun namen – eiken en ahorns, in het lichtste lentegroen.

Het land was vlak, als de pampa's van Argentinië of de llanos van Venezuela. Bomen omgrensden echter de velden en maakten dat de maat menselijk bleef. We kwamen langs tabaksschuren, vrij hoge, hoekige, golfijzeren bouwsels, waar vroeger tabak was gedroogd. Ze waren aan het vervallen, het golfijzer was donkerrood verroest, het hout grijs verweerd. Tegen het groen was die golfijzeren roest een prachtige kleur; het gaf een extra schoonheid aan het land.

De autoweg leek op iedere andere autoweg in de Verenigde Staten: reclameborden voor motels en restaurants en tankstations.

Er werd nog steeds tabak verbouwd. We zagen hoe de zaailingen mechanisch werden geplant: één zwarte op de tractor, twee mannen op de wagen erachter die zaailingen met aarde aan de wortels via een plantboor lieten vallen. Vroeger werd dat allemaal met de hand gedaan, zei Howard. Hij had tabak geplukt in de schoolvakanties. De hars uit het groene blad had zijn handen zwart gevlekt en was moeilijk te verwijderen geweest. Ik had nooit geweten van die zwarte hars uit het groene blad, maar ik begreep het onmiddellijk. Om die hars, die teer, rookten mensen het gedroogde blad.

We hadden zo hard gereden op de autoweg dat we al in Howards streek aankwamen voordat ik er eigenlijk op voorbereid was. Er was een kleine stadskern, een kleine rijke blanke buitenwijk daaraan vastgebouwd, en vervolgens, daarbuiten, een zwart gebied. De verschillen waren zichtbaar. Maar Howard, die nu bijna thuis was, leek zijn rechten zowel op het blanke als op het zwarte gebied te laten gelden.

Hij was de hele ochtend opgewonden geweest; nu was dat nog verhevigd. En toen reden we een ander stadje binnen en zagen we de omgeving die hij als jongen had gekend. Hij had het gras gemaaid en het zwembad schoongemaakt en de veranda gedweild van dat huis daar, het huis van de Bowens, van de mensen die nog steeds min of meer de eigenaars waren van het stadje dat Bowen heette. En diezelfde karweitjes had hij gedaan voor de mensen in dat andere huis daar.

Dat kleine groene houten huis, nu afgesloten, vlak langs de autoweg, was zijn moeders huis geweest. Daar was hij opgegroeid. Zijn moeder woonde nu in een ander huis; een ander huis – groter en nieuwer – was 'thuis'. We zagen het vanaf de autoweg. Het was gebouwd van betonblokken, een eind van de weg af, achter een paar andere huizen: niet het oude, door bomen omgeven huis van mijn verbeelding. We stopten niet; we gingen eerst door naar het motel.

Het hoofdgebouw van het motel was een blokhut. Op de zandige binnenplaats stonden kleine barakken, rijen kamers onder bomen en achter struiken. Een zwarte jongen was bezig de vloer van de veranda van de blokhut schoon te spuiten met een tuinslang. Hij maakte een timide indruk – voor het eerst die ochtend voelde ik iets van raciale gedwongenheid – en hij zei dat het kantoortje binnen was.

Er was geen kantoortje, leek het. Alleen een lege kamer met een laag plafond en twee of drie rijen dicht bijeenstaande tafels met rood- of blauwgeruite kleedjes. De airconditioning was al een hele tijd afgezet, en de ongeventileerde lucht was muf.

Howard riep, en na enige tijd kwam er van achteren, door twee deuren, een jonge blanke man in shorts, met een geel plastic schort voor en een groot keukenmes in de hand. Hij was geelbleek en zijn mond stond open; zijn bewegingen waren ongecoördineerd. Even later kwam een dikke oude blanke vrouw met een verwrongen gezicht binnen, via dezelfde twee deuren. Ik had het gevoel dat we hen ten onrechte gestoord hadden, de oude vrouw en de jonge man, die eigenlijk een jongen was.

Twee kamers? Wilden we twee tweepersoonskamers of twee eenpersoonskamers?

Ik begreep de vragen van de oude vrouw niet. Maar toen legde de jongen in de shorts en het gele plastic schort zijn mes neer, hij wenkte ons zo'n beetje en wij volgden hem – hij liep met stampende, lompe stappen – de eetzaal uit, naar de zandige binnenplaats onder de pijnbomen en vervolgens naar een laag gebouw aan de rand. De grond was daar vochtig, en de kamertjes die de jongen achtereenvolgens ontsloot, hadden de vochtigheid van de grond, er hing een bedompte, oude geur en er lagen vlekkerige, goedkope vloerkleedjes.

Het gezond verstand was echter al aan het werk. Nog terwijl Jimmy en ik de kamers bekeken met de zwijgzame jongen met het gele schort, had Howard – die ons niet gevolgd was – van iemand in het motel (misschien van de oude vrouw met het verwrongen gezicht) gehoord dat er een moderner motel was in het volgende stadje, Peters. (Bowen, Peters: Amerikaanse plaatsen, groot en klein, zijn vaak genoemd naar personen; en de alledaagsheid van die namen laat een routebeschrijving soms klinken als een appel in het leger of bij een sportclub.)

Wij gingen dus naar Peters, door het landschap van de autoweg. En het motel in Peters was heel wat groter, met een aantal rode bakstenen gebouwen met een verdieping. Het kondigde zelfs aan een zwembad te bezitten (hoewel er iets aan het filter mankeerde en het water groen was van algen).

Howard, die voor ons uit het trapje opliep en het kantoortje binnenging door de twee deuren, keerde zich naar mij om en zei op geheimzinnige en ietwat grappige toon: 'Dit is iets voor jou.'

En wat hij daarmee bedoelde was dat de dame in het kantoortje een Indiase was, een onmiskenbare Indiase uit India, hoewel ze geen sari droeg en hoewel uit haar stem en optreden een onindiaas zelfvertrouwen bleek. Ze sprak Amerikaans–voor mijn gevoel. De taal liet haar maar één keer in de steek, toen ze op haar kwieke, niet-onderdanige manier zei dat koffie en dergelijke niet te krijgen waren in de *premises*, en dat woord liet rijmen met *'vices'*. Dat was Indiaas; dat was een vleugje India.

Later hoorde ik van Howard dat de laatste zes jaar Indiërs uit India bezig waren geweest de motels in het Zuiden op te kopen van blanken. (En dat verklaarde misschien de grote neonletters 'AMERIKAANSE EIGENAAR', die ik later zag bij een motel in Noordwest-Georgia.)

Dus daar, in de streek die 'thuis' betekende voor Howard: de blanken, die uit een roman afkomstig hadden kunnen zijn; en niet ver daarvandaan mensen van de andere kant van de aardbol die zichzelf al tot Amerikanen maakten, overeenkomstig het beeld dat zij zich daarbij voorstelden.

De man van de mevrouw van het hotel kwam het kantoortje binnen. Hij droeg een lichtbruin velours overhemd met korte mouwen en hij had een Texaans accent–althans, dat dacht ik. Zijn vrouw had gezegd (en hij bevestigde dat nu) dat hij in de oliebusiness had gezeten, als petroleumtechnicus, in Houston. Hij was zes jaar daarvoor gestopt met werken en hij dacht (zoals zijn vrouw al had gezegd, al gaf ze toe dat het heel stil was in Peters, North Carolina), dat hij een goede beslissing had genomen.

Hetty's huis, het nieuwe thuis van Howard, was stukje bij beetje door Hetty zelf gebouwd, met haar eigen handen. Het lag een eind van de weg af, achter andere huizen, en vanaf de autoweg leidde een oprit daarheen. De ligging was goed gekozen. Het huis had een voorgalerij met trapjes aan weerszijden, en een veranda plus garage aan het eind van de oprit vanaf de autoweg. Achter het huis lag een bos.

De pluizige zitkamer met vast tapijt en beklede meubelen was gezellig. In de ene hoek was de keuken, met een bar waaraan gegeten of waar opgediend kon worden. De slaapkamers en andere kamers lagen aan weerskanten van een middengang die bij de zitkamer begon.

Hetty was een mollige, maar goedgebouwde vrouw. Ze was zestig, maar ze had nog een mooie huid. Ze droeg een bril. Ze maakte vriendelijke geluidjes tegen Jimmy, die ze kende, en Howard speelde de rol van de zoon die weer thuis was. Hij zat op een hoge kruk bij de keukenbar, ontspannen, zijn armen en benen elegant geordend, een been dubbel, een been recht: in dit huis een zoon en nu ook nog een halve gastheer. Aan de muur naast de deur die naar de veranda plus garage leidde, hingen familiefoto's, onder meer een van Howard in toga, bij zijn eindexamen.

We lunchten: gebakken vis, jonge kool, zoete aardappels met de kleur van gekookte worteltjes. We zaten met ons vieren aan de eettafel van het eetgedeelte in de ontvangkamer aan de voorkant.

Terwijl we daar zaten – ik met mijn rug naar de voordeur die uitkwam op de galerij met de trapjes aan weerszijden – werd er luid geroepen. Er was bezoek: Hetty's zuster uit Augusta, Dee-Anna (zoals ik de naam verstond) en Dee-Anna's man en zoon. Dee-Anna leek niet op Hetty. Ze was veel dikker en vertoonde meer vetrollen dan Hetty, en was donkerder (Hetty was bruin). Ze was levendiger – een beetje in reactie op haar figuur – maar haar ogen stonden meer onderzoekend. Ze miste Hetty's gemoedsrust.

Dee-Anna's zoon leek op het eerste gezicht slordig gekleed, maar later zag ik dat hij zijn kleren zorgvuldig had gekozen, echt om indruk te maken: een leiblauw jasje in de moderne, vormeloze stijl, een glanzend wit overhemd met een werkje, een smal toelopende broek met lappen erop en zichtbare labels, en nieuwe schoenen (nieuw te oordelen naar de wreef, die nog bijna wit was). Paasbezoekers, speciaal gekleed voor de feestdagen.

Ze praatten een tijdje over een recente grote bokswedstrijd. Ze waren allemaal gesteld op de winnaar. Howard zei dat hij een typische moderne zwarte was, vlot en ontwikkeld; de andere was groot en sterk, maar minder gepolijst.

De jongeman in de moderne kleren vroeg wat ik deed in North Carolina.

Toen ik het hem vertelde, zei hij: 'Wat voor soort boek? Historisch?'

En toen Howard en ik het uitlegden, zei Dee-Anna fronsend: 'Ik hoop dat het niet al te somber wordt.'

Haar zoon–wiens ernst nu geheel los leek te staan van zijn kleding–zei: 'We hebben meer dan genoeg verleden gehad.' Ze waren niet geïnteresseerd in het verleden; ze waren geïnteresseerd in het heden.

Het was niet bij me opgekomen te vragen of Hetty een baan had. Howard had het me niet verteld, en pas toen we bij haar thuis waren, begreep ik dat ze part-time werkte in de lunchroom van de winkel die eigendom was van het tegenwoordige hoofd van de familie Bowen. Na de lunch nam ze Jimmy en mij mee om kennis met hem te maken. Ze zei dat hij een goed mens was.

De winkel was slechts een van de dingen waarmee Bowen zich bezighield. We gingen hem opzoeken in zijn meubelfabriek. Hij zei dat hij niet echt een Bowen was. Hij was alleen maar aangetrouwd, maar de mensen noemden hem Bowen, en hij was daar nu aan gewend. De naam was een paar jaar voor de Onafhankelijkheidsverklaring voor het eerst voorgekomen in het stadje Bowen; maar destijds had het stadje Lawrence geheten (wat deed denken aan een of andere onteigening tijdens of na de Onafhankelijkheidsoorlog).

Bowen wilde echter niet over geschiedenis praten. Hij was voor in de zestig en wilde dat Jimmy en ik zagen wat voor meubels hij maakte; hij wilde praten over het zakenleven in Bowen; hij wilde dat we wisten dat het stadje heel nijver was, dat er, hoewel er maar een paar duizend mensen woonden, tal van miljoenen belegd waren bij de plaatselijke banken. Hij was door en door iemand uit Bowen; en terwijl hij ons alle cijfers gaf en Jimmy en mij door de meubelfabriek leidde en ons liet zien wat hij of zijn machines deden met fineer, stond Hetty te wachten, in haar wijde rok van spijkerstof, met iets van Howards elegantie in haar houding.

Bowen – ik had nooit van die plaatsnaam gehoord voordat Howard hem had genoemd. En hier zag je hem overal, verbonden met alle mogelijke plaatselijke zaken, landbouwwerktuigen, supermarkt, videoverhuur, benzinepomp, meubels, boekwinkel.

Hij was een goed mens, zei Hetty nogmaals, nadat we Bowen en de meubelfabriek hadden verlaten. Ze was op hem afgestapt toen ze vijfduizend dollar nodig had voor haar huis. Hij had diezelfde dag nog met de bank gepraat, en er was een lening geregeld; en alles wat de bank als onderpand had verlangd, was Hetty's auto geweest, en nog iets onbelangrijks. En meneer Bowen was een gelovig man, zei Hetty. Hij had land afgestaan voor de begraafplaats van de zwarten. Daar had zij een familiegraf, met gebeeldhouwde grafstenen.

We reden door een bosgebied in de buitenwijken naar de begraafplaats. We reden haast tot aan de grafstenen. Hetty wilde ze zien, maar ze nodigde ons niet uit om uit de auto te stappen. Wij bleven in de auto zitten en keken een tijdje om ons heen. Het was een kleine begraafplaats, niet voorzien van een hek of enige beplanting als grens. Nu, met al dat lentegroen, leek het een onderdeel van het bos.

Een van de grafstenen was van Hetty's vader. Toen we weer terug waren in haar huis, vertelde ze over hem. Hij was een intelligent man geweest; hij had ervoor gezorgd dat er altijd veel eten in huis was. Hij werkte op een farm voor een blanke – en ik begon te begrijpen hoe nodig het voor Hetty was de mensen te definiëren zoals zij deed. Die blanke had geen belangstelling voor zijn farm gehad. Hetty's vader had alles gedaan, had de oogst verkocht enzovoort. De boerderij – waar Hetty's vader had gewoond en was gestorven – was nu vervallen. Het huis was nog eigendom van de blanke familie, maar ze wilden het niet verkopen; ze wilden het houden als herinnering.

Waar was die vader van Hetty vandaan gekomen? Hij was in 1961 gestorven. Was hij misschien omstreeks 1900 geboren? In

1894, zei Howard. Dat was het jaartal dat op de grafsteen stond op de zwarte begraafplaats, op het land dat Bowen had gegeven. En de geschiedenis van de vader was vaag. Hij was een wees geweest; hij was weggelopen bij een akelige oom en had werk gevonden bij de spoorwegen en was toen hier terechtgekomen, als deelpachter van Smith, de blanke, en hij had succes gehad: tenslotte was hij een van de eerste zwarten in deze streek geweest die een auto bezaten. Het was niet mogelijk meer te weten te komen over die vader, verder terug te gaan in de tijd. Daarvóór was alles vaag, de somberheid waarvan Hetty's zuster en de zoon van haar zuster, en misschien alle zwarte mensen, meer dan genoeg hadden gehad.

Later, na een middagdutje – Jimmy in een van de slaapkamers van Hetty's huis, ik in een andere – en na de thee, gingen we een eindje rijden. Hetty kende de streek goed, ze wist wat van wie was. Het was als een monotone zang, terwijl we reden.

'Dat zijn zwarten, dat zijn zwarten, dat zijn blanken. Zwarten, zwarten, blanken, zwarten. Aan deze kant allemaal zwarten, aan deze kant allemaal blanken. Blanken, blanken, zwarten, blanken.'

Soms zei ze: 'Dit land is vroeger van zwarten geweest.' Dat vond ze niet prettig – dat zwarten land waren kwijtgeraakt door luiheid of door familieruzies. Maar zwarten en blanken leken hier heel dicht bij elkaar te wonen, en Hetty zelf had niets te klagen over de rassenverhoudingen. Blanken waren goed voor haar geweest, zei ze. Maar toen zei ze dat dat misschien alleen zo was geweest omdat zij van mensen hield.

Het was een landschap vol kleine ruïnes. Huizen en boerderijen en tabaksschuren waren zomaar verlaten. Het verval was steeds individueel, en ze waren allemaal mooi in het namiddaglicht. Sommige boerderijen hadden een heel breed, overhangend dak, heel laag, het golfijzer dat eens bescherming had geboden, was nu als een te zwaar gewicht, de platen golfijzer waren doorgezakt en waaierden hier en daar uit.

We gingen kijken bij het nu verlaten huis waar Hetty's vader had gewoond toen hij deelpachter van Smith was. Struiken groeiden tot aan het open huis. De pecanbomen, die nog bijna kaal waren, nog maar een paar blaadjes, rezen hoog uit boven het huis en de tabaksschuren. De kleuren waren grijs (boomstammen en verweerd hout) en rood (verroest golfijzer) en groen en de goudkleur van rietstengels. Terwijl we daar stonden, vertelde Hetty ons over de dood van haar vader in dat huis; het stond haar nog levendig voor de geest.

In een ander huis, dat nog mooier was, hadden Hetty en haar man tien jaar gewoond. Het was een boerderij met een groot groen veld, met grote bomen die aan alle kanten de verte begrensden.

Thuis was voor Howard niet alleen maar zijn moeders huis, het kleine groene huis dat nu afgesloten was, of het nieuwe huis van betonnen blokken waarheen ze was verhuisd. Thuis was wat we hadden gezien. En we hadden nog maar een gedeelte gezien: overal aan deze wegen, in een straal van een paar kilometer, lagen huizen en akkers die te maken hadden met verschillende leden van Howards familie. Het was een rijker en gecompliceerder verleden dan ik me had voorgesteld; en uiterlijk was het fraaier. De huizen waarheen men mij had meegenomen, waren groter dan de huizen waarin veel mensen in Trinidad of Engeland woonden.

Maar in het verleden lag nog altijd het punt waar de duisternis viel, de historische duisternis, zelfs hier, waar thuis was.

We gingen eten bij de Seafood Bar-B-Q. Het was eigenlijk de enige plaats waar we konden eten. Het was een wegrestaurant, een grote, slecht verlichte zaal met een zwijgende jukebox en een paar zondags geklede blanke familiegroepjes. Bier werd er niet geschonken. Daarom namen we de ijsthee, die volgens Howard typisch Zuidelijk was. Hij was stroperig, ongetwijfeld conform de smaak van de diensters, die blank waren en jong en vriendelijk. Een van hen was heel erg jong, misschien een jaar of twaalf, en vond het schitterend dat ze gekleed was als dienster; ze hielp een zuster of een van haar ouders in dit paasweekend, en bracht de mensen lekkere dingen.

Ik vroeg Hetty waarnaar ze verlangde voor zichzelf en haar gezin. Haar antwoord was merkwaardig en ontroerend. Voor haar gezin, zei ze, wenste ze dat een van haar zoons genezen was van zijn drankzucht. En dat was merkwaardig, want daarbij keek ze terug naar het verleden: de zoon over wie ze sprak, was dood.

Voor zichzelf zei ze dat ze, als het mogelijk was, wilde trouwen. Ze wilde niet trouwen om getrouwd te zijn. Ze was oud; dat wist ze; maar dat was de reden waarom ze wilde trouwen. Ze was te veel alleen geweest; ze verlangde naar gezelschap. Howard begreep het. Maar hij noch Hetty dacht dat het haar gemakkelijk zou vallen iemand te vinden.

Hetty zei: 'Mannen zijn hier zeldzaam. Er zijn hier heel weinig mannen. Ga maar naar de kerk en tel de mannen. De goeie zijn weggetrokken. En de mannen die zijn gebleven, deugen niet. Misschien zijn er heel stilletjes nog een paar goeie, maar...'

Maar wat dacht ze over het verleden? Was het een redelijk leven geweest? Ze zei dat ze het verleden niet betreurde. Was de situatie beter voor haar geworden? Was alles niet beter geworden in de jaren vijftig?

Ze zei: 'Ik denk haast nooit na over mijn eigen verleden.'

En Howard zei: 'Ik kan me het verleden nauwelijks herinneren.'

Dat leek op wat Hetty's zuster bij de lunch had gezegd.

Maar toen zei Hetty: 'Ik had een hekel aan de tabak. Ik werd er misselijk van als ik aan het eind van een rij was, de lucht alleen al. Toen ik getrouwd was, stonden we 's ochtends vroeg op, wanneer de dauw nog op de tabaksbladeren lag, en dan stonk het niet. Zelfs nu nog word ik misselijk van tabak. Toen ik jong was, werkte ik op het land, en na twee uur stond ik te huilen. Dat was toen ik samen met mijn vader werkte.'

En daarvóór lag het onnoembare verleden.

Op zaterdag had Hetty opgewonden gepraat over de dienst op paaszondag, bij de dageraad, om vijf uur 's ochtends. Ze had gezegd dat ze daar misschien heen ging. Maar toen Jimmy en ik vertrokken waren uit het Indiase motel in Peters en naar het huis reden voor het ontbijt, bleek Hetty daar nog te zijn. De rondrit de vorige middag had haar moe gemaakt; ze was niet in staat geweest naar de dienst bij zonsopgang te gaan. Ze was nu van plan naar de dienst van elf uur te gaan.

Jimmy en ik waren van plan om halftwaalf te gaan, om het zingen te horen, en althans het begin van de preek, die volgens Hetty om twaalf uur zou beginnen. Jimmy's kleren waren een probleem. In New York had Howard gezegd dat Bowen een typisch plattelandsstadje was en dat vrijetijdskleding en sportschoenen voldoende zouden zijn voor alles wat we zouden ondernemen. De enige kleren voor warm weer die Jimmy bij zich had bestonden uit een safaripak van Banana Republic. Hetty zei dat dat wel kon; maar op een gegeven moment zou ze moeten opstaan in de kerk om de gemeente om vergiffenis te vragen voor zijn kleding.

Op de televisie in Hetty's zitkamer heerste een aanhoudende religieuze opwinding, met diensten in zwarte kerken en blanke kerken, waar dominee en koor steeds modieus gekleed waren en elke kerk haar eigen kleuren had, bijna een eigen livrei.

Een predikant, die heel serieus en brallend optrad, onderbrak zijn preek even om reclame te maken voor een nieuw boek over bijbel en hiernamaals. Het boek gaf antwoord op de vragen die de mensen stelden, zei hij. 'Zullen wij vrolijk zijn in de hemel?' En voordat ik dat 'vrolijk' helemaal tot me kon laten doordringen— vrolijk van wijn, vrolijk kerstfeest, O du fröhliche Weihnachtszeit—werd de andere vraag genoemd waarop het boek een antwoord gaf. 'Zal er vooruitgang zijn in de hemel?' Die Amerikaanse hemel was kennelijk een kopie van de Amerikaanse aarde, met zwarten en blanken, en Noord en Zuid, en Republikeinen en Democraten.

Hetty liep naar haar kamer in haar rok van spijkerstof, en kwam weer te voorschijn in een felroze japon, die er indrukwekkend uitzag; vervolgens zette ze haar platte donkerblauwe hoed op. Met die hoed en haar bril leek ze op een leidinggevend persoon.

Ze nam de auto naar de kerk. Howard had zijn rijbewijs laten verlopen; hij kon Hetty er niet heen rijden en dan ons komen ophalen. Wij liepen. De kerk was ongeveer anderhalve kilometer verderop. Jimmy droeg zijn Banana-Republic-pak. Howard droeg vrijetijdskleding en sportschoenen; hij ging niet mee naar de dienst. Hij zei dat hij niet graag naar de kerk ging; dat had hij als kind te vaak moeten doen.

De weg was breed. Er kwamen telkens een of twee auto's voorbij. Het gras was vol paarse lentebloemen; en van tijd tot tijd was er, plotseling, een zwart moeras (wat je deed denken aan het ongerepte land, voordat de kolonisten waren gekomen, en aan de troosteloosheid die de kolonisten soms moesten hebben gevoeld).

We liepen langs het huis van meneer Alexander. Dat was een oude zwarte man, in zijn beste zondagse goed, met colbert en das en hoed; en hij stond op het kale stukje land opzij van zijn huis golfslagen te oefenen, of althans een golfstick vast te houden. De tuin voor zijn huisje stond vol met tuinbeelden en alles wat je voor de sier in een tuin kon neerzetten. Hij zei dat zijn grootvader met de verzameling was begonnen; en toen zei hij, met een eigen, kwikzilverachtig gevoel voor tijd: 'Tweehonderd jaar.' Sommige beelden waren afkomstig van Jamaica in West-Indië; Alexander sprak dat uit als Jee-maica.

Toen we verder liepen, zei Howard: 'Je kunt zien dat hij een rare snuiter is. Niet alleen vanwege die golfstick. Maar omdat hij niet in de kerk zit.'

Een auto stopte op de weg naast ons. Er zaten drie blanken in—ras en kleur van mensen waren nu heel belangrijk geworden. Ze wilden weten waar het golfterrein van de Country Club was. Howard zei dat hij ze niet kon helpen, hij was hier zelf op bezoek. En ze reden verder.

De kerk was klein en keurig, van rode baksteen, met een witte toren, en het fronton van de ingang rustte op slanke houten zuilen. Er stonden veel auto's op het terrein opzij van de kerk. Ik zei dat de stad een welvarende indruk maakte door die auto's. Howard zei dat iedereen een auto had; auto's hadden niets te betekenen.

Toen we het trapje naar de ingang opgingen, zei Howard: 'Ze zingen.' Hij ging niet met ons naar binnen. Hij zei—heel jongensachtig nu, typisch de zoon die kon doen wat hij wilde—dat hij buiten zou wachten.

Een slanke, jonge, bruine vrouw begroette Jimmy en mij bij de deur en overhandigde ons een dienstformulier. We gingen achterin zitten. En ik herinnerde me wat Hetty had gezegd: 'Ga maar naar de kerk. Tel de mannen.' Er waren minder mannen dan vrouwen. Achterin zaten een paar kinderen met hun moeders. En iedereen was–zoals Hetty had laten doorschemeren– op zijn paasbest.

De kerk was van binnen even eenvoudig en keurig als van buiten. Er waren vrij nieuwe, lichtgekleurde, hardhouten banken, en er lag een lichtbruin tapijt. Aan het eind, op een verhoging, stond het koor, met aan weerszijden een pianist. De mannen van het koor, op de achterste rij, droegen kostuums; de vrouwen en meisjes, op de drie voorste rijen, droegen goudkleurige toga's. Zodat het een kleinere, plaatselijke versie was van wat we hadden gezien op de televisie in Hetty's zitkamer.

Achter het koor, achter de meisjes in het goud en de mannen in donkere kostuums, hing een groot schilderij van de doop van Christus, dat een merkwaardig doorschijnende indruk maakte: het water was blauw, de oevers van de rivier waren groen. Dat Christus en Johannes de Doper blank waren, was een verrassing. (Net zo'n verrassing als de avond daarvoor, in het huis van de oude gepensioneerde zwarte onderwijzer, het schilderij van Jezus Christus was geweest: een gebaarde figuur die leek op generaal Custer in *Little Big Man*.) Maar misschien lag die verrassing of ongerijmdheid alleen aan mijn ogen, want de blankheid van Jezus was precies zo'n iconografisch gegeven als de blauwheid van de goden in het Hindoe-pantheon, of het Indiase uiterlijk van Daruma, de eerste boeddhistische zendeling, in de Japanse kunst.

Het zingen was afgelopen. Het was tijd voor 'Mededelingen, Aankondigingen en Begroeting van Bezoekers'. De kleine zwarte man in donker pak die deze taak vervulde–niet de predikant– sprak het laatste woord heel merkwaardig uit–hij verdeelde het woord in lettergrepen, en vervolgens, als om het woord uit te persen, legde hij enorm veel nadruk op de laatste lettergreep, en hij zei dus iets als *bù-zoeoeoe-*KURS.

Hij was uitgesproken en wachtte op wat men zou zeggen. Een

man stond op en zei dat hij uit Philadelphia kwam; hij was hier voor familiebezoek. Toen stond Hetty op, met haar platte blauwe hoed en roze japon. Ze keek naar ons en richtte zich toen tot de man in het donkere pak. Wij waren vrienden van haar zoon, zei ze. Hij zelf was ergens buiten. Ze legde uit waarom Jimmy geen das of jasje droeg, en vroeg de aanwezigen om vergiffenis.

Toen stonden we op, eerst ik, toen Jimmy, en vertelden we wie we waren, zoals de man uit Philadelphia had gedaan. Een bleke vrouw op een van de voorste rijen draaide zich om en zei tegen ons dat zij ook uit New York kwam; ze begroette ons als Newyorkers. Het was alsof je daardoor een band kreeg, dacht ik. En toen de man in het donkere pak sprak over broeders en zusters, leken die woorden een meer dan formele betekenis te hebben.

De koperen schaal voor de collecte werd in de banken doorgegeven. (Het bedrag van de collecte van de week daarvoor werd genoemd in het dienstformulier, iets meer dan driehonderdvijftig dollar.) De dominee, een jongeman met een heldere, beschaafde stem, vroeg ons te mediteren over het paaswonder. Om ons te helpen deed hij een beroep op het koor.

De koorleidster, een dikke vrouw, zette de microfoon recht. En na dit kleine, zorgvuldige gebaar werd alles hartstochtelijk. Het gezang was 'What about me?' Het koor klapte in de handen en wiegde op de maat. Een man in de gemeente—hij droeg een bruin pak— stond op, klapte in zijn handen en zong mee. Een vrouw in het wit, met een witte hoed, stond op en zong mee. En zo begon ik te voelen wat de vreugden van de godsdienstige samenkomst waren: de vreugden van broederschap, eenheid, formaliteit, ritueel, kleding, muziek, die allemaal samen extase mogelijk maakten.

De formaliteit—die door deze zwarte mensen aan allerlei bronnen was ontleend—was de grootste verrassing; en de gedachte van gemeenschap.

Iemand anders in een kostuum stond op en sprak de gemeente toe nadat de zwarte man in het donkere pak was uitgesproken. 'Dit *is* een grote dag,' zei de nieuwe spreker. 'Dit is de dag waarop de Heer is *verrezen*. Hij is verrezen voor iedereen.' Voortdurend werd vanuit de gemeente zacht 'Amen!' geroepen. De spreker zei: 'Veel mensen die het beter hebben dan wij, kennen dit voorrecht niet.'

Tenslotte sprak de beschaafde jonge dominee in zijn elegante toga met twee rode kruisen. 'Jezus moest bidden. *Wij* moeten bidden. Jezus moest wenen. *Wij* moeten wenen... God is zo goed voor ons geweest. Hij heeft ons een tweede kans gegeven.'

Marteling en tranen, geluk en verdriet: dat waren de motieven van deze godsdienst, deze band, deze troostende eenheid – en die eenheid was voor mij het onverwachte en ontroerende. En net als in islamitische landen begreep ik wat een macht een predikant kon hebben.

Zoals Howard achteraf zei, toen hij en Jimmy en ik terug liepen naar het huis: '*Alles* gebeurt in de kerk.'

We kwamen een andere plaatselijke rare snuiter tegen, om de term te gebruiken die Howard gebruikt had op de heenweg: dit was de dronkaard van de zwarte gemeenschap. We waren nog een eind van het huis van deze man vandaan toen Howard hem uit een van de ramen zag kijken. Howard zei: 'Naar beneden kijken. Praat niet tegen hem. Doe of je hem niet ziet.' Dat was een van de manieren die Howard, zowel hier als in New York, had geleerd om vervelende dingen te vermijden: je moest 'oogcontact' vermijden, zei hij, want dat werkte provocerend op overvallers, bedelaars, rasfanaten, gekken, alcoholisten.

De dronkaard, omlijst door zijn raam, bekeek ons terwijl we op zijn huis toeliepen. Toen we passeerden, keek ik uit mijn ooghoek naar hem. Hij stond in zijn hemd voor het raam, alleen in zijn huis, zijn ogen waren bloeddoorlopen, zijn geest en verstand waren ver weg.

Ik vertelde Howard dat de indruk die ik die ochtend had gekregen van een zwarte gemeenschap met een eigen strenge code een verrassing voor mij was.

Hij zei: 'Deze gemeenschap, althans wat je ziet, zal over twintig of vijfentwintig jaar verdwenen zijn.' Rassenscheiding had de zwarte gemeenschap in stand gehouden. Maar tegenwoordig deden zwarten en blanken, vooral in de jongere generatie, meer dingen samen. Daardoor begreep ik wat Hetty (in haar rouw om een zoon) de dag tevoren had gezegd over zwarte en blanke jongens die nu 'samen dronken'. En ik was er niet zeker van of Howard of Hetty wel zo blij was met die nieuwe contacten en de dingen waarvan ze een voorafschaduwing waren. Ik dacht dat Hetty niet zo sereen had kunnen zijn zonder haar gemeenschap.

Bij de lunch, toen Hetty terug was uit de kerk, praatten we wat over de positie van de zwarten. Dat onderwerp hadden we de dag daarvoor niet aangeroerd.

Zwarten hadden de slechte tijd overleefd. Nu alles beter voor hen had moeten worden, waren nieuwe raciale elementen in het land opgetreden: Mexicanen en Cubanen en andere buitenlanders. De Mexicanen zouden binnenkort politieke macht veroveren in het land. De Aziaten kochten niet alleen motels op; ze zaten ook in andere takken van handel; en ze waren nog maar een paar jaar hier. In een ziekenhuis in de buurt, zei Hetty, werkten maar twee *Amerikaanse* dokters.

En al gauw waren Howard en Hetty bezig elkaar te herinneren aan de manier waarop de dingen veranderden. Vroeger kwamen er vrachtauto's om zwarten op te halen voor het plukken van fruit. Die vrachtauto's kwamen niet meer; de Mexicanen plukten het fruit. En Howard zei dat de zwarten zich hadden teruggetrokken uit Miami. De zwarten hadden niet in de hotels willen werken; zulk werk vonden ze vernederend. Dus hadden de Cubanen dat werk aangenomen, en de zwarten zouden daar niet meer worden toegelaten. Op dergelijke manieren hadden de zwarten toegelaten dat de Cubanen de macht over de stad veroverden. Spaans was nu de voertaal in Miami.

Later, toen we teruggingen naar het vliegveld, zagen we blanke kerkgangers die de andere baptistenkerk in Bowen verlieten. Die lag niet ver van de zwarte kerk waar wij waren geweest. En pas toen drong het tot me door dat ik een stadje met rassenscheiding had gezien, met oude, gescheiden instellingen.

Dat gaf een diepere betekenis aan Hetty's woorden, aan haar monotone zang toen we onze rondrit hadden gemaakt: 'Aan deze kant allemaal blanken, aan die kant allemaal zwarten. Zwarten, zwarten, blanken, zwarten. Zwarten, blanken.'

Zij zag het vertrouwde land op haar eigen manier – terwijl ik alleen de kleuren van de lente had gezien, de paarse bloemen langs de weg, het zurige onkruid, de pijnbomen en kornoeljes en eiken en ahorns, en het grijs en groen en donkerrood van verlaten boerderijen en tabaksschuren. Nu we teruggingen naar het vliegveld, zag ik het verleden iets beter. Ik zag iets meer van wat ik de dag daarvoor had gezien.

En ik begon te zien hoe Howard, die zijn thuis had verlaten en naar New York was getrokken, zich kon afzonderen, zowel van het verleden als van de woede van Harlem.

Ik vroeg hem waarom hij niet in Harlem woonde.

'Ik heb een ander ritme. En dat voelen ze. Ritme? Dat is zo iets als je energiepeil. Hoe moet ik het zeggen? Ik ben niet kwaad. De meeste mensen in Harlem zijn kwaad.' En in een poging meer uit te leggen over zichzelf zei hij: 'Ik ben anders. Ik voelde me al anders op de middelbare school. Je wordt anders door wat je denkt en wat je voelt. Ik heb me altijd anders gevoeld. Wat mij het gevoel geeft dat ik in de verkeerde plaats ben geboren. Als zoveel mensen.'

Twee dagen later, in New York (en vlak voordat ik aan mijn eigenlijke reis door het Zuiden begon), praatte ik opnieuw met Howard om er zeker van te zijn dat ik bepaalde dingen goed had begrepen.

Over de aanwezigheid van Aziaten en Cubanen en Mexicanen zei hij: 'Ik ga me erg pro-Amerikaans voelen wanneer ik daarover nadenk.' En die pro-Amerikaanse houding strekte zich ook uit tot de buitenlandse politiek, waarvoor hij zich zo interesseerde. Zo was Howard, afkomstig uit de kleine zwarte gemeenschap van Bowen, een conservatief man geworden. Hij zei: 'Als je een baptistische achtergrond hebt, in het Zuiden, dan is dat volgens mij de grondslag voor een conservatieve persoonlijkheid.'

Ik vroeg naar wat hij gezegd had over de zwarte gemeenschap toen we van de kerk naar huis liepen. Hij had gezegd dat die gemeenschap over twintig tot vijfentwintig jaar zou verdwijnen; en hij leek dat nogal neutraal gezegd te hebben. Was hij inderdaad neutraal?

Hij legde zich niet vast. Hij zei dat er minder eenheid in de gemeenschap zou zijn, maar dat de veranderingen goede dingen zouden opleveren. Hij zei opeens, een beetje mystiek: 'Verandering is zoiets als de dood. Er kan iets goeds uit voortkomen. Het is zoiets als de Burgeroorlog, toen er een eind kwam aan een complete manier van leven.'

Tenslotte bleek dus dat zijn woorden heel in het begin, over zijn geboorteplaats waar alles hetzelfde bleef, te maken hadden gehad met geschiedenis, zoals ik meteen al had gedacht. Ik had dat van me afgezet omdat zijn woorden leken te wijzen op saaiheid, op steeds hetzelfde: dezelfde gebouwen, de ruïnes die men op de akkers had laten staan, de saaiheid van het leven in een klein stadje. Dat had hij inderdaad bedoeld; maar hij had ook bedoeld dat het verleden voortleefde. Het was of hij, door tegen mij, een vreemde, te praten, een manier had moeten zoeken om te praten over het onnoembare verleden.

1 Atlanta
Afstemmen

In New York bereidde ik mijn reis voor. Iemand stelde voor dat ik naar Tuskegee in Alabama zou gaan, voor een bezoek aan de kweekschool, nu een universiteit, die meer dan honderd jaar daarvoor was opgericht door Booker T. Washington, voor zwarten die toen net bevrijd waren uit de slavernij.

Tuskegee was een naam die ik kende. Het was een beetje een naam uit een sprookje, uit mijn herinneringen aan *Up from Slavery*, het boek van Booker T. Washington dat men mij als kind te lezen had gegeven op Trinidad. Zo ver weg: het was moeilijk me voor te stellen dat de plaats met die vreemde naam nog bestond, in de nuchtere werkelijkheid.

Ik kreeg de naam van een man die zijn opleiding in Tuskegee had genoten, Al Murray. Hij was schrijver, een protégé van Ralph Ellison, en hij woonde in New York. Hij was vriendelijk aan de telefoon, geïnteresseerd in mijn reisplan en bereid verder te praten. Hij wilde dat ik naar zijn appartement kwam. Dat lag in het hart van Harlem, zei hij; en hij vond dat ik Harlem moest zien. Dat zou een onderdeel van mijn voorbereiding op de reis zijn.

Hij woonde in 132nd Street. Hij vond dat ik gewoon de bus moest nemen op Madison Avenue. Uit zijn stem maakte ik op dat hij het slap zou vinden als ik iets anders zou doen, en ik was ook van plan de bus te nemen; maar op het laatste moment verloor ik de moed en wenkte ik een taxi. In een mum van tijd waren we in Harlem. In een mum van tijd, in volle vaart door de op elkaar afgestemde verkeerslichten, waren we in wat leek op een karikatuur van de stad verderop.

Het leek op een sprong vooruit in de tijd, alsof een bladzijde was omgeslagen: bovenramen kapot en geblakerd in muren van warme bruine natuursteen of oude rode baksteen, huizen die uitgeleverd waren, waarin gekampeerd werd, oude vaardigheden en elegantie die overleefden in steenwerk (als in een geplunderde Romeinse stad), hier en daar muren waarbinnen alleen aarde was, die wachtte op opgravingen, later: geen zichtbare relatie tussen de mensen en de stad, de gemengde bevolking van het meer centrale stadsgedeelte gewijzigd en de drukte op de trottoirs verdwenen, de mensen nu allemaal zwart, niet veel vrouwen te zien, en de mannen vaak in de houding van nietsdoen, zittend op trapjes of staande op de hoeken van straten. In hetzelfde licht van een kwartier daarvoor, met hetzelfde weer, op wat nog steeds Fifth Avenue was.

Het zou na een tijdje hebben moeten ophouden, maar het ging door. Bij sommige verkeerslichten kwam een magere jongen met een uitdrukkingsloos gezicht naar de auto rennen om iets tegen de chauffeur te zeggen. De chauffeur, een dikke zwarte man, antwoordde niet. Het licht werd groen; de jongen met de dunne benen rende zonder verder iets te zeggen weer weg tussen de auto's. Wat had hij gewild? De chauffeur, naar zijn accent te oordelen een Westindiër van een van de kleinere eilanden, zei: 'Hij wilde mijn voorruit schoonmaken.' De chauffeur lachte nerveus en draaide – nu pas – zijn raampje omhoog.

Niet ver daarvandaan was het flatgebouw waar Al Murray woonde. Het was een van een groepje van drie of vier hoge flatgebouwen die op de plaats van oude huizenrijen moesten zijn gebouwd. In het gebouw van Al – dat een eindje van de stoep vandaan lag, met een oprit naar de glazen deuren van de ingang – zat, onverwacht, een portier, en volgens een bordje moesten bezoekers zich laten aanmelden.

Zijn appartement lag helemaal aan het eind van een middengang zonder ramen. Tegen het eind van de gang werd het warmer; er brandde elektrisch licht. Toen Al de deur opende, verscheen het daglicht weer, en door het grote raam achter in zijn zitkamer ving ik weer een glimp op van de Newyorkse hemel. Hij was bruin, en ouder dan ik had gedacht. Ik had een jongeman verwacht, of iemand halverwege zijn carrière; en hij had jong geklonken aan de telefoon. Maar Al was net zeventig geworden.

Zijn zitkamer was vol boeken en grammofoonplaten. Na even gekeken te hebben constateerde ik dat de boeken een serieuze verzameling van twintigste-eeuwse Amerikaanse literatuur waren, in eerste of heel vroege edities: Al was meer dan veertig jaar bezig geweest met kopen, of verzamelen. Zijn jazzplaten (versleten hoezen die verticaal stonden, en tal van planken vulden) waren al even waardevol. Jazz was een van zijn hartstochten. Bij de eerste dingen die hij me liet zien waren privé-foto's van Louis Armstrong – een onverwacht kleine man, het postuur van Picasso, en, eveneens onverwacht, zorgvuldig gekleed: alles aan de grote man was opmerkelijk, bijna een aspect van zijn talent, en voor Al opwindend.

Hij was een man met vurige interesses, gemakkelijk in de omgang, gemakkelijk om naar te luisteren. Zijn leven leek te hebben bestaan uit een reeks heerlijke ontdekkingen. Tuskegee – waar hij vijftig jaar daarvoor had gestudeerd – was een van die ontdekkingen geweest. Hij was dol op zijn universiteit en bewonderde de oprichter ervan.

Hij liet er foto's van zien: bakstenen gebouwen in Georgian stijl, gebouwd door de studenten zelf, zo'n tachtig, negentig jaar geleden. Dit waren de eerste foto's van Tuskegee die ik zag, en ik kreeg daardoor zin erheen te gaan. En naarmate Al vertelde werd Booker T. Washington wat echter. Hij was als slaaf geboren in 1856, maar dat was slechts vijf jaar voor de Burgeroorlog; dus was hij (ongeacht zijn herinneringen) niet erg lang slaaf geweest. En hij was opgegroeid in die buitengewone periode vlak na de Burgeroorlog, toen bevrijde slaven zich hier en daar deden gelden en enkele begaafden onder hen succes hadden geboekt. Hij zou zijn opgegroeid met Amerikaanse denkbeelden, de grote ideeën van de late negentiende eeuw. Booker Washington, zei Al, moest je zien als een Amerikaan uit de tweede helft van de negentiende eeuw, met zijn energie en zijn inzicht in de manier waarop het kapitalistische Amerika in elkaar zat. Hij zou het roerend eens zijn geweest met de zeer rijke en machtige mannen op wie hij met succes een beroep had gedaan.

Al Murray pakte de twee delen van zijn biografie, van de hand van Louis R. Harlan, en liet me de foto's zien. Ze waren ontroerend: die zorgvuldig geposeerde houding, Booker T. Washington met zijn gezin, met zijn fatterige secretaris, al die kleren die zo hoorden bij de achtenswaardigheid van omstreeks de eeuwwisseling–en de ogen van de grote man die altijd vermoeid stonden. En de studenten van Tuskegee, mannen en vrouwen, die als studenten het werk deden dat zo kort daarvoor nog door slaven was gedaan, ze hooiden, metselden muren; maar nu deden ze het werk in fatsoenlijke kleding, de mannen soms zelfs in kostuum–want kleren waren belangrijk voor mensen die ze als slaaf nauwelijks hadden bezeten.

Tuskegee was een oude plantage, zei Al Murray. Het plantershuis was jarenlang buiten het terrein van het instituut gebleven; maar hij had gehoord dat het onlangs was aangekocht, en dat de rector er nu woonde. Verandering op zijn Amerikaans. En je zou kunnen zeggen dat Al Murray, met zijn boeken en grammofoonplaten, zelf een bewijs van die verandering was. Hij was geboren in Alabama, in het diepste Zuiden, was naar Tuskegee gegaan; had gediend bij de luchtmacht en had de dienst verlaten als majoor; en had toén nogmaals carrière gemaakt als geleerde en schrijver.

Aan het eind van zijn tijd bij de luchtmacht was hij naar New York gekomen, naar dit appartement. Waren zijn buren daar zwarten uit de middenklasse, uit de vrije beroepen? Nee; het was een mengeling. Een van zijn buren bijvoorbeeld was portier in de club waarvan Al lid was. 'Daar is hij de portier. Hier is hij mijn buurman.' Dat vond Al mooi. Ook het appartement als zodanig vond hij mooi.

Bleef de omgeving. Toen hij me meenam naar zijn duizelig makende balkonnetje om me het uitzicht te laten zien, de elegantie die in de bedoeling van de eerste bouwers van Harlem had gelegen, zag ik uit de hoogte de straten die me op straatniveau zo gedeprimeerd hadden. Ik zag ook de puinhopen van de rij bakstenen huizen ten zuiden ervan. Daar was zes jaar daarvoor brand geweest, zei Al; de lege muren had men sindsdien gewoon laten staan. Een grote boom (nu in lentetooi) was binnen de muren van een van de huizen gegroeid zonder de muren te beschadigen. Het leek wat op de oorlogsruïnes die men in delen van Oost-Berlijn als gedenkteken in stand houdt – en sommige verwoeste straten van Harlem deden je inderdaad aan oorlog denken.

Al was echter allang gewend aan de uitgebrande huizen van het blok ernaast. Hij leek ze niet meer te zien; hij zag het ruimere uitzicht. Naar het zuiden lag heel Manhattan aan onze voeten. Als dat hoge gebouw een paar straten verderop niet in de weg had gestaan, zei Al, hadden we het Empire State Building kunnen zien. In westelijke richting lag een veelkleurige rij gebouwen die een beroemde zwarte schilder, een vriend van Al, tot onderwerp voor een schilderij had gekozen. En wanneer Al naar de straat onder zich keek, zag hij de twee of drie kerken en het huis van het plaatselijke congreslid: gebouwen die belangrijke aspecten van het plaatselijke leven vertegenwoordigden.

En met Als hulp veranderde mijn blik. Waar ik eerst alleen Harlem en somberheid had gezien, begon ik op dat hoge balkon de relatieve orde te zien van de wijk waar Al woonde. En de pracht van het oorspronkelijke bouwplan van Harlem: grootser in het oog van de toenmalige bouwers dan alles wat verder naar het zuiden lag.

Die eerste bouwers van Harlem hadden echter te veel gebouwd. Er waren in de jaren negentig van de vorige eeuw niet genoeg mensen geweest voor de nieuwe huizen van Harlem. Toen waren zakenlieden begonnen de huizen op te kopen om ze te verhuren aan zwarten uit het Zuiden. Ze adverteerden; ze probeerden de goodwill en de medewerking te krijgen van Booker T. Washington, die destijds de bekendste zwarte van de Verenigde Staten was. Washington was niet enthousiast geweest; hij vond het te commercieel. Washingtons secretaris echter, Emmett Scott, een van de grote drie van Tuskegee (de grote huizen van Washington, zijn penningmeester en zijn secretaris staan nog steeds naast elkaar in Tuskegee), deed mee aan deze zakelijke onderneming. Zo begon het zwarte Harlem zoals het zou voortbestaan, arm en uitgebuit. En er was een verband met Tuskegee, hoe dan ook.

Al Murray nam me mee op een wandeling in de buurt. Hij vroeg of ik zag hoe breed de trottoirs waren: die hoorden bij de elegantie van het oorspronkelijke ontwerp van Harlem. Hij nam me mee naar een boekwinkel met boeken over de beweging van de zwarten, en met posters en pamfletten over plaatselijke aangelegenheden. Ik kocht een paperback, *The Souls of Black Folk* van DuBois, een zwarte criticus uit de tijd van Washington (er stond een heel vroege editie van dit boek in Als kast), en we praatten wat met de toegewijde en ontwikkelde dame van de winkel. Over Harlem Hospital—het belangrijkste gebouw in de buurt—zei hij dat het niveau er goed was en steeds beter werd. En daarna, terwijl mijn blik zich steeds meer 'ontwarde', gingen we naar Schomburg Center, een prachtig nieuw gebouw voor Afro-Amerikaanse wetenschappen, met een enthousiaste staf, zwart en blank.

Het Center kende beurzen toe aan mensen die daar in de bibliotheek werkten. De onderzoekster die ik sprak was een knappe bruine vrouw die veel gereisd had en studie maakte van de culturele banden tussen Brazilië en West-Afrika. Ze sprak met het enthousiasme van de ontdekkingsreiziger over haar werk. Voor haar was de zaak van de zwarten, of liever deze tak ervan, als een nieuw land.

Terug nam ik geen taxi. Er waren geen taxi's op straat. Al wachtte samen met me; hij praatte over Ralph Ellison, totdat er een bus kwam. En toen zag ik, onwillig, en ditmaal langzamer, van halte tot halte, wat ik op de heenweg had gezien: het verval van een compleet gedeelte van een grote stad.

In Dallas in 1984, op de conventie van de Republikeinen, had ik het idee opgevat te reizen door het Zuiden van Amerika, of liever het Zuidoosten. Ik was nooit eerder in het Zuiden geweest; en hoewel Dallas geen deel uitmaakte van het Zuidoosten waar ik later zou reizen, kreeg ik daar al de indruk van een gebied dat totaal anders was dan New York en New England, wat eigenlijk alles was wat ik kende van de Verenigde Staten.

Ik had waardering voor de nieuwe gebouwen, de vormen, de glans, de architectonische speelsheid, en de rijkdom die daaruit bleek. Architectuur als genoegen – het was interessant dit te zien groeien uit de kleurloosheid van de oudere stad, die eerder de stijl van pakhuizen vertoonde.

Het was half augustus en bloedheet. Ik vond het prachtig zoals in de straten van het centrum het felle licht en de slagschaduwen van de hoge gebouwen contrasteerden, en zoals die schaduwen het merkwaardige gevoel gaven van een ander, meer gematigd klimaat. Je speelde voortdurend met dergelijke contrasten. Het getinte glas van de hotelkamer verzachtte de gloed van de hete hemel: de ware kleur van de hemel, buiten, was steeds een verrassing. De airconditioning in hotels, auto's en vergadercentrum maakten de hitte, waar je telkens even doorheen kwam, stimulerend.

Die hitte was een openbaring. Je moest erdoor denken aan de oude tijd. Evenals de enorme afstanden gaf dat je een ander idee van het leven van de vroege kolonisten. Nu echter was juist dit klimaat van het Zuiden in dienst van iets anders gesteld. De hitte, waarvan je verwacht zou hebben dat alles erdoor verslapte, had men veranderd in een bron van genot, een sensuele opwinding, een attractie: midden in augustus kon men een politieke conventie houden in Dallas.

Op de muur achter het podium van het vergadercentrum waren de vlaggen van alle staten plat neergelegd, in alfabetische volgorde. De vlaggen van de oudste staten waren opvallend; ze deden me denken aan de Brits-koloniale vlag (en het door de Britten gegeven koloniale motto, in het Latijn, uit Vergilius) die ik als kind in Trinidad had gekend. En voor het eerst drong het tot me door dat Trinidad, een voormalige Britse kolonie (sinds 1797), en een slavenkolonie die van landbouw leefde (tot 1833, toen de slavernij in het Britse Imperium was afgeschaft), meer gemeen moest hebben gehad met de oude slavenstaten van het Zuidoosten dan met New England of de nieuwere noordelijke staten met hun Europese immigranten. Dat had al veel eerder tot me moeten doordringen, maar dat was niet gebeurd. Wat ik als kind had gehoord over het racisme in het Zuiden was te schokkend geweest. Dat had de Verenigde Staten bezoedeld, en gemaakt dat ik me afsloot voor het Zuiden.

Maar dat was nu lang geleden, getuige het ritmische voetgestamp en applaus waarmee de conventie een beroemde zwarte footballer begroette toen hij op het podium verscheen.

Het vergadercentrum was heel groot. Het oog kon het niet allemaal tegelijk bevatten. In die enorme ruimte leken de gestalten op het podium klein. Ze hadden verloren kunnen gaan, maar een groot scherm boven hen vergrootte hun beeld, en tientallen kleinere schermen overal in het centrum herhaalden dat levende, gefilmde beeld. Het was hypnotisch, zo'n zelfde gebaar of gezicht van dichtbij, dat je uit zoveel hoeken bereikte. Het doel kan uitsluitend communicatie en helderheid zijn geweest, maar men had geen grootser getuigenis kunnen afleggen van het primaat van de mens; niets had op een dergelijke manier kunnen proberen de glorie van het kortstondige moment te rekken. En toch sprak deze conventie, bijna als onderdeel van haar politieke verdienste, van geloof en nederigheid en hemel, en verootmoedigde ze zich dagelijks voor God.

Een beroemde baptistenpredikant sprak de laatste zegen uit. De organisatie van zijn kerk was gigantisch; volgens de kranten bezat ze in het centrum van Dallas gebouwen ter waarde van talloze miljoenen. Op de zondag na de conventie ging hij voor in een stampvolle kerk. De dienst werd ook uitgezonden op de televisie; en het was een volledig gekostumeerde vertoning, met muziek en zang. De preek over hel en verdoemenis had echter afkomstig kunnen zijn uit een eenvoudigere, ruigere tijd, toen de mensen misschien vijf of zes maanden per jaar niet aan de hitte hadden kunnen ontsnappen, toen reizen moeilijk was, toen de mensen een beperkt bestaan leidden in de gemeenschap waar ze waren geboren, en het leven alleen zin kreeg door absolute godsdienstige zekerheden.

Ik begon te denken aan schrijven over het Zuiden. Mijn eerste reisboek – geïnspireerd door Eric Williams, de eerste zwarte premier van Trinidad – had een paar van de voormalige slavenkolonies in het Caribisch gebied en Zuid-Amerika beschreven. Toen was ik achtentwintig geweest. Het kwam mij passend voor dat mijn laatste reisboek – reizen vanwege een thema – zou gaan over de oude slavenstaten van het Zuidoosten van de Verenigde Staten.

Mijn gedachten – in Dallas, en later in New York, toen ik mijn reis voorbereidde – cirkelden om de kwestie van het ras. Ik wist toen nog niet dat deze kwestie snel zou verdwijnen tijdens mijn reis, en dat mijn onderwerp zou worden: dat andere Zuiden – dat van orde en geloof, van muziek en melancholie – waar ik niets van wist, maar waarvan ik een eerste vermoeden had gekregen in Dallas.

Van New York ging ik naar Atlanta. Men had me verteld dat daar een oude zwarte elite woonde, een soort zwarte Amerikaanse aristocratie; dat daar veel geslaagde zwarte zakenlui waren, en een aantal zwarte miljonairs; en dat zwarten de stad bestuurden. Ik boekte een vliegreis, stond in Atlanta op het vliegveld in de rij om een auto te huren; en reed toen door de machtige wegenconstructies van het stadscentrum naar het hotel. En daar stond ik, lichtelijk verbaasd dat de reis die ik zo lang van plan was geweest nu zo nuchter begon.

En als in antwoord op mijn ongerustheid, gingen alle afspraken die ik in New York had gemaakt, niet door, stuk voor stuk, en heel snel. Een journalist was naar een andere stad gegaan voor een artikel; een zwarte zakenman zei over de telefoon dat hij geen contacten meer had in Atlanta, dat hij al twintig jaar elders woonde. En de zwarte man wiens naam ik had gekregen van een filmmaker, zei dat bijna alles wat ik over Atlanta had gehoord, verkeerd was.

Dat gepraat over een zwarte aristocratie was overdreven, zei deze man. Gemeten naar de normen van Amerikaanse rijkdom waren de zwarten van Atlanta niet rijk; op een lijst van de rijkste inwoners van Atlanta zou een zwarte misschien op nummer tweehonderdeen komen. Politieke macht? 'Politieke macht zonder die andere macht is zinloos.'

Hij nam een slok van zijn wijn, mijn informant, en leek lang niet ontevreden dat hij me van de wijs had gebracht.

Ik geloofde inderdaad wat hij zei. Ik had gevoeld dat de fraaie nieuwe gebouwen van Atlanta die je op zoveel foto's zag, even weinig met zwarten te maken hadden als bijvoorbeeld de gebouwen van Nairobi met de financiële of bouwkundige talenten van

Afrikanen in Kenia. Ik had gevoeld dat het gepraat over zwarte macht en zwarte aristocratie een beetje al te vlot en overijld was.

Ik had het echter zelf willen zien; en ik had gehoopt in contact te komen met mensen. Maar deze zwarte man sprak met geen woord over dat soort hulp. Ik kon gaan praten met Andrew Young, de burgemeester, zei hij; maar waarschijnlijk zaten daar al tweehonderd interviewers te wachten. (Dan zou ik dus nummer tweehonderdeen zijn – een populair getal.) Mijn gevoelens over deze zwarte man, die zijn wijn dronk, over zijn glas heen naar me keek, genoot van mijn verwarring, wachtte op mijn vragen en ze neersloeg als vliegen, mijn gevoelens waren dat hij steeds meer geneigd was mij tegen te spreken, steeds minder bereid was te helpen en dat hij op het punt stond de wildste uitspraken te doen: dat ik zo dadelijk zou horen, niet alleen dat er geen welgestelde zwarten waren in Atlanta, maar ook dat er nooit iets in Georgia was geweest, geen plantages, geen katoen, maïs of aardappels, dat de enige die bestond in dit grote zwarte heelal van Atlanta hij zelf was.

Vanuit mijn raam in het Ritz-Carltonhotel leek mijn uitzicht 's avonds, op de ramen van het enorme Georgia Pacific-gebouw, op een grote pop-art-ets. Achter de ramen, die allemaal even groot waren, brandde licht. Elke verdieping was als een filmstrip of een reeks contactafdrukken van vrijwel hetzelfde uitzicht. Op de lagere verdiepingen keek ik neer op de bovenzijde van bureaus en de vloeren van kantoren. Op ooghoogte zag ik de silhouetten van bureaus tegen de kantoorwand. Vervolgens verdwenen de bureaus naarmate ik hoger keek. Op de hogere verdiepingen zag ik alleen verlichte plafonds; en helemaal bovenaan was er alleen licht, een gloed voor het raam. De kantoren waren allemaal leeg; de mannen die daar overdag zaten, waren nu ergens in de voorsteden. De schilderijen die aan de muren van de kantoren van het hogere personeel hingen, waren als willekeurige rangtekens, niet meer dan rechthoeken van deze afstand, niet te onderscheiden, kleurloos zelfs – zoals grote steden, van zeer grote hoogte, zichtbaar zijn als vlekken onder de wervelingen van de aardbol.

Een formele gemeenschap, particuliere levens, een formeel

uitzicht: er was een introductie nodig voor elk van die kamers, en de bezoeker wist niet bij welke deur hij moest aankloppen. Waar vond het nieuws plaats? Was het niet meer dan een voorstelling, op de televisie?

Maar toen las ik in de krant over wat er gebeurd was in Forsyth County. Forsyth County lag zo'n zestig kilometer ten noorden van Atlanta. In dat district was in 1912 een jong blank meisje verkracht en zo ernstig mishandeld dat ze een paar dagen later was gestorven. Een aantal zwarten was van deze daad beschuldigd. Eén was gelyncht; twee anderen hadden terechtgestaan en waren opgehangen. Alle zwarten van Forsyth waren verjaagd en sindsdien (zo zei men) hadden er nooit meer zwarten in het district mogen wonen.

Dat laatste, dat zwarten niet in Forsyth mochten wonen, was eerder dat jaar een politieke kwestie geworden, toen iemand half januari een 'Broederschapsmars' in Forsyth had georganiseerd ter herdenking van zowel de moord op Mahatma Gandhi als de geboorte van Martin Luther King. Die mars was aangevallen door enkele bewoners en Ku Klux Klan-groepen; zo was de kwestie in het nieuws gekomen. Een tweede Broederschapsmars een week later – na al die publiciteit – was veel omvangrijker geweest. Twintigduizend mensen waren naar Forsyth gekomen om te marcheren, en er waren ongeveer drieduizend man van de Nationale Garde en de staats- en gemeentepolitie op de been geweest om de orde te handhaven. Niettemin was er geprotesteerd; zesenvijftig personen, die geen van allen tot de deelnemers behoorden, waren gearresteerd.

De man die de marsen had geregisseerd, of de kwestie zo belangrijk had gemaakt als ze was geworden, was een zwart gemeenteraadslid uit Atlanta, Hosea Williams. Hij was eenenzestig en had met Martin Luther King samengewerkt in de beweging voor de burgerrechten. Hosea had sindsdien een aanklacht ingediend tegen een paar Klan-groepen omdat ze de burgerrechten niet geëerbiedigd hadden bij de eerste broederschapsmars; en hij was ook op het idee gekomen dat men schadevergoeding zou kunnen eisen van Forsyth County namens de zwarten die hun land waren kwijtgeraakt toen ze in 1912 waren verdreven.

Tom Teepen van de *Atlanta Constitution*, met wie ik op een dag ontbeet, sprak bijna met genegenheid over Hosea Williams. 'Een oerkracht, een volksmenner in de traditie van de Parijse barricades, en slim.'

Maar ik kon Hosea die week niet spreken.

Tom zei: 'Hij zit in de gevangenis.'

'In de gevangenis!'

'Dat is niets bijzonders. Hij zit vaak voor het een of ander in de gevangenis. Hij komt er over een paar dagen weer uit.'

Toen ik wat publiciteitsmateriaal van Hosea Williams zelf inkeek, met name het pamflet *Who Is Hosea L. Williams?*, zag ik dat zijn gevangenisreputatie belangrijk voor hem was. Er was een foto van hem in een cel. 'Ds. Hosea is recordhouder op het punt van arrestaties voor de burgerrechten... Hij heeft sinds de dood van dr. King ongeveer even vaak gevangen gezeten als tijdens diens leven (in totaal honderdvijf keer).'

Hij was geboren in 1926; zijn protesten en gevechten om raciale aangelegenheden moesten dus jarenlang wanhopig zijn geweest. Maar Hosea had zijn oorlog gewonnen; en (hoewel hij nog steeds een dapper man was: voor die eerste mars in Forsyth was moed nodig geweest) ik had het gevoel dat Hosea nu een merknaam was geworden, een ster, iemand in het nieuws, iemand die leefde in een speciaal soort elektronische realiteit of irrealiteit. En zijn politieke leven eiste dat hij zijn eigen trom roerde. In *The Dimensions of the Man—Dr. Hosea L. Williams—A Chronology*, met een foto van Hosea in toga, kennelijk bij de ontvangst van een eredoctoraat uit handen van een andere zwarte, stond het volgende: 'Tegenwoordig kijkt hij niet meer alleen toe hoe de dingen gebeuren. HIJ LAAT DE DINGEN GEBEUREN.'

De noordelijke voorsteden van Atlanta grenzen bijna aan Forsyth County. De snelwegen, die Georgia op Connecticut doen lijken, stelden mensen in staat te werken in het centrum van Atlanta, waar zwarten op straat liepen, en dan vlot zo'n dertig, veertig kilometer (in auto's met airconditioning) te rijden naar hun huis in de voorsteden, waar weinig zwarten waren–in dit deel van Georgia waren geen plantages geweest. Er waren filialen van beroemde winkelketens in de luxueuze winkelcentra van de voorsteden. De blanke voorsteden konden het heel best stellen zonder het door zwarten bestuurde stadscentrum.

Op een dag stond er een artikel in de krant dat een paar van die voorsteden niet aangesloten wilden worden op het systeem van doorgaande wegen omdat men geen infiltratie van zwarten wenste. Geen geschreeuw zoals in Forsyth, geen vlaggen van de Confederatie, geen witte gewaden en puntmutsen–zo waren de gewoonten van deze nieuwe voorsteden niet. Een verkeersambtenaar zei: 'De kwestie is zo ondergronds dat je er bijzonder moeilijk greep op krijgt.'

De advocaat die ik sprak, zei dat ik, om het te begrijpen, moest onthouden dat hier zo'n honderdtwintig jaar geleden slavernij was geweest. Voor arme blanken was het ras hun identiteit. Iemand met geld kon voor het probleem weglopen, kon een ander ideaal zoeken om zijn trots aan te verbinden; maar zo gemakkelijk was het niet voor mensen met weinig geld of opleiding; zonder hun ras zouden ze niet meer weten wie ze waren.

Ik vertelde over mijn weekend bij Howard en Hetty. Hetty had een uitgesproken besef van haar raciale en familiale identiteit, en toch had ze ook veel respect voor Bowen, die ze als een goed mens beschouwde. Had dat iets te betekenen? De advocaat dacht van niet. Blanken in het Zuiden deden alles voor zwarte gezinnen met wie ze in contact stonden; maar verder ging het niet, het gold niet voor zwarten in het algemeen.

We lunchten, de advocaat en ik, in een grote club in het centrum van Atlanta. De club was opgericht in de tijd dat er een algemene trek weg uit Atlanta was ontstaan, en zakenlieden behoefte hadden gekregen aan een gelegenheid waar ze elkaar halverwege de dag konden ontmoeten. De club maakte deel uit van de glazen stolp waaronder de welgestelde blanken van Atlanta leefden: het huis, de auto met airconditioning, het kantoor (misschien zoiets als in het Georgia Pacific-gebouw), de lunchclub.

Ik vroeg de advocaat of hij zich persoonlijk bedreigd voelde. Hij zei dat hij dat gevoel weleens had wanneer hij buiten op straat liep. Hij bedoelde de vrees voor geweld. Maar hij bedoelde ook de meer algemene angst voor een wereld die onbestendig was geworden: hoe meer bescherming de stolp biedt waaronder men leeft, des te minder weet men van wat daarbuiten ligt.

En dat was ook de reden waarom de advocaat dacht dat het een goed ding zou zijn als de zwarte middenklasse kon groeien, als de zwarten actiever werden in zaken. Maar—en als iedereen nu die over zwarten praatte, zocht hij naar woorden die zowel neutraal als oprecht waren—zwarten hadden (ongeacht hun verlangens) geen zakeninstinct, geen roeping voor het zakenleven. In een maatschappij waarvan economie de motor was, beschikten zwarten niet over economische drijfkracht. Maar er was nu een nieuw soort immigranten in de Verenigde Staten gekomen—Latijns-Amerikanen, Aziaten. De advocaat dacht dat de raciale gevoelens van de zwarten zouden veranderen wanneer de zwarten beter begrepen wat de aanwezigheid van die immigranten voor hen betekende.

Het bestond dus, zoals Tom Teepen me had verteld, op de achtergrond van alles, al praatte men er niet over: de gedachte van het ras, de kleine neurose, de nalatenschap van de slavernij.

Het onderwerp kwam opnieuw ter sprake toen ik op bezoek ging bij de schrijfster Anne Rivers Siddons. Ze woonde in Noord-Atlanta: tuinen in de heuvels, hoge pijnbomen, kornoeljes, azalea's. De lente die ik in Howards geboortestadje had gezien, had hier haar hoogtepunt bereikt, en de huizen langs de kronkelende wegen in de voorstad leken geheel door groen omsloten.

Van Anne Siddons was net een roman verschenen, *Homeplace*, en ze ondernam het een en ander om die in de publiciteit te brengen, wat haar wel moeite kostte: ze was aan een nieuw boek begonnen. Ze was wat teruggetrokken, leefde van binnen, liet haar nieuwe boek niet los. Ze woonde nu in zo'n fraaie omgeving; maar—zoals ik zag toen ik haar vorige boek, *Fox's Earth*, inkeek—haar gedachten (als die van veel mensen in het Zuiden) keerden gemakkelijk terug naar een armoediger tijd.

Ze zei dat Margaret Mead een belangrijke opmerking had gemaakt over het Zuiden: door de relatie tussen de blanke man en de zwarte vrouwelijke bediende, man en niet veeleisende maîtresse, waren de blanke vrouw en de zwarte man geneutraliseerd. De zwarte mannen, zei Anne Siddons, waren degenen die vervreemd waren.

En de kranten–de *Constitution* en haar zusterblad, de *Journal* ('Covers Dixie like the Dew' was het motto op de redactionele pagina en de bestelwagens)–stonden vol nieuws over raciale kwesties, verweven met de lopende vervolgverhalen: Forsyth County en het steeds ingewikkelder verhaal over het particuliere leven van een zwarte politicus die beschuldigd werd van cocaïnegebruik.

Op een dag stond dit verhaal erin: IBM had een zwarte topman naar Columbia, South Carolina, gestuurd, maar in de country club was geen plaats voor een zwarte, zijn kinderen werden niet uitgenodigd voor partijtjes. De volgende dag stond dit verhaal erin: een zwarte vrouw van eenendertig, moeder van twee kinderen, vijf en twee jaar oud, had een revolver meegenomen naar haar werk en zichzelf doodgeschoten in haar kantoor bij Georgia Power. Ze had het gevoel dat ze gediscrimineerd werd door de maatschappij en gepasseerd was voor promotie. Ze zei in haar afscheidsbrief dat ze de managers en inspecteurs iets had willen geven om over na te denken.

Wanhoop; maar er was ook het soort speelsheid dat een politiek ideaal aantrekt wanneer het eenmaal safe is. Er was nieuws over een zwart festival van schone kunsten. Er was nieuws over een machtig stuk beeldhouwwerk voor Atlanta, vervaardigd door een Newyorkse beeldhouwer, getiteld 'Nelson Mandela moet vrij zijn om zijn volk en Zuid-Afrika naar vrede en welvaart te leiden'. Het rotsblok woog zeven ton en was te zwaar voor de eerste plek waar het geplaatst was, omdat die slechts honderdvijftig kilo per kubieke meter kon dragen. Daarom zou het beeld verplaatst worden naar Woodruff Park in het centrum van Atlanta. (Woodruff was de grote man van Coca-Cola geweest en had het bedrijf zestig jaar lang geleid; Coca-Cola en *Gone with the Wind* zijn de twee fabuleuze succesverhalen van het Atlanta van na de Burgeroorlog.) Een ijzeren hek van drieëneenhalve meter, met een poort erin, zou aan de rots worden gesmeed.

De poort zou met een echte sleutel worden afgesloten, en de sleutel zou aan de stad Atlanta worden geschonken, opdat – aangenomen dat hij niet was zoekgeraakt – daarmee de poort kon worden geopend wanneer Mandela werd vrijgelaten.

Uit Tom Teepens rubriek in de *Constitution*: Metro Atlanta is een grote stad met 2,2 miljoen inwoners; Atlanta is een middelgrote stad met vierhonderdvijftigduizend inwoners; zwart Atlanta is een kleine stad met driehonderdduizend inwoners. 'Er is sprake van zwart leiderschap in een kleine stad.' Een goed journalist vindt goede, duidelijke manieren om de dingen te zeggen. Tom Teepen zei ook het volgende: blanken in de Verenigde Staten hebben geen 'leiders'; alleen zwarten hebben leiders. En ik had het gevoel dat hij dat had gezegd omdat (volgens andere columnisten in de krant) de recente schandalen met zwarte politici in een aantal staten gebruikt werden om zwarten in het algemeen te kleineren.

Ik vond die opmerking over leiders aardig. Volgens mij kon dit worden toegepast op veel zwarte of achterlijke of revolutionaire landen, waar de leider alles is, en waar journalisten en anderen van buiten, die ongewild de houding van de ontdekkingsreiziger aannemen ('Breng me naar jullie leider'), alleen aan de leider de waardigheid schenken die ze, in een ander soort land, meer algemeen aan het land en zijn bewoners zouden schenken. Maar toen begon ik me af te vragen, aangezien zwarte politiek in de Verenigde Staten nog steeds raciaal was en bevrijdend en eenvoudig, of men niet toch kon zeggen dat zwarten in de Verenigde Staten leiders hadden, mensen die ze gewoon volgden. En ik vroeg me af of het onder deze omstandigheden mogelijk was voor zwarte mensen om zich los te maken van hun leiders, eerder dan het voor mensen uit het Caribisch gebied of Afrika mogelijk was om zich los te maken van de raciale leiders of stamhoofden die zij aan de macht hadden gebracht.

Ik hoorde meer over identiteit.

Tom Teepen – zonder het kostuum en de das die hij op zijn werk moest dragen, en nu gekleed in een vest met tal van zakken – nam me op een zaterdagochtend mee naar een nederzetting van Appalachians die sinds een eeuw in Oost-Atlanta woonden: een grote katoenfabriek van rode baksteen, witte houten huizen, een begraafplaats op hoger gelegen grond aan de overkant van een drukke weg. De fabriekslonen waren in het begin heel laag geweest, vijf cent per uur, zei men; maar voor de bergbewoners was de regelmaat van het loon een soort zekerheid geweest, en de gemeenschap die rond de fabriek was ontstaan, had overleefd, hoewel veel mensen in verschillende tijden waren weggetrokken en de fabriek zelf nu gesloten was.

We gingen naar een gemeenschaps- en vrijetijdscentrum in de nederzetting. De leiding daar had een vrouw met de prachtige naam Esther Lefever. Ze was jaren daarvoor als *folk-singer* naar de nederzetting gekomen—een tien jaar oude foto uit de *Atlanta Constitution* beeldde haar af als een knappe vrouw met een gitaar. Maar doordat ze geroerd was door de reactie op haar zingen— een oude vrouw was opgestaan en had een dansje gemaakt, en andere mensen hadden gehuild—was ze dieper betrokken geraakt bij de Appalachian-gemeenschap; ze zat zelfs namens hen in de gemeenteraad.

Ze was klein en slank, nog steeds aantrekkelijk en had een heldere stem. Ze kwam zelf niet uit een Appalachian-gemeenschap, maar ze begreep hun onderlinge gehechtheid. Ze was een mennoniet uit Pennsylvania, het achtste kind van een predikant. Ze vertelde wat het voor haar betekend had weg te trekken uit haar strenge mennonitische omgeving. Ze had zich alleen gevoeld, zei ze. Wat betekende dat, alleen zijn? Ze zei dat ze het idee had de laatste boom op een berghelling te zijn: de andere bomen waren allemaal omgehakt. Het was zelfs niet gemakkelijk geweest haar mutsje af te zetten: haar hele leven had men haar verteld dat ze het mutsje moest dragen uit respect voor God en de man. Zelfs toen ze al in de twintig was, werd ze nerveus wanneer ze in Chicago op straat liep. Het was niet zozeer een vrees voor zwarte mannen als wel voor blanke mannen die (volgens wat men haar had verteld) sterke drank dronken en grof waren.

En toen had ze de wreedheid van de buitenwereld ontdekt, de wreedheid van Amerika. Hoe had ze die ontdekt? Ze vertelde een verhaaltje. Een van haar Appalachian-vrouwen was op een dag bij haar gekomen en had gezegd dat ze werk zocht, 'huishoudelijk werk'. Esther Lefever had de vrouw meegenomen om met iemand te praten, een vrouw met een hele bos opgekamd blond haar, een vrouw (zei Esther Lefever) die maar een beetje hoger op de maatschappelijke ladder stond dan de vrouw die huishoudelijk werk zocht. En die blonde vrouw had gezegd: 'Waarom wil ze huishoudelijk werk doen? Dat is iets voor kleurlingen.'

Het was een onbelangrijk incident, dacht ik; iets dat ze had moeten vergeten. Die blonde vrouw (uit het verhaaltje) leed evenzeer als de anderen. Maar het incident had allerlei betekenissen, en Esther Lefever was erdoor geschokt en vernederd. Ze zei: 'Ze willen dat je blijft zitten in de hokjes die ze je aanwijzen.' Wie waren 'ze'? Ze dacht, en zei, dat dat de mensen waren die het systeem hadden bedacht en iedereen op zijn plaats wilden houden.

Ik vroeg waarom identiteit belangrijk was, en of die hielp op bepaalde praktische punten. Ze zei: als je naar een nieuwe buurt verhuisde of een nieuwe baan kreeg, en de mensen waren niet zo aardig, dan kon het helpen als je wist wie je was, dan kon je tegen de vijandigheid. Als je niet wist wie je was – als (en dat voegde ik eraan toe) je van andere mensen afhankelijk was om te weten wat je eigen waarde was – dan kwam je in moeilijkheden.

Ze gaf de visie van beneden, de visie van de arme mensen bij wie ze zich betrokken voelde. En uit wat ze zei leidde ik af dat deze mensen overgevoelig waren en heel kwetsbaar. Dat kon ik me moeilijk voorstellen.

(En toch, op een ander niveau en met een ander, half begraven deel van mezelf, begreep ik het wel. In een maatschappij met veel groepen of rassen leeft iedereen misschien met een zekere mate van spanning, tenzij hij volkomen zeker is van zichzelf. Toen ik opgroeide in Trinidad, met al die verschillende rassen, als lid van de Indiase gemeenschap, mensen die aan het eind van de negentiende en in het begin van de twintigste eeuw daarheen waren overgebracht om het land te bewerken, wist ik altijd hoe belangrijk het was geen onbeduidend persoon te worden. Ik weet nog, toen ik in 1961 in het Caribische gebied reisde voor mijn eerste reisboek, hoe geschokt ik was, hoe bezoedeld en geestelijk ontdaan ik me voelde toen ik de Indiërs van Martinique zag en begon te begrijpen dat ze zich hadden laten verzwelgen door Martinique; dat ik onmogelijk de opvattingen kon delen van deze mensen, wier geschiedenis ooit op de mijne had geleken, maar die nu, in raciaal en ander opzicht, iets anders waren geworden. En zo'n acht jaar later, in Belize in Midden-Amerika, had een dergelijk gevoel van leegte mijn andere zorgen verdrongen toen ik de kleine, verloren, half-Indiaanse gemeenschap van die ellendige Britse kolonie zag, een bosgebied langs de kust dat was gejat van het voormalige Spaanse imperium, bevolkt met slaven en bedienden, en vervolgens min of meer in de steek gelaten: het afval van de Nieuwe Wereld.)

En ik hoorde meer over identiteit in het Zuiden van een theoloog. Onder de mensen aan wie hij les gaf waren mannen en vrouwen die studeerden voor het predikambt. Ik dacht dat mensen die predikant wilden worden daartoe aangezet zouden zijn door een religieuze ervaring. Die gedachte weerspiegelde echter mijn eigen temperament en achtergrond, mijn gebrek aan geloof en de ruim vijfendertig jaar die ik had doorgebracht in Engeland, waar de formele godsdienst vrijwel volledig was weggekwijnd.

In de Verenigde Staten en met name in het Zuiden leeft het geloof vrijwel overal, en een godsdienstige roeping was niet onwaarschijnlijker dan iets anders. Het was iets waarvoor iemand om een aantal redenen kon kiezen; en wat ik hoorde van die geleerde was dat een deel van de mensen met wie hij in contact stond (en hij bedoelde blanken), zich tot het religieuze leven had gewend om bevestigd te worden in hun identiteit: mensen uit arme families die zich raciaal bedreigd voelden door de nieuwe ontwikkelingen in het Zuiden, mensen die in de economische opleving van het nieuwe Zuiden in zaken waren gegaan en zich vervolgens zo hadden voelen wegdrijven van de Zuidelijke wereld die ze gekend hadden, dat ze het hadden opgegeven, om terug te keren naar God en het leven waar ze zich meer op hun gemak voelden.

Deze verhalen over godsdienst en identiteit hoorde ik ver van

Atlanta, op een openluchtparty op een landgoed in Noordwest-Georgia: heuvels, bossen, weids uitzicht, zacht glooiende bergruggen achter elkaar, blauw tegen blauw.

De party vond plaats op een ruig veld met lang gras tussen bossen, voor een grijze, opgelapte hut op lage zuilen. Die hut was oeroud, zei men. Hij stond bijna aan de voet van een helling; en wanneer je door de achterdeur en het raam keek, naar het groene land dat omhoog helde in de schaduw van de pijnbomen, leek het inderdaad een oord van oude, beschermende eenzaamheid, heel anders dan welke vorm van eenzaamheid dan ook die je tegenwoordig voor jezelf kon veroveren.

(Toen ik was weggereden uit Atlanta, naar de heuvels, en zag hoe weinig zwarten er waren in de stadjes waar ik doorheen kwam, had ik het gevoel gehad dat ik naar een wildernis vertrok. Een paar maanden later, toen ik bijna aan het eind van mijn reis was, zou ik Atlanta van de andere kant naderen, vanuit Nashville en Chattanooga, en dat gedeelte van Georgia kwam mij toen voor als meer opgebruikt en platgetreden.)

De party was bedoeld als een 'Zuidelijk' feest. Een vlag van de Confederatie wapperde in het zonlicht op het ruige grasveld tussen de bossen. Een gevild varken, gespietst in de houding van een hordenloper, was gedurende de hele dag geroosterd, gesteund door palen aan de zijkant van een vuur met langzaam brandende blokken hardhout. (Op een tafel stonden modernere snacks en dipsauzen en dingen in vetvrij papier.) En een bandje speelde bluegrass-muziek in de houten hut. Vlag, varken, muziek: dingen uit het verleden. Ze vertelden me dat de woorden van de liedjes het belangrijkst waren. Ik had moeite met het accent, maar het effect, zeker op enige afstand, van de onversterkte muziek en zang op die omsloten groene plek was aangenaam.

Onze gastvrouw zei: 'Misschien hebben hier Indianen gewoond.'

Ik voelde, omdat ik het idee had in de Amerikaanse wildernis te zijn, een rilling toen ik dacht aan de Indianen in dit groene land met zijn beschermende hellingen, zijn schaduwen en rivieren. Later hoorde ik dat ze daar overal in de grond pijlpunten vonden.

Tegen deze achtergrond, met de bluegrass-muziek uit de houten hut, hoorde ik over het geloof en de identiteit van de mensen die de Indianen hadden opgevolgd. En ik had het idee dat de geschiedenis hier lagen vormde. De Indianen die na eeuwen waren verdwenen; de arme blanken; de zwarten; de Oorlog en alles wat daarna was gebeurd; en nu de behoefte die iedereen voelde, zwarten en blanken, armen en niet zo armen, iedereen op zijn eigen manier, om zijn ziel te redden.

De musici waren jong en aardig; een van hen was een meisje. Toen ze uitgespeeld waren, stopten ze hun omvangrijke instrumenten in hun pick-up en reden ze weg. Toen de zon onderging, was er geen wind; de vlag hing slap. Het werd heel snel koud; het was nog steeds pas lente.

Het dossier van de *Atlanta Constitution* over de problemen in Forsyth County bestond niet uit een stapel kranteknipsels met data erop gestempeld, maar uit computeruitdraaien. De geschiedenis van de kwestie in 1912, die was uitgezocht door een van de journalisten van de krant, was in alle opzichten verschrikkelijk.

De blanke vrouw die het bos ingesleurd, verkracht en mishandeld was—en twee of drie dagen later was gestorven—was de negentienjarige dochter van een bekende farmer geweest. Een handspiegel op de plaats van het misdrijf had de politie op het spoor gezet van een mismaakte achttienjarige zwarte man. Hij legde een bekentenis af en zei dat ook andere zwarten hadden meegedaan. In totaal waren elf zwarten gearresteerd als verdachten. Twee dagen na de dood van de vrouw was een mensenmenigte de gevangenis van Forsyth County binnengedrongen, ze hadden een van de verdachten doodgeschoten, zijn lijk met koevoeten bewerkt en aan een telegraafpaal opgehangen. Drie weken later hadden de mismaakte man en een andere zwarte terechtgestaan wegens verkrachting en moord en waren ze schuldig bevonden. De zuster van de tweede man had tegen hem getuigd. Beide mannen waren na het proces publiekelijk opgehangen, voor tienduizend toeschouwers. De paar honderd zwarten in Forsyth waren verdreven.

De vermoorde jonge vrouw, de mismaakte zwarte, de lynchpartij in de gevangenis en het gehavende lijk dat was opgehangen, de zwarte vrouw die tegen haar broer had getuigd, de openbare terechtstelling (waar tienduizend mensen naar waren komen kijken, in een district dat vijftig jaar later, vóór de hoogconjunctuur van Atlanta, nog geen twintigduizend inwoners telde)–het verhaal is ondraaglijk in al zijn bijzonderheden. Wat echter vooral leek te hebben overleefd in Forsyth was de wetenschap, voor sommigen een reden tot trots, dat er geen zwarten woonden.

De man die deze trots had willen aanvechten was een blanke Californiër, een karateleraar die vijf jaar in Forsyth had gewoond. Hij had opgeroepen tot een Broederschapsmars ter herdenking van de dood van Gandhi en de geboorte van Martin Luther King. Hij was van plan veranderd nadat hij was uitgescholden en bedreigd over de telefoon. De gedachte van zo'n mars was echter overgenomen door een andere karateleraar, eveneens een blanke, uit een aangrenzend district. Dit was de marswaarvoor men zo'n vijftig mensen had verwacht–waarbij Hosea Williams tussenbeide was gekomen. Dit was de mars die was aangevallen door Klangroepjes en anderen, en aanleiding was geworden, een week later, voor de grote mars met twintigduizend deelnemers, onder bescherming van drieduizend leden van de Nationale Garde, staats- en gemeentepolitie. Binnen een week dus was een dappere en eenzame onderneming door Hosea en enkele anderen omgezet in een veilige onderneming; en die veiligheid was alleen maar toegenomen.

Een radioshow was naar Forsyth gekomen. Een heel beroemd praatprogramma van de middagtelevisie met een geestige zwarte presentatrice was naar Forsyth gegaan en een programma was opgenomen in een restaurant aldaar. Hosea, die even hartstochtelijk had meegewerkt aan de veilige onderneming als aan de dappere onderneming, had deze show geboycot omdat daar alleen inwoners van Forsyth aan het woord mochten komen, en dat waren natuurlijk allemaal blanken.

Hosea was erin geslaagd gearresteerd te worden, ter verbetering van dat record van hem–honderdvijf maal gevangengezeten op het moment dat zijn pamflet *Who Is Hosea L. Williams?* ter perse was gegaan. Volgens de *Atlanta Journal* had Hosea, toen hij in de politieauto werd geduwd, uitgeroepen: 'Dit is Forsyth County! Kijk maar goed!' En Hosea's getrouwde dochter, die bij hem was, had geroepen: 'Mijn pappie! Ik wil met hem mee!' En zij was ook in de politieauto geduwd.

Tom Teepen had geen afspraak met Hosea voor me kunnen regelen toen hij me voor het eerst over hem vertelde, omdat Hosea toen voor een paar dagen gevangenzat. En Tom kon Hosea niet vinden toen hij uit de gevangenis kwam. Maar toen belde hij me laat op een ochtend op met de mededeling dat ik, als ik me naar een bepaald gebouw haastte, Hosea zou kunnen zien. Hij moest wegens een andere aanklacht voor de rechter verschijnen, om half twaalf, bij een federaal gerechtshof. Zo laat was het al bijna; maar Tom zei dat die dingen meestal wat uitliepen.

Ik nam een taxi. Die werd bestuurd door een Afrikaan, een man uit Ghana. Het was een kort ritje voor hem; vrijwel onmiddellijk zette hij me af waar ik moest zijn. Een open, geplaveid voorplein, met het grote gebouw op de achtergrond; een beveiligde toegangsdeur; een lift naar de zestiende verdieping. Deuren van hardhout, lage plafonds, een gang met bruin tapijt, keurige naambordjes: formeel, ondramatisch, veilig, gezellig zelfs. Maar de zitting was voorbij. En in een ruimte die op een kleine collegezaal leek, op een klaslokaal, stond een groepje in een van de hoeken, als zo'n bedremmeld groepje leerlingen dat soms achterblijft na een proefwerk om over de vragen te praten.

In dat groepje herkende ik Dick Gregory, met zijn grijze baard en witte pak, een man die oud was geworden tijdens de oorlogen en nu echt net een heilige was. En er was een meer gedrongen man met een langere baard die niemand anders kon zijn dan Hosea zelf. Zelfs op dit ogenblik van stilte in de rechtszaal deden zijn ogen denken aan drukte, een man die dingen moest doen, en weinig tijd had voor andere zaken. Hij had een tandenborstel in de borstzak van zijn jasje – een man die voorbereid was op een verblijf in de gevangenis.

Hij had ook een perschef bij zich, een slanke bruine vrouw. Ze had een communiqué 'voor onmiddellijke publikatie' bij zich. En uit wat zij zei kon ik opmaken dat mijn kansen om Hosea te ontmoeten en met hem van gedachten te wisselen, niet gunstig waren. Hosea en Dick Gregory zouden die middag naar New York vliegen om te posten bij de CIA. Daarna gingen ze meteen door naar Europa, naar Londen en het Vaticaan, om actie te voeren tegen apartheid. Het communiqué van de persmevrouw ging over drugs: Hosea zei dat bepaalde recente incidenten gebruikt werden 'om zwarte leiders in diskrediet te brengen', en dat de mafia en de CIA het meest betrokken waren bij de drughandel, die 'onze kinderen en de toekomst van ons land te gronde richt'. Dat was ook de reden waarom Hosea en Dick Gregory gingen posten bij de CIA.

En plotseling, voordat ik Hosea's ogen en baard en tandenborstel ten volle tot me had kunnen laten doordringen, was het groepje verdwenen.

Vier of vijf minuten waren verstreken sinds mijn komst, meer niet. En als om de toevalligheid van deze bijeenkomst in rechtszaal no. 1 te onderstrepen, ontmoette ik iemand die na het vertrek van het groepje was achtergebleven, net als ik. Hij was een reporter, heel jong nog. Ook hij was te laat geweest voor de zitting. Ook hij was nieuw in Atlanta, en wist niet veel van wat er in de stad speelde. In de rechtszaal, in de gang met het bruine tapijt en in de lift praatten we over zijn verblijf in Engeland. Hij was daarheen gegaan om de oude Romeinse muren te bestuderen, de Muur van Hadrianus en de latere Muur van Antoninus. Ik had die muren nooit gezien en was geïnteresseerd in wat hij me vertelde.

Beneden gingen we uiteen. Toen ik de voordeur van het gebouw uitkwam, zag ik een groepje rondom een man met een baard. Het leek zoveel op wat ik boven had gezien dat ik dacht dat die man Hosea was, die een informeel interview gaf. Pas toen ik me bijna bij het groepje had gevoegd, zag ik dat de spreker niet Hosea was, hij was donkerder, anders gekleed, geen tandenborstel, alleen die grote stijve baard was hetzelfde.

Conventies waren belangrijk voor Atlanta, en er waren veel grote hotels in het centrum van de stad, heel dicht bij elkaar. Je kon je moeilijk voorstellen dat al die hotels tegelijkertijd vol waren.

Maar soms kwam dat voor. In de eetzaal van het Ritz-Carlton-
hotel vertelde een meisje me dat er een belangrijke conventie in
de stad was. En wat voor conventie was dat? Over chemisch rei-
nigen. En dat was belangrijk, want er waren zoveel mensen in
die commercie–en dat moest ook wel, als je bedacht hoeveel sto-
merijen er in de hele Verenigde Staten waren–dat de hotels van
Atlanta vol zaten.

In geen van de hotels hing zo'n bedrijfsfeestjes- of conventie-
atmosfeer als in het Marriott Marquis. En geen enkel hotel was
zo overweldigend. Als je binnenkwam was het of je een gigan-
tische holle, kronkelige kegel binnenging. Het hotel had een
atrium dat zevenenveertig verdiepingen hoog was, allemaal
rondlopende galerijen die de kromming van de kegel volgden.
Die kromming was onverwacht; en grote rode serpentines, als
van een Chinees feest, hingen neer in het midden. En aldoor gle-
den hoge liften met glazen wanden, waarvan de ribben van
lampjes waren voorzien, op een neer langs de wanden van het
atrium.

Maar de zwarte man die voor het Hiltonhotel werkte (ook
daar een atrium met galerijen aan de binnenzijde, maar niet zo
sensationeel), met wie ik op een avond praatte over de hotels in
Atlanta, vond dat ik een goede keuze had gedaan met het Ritz.
Hij zei: 'Dat is het hotel waar de 'lite logeert.'

En als om dat te bevestigen hoorde ik op een dag (of het waar
was weet ik niet) dat Gloria Vanderbilt in het Ritz logeerde en
in een van de liften was gesignaleerd.

Ze was in Atlanta om reclame te maken. Zo'n twee weken
daarvoor, in New York, had ik haar toevallig gezien bij een talkshow. Ze had verteld over haar leven en over de manier waarop
een vrouw bepaald wordt door de mannen van wie ze houdt. En
toen ik hoorde dat ze in de stad was, nam ik aan dat ze reclame
maakte voor haar boek. Maar die reclame ging over veel meer.
'*Betovering… Traditie… Prestige…* MACY'S kondigt met trots
aan: GLORIOUS van Gloria Vanderbilt… Alleen een waarlijk
groots parfum is bij machte onze emoties op te wekken. *Glorious*
van Gloria Vanderbilt… Gloria Vanderbilt zal haar handtekening zetten op een gratis foto en op elk verkocht flesje *Glorious*.'

En dat speelde zich af bij Macy's, recht tegenover het Ritz, op de ochtend dat Anne Siddons naar het hotel kwam om met mij te praten over opgroeien in het Zuiden. Ze was zo gevoelig en intelligent als ik had verwacht; en hoewel ze wat verstrooid was (vanwege het boek waarmee ze bezig was), en hoewel bovendien de reclame die ze maakte voor haar uitgever (op een wat andere schaal dan Gloria Vanderbilt) haar had uitgeput, sprak ze vanuit haar hart, en bood ze me iets aan van de ervaring waaruit ze als schrijfster putte.

Ze kwam uit het Zuiden, uit de staat Georgia, bijna uit Atlanta zelf. Ze was geboren in Fairburn, dertig kilometer ten zuiden van Atlanta. Fairburn was een landbouw- en spoorwegstadje. Haar vader was advocaat; hoewel ze niet rijk waren, hadden ze het heel goed. Haar vader was de eerste in zijn familie die gestudeerd had.

'We zijn hier omstreeks 1820 gekomen, uit Virginia. Onze tak van de familie heeft hetzelfde stuk land gedurende zeven generaties bewerkt. Dat geeft me het heerlijke gevoel hier geworteld te zijn. Maar tegelijkertijd heb ik het idee dat dat een last kan zijn. Ik heb het gevoel dat wij Zuiderlingen ons te nadrukkelijk en te beperkt oriënteren op dat land.'

Ik vertelde over mijn reis naar Howards geboortestadje en wat ik daar gezien had van zwarte boerenfamilies.

Ze zei: 'Dat is het enige dat blank en zwart in het Zuiden gemeen hebben. We zijn beiden landeigenaar geweest sinds de afschaffing van de slavernij.' En ze vertelde me wat Howard en zijn moeder me hadden verteld: dat land was gegeven of nagelaten aan zwarten door de blanken voor wie ze werkten. Een paar decennia daarvoor, zei ze, was uit een onderzoek van mondelinge overleveringen gebleken dat die schenking van grond door zwarten en blanken gezien was als een positief aspect van de relatie meester-slaaf.

Ik vroeg: 'Hoe kan het land een last zijn?'

'We zijn geneigd onze ogen niet op te heffen om méér te zien.'

Mensen besloten te gemakkelijk om op het land te blijven. Ze zeiden of dachten vaak: 'Ons soort mensen studeert niet. Wij zijn boeren.'

Anne Siddons zei: 'Ik was een intelligent enig kind in een schoolomgeving die overheerst werd door kinderen van de omliggende boerderijen. En ik schaamde me voor alles wat ik van nature was. Ik heb twaalf jaar lang geprobeerd te verbergen dat ik intelligent was. Intellect heeft hier nooit geteld. De mensen die onze leiders werden, waren natuurlijk intelligent. Maar ze hadden ook andere kwaliteiten waardoor men dat gemakkelijker slikte. Ze waren bijvoorbeeld heel charmant.'

Toen we elkaar de eerste keer hadden gesproken, had ze gezegd: 'Wij zijn een koloniaal volk.' Ze begon daar opnieuw over. Zuiderlingen, zei ze, waren onzekere mensen.

'Ik bedoel de blanken. In de tijd dat ik opgroeide, voelde de blanke Zuiderling—op het platteland en in de stadjes—zich bedreigd door de zwarten. Je haat niet wat je niet bedreigt. Zolang er iemand lager stond dan jij, wist je dat je macht had. Het draaide allemaal om macht, eigenlijk. Wij waren een verslagen en bezet volk, de enigen in de Verenigde Staten die zo leefden. En dat—onze houding tegenover de zwarten—was de enige manier waarop wij onze macht konden voelen of uitoefenen. Wij vormden een arme boerengemeenschap en de herinneringen aan een reële verslagenheid en bezetting en vernedering zaten in onze botten.

'We waren niet bereisd, en de meerderheid had geen opleiding genoten. De enige manier waarop we verandering konden verwerken, was doen alsof die er niet was. Toen de beweging voor de burgerrechten begon, al was dat vlakbij, in Alabama, konden we doen alsof die er niet was. En toen de veranderingen toch kwamen, kregen wij ze regelrecht thuisbezorgd door de zwarten, die we meer dan wat ook ter wereld haatten en vreesden. Die gevoelens zijn er nog steeds. Welke Zuiderling die maar even nadenkt, wéét niet dat ze er nog zijn? Dat zal op de achtergrond van heel veel gedachten leven.'

'Is het niet vermoeiend, altijd die gedachte van het ras op de achtergrond?'

'Veel van ons vinden het zo verstikkend dat ze hier haast niet kunnen leven.' Dat was de reden, zei ze, waarom veel intellectuelen uit het Zuiden waren weggetrokken.

Ik vroeg naar raciale protestbewegingen. Waren die niet formeel geworden, geritualiseerd als het ware? Die kwestie van de marsen in Forsyth bijvoorbeeld. Uit de kranteverslagen bleek dat alleen de allereerste activisten iets hadden geriskeerd. Daarna waren stemming en toon van het protest veranderd. Het was een massale beweging geworden, een beschermde beweging; sommige commentatoren waren overtuigd van hun eigen goedheid.

'Natuurlijk moet die idioterie in Forsyth worden aangepakt. Maar de reactie kan banaal worden, en dat is ook gebeurd.'

Ze was geschokt geweest door de eerste nieuwsberichten uit Forsyth. Maar vervolgens had ze moeten toegeven dat ze haar persoonlijke beperkingen had als iemand van over de vijftig, iemand die tegenwoordig 's ochtends soms wakker werd met de zekerheid dat de dood zou komen.

'Actieve revolutie is romantisch voor jongeren. Het probleem is: hoe ga je met hartstocht om als je van middelbare leeftijd bent, wanneer je je hartstocht moet opsparen? Dat probleem kan niet opgelost worden, in elk geval niet op een elegante manier. En afgezien van nieuwsberichten in de media en marsen weet ik niet hoe ik daarmee moet omgaan. De vorm van het protest móét wel een cliché worden—God weet dat Amerikanen tegen van alles protesteren.'

Maar ras als probleem—daar kwam je niet onderuit. 'Ik spreek op de een of andere manier over het rassenvraagstuk in elk boek dat ik heb geschreven. Dat is mijn oorlog, denk ik. Ik schrijf om crachter te komen waar ik me bevind, wat ik denk, om orde en eenvoud te brengen in mijn eigen wereld. Het is een onmogelijke taak. Je kunt het niet vereenvoudigen. Je kunt alleen stukjes ervan verhelderen.'

Ik zei hoe merkwaardig de slavernij in de Nieuwe Wereld was geweest, waar twee heel verschillende rassen waren samengebracht, Afrikanen, Europeanen. Nu hadden ze een gemeenschappelijke taal en zelfs een gemeenschappelijke godsdienst.

'Ik ben geneigd te denken dat zij ons rijker hebben gemaakt dan wij hen. Misschien beseffen we heel in de diepte hoeveel we op elkaar lijken.'

Wat later zei ze: 'Ik voel me heel schuldig over de beweging voor de burgerrechten. Ik heb niet meegemarcheerd, vroeger, toen het hartstochtelijk en echt en spontaan zou zijn geweest. Ik was toen een jonge vrouw, pas in Atlanta, en zat nog helemaal gevangen in dat web van wat hoort en wat niet.'

Wanneer was die echte en hartstochtelijke tijd geweest?

'Ik geloof dat die grote marsen van Selma in 1954 waren. Wel ben ik in de problemen gekomen door een column die ik voor ons studentenblad schreef. Ik zat op een klein *college*. Dat was in de tijd dat Autherine Lucy aan de Universiteit van Alabama ging studeren. En uit de hele staat trok men erheen om die twee arme zwarten lastig te vallen, en erger. Van mijn *college* ging niemand daarheen. Eigenlijk omdat ze te weinig fut hadden. Ik had een column geschreven waarin ik die niet-inmenging prees en een paar simplistische tweedejaarsopmerkingen maakte over rassen en dat we hoe dan ook–'

'"Hoe dan ook"?'

'Dat we het hoofd koel moesten houden, en dat dit iets goeds was. En ik moest bij de studentendecaan verschijnen, die vroeg of ik die column niet wilde intrekken. Wat ik weigerde.'

Hoe was zij, vanuit die achtergrond, daartoe gekomen?

'Ik herinner me een soort kleine openbaring op de middelbare school. We bestudeerden iets dat met zwart en blank te maken had. Het was in de geschiedenisles. Ik weet niet meer waar het over ging. Maar ik herinner me dat ik heel sterk het gevoel had: dat is *fout*. Zo'n gevoel had ik nooit eerder gehad. En ik flapte eruit: "Dat is onrechtvaardig." En een van die lange, slungelige boerenjongens, die destijds een jaar of twintig moet zijn geweest, stond op en schold me uit voor nikkergek. Dat had ik natuurlijk mijn hele leven gehoord, maar ik had zelf nooit aan die kant gestaan. Ik herinner me alleen de diepe schok die me dat toen bezorgde.

'Mijn bewustzijn was een beetje verhoogd. Maar niet volledig. Ik was nog steeds geïnteresseerd in disputen en bals. U moet begrijpen dat wij werden opgevoed tot "belle".

'We wisten allemaal–niemand had dat ooit gezegd, maar we wisten het met een inzicht dat dieper ging dan woorden–dat het hoogste dat wij konden bereiken was: een man te strikken, die dan voor ons zou zorgen. En we geloofden daarin. Op mijn veertiende was ik voortdurend verliefd. Onze moeders en grootmoeders dachten dat dat het beste was dat ze ons konden geven, de bescherming van een man. Ik heb een theorie dat de gekkenhuizen in het Zuiden vol zitten met begaafde vrouwen die nooit een kans hebben gekregen.'

Ik zei: 'Een plattelandsgemeenschap die was blijven bestaan in een industriële wereld?'

'Ja, dat was het, geloof ik.' Maar ik was haar in de rede gevallen. Ze vervolgde: 'Op de middelbare school deed ik alles wat ik volgens mij hoorde te doen. Ik was *homecoming queen*.'

'*Homecoming queen*?'

'Dat is bij een grote *football*wedstrijd. En wanneer de reünisten allemaal komen, is er een koningin met haar hofhouding, en tijdens de rust krijgt ze rozen en wordt ze voorgesteld aan haar hofhouding. En ik was *cheerleader*, en al die dingen die je hoorde te zijn. Ik was een populair meisje. En dat was wat we allemaal dachten dat we moesten doen, om die man te krijgen en een goed leven te hebben.

'En de meesten van ons konden dat wel leren. Maar de andere kant van ons die wilde *leren* – daar schaamden we ons altijd voor. We stelden onze hersens nooit op prijs. We stelden onze individualiteit niet op prijs. Je mocht wel goede cijfers halen. Dat hoorde erbij als je een braaf meisje was. Maar als je echt nadacht, als je een groot talent had en dat ontwikkelde, dat zou je echt van de kudde afsnijden. En daarvoor waren we doodsbenauwd. Dan zou je weleens alleen kunnen staan. Dat bedoel ik bijna letterlijk, in sommige gevallen.

'Ik heb op *college* een meisje gekend dat heel begaafd was als schilderes – o, ze was geweldig goed – en ze zat aldoor te schilderen in het lab van de kunstfaculteit. Ze deed niets anders. Ze trok zich volledig terug. Ze was de enige studente op dat *college* die een kamer alleen mocht hebben. En daardoor kreeg ze zulke wrede stigma's opgedrukt.'

Ik wilde meer weten over dat 'afgesneden zijn van de anderen'. Ik herinnerde me wat Esther Lefever had gezegd over het verlaten van de mennonietengemeenschap en haar gevoel dat ze 'alleen' was: dat ze zich voelde als de laatste boom op een heuvel, nadat alle andere waren omgehakt.

Anne Siddons zei: 'Je krijgt het gevoel dat je totaal onbeschut bent, totaal kwetsbaar voor de *chaos*.

'Ik denk dat het te herleiden is tot geborgenheid. Ik geloof dat ik u wel kan vertellen waarom vrouwen in het Zuiden dat leren aan hun dochters, of dat ze een man nodig hebben om hen te beschermen. Na de Burgeroorlog waren die vrouwen hun complete wereld kwijtgeraakt. Hun huizen waren uitgebrand, hun slaven (als ze die hadden gehad) waren verdwenen, hun mannen waren soms gesneuveld. En ik denk dat ze wel wisten dat dat gekomen was door de domheid en kinderachtigheid van die mannen van hen. Het was een *dwaze* oorlog geweest. Wereldvreemd, uitermate romantisch. Onbezonnen. We hebben een belachelijke oorlog gevoerd, en bij enig nadenken hadden we kunnen weten dat we die niet konden winnen.

'En die vrouwen die alles hadden verloren, besloten ervoor te zorgen dat hun dochters en kleindochters nooit meer hun macht in handen zouden leggen van mannen die die macht zo luchtig zouden wegwerpen. Nooit meer zouden ze hun mannen toestaan hun leven te vergooien. En ze besloten vervolgens die mannen onder controle te houden met slinksheid en charme en vrouwelijke listen, omdat dat de enige wapens waren die ze bezaten.

'Als we in het Oosten – van de Verenigde Staten – hadden gewoond, zouden we misschien onze hersens hebben gebruikt. En in het Westen hadden we misschien gebruik gemaakt van een fysiek initiatief en onverschrokkenheid. Maar we woonden hier, en velen van ons zaten hier economisch in de val. En je kunt niet streven naar wat je je niet kunt voorstellen. En om te overleven moesten we ons dus met een man verbinden. Mijn moeder zou tot op heden gelukkiger zijn als ik de akte lager onderwijs had en getrouwd was met een advocaat. "Je moet de onderwijsakte halen. Dan heb je altijd iets om op terug te vallen."'

En Anne Siddons zelf had ook nog iets van haar oude bezorgdheid voor chaos. 'Het meest ben ik bang voor een heel reële kwetsbaarheid voor krachten die ik niet onder controle kan hebben. Dat van die controle is heel belangrijk voor me.'

Ze vertelde verder over de conventies in de tijd dat ze opgroeide. 'Juist de dingen die ons verrijkt konden hebben en ons anders zouden hebben gemaakt, waren de dingen waarvan we leerden dat ze verkeerd waren. We zijn opgegroeid zonder te waarderen wat echt was. Het Zuiden is vreselijk streng voor vrouwen, en dat staan wij toe. Ik neem aan dat dat ook voor andere streken geldt, maar ik denk dat je dat met name van het Zuiden kunt zeggen. Het zou interessant zijn te weten *waarom* we zo argwanend staan tegenover excentriciteit.'

'Heeft het invloed gehad op uw emotionele leven?'

'Ik krijg nog maar pas door hoezeer het mijn emotionele leven heeft beïnvloed. Het heeft me weerhouden aan zelfonderzoek te doen. Dat maakte me doodsbang. Daarom ben ik daar twintig jaar later aan begonnen dan veel andere mensen. Waar ik boos over ben is de kracht die zo'n onderzoek vroeger had kunnen losmaken. In mijn schrijven en in mijn leven.

'Ik betreur de verspilde jaren. Ik probeer de boosheid te verwerken, tegenover mijn ouders omdat ze me zo hebben opgevoed – al komt die boosheid voort uit de diepe overtuiging dat ze gehandeld hebben uit de grootst mogelijke liefde.

'Ik ben blij dat het mij is overkomen. Ik had kunnen worden als die beeldschone, tragische, dronken vrouwen van het Zuiden, op het terras van een country club. Er zijn veel dronken vrouwen in het Zuiden.'

Maar ze had de troost van het land dat de familie sinds zeven of acht generaties had bewerkt, sinds de familie in 1820 uit Virginia hierheen was getrokken.

'Ik ben blij dat ik die banden heb. Het gevoel dat je zomaar wat rondzweeft vind ik angstwekkend. Ik ga bijna elk weekend terug. Dan eet ik bij mijn ouders.'

En nu kwam de verklaring voor het 'opsparen' van hartstocht, waarover ze het daarvoor had gehad: de noodzaak om gevoelens te sparen voor het privé-leven, particuliere banden, om althans een beetje hartstocht níet aan publieke aangelegenheden te besteden.

'Ik heb hierover gepraat met een paar vriendinnen. En we ontdekken dat we nu onredelijk boos zijn op onze ouders. En ik denk dat dat komt omdat we voelen dat het oorspronkelijke contract—het contract tussen ouder en kind, het contract dat zegt: "Ik zal altijd voor je zorgen", een onmogelijke belofte—dat dat contract nu verbroken zal worden, zij zullen binnenkort sterven. Dat bedoel ik als ik zeg dat we onze hartstochten moeten richten.'

Goed, maar wat dacht zij, nu, over de zwarten, mensen die even bezeten waren als zij?

'Als wij, vrouwen van het Zuiden, ons beperkt voelen, dan vraag ik me af hoe de zwarte van het Zuiden, die veel meer openlijke beperkingen heeft gehad, zich wel moet voelen. Hoewel ik waarschijnlijk geromantiseerd heb wat zij misschien daarover denken—die neiging heb ik namelijk.'

'Denkt u dat het protest nu zo geformaliseerd wordt, dat zelfs zwarten het contact beginnen te verliezen met wat ze voelen, en vaak zeggen wat ze denken dat van hen verwacht wordt?'

'Ik denk dat routine en retoriek de verontwaardiging hebben vervangen. Het eerste dat gebeurde na die heel reële schok over die affaire in Forsyth County—de schok dat *dat*, het geweld van het Zuiden, niet dood was—wat toen in actie kwam was de *volmaakte* protestmars. En we wisten precies hoe dat moest. Alsof de een of andere kosmische regisseur van protestmarsen alle knoppen omdraaide—en kijk, binnen een week hadden we de volmaakte mars.

'We hadden de juiste hoeveelheid bewustzijn van publieke veiligheid, de juiste hoeveelheid bewustzijn van de media. De juiste samenstelling van de massa, een keurig evenwicht tussen jonge zwarten en oude leeuwen met de littekens van de strijd; en we hadden de juiste hoeveelheid blanke liberalen. In die eerste mars voor de burgerrechten zou geen ex-president hebben meegelopen. Begrijpt u, de organisatie! De bussen waren er gewoon, zomaar. Dat is Hosea. Mensenkinderen, zoals die nu burgerlijke ongehoorzaamheid kan regisseren!'

Maar was het niet goed dat het protest in de Verenigde Staten zo geritualiseerd kon worden?

'Ik wil me niet kleinerend uitdrukken. Hoe zou ik het anders willen hebben? Ik ben zo blij dat het geen mensenlevens heeft gekost in Forsyth County, dat er geen schade is aangericht. Wat ik mis, dat zijn de kreten van oprechte verontwaardiging, zoals toen die drie strijders voor de burgerrechten waren vermoord in Mississippi. In de jaren vijftig. Maar het was het bloedvergieten dat de verontwaardiging wekte. En we willen geen bloed vergieten.'

Maar over de formalisering van het protest nog het volgende. Er bestond een orthodoxe manier van denken over ras en rechten. Misschien zouden de mensen soms zelfcensuur toepassen, om de indruk te wekken het juiste te zeggen.

Anne Siddons zei: 'Ik denk dat dat gebeurt bij alle revoluties. Daar komt geen eind aan. Ze veranderen gewoon in een karikatuur in de loop der jaren. En daarom raken ze hun geloofwaardigheid kwijt. De beweging voor de burgerrechten zal haar energie verliezen en langzaam uitlopen op een reeks sporadische, kleinschalige schermutselingen, naarmate andere dingen belangrijker worden. De beweging voor de burgerrechten is begonnen weg te ebben toen de vredesbeweging en de vrouwenbeweging in de jaren zestig tot leven kwamen. Zoals ik al zei, Amerikanen zijn bereid tegen alles te protesteren. Wij protesteren van nature. Maar door protest is het land ontstaan. Dat is iets waar wij alles van afweten.'

We hadden twee uur zitten praten. En aan de overkant van het Ritz, in de parterre van Macy's, liepen glimlachende, geüniformeerde jonge mannen en vrouwen, als een soort ceremoniële designer-lijfwacht voor Gloria Vanderbilt, licht—licht als balletdansers—over een pad tussen donkerrode koorden, terwijl een bandje speelde en Gloria Vanderbilt zelf—onvoorstelbaar dat iemand echt zo heette en het centrum vormde van de roem, de koopwaar, het boek, de talkshow—Gloria Vanderbilt zelf, donkere ogen in een lichte huid, in het TL-licht van het warenhuis, licht dat paste bij de airconditioning, dat deze zeepbellenwereld aanvulde, Gloria Vanderbilt dingen zat te signeren voor mensen die in een rij stonden te wachten.

Tom Teepen liep met me naar het Capitool-gebouw met zijn gouden koepel. In de grote middenhal, waar portretten hingen van mensen die hun roem hadden verworven in het politieke leven van Georgia, werden vlaggen uit de Burgeroorlog tentoongesteld. Tom Teepen zei: 'Heel wat geschiedenis, hier.'

En de plaatsvervangend gouverneur, Zell Miller, zat in zijn met hout betimmerde kantoor. Hij was afkomstig uit het Noordoosten van de staat, volgens hem Indiaans gebied, Cherokeegebied, tot in de jaren dertig van de negentiende eeuw, toen de Cherokees langs het 'Tranenspoor' naar Oklahoma waren gedeporteerd. Heette het toen ook al 'Tranenspoor'? Misschien niet; het kostte moeite en deed pijn om er nu aan te denken. De kolonisten die het land van de Indianen hadden ingenomen, waren Schotten en Ieren en wat Duitsers, die uit Carolina en Virginia waren gekomen. En het Noordoosten van de staat was geïsoleerd gebleven–de Amerikaanse geschiedenis had het druk gehad met andere gebieden, was over de Appalachians en de gemeenschappen in de 'kreken' en 'laagten' heengesprongen–tot in de jaren dertig en veertig van deze eeuw. Er waren weinig zwarten; dat gebied was geen 'racistische maatschappij'. Nu er echter veel nieuwelingen van elders waren gekomen, voornamelijk uit Florida, zei hij, heersten er vooroordelen onder de oude ingezetenen.

Dat was de achtergrond van de plaatsvervangend gouverneur. Zijn moeder was in 1942 naar Atlanta gekomen, toen hij tien was, en had twee jaar in de Lockheedfabriek gewerkt. Ze had haar geld opgespaard en was één keer met de twee kinderen gaan lunchen in het Biltmore Hotel. Twee jaar waren ze in Atlanta gebleven, en toen waren ze teruggekeerd naar de bergen. En nu zat de plaatsvervangend gouverneur in zijn betimmerde kantoor.

En naar de betimmerde bar van het Ritz-Carlton-hotel kwam later die avond Marvin Arrington, de voorzitter van de gemeenteraad van Atlanta, en hij was evenzeer bezig met zijn verleden als de plaatsvervangend gouverneur.

Maar Marvin Arrington was een zwarte. Hij was zwaargebouwd en sterk, al had hij opvallende o-benen. Hij was zesenveertig, van beroep advocaat. En hij sprak, openhartig en niet verlegen, en nog fris, hoewel hij het al wel honderd keer had gezegd, over het verschil tussen vandaag en gisteren, tussen vandaag, nu hij een erepositie bekleedde, en gisteren, toen Atlanta zo'n strenge rassenscheiding kende dat de enige plaats waar zwarten gebruik mochten maken van de toiletten het busstation was. Zodat zijn moeder, wanneer ze met de kinderen naar de stad kwam, erop aandrong dat ze de toiletten daar gebruikten als ze later niet al die kilometers daarheen terug wilden lopen.

Het zwarte personeel in de bar, dat uit vrouwen bestond, was blij Arrington te zien. Ze begonnen te glimlachen, hoewel hij geen mooie man was en een zwaar, langgerekt gezicht had. Hij droeg een lichtbruin pak; hij leek onderuitgezakt in zijn stoel te zitten. Hij vertelde Tom Teepen dat hij twintig pond was afgevallen. Maar zijn lange werkdag – hij was heel laat voor onze afspraak verschenen – had hem uitgeput, en hoewel hij slechts cranberrysap dronk, liet hij zijn grote hand in de schaal met noten glijden en greep hij handenvol noten.

We praatten over de rijke zwarten in Atlanta – bestonden die echt? Hij zei (net als in de overdruk van een artikel uit de *Atlanta Constitution* die ik had gelezen) dat hij een salaris van zes cijfers verdiende. Maar hij dacht niet dat er zoveel rijken waren onder de zwarten van Atlanta; en de cijfers die hij noemde, van salarissen en onkosten, waren eigenlijk nogal bescheiden.

Hij zei dat het hem speet dat hij niet langer kon blijven. Maar hij zou me willen spreken; en hij maakte een afspraak met me voor een gesprek van twee uur, in zijn advocatenkantoor, een paar dagen later.

'Afgesneden zijn van de kudde.' Die woorden had Anne Siddons gebruikt ter beschrijving van een van de angsten van haar meisjestijd in het Zuiden. En ik hoorde vrijwel diezelfde woorden uit de mond van een vrouw op een theologische school, waar ik heen ging om de ideeën over godsdienst en identiteit, die ik in Noordwest-Georgia had gekregen, nader te toetsen.

De vrouw die deze woorden sprak – 'Ik wilde niet *niet* tot de kudde behoren. Daar lag mijn identiteit' – was, net als Anne

Siddons, afkomstig uit een gevestigde familie, niet in Georgia, maar in Mississippi. Mississippi, zei deze vrouw, bezat een tweehonderdvijftigjaar oude geschiedenis, en haar familie had bijna tweehonderd jaar in hetzelfde huis gewoond.

'Mijn identiteit is gevormd door mijn familie en door de mensen van Jackson en Mississippi. In de presbyteriaanse kerk hadden we onze eigen bank. En dat was je identiteit. Mijn tante was ontzet toen ze op een keer naar de kerk ging en een vreemdeling in haar bank vond.'

Hield de gedachte van vroomheid en correctheid niet ook die van dienen in?

Nee, zei ze, niet voor haar familie. Andere mensen kenden de gedachte van dienen; dat was iets voor andere mensen. Toch had ze in Atlanta veel van haar tijd besteed aan het dienen van de zwarte gemeenschap.

'Er is een noblesse oblige dat je gescheiden hield, maar ook verplichtingen oplegde, maar zonder persoonlijke relaties. En ik denk dat ik zoveel tijd aan de zwarte gemeenschap in Atlanta heb besteed omdat ik *honger* had.'

'Wat voor honger?'

'Ik hongerde naar –' Het kostte haar moeite de woorden te vinden. 'Naar contact. Met mensen die een leven leidden dat echter was dan het mijne. Wij waren zulke koele mensen.'

Ze bedoelde de fatsoensnormen, de starheid, de goede manieren van de familie. Toen ze zich van hen had losgemaakt, had ze zelfs de gedachte van tranen toegejuicht. In de gedachte van dat dienen nu, en in de droom van predikant worden had ze een nieuwe gedachte van gemeenschap gevonden.

'Maar bedenkt u wel,' zei ze, over de identiteit die ze had gehad en waarschijnlijk nóg had, 'dat is een heel speciaal soort kudde. Blanken uit de hogere klasse in Mississippi.'

En terwijl zij een nieuwe gemeenschap zocht, waren de oude gewoonten die zij had gekend, aan het veranderen. De familie was nu verspreid over de hele Verenigde Staten; en het oude familiehuis, de 'plantage', zou waarschijnlijk 'instorten'. 'En mijn moeder is vreselijk overstuur, erger dan ik ooit heb meegemaakt. Omdat een groot deel van haar identiteit gaat verdwijnen. Dat huis is de plaats van samenkomst geweest; er is ruimte voor heel veel mensen. Voor mijn moeder is het het gevoel van dat huis. Dat huis, die bomen, die aarde. Mijn tantes praatten altijd over de Burgeroorlog alsof die gisteren had plaatsgevonden. En de mensen daar pronken met die huizen, weet u. Dat is een onderdeel van de economie. Ze trekken oude kostuums aan en laten hun huizen zien.'

Ik zei: 'Een soort maskerade.'

Zij zei, vanuit de geborgenheid van haar nieuwe gedachte van gemeenschap: 'Het is meer een soort godsdienst.'

Identiteit als godsdienst, godsdienst als identiteit: dat was het leidmotief van een andere student in de theologie, een jongeman met een heel andere achtergrond, een gemeenschap in de bergen van Noord-Georgia.

Hij zei: 'Als ik denk aan mijn jongensjaren, dan zijn die twee dingen grotendeels hetzelfde – familie en kerk. De kerk was een klein kerkje, met ongeveer vijfenveertig lidmaten die allemaal familie van elkaar waren. Zeven of acht generaties geleden was de eerste van onze familie daarheen verhuisd en had hij vijftien hectare gekocht; en daar wonen we nog steeds. Het is geen plantage. Misschien zijn er in het begin slaven geweest, maar die zijn al gauw verdwenen. Wij zijn een familie van kleine boeren. Mijn grootvader had vijftien of zestien broers, en hun nakomelingen wonen allemaal in een straal van vijf kilometer. Het komt heel zelden voor dat iemand verhuist. Wanneer je daarheen gaat, ken je de mensen, en je kent ze als familieleden.

'Tegelijkertijd kun je daar je eigen identiteit heel gemakkelijk kwijtraken. Maar ik ben het sindsdien gaan waarderen, zo heerlijk als dat is: een warme, hartelijke, openhartige familie, niet alleen maar vader en moeder en broers en zusters, maar ook neven en nichten en ooms en tantes.

'De kerk is op veel punten net zoiets. Familieleden. De "Holiness Church" is een heel emotionele godsdienst, en al heel vroeg viel het me op hoe totaal anders de mensen in de kerk waren dan thuis, waar ik ze had leren kennen. De emotie die ze uitten in de kerk was anders. Er werd veel geschreeuwd. De predikant probeerde op hun gemoed te werken en sprak over de zondigheid van de menselijke natuur. Er kwamen tijdens de eredienst momenten voor dat mensen opstonden en in tongen spraken, en anderen probeerden dan uit te leggen wat ze zeiden. En er waren momenten dat mensen verlost werden.'

'Die godsdienst was geen hand die zich uitstrekte naar de wereld?'

'Die godsdienst riep iedereen weg van de wereld, sloot de wereld buiten. Ik heb nog moeite om na te gaan hoe ik daar nu tegenover sta. Mijn eerste jaar op *college* heb ik alleen op mijn kamer gezeten. Ik was bang om naar buiten te gaan. Daarna ben ik kwaad geworden op bepaalde aspecten van het geloof, omdat ze zo'n star idee hadden van de wereld.'

Maar tegenwoordig (net als de plantage in Mississippi, en om dezelfde, economische reden) was de wereld in de bergen aan het veranderen. 'Veel mensen moeten daar wegtrekken om aan werk te komen.' Ze kwamen terug, dat wel; ze hielden altijd contact. Maar: 'De twintigste eeuw stort zich uit over de bergen.'

Bergfamilie, oude plantersfamilie: oude gedachten van gemeenschap, een gemeenschap die niet meer werd gediend, en de afstammelingen van die families waren bezig een nieuwe gemeenschap te vinden in het predikambt. Maar voor Frank was het niet helemaal zo gegaan. Die was opgegroeid in een blanke arbeidersbuurt in de stad. Het was geen 'etnische' buurt en er had geen gevoel van gemeenschap geheerst. Het was Zuidelijk, maar de Zuidelijke geschiedenis en het Zuidelijke verleden die de jongen uit de bergen en het meisje van de plantage hadden geërfd, hadden geleerd moeten worden door de jongen uit de stad. Hij was geboren als een van velen, en zijn eerste ambitie was anders geweest.

'Ik wilde een individu zijn, een nonconformist, iemand met eigen rechten, eigen opvattingen. Maar tegelijkertijd verlangde ik óók naar een identiteit. En die vond ik in de Democratische Partij. Dat is op de middelbare school begonnen. Ik werd lid van de Democratische club en werd al gauw leider van de jonge Democraten. Dat werd mijn godsdienst, omdat ik alles beoordeelde naar succes of mislukking in de partij. Toen ik van school kwam, stapte ik regelrecht over naar de partij-organisatie. De partij werd mijn gemeenschap. Maar het was geen echte gemeenschap. Daar vond ik niet de zorg die een christelijke gemeenschap hoort te hebben. Bij de marine kreeg ik het gevoel dat ik Christus ontmoette door de bijbel te lezen, en dat trof me. Maar ik was geïsoleerd tot ik hier kwam, waar die relatie met God waarheid is geworden op aarde. Ik heb hier de ware gemeenschap gevonden, op de theologische school.'

De stedelijke politiek in Atlanta was voornamelijk zwarte politiek, en Michael Lomax was een van de veelbelovende zwarte politici. Hij was pas achtendertig, maar men zei dat hij in 1989 kandidaat zou zijn voor het burgemeesterschap. Hij kwam niet uit Atlanta, maar uit Los Angeles, en hij had stijl. Hij was lang en slank en goedgekleed en ontwikkeld en had een zachte stem. Hij was licht van huid. Hij had niet de reputatie van een zwarte man-van-het-volk en hij leek—op grond van wat ik had gelezen—enigszins naar die reputatie te handelen. Maar het dienen van de zaak van de zwarten was een familietraditie; zijn kennis van de zwarte literatuur was aanzienlijk; zijn held was de vroege zwarte radicaal William DuBois, de criticus van Booker Washington. En hij was een toegewijd politicus.

Alles aan hem was weloverwogen. Hij had het verhoogde zelfbewustzijn van de politicus, zoals ik merkte toen we, na ons gesprek, samen een eindje opliepen in het centrum van de stad, aan de kant van Peachtree Street waar Macy's lag: de reactie van het publiek was belangrijk voor hem.

We hadden elkaar ontmoet in de Bibliotheek, waarvoor hij, als voorzitter van de Fulton County Commission, verantwoordelijk was. De mensen die hij zo hartelijk begroet had op de binnenplaats waren architecten. Hij zei gewichtig, maar met een glimlach: 'Ik bouw graag dingen.' En in de vergaderkamer van de bibliotheek, boven, was er thee: een zilveren servies en witte Wedgwoodkopjes en een keur van kleine gebakjes, voor ons klaargezet door iemand van de Commission, een blanke, een glimlachende jongeman die graag zijn elegante voorzitter een dienst bewees.

Zwarten moesten zich nu op zichzelf concentreren, zei Michael Lomax. Ze hadden niet zozeer behoefte aan protestmarsen als wel aan een inwendige revolutie.

'De beweging voor de burgerrechten heeft onze kijk op menselijke relaties vertroebeld. Die kijk is volkomen antagonistisch geworden. In een antagonistische relatie heb je een goed mens en een slecht mens, een slachtoffer en iemand die slachtoffers maakt. Wij waren de goeden, wij waren het slachtoffer.' Geen van de zwarte leiders van deze tijd praatte over zwarte verantwoordelijkheid, zei hij.

En toch had hij, ondanks alles wat hij was geworden, en ondanks zijn grote toekomst, nog de last te dragen van zijn zwarte huid. Hij sprak als volgt over die last (en misschien had hij dat al vaak gezegd): 'Er is geen dag, geen ogenblik van mijn leven dat ik niet hoef te denken aan de kleur van mijn huid. En zwart zijn heeft niet alleen te maken met wat ik zie. Het heeft te maken met wat ik voel voor mezelf. Het is zowel inwendig als uitwendig.

'Soms denk ik dat exorcisme goed zou zijn voor ons allemaal, om al die boze demonen van het ras uit te bannen. Die zitten nog in ons, en ze vechten onderling.

'Tien jaar geleden ben ik naar Brazilië gegaan. Ik ben naar een stad in Noord-Brazilië gegaan, naar Salvador, dat een heel gemengde bevolking heeft en waar iemand met een huidskleur als de mijne niets ongewoons is. En ik voelde een enorme bevrijding en vrijheid. Maar ik voelde ook iets van verlies omdat de mensen me niet negatief behandelden vanwege mijn huid. Dat was de vrijheid, maar ik droeg als zwarte zoveel verwachtingen met me mee dat ik het negeren van deze zwarte niet kon aanvaarden – het was een vorm van onzichtbaarheid.

'Je moet je eigen demonen verslaan. Voor mij is dat een confrontatie met het feit dat ik zwart ben en dat elke keer dat een blanke mij ziet, ik voor hem misschien niet anders ben dan een dronken vent op straat. En dat kleurt de manier waarop ik over mezelf denk. Ik ben kwaad geweest dat ik zwart ben, ik ben er treurig over geweest. En ik kan niet omgaan met de blanken of de zwarten totdat ik in de spiegel heb gekeken en de man die ik daar zie, heb geaccepteerd.'

Men was het er algemeen over eens dat het correcte optreden van de sheriff van Forsyth County erg had geholpen om het gif meteen uit de situatie te verwijderen. Toen ik met hem sprak over de telefoon bleek hij heel open en zakelijk; veel mensen waren met hem komen praten. Hij vertelde me hoe ik zijn bureau kon bereiken. Het was in de gevangenis van Forsyth County, zei hij. En dat riep talloze Westernfilms bij me op.

Het was ongeveer een uur van Atlanta vandaan. Het gevoel van vakantie dat de omgeving wekte, de bossen en goed onderhouden wegen en een enorm kunstmatig meer dat was aangelegd door de Genie, viel moeilijk te rijmen met de bloeddorstige spanningen van 1912: het lynchen van een man in de gevangenis, de publieke terechtstelling van twee anderen, de rondtrekkende menigte die de zwarten had verjaagd. En het stadje te midden van deze voorjaarsgroene bossen was heel Amerikaans: de hamburgertenten, de banken die op kerken leken, reclameborden—doodgewoon.

Een vrouw kwam uit haar kruidenierswinkel naar buiten om me de weg te wijzen naar het bureau van de sheriff. De hoofdweg oversteken, langs de begraafplaats en dan naar een laag gebouw van baksteen. En daar, in het drukke stadje van rode baksteen, lag het: een nieuw gebouw, niet dat van 1912, maar nog even laag en primitief als het bureau van een sheriff in een Western: met het opdringerige opschrift (zoals in een film) FORSYTH COUNTY JAIL, maar met een groot geasfalteerd voorplein vol geparkeerde auto's—de gevangenis en het bureau van de sheriff dienden, net als de hamburgertenten, een gemotoriseerde bevolking. De vlag van de Verenigde Staten en de vlag van Georgia hingen naast elkaar aan vlaggemasten.

Twee dubbele glazen deuren leidden naar de receptie, waar twee oudere blanken op lage stoelen zaten. Een secretaresse zat aan een bureau met papieren. En achter haar, tegen de wand van betonblokken, hing een afbeelding van het zegel van Georgia: grof weergegeven symbolen van burgerschap uit 1776: een boog op twee klassieke zuilen, een lint dat los tussen de zuilen zweefde, met het devies van de staat Georgia: WIJSHEID, GERECHTIGHEID, GEMATIGDHEID.

De sheriff was in vergadering, zei de secretaresse. Een man in spijkerbroek kwam binnen om te praten over een parkeerbon of iets dergelijks—waardoor ik een idee kreeg van de dagelijkse gang van zaken in het bureau van een sheriff. Na een tijdje kwam de sheriff zelf te voorschijn, zonder jasje, met een paisley-das op zijn witte overhemd. Hij zei: 'Ik kom zo bij u.'

En al gauw werd ik naar zijn bureau geroepen, waar op een ouderwetse kapstok een zwarte cowboyhoed met het insigne van de sheriff lag. De sheriff zei dat hij die hoed maar één keer had gedragen, op de dag van de grote protestmars in Forsyth. Aan de kapstok hing ook het heel schone, lichtblauwe jasje van de sheriff.

Hij was in de veertig. Hij zei dat hij sinds twintig jaar in dit district woonde. Hij had een tijdlang 'voor de klas gestaan'; hij was sinds elf jaar sheriff.

Jaren geleden, zei hij, was Forsyth Country een geïsoleerd gebied geweest en hadden de mensen een gesloten gemeenschap gevormd. Hetzelfde kon men zeggen van 'heel Noord-Georgia'. 'Toen kwam de drankindustrie, en een paar mensen hier stookten clandestien omdat het zo geïsoleerd lag. En dat was de enige bron van inkomsten.' Later waren de fabrieken van Lockheed en General Motors gekomen; en de pluimveeteelt. 'De pluimveeteelt heeft onze gemeenschap uit haar lage sociaal-economische positie gehaald. Toen kwamen er betere wegen, en veel nieuwe mensen.' Tegelijkertijd begon de periode van hoog-conjunctuur in Atlanta. 'We trekken nu heel veel mensen aan.' Land was driemaal zoveel waard geworden. In 1970 hadden er zestienduizend mensen gewoond; in 1986 moeten het er veertig-duizend zijn geweest. 'We zijn bezig een welgestelde voor-stad van Atlanta te worden. Dus doen we ook mee aan de hoog-conjunctuur.'

En hoewel 'men met stenen had gegooid' bij de eerste broe-derschapsmars, hadden de stenengooiers dus nooit echt succes kunnen boeken in het nieuwe Forsyth. De tweede mars, met die twintigduizend deelnemers, was geen raciale aangelegenheid geweest, zei de sheriff. De marcheerders waren zowel blanken als zwarten geweest, en ze hadden duidelijk gemaakt dat ze geen geweld wilden zien. 'Het Amerikaanse publiek tolereert geen geweld.'

Het ras als ras, zei de sheriff, daar kon niets aan gedaan worden. 'Het ware probleem is van sociale en economische aard... Er is niets aan te doen, want de mensen trekken daarheen waar ze zich lekker voelen. Ze verhuizen volgen hun sociaal-economische status.' Een zwarte dokter die zich in Forsyth County wilde vestigen, zou op zijn plaats kunnen zijn. Maar het zou anders zijn voor een zwarte van lagere stand. Mensen hadden er behoefte aan zich op hun gemak te voelen met andere mensen. 'Als je twee sjofele zwarten hebt en twee sjofele blanken, dan gaan ze ruzie maken omdat ze niet met elkaar overweg kunnen.'

Wat de grote mars zelf betrof, zei de sheriff, dat was voornamelijk een gebeurtenis voor de media geweest. Veel mensen waren voor die mars gekomen omdat het de eerste sinds twintig jaar was. Mensen die de marsen van de beweging voor de burgerrechten van vroeger hadden gemist, wilden nu aan zoiets meedoen. 'Het heeft veel mensen de gelegenheid gegeven mee te doen aan iets waarvan ze dachten dat het een historische gebeurtenis zou worden.' Er waren dus twee 'explosieve' groepen geweest – de deelnemers aan de mars en de mensen die ertegen waren. Wat voor soort mensen was ertegen geweest? 'Veel van de mensen met wie ik gewoonlijk op zaterdag te maken krijg. Handhaving van de orde heeft negentig procent van de tijd te maken met tien procent van de bevolking.' Zo praatte de sheriff: hij was evenzeer socioloog (en voormalig leraar) als ambtenaar ter handhaving van de orde. Zoals hij erover vertelde leken de problemen van Forsyth County veel gemakkelijker te hanteren.

En hoewel hij het niet zei, bleek uit zijn woorden de gedachte dat er twee groepen mensen waren die de aandacht wilden trekken. De groepen van de burgerrechtenbeweging, waarvan de veldslagen en zelfs de oorlog sinds lang gewonnen waren, en die nu onderling kibbelden en zochten naar aanleidingen; en de blanke chauvinisten die bijna op dezelfde manier zochten naar publiciteit en aanhang. De grote mars in Forsyth was, in de beschrijving van de sheriff, als een ritueel conflict dat voor de camera's was opgevoerd, overeenkomstig vaststaande regels.

Door die formalisering was de strijdvraag zinloos geworden. Overbelichting was een heel Amerikaans aspect van die formalisering, dacht ik bovendien. Iedereen was eindeloos geïnterviewd; iedereen, ook de sheriff, was een persoonlijkheid geworden; iedereen had nu de aandacht uitgeput.

Dus, zoals de sheriff zei: 'Die kwestie is dood.'

En de sheriff zei nog iets interessants. De marcheerders hadden gewonnen, maar in de drie maanden sindsdien was niet één zwarte naar Forsyth verhuisd. Het district was geheel blank gebleven, en dat bewees zijn eerste uitspraak: dat het nu geen rassenkwestie was, maar dat het om sociaal-economische zaken ging.

Hij maakte indruk, sheriff Walraven. Hij was een gekozen ambtenaar, en hij zag zichzelf als de vertegenwoordiger van het Amerikaanse volk – dat zich had afgewend van geweld. En hoewel hij dat aspect van de zaak niet wilde benadrukken, deed hij ook zijn christenplicht, want het christendom was een godsdienst die liefde en vrede predikte. (Eens had het christendom in deze omgeving andere dingen gepredikt; met het christendom van de Ku Klux Klan moest nog rekening worden gehouden. Maar de sheriff zag de gebeurtenissen van 1912 als geschiedenis, vijfenzeventig jaar oud. Hij vertegenwoordigde de huidige wil van het Amerikaanse volk. Er mocht geen geweld worden gepleegd; het was zijn plicht daarvoor te zorgen.)

Dacht hij dat er een situatie mogelijk was waarin dat kon veranderen?

Hij dacht een tijdje na en zei: 'Als het systeem ineenstort.' Maar daar voegde hij vrijwel onmiddellijk aan toe: 'Het systeem kan niet ineenstorten. Individuele personen zouden ineen kunnen storten.'

Nu ik deze ontwikkelde man met zijn bijna filosofische opvatting van zijn plichten ontmoette, zag ik hoe ver de Ku Klux Klan-groepjes van Forsyth verwijderd waren van het centrum. Dat was al opgemerkt door de zwarte burgemeester van Atlanta, Andrew Young.

'Ik zie de acties van de Klan niet uitsluitend als racistisch,' zou hij volgens de *Journal* drie dagen na de grote mars hebben gezegd. 'Dat zijn wanhoopsdaden van mensen die merken dat de geschiedenis hen achter zich laat. Wat we eigenlijk nodig hebben zijn trainingsprogramma's die de mensen helpen zich aan te sluiten bij de hoofdstroom. In Georgia hebben we nu te maken met een probleem van de laagste klasse–zwart én blank. De laagste zwarte klasse loopt vast in drugs en misdaad. De laagste blanke klasse loopt vast in drugs, misdaad en Klan. Je kunt marcheren tot je voeten eraf vallen, maar op die manier verander je niets.'

Op deze conclusie was men niet ingegaan. Men herhaalde deze gedachte niet; ze ging verloren in het goede, veilige streven.

Er was een soort overwinning behaald. Maar er was weinig veranderd. De boodschap van Forsyth County was tevens de boodschap van het zwarte Atlanta. Over die speciale frustratie sprak Marvin Arrington, de voorzitter van de gemeenteraad van Atlanta–althans, daar leek hij over te spreken.

Ons gesprek verliep niet plezierig. Ik had zijn advocatenkantoor opgebeld, vlak voordat ik op weg ging, en hij had gezegd dat ik meteen kon komen. Maar toen ik kwam, was hij er niet. Zijn secretaresse–die me een Coca-Cola inschonk–zei dat hij even de deur uit was. En hij kwam pas een halfuur later terug. De kantoren van zijn firma waren indrukwekkend. Ze lagen in een fraai verbouwd oud gebouw in het centrum van Atlanta; in een artikel in de *Constitution* had gestaan dat het gebouw een miljoen dollar had gekost.

Toen hij terugkwam nam hij me mee naar zijn eigen kamer. Die was zonnig en keek uit op de straat, en was warmer dan de andere vertrekken. Er hingen veel diploma's en familiefoto's aan de wand; en op de vensterbanken stonden Afrikaanse beeldjes, snuisterijen voor toeristen.

Dat dit gesprek een mislukking werd, was voor een deel mijn eigen schuld. Toen Arrington namelijk zijn jasje uittrok en me vroeg te beginnen, zomaar, wist ik weinig te bedenken. Ik had gehoopt tevoren gewoon wat te kunnen praten; en gehoopt dat ik tijdens dat praten denkbeelden of onderwerpen zou tegenkomen die ik wilde uitdiepen. Door dit botte verzoek om te beginnen zat mijn hoofd echter vol met het meest voor de hand liggende. Zijn rusteloosheid hielp evenmin. Hij stond telkens op en liep in het rond; hij praatte vaak met zijn secretaresse door een open deur; hij bladerde in papieren op zijn bureau. Hij zei dat hij veertig dingen tegelijkertijd deed.

En alles wat ik te weten kwam uit dit onbevredigende gesprek had ik kunnen vinden in de archieven van de *Constitution* en de *Journal* en in zijn eigen publiciteitsmateriaal: een man uit de binnenstad, opgegroeid toen alles nog gesegregeerd was, vader vrachtwagenchauffeur, veel van de ambitie van de kinderen ingegeven door hun moeder. 'Ik ben eruit gebroken.' Een beurs op grond van sportprestaties had hem daarbij geholpen; hij dacht aan alle mensen die niet een dergelijke beurs konden krijgen. En er was weinig veranderd. Met hun politieke macht hadden de zwarten slechts weinig economische macht gekregen; zelfs de zwarte winkelstraat, Auburn Street, was nu verwaarloosd. Zwarte mensen moesten kansen krijgen, kansen konden alleen geboden worden door het systeem. Zodat hij de verantwoordelijkheid nog steeds bij anderen leek te leggen. Hier was geen spoor te bekennen van de interne revolutie waarover Michael Lomax had gesproken. Nog steeds die woede.

Toen ik zei dat er wel dingen veranderd waren voor zwarten, zei hij: 'Moeten we nogmaals driehonderdvijftig jaar wachten?'

Hij rookte een dikke sigaar; hij doofde die, waardoor een wolk van aromatische rook opsteeg, vlak bij de plek waar ik zat. Hij verontschuldigde zich daarvoor; in zijn bruuske optreden deden zich telkens van die momenten van hoffelijkheid voor, voor mij als bezoeker. Een collega kwam binnen en bleek meer in mij geïnteresseerd dan Arrington. Zijn zoon kwam binnen, en Arrington was even vertederd toen hij die grote, zelfverzekerde jongen zag, die mij vertelde dat hij in Engeland was geweest en daar tweeëneenhalve week had doorgebracht. Na een tijdje verliet de jongen de kamer. Arrington verwees later naar hem. De wereld zou anders zijn voor mensen als zijn zoon, zei hij. Maar dat was de enige keer dat hij teder en optimistisch was, voor het overige was hij stekelig.

Stekelig wat ras betrof. Stekelig wat de krant in Atlanta betrof, die geprobeerd had hem te gronde te richten, zei hij – en hij nam me mee naar een aangrenzende kamer om me de aanval in de *Atlanta Constitution* te laten zien: die had hij laten inlijsten, samen met een gedrukt protest, onder meer ondertekend door de vader van Martin Luther King, over de behandeling die zwarte, gekozen ambtenaren kregen in de pers. En hij was bovenal stekelig wat Michael Lomax betrof, zijn tegendeel in zoveel opzichten: Arrington was groot, zwaar, sterk, bruinzwart, een man die zich opgewerkt had; Lomax was slank, had een lichte huid, kwam uit een ontwikkelde familie en was zich bewust van zijn charme.

Arrington had Lomax verslagen als kandidaat voor het voorzitterschap van de gemeenteraad, zo'n zes jaar daarvoor. En men zei dat als Lomax kandidaat zou zijn voor het burgemeesterschap in 1989, Arrington van plan was op te treden als zijn tegenkandidaat. Hij wilde dat ik een karakterschets van Lomax las, geschreven voor een krant in Atlanta. Hij praatte over de telefoon met iemand in zijn kantoor en vroeg om een exemplaar van 'de karakterschets van Lomax'. Nog weer later telefoneerde hij iemand in zijn kantoor om een exemplaar van zijn eigen publiciteitspamflet, *The Arrington Commitment*, acht pagina's, zestien foto's, professioneel.

Hij telefoneerde nog meer. En één keer, terwijl ik iets las dat aan de muur hing – het verleden geëtaleerd in diploma's en foto's en krantenknipsels – hoorde ik hem streng door de telefoon praten, misschien over de aangelegenheid die hem uit zijn kantoor had geroepen, vlak nadat hij gezegd had dat ik kon komen. Het was alsof hij die dag veel dingen had die hem agressief maakten.

Hij praatte opnieuw over zijn zoon. Die tederheid bracht hem op Londen, waar zijn zoon was geweest. Maar: daar kwamen rellen voor, zei hij. En toen hij zelf daar was geweest: 'Ik voelde me niet op mijn gemak in Londen.' Hij voegde daaraan toe: 'Ik ben naar dat Shakespeare-theater geweest. Ik begreep het niet, maar ik ben erheen gegaan omdat het iets cultureels was.' Ik had daar wel meer over willen horen. Maar dit was een van de vele draden die werden afgebroken doordat hij opstond en rondliep, doordat hij papieren zocht, rookte, door zijn vlagen van hoffelijkheid. Die reis naar Engeland—het zou interessant zijn geweest het land door Arringtons ogen te zien—was iets waarop we niet meer terugkwamen.

Ik kreeg al gauw het gevoel dat ik niets nieuws te vragen had, dat alle kwesties die ik te berde zou brengen schipbreuk zouden lijden op de achterstelling van de zwarten.

Dit was iets waarover ik me zorgen had gemaakt: dat deze belangrijke mensen in Atlanta, omdat ze zo vaak geïnterviewd waren, en hoewel ze nieuw konden lijken voor iemand van buiten de stad, in werkelijkheid zouden bestaan uit niet meer dan een bepaalde hoeveelheid standpunten en houdingen, veranderd zouden zijn in hun interviews. Zoals bepaalde schrijvers—Borges, om een beroemd voorbeeld te noemen, die zoveel interviews had gegeven aan journalisten en anderen—die, als alle interviewers, hét grote interview wilden maken, het enige in het archief, niets hadden willen weglaten dat in alle andere interviews voorkwam—dat hij, Borges, tenslotte niets méér was geworden dan zijn interview, een paar verhalen, een paar opinies, een stereotiepe autobiografie, een persoonlijkheid in zakformaat. En op die manier, had ik me laten vertellen, creëerden de media twee of drie slogans voor een politicus en reduceerden ze hem tot die vlot uitgesproken woorden. Ik had me daar zorgen over gemaakt, dat ik niet door de publiciteit heen zou kunnen prikken; en nu bij Arrington was het zo ver. Ik was er niet in geslaagd verder te komen dan zijn dossier.

Aan de muur hing een ingelijste uitspraak van Abraham Lincoln: tijd en goede raad van een advocaat maken deel uit van zijn middelen.

Ik stond op om weg te gaan. Hij was hoffelijk; en als afscheidsgeschenk gaf hij me een kleine rondleiding door de kantoren van zijn firma. De mensen die ik ontmoette waren vriendelijk en aardig; er was een blanke procuratiehouder. De kwaliteit en de stemming op iemands kantoor of in een organisatie maken je onmiddellijk veel duidelijk over de werkgever of het bestuur. Dat betekende dus dat Arrington veel aardiger was dan hij die middag had laten blijken.

En toen ik de trap afging naar de straat, waar de mensen zwart waren (en Atlanta mij dus anders voorkwam dan de wijken die ik tot dusverre had leren kennen) en iets Caribisch, Latijns-Amerikaans hadden – en ook de stad zelf, aangezien het centrum van Atlanta geen stad is van aaneengesloten hoge gebouwen, maar eerder een van hoge gebouwen en lege plekken, parkeerplaatsen, zodat alles gauw enigszins verwaarloosd lijkt – toen ik de straat opging, werd ik overvallen door een heel oud gevoel van beklemming en somberheid.

Bepaalde gevoelens uit mijn kinderjaren in Trinidad keerden terug. Hoewel de meeste van mijn onderwijzers en leraren daar negers waren geweest (eerder bruin dan zwart), en hoewel ik voor dergelijke mensen (en voor politieagenten, eveneens negers) als kind alle denkbare eerbied en respect voelde, en hoewel in mijn ogen mensen als leraren eigenlijk geen raciale kenmerken hadden, maar alleen uit hun beroep bestonden, was ik me zodra ik buiten de school met hen in contact kwam, bewust geworden (als kind uit een Indiase familie vol rituelen die niet buiten het huis van de familie konden plaatsvinden, rituelen en opvattingen die dag in dag uit moesten worden afgelegd en weer aanvaard, bij het naar school gaan en bij de terugkeer naar huis), was ik me bewust geworden van de fysieke kwaliteiten van negers en van de verschillen en zelfs, voor mij, de onwerkelijkheid van hun huiselijk leven.

Iets dergelijks was gebeurd in het kantoor van Arrington. Zijn stekeligheid, de nadruk die hij had gelegd op het ras en de binnenstad ('De binnenstad is mijn strijdtoneel') en de kracht die hij ontleende aan de armen onder de zwarten, hadden die oude barrière rond hem opgetrokken.

Die stekeligheid was begrijpelijk; de woede was begrijpelijk. Maar ik had ook het idee dat die woede en stekeligheid eisen konden stellen aan andere mensen die nooit vervuld konden worden. Hij had gezegd: 'Ik zou vrij willen zijn. Ik kan niet vliegen als een vogel.' Veel mensen zouden zoiets kunnen zeggen; niet iedereen zou er een politieke uitspraak van kunnen maken. En ik had het gevoel, juist daarbuiten in die straten die zo Caribisch leken, terwijl ik terugliep naar het hotel, dat het hier eigenlijk om twee wereldvisies ging, om twee manieren van zien en voelen die niet met elkaar te verzoenen waren. En dat deprimeerde me.

Ik had voor een deel geprobeerd in de zwarte politici van Atlanta iets terug te vinden van de kenmerken van de zwarte politici van het Caribisch gebied. In Arrington had ik, dacht ik, voor het eerst iemand gevonden die door Caribische omstandigheden gecreëerd had kunnen zijn. In het Caribisch gebied had zo iemand, door te beweren uit het volk te zijn voortgekomen (zoals Bradshaw van St. Kitts of Gairy van Grenada) en op grond van zijn vroegere problemen de problemen van zijn volk te begrijpen, totale koloniale macht kunnen veroveren, een oud systeem omver kunnen werpen en daarvoor in de plaats iets invoeren dat hij zelf had bedacht.

Maar hier in Atlanta – hoewel Arrington als voorzitter van de gemeenteraad, over een zekere macht beschikte, de macht om nee te zeggen – was die macht beperkt. En misschien was hij, juist door de waardigheid die de stadspolitiek een zwarte man bood, zich meer bewust geworden van de grote, alles omvattende rijkdom en ware macht van het blanke Atlanta. Zodat de politiek van Atlanta een soort spel had kunnen lijken, een uitlaatklep voor de woede van de zwarten. Zoals de wetten betreffende de burgerrechten wel voor rechten hadden gezorgd, maar niet voor geld of aanvaarding, zo zorgde de gemeentepolitiek misschien voor een positie zonder macht, wat een ander, onstuitbaar soort woede opwekte.

Hosea Williams zou, na gepost te hebben bij de CIA in Washington vanwege het drugvraagstuk, naar Europa zijn gevlogen om actie te voeren tegen apartheid. Hij is óf niet gegaan, óf die reis is heel kort geweest. Een paar dagen later wist Tom Teepen namelijk te regelen dat ik Hosea in Atlanta ontmoette. Het gesprek zou plaatsvinden in Oost-Atlanta, in een van de 'volksbuurten', zei Tom, en hij reed me erheen om me voor te stellen.

Het gebouw waarvoor we stopten leek op een kleine fabriek of een pakhuis, en het stond naast een kapotte schuur met drie muren. Er was een middengang, waar mensen achter bureaus zaten. Stickers met HOSEA zaten op deuren en wanden, en wekten de indruk van een hoofdkwartier tijdens een verkiezingscampagne. We werden naar een kantoor gebracht; onderweg passeerden we een kamer waar een secretaresse achter een vol bureau zat.

De wanden van het kantoor waren behangen met allerlei grote zwart-witfoto's van de protestmarsen voor de burgerrechten: Hosea kwam, veel jonger, voor op sommige foto's, samen met zijn verbazingwekkend jeugdige leider, Martin Luther King. Er waren foto's van arrestaties door de politie. Maar het meest ontroerend waren de foto's die eenvoudiger dingen benadrukten: de overalls van de marcheerders, en de muilezelkarren, de beide symbolen van de beweging: ontroerend en onontkoombaar en juist, net als het Gandhi-petje en de homespun in India. Tom Teepen bekeek de foto's samen met mij en zei dat toen Martin Luther King vermoord was, men besloten had zijn doodkist op een muilezelkar te vervoeren; maar de enige die ze konden vinden—en in beslag hadden genomen—had in een museum of op een kermis gestaan.

Aan de muur hingen ook veel plaquettes die Hosea had ontvangen bij allerlei gelegenheden. En er was een poster met een variatie van Black Power op het Aunt-Jemima-thema. De omvangrijke zwarte vrouw glimlachte niet; ze stak een grote zwarte vuist op; en de tekst luidde: 'Niet meer' en 'Netto gewicht 1000 pond'.

Hosea (hij was ergens anders in het gebouw bezig geweest) kwam tenslotte binnen; hij was nu thuis, de mensen hier behandelden hem met respect, en hij was rustiger dan toen ik hem had gezien in de zaal van het federaal gerechtshof.

Tom Teepen stelde me voor en vertelde over mijn belangstelling voor Forsyth County. Ik zag aan zijn ogen dat hij me onmiddellijk accepteerde. En meteen, nog voordat Tom was vertrokken naar zijn krant, begon Hosea te praten, ongekunsteld het verhaal na te spelen—hij straalde energie uit, liep rond, kwam soms vlak voor me staan, terwijl ik zat aan de lange conferentietafel die in de grote kamer stond, naast zijn bureau.

Hij ging terug naar het begin van het verhaal van Forsyth, naar het begin van het jaar, toen de karateleraar uit Californië besloten had een Broederschapstocht te organiseren om Martin Luther King-dag te vieren in Forsyth. Hosea had daarvan gehoord via de televisie en was geïnteresseerd geraakt.

'Hij wist niet dat daar in het Noorden een gewelddadig en fel racisme bestond. Ze zaten zo gemeen achter hem aan, dat het tot hem begon door te dringen: "Misschien kom ik deze stad niet levend uit." In dergelijke plaatsen is vuur het belangrijkste wapen. Brand ze eruit, steek hun huizen in de fik. Een student in de Oosterse vechtkunsten uit het aangrenzende district was die man komen helpen. Die student heeft de naam een harde jongen te zijn. Hij zei tegen die Californiër: "Wij zijn blanke mannen. Ze kunnen ons niets maken." Hij is een harde jongen. Maar ze zullen niet achter *hem* aan zitten. Wat ze wel doen is zijn familie aanpakken. Dus begon hij hulp te zoeken bij de zwarten. Hij begon te weifelen.

'Toen ik ervan hoorde, schoot dit als eerste door me heen: "Bij elke beweging waaraan wij hebben meegedaan, zijn we verdedigd door blanken. Hier zitten een paar blanken in de problemen. Als dr. King er nog was, wat zou hij dan doen?" Ik zei: "Hosea, pak je bullen. Wij moeten naar Forsyth."

'De naam van die student in de vechtkunsten heb ik tenslotte van een krant gekregen. Ik heb hem opgebeld. "Mijn naam is Hosea Williams. Ik bied je mijn hulp aan." Hij was overweldigd. Hij zei: "Ik heb van u gehoord. Voordat ik uw hulp aanvaard, wil ik persoonlijk met u praten." Maar ik wou die avond niet meer naar Forsyth. Hij zei: "Dan kom ik wel naar Atlanta." Ik was bang voor hem. Ik wist niet wie hij was. Hij had iemand van de Klan kunnen zijn. Ik organiseerde een ontmoeting in de hal van een groot hotel. Hij kwam nog diezelfde avond, hij en zijn schoonvader. Hij zei: "Ik ken u. Ik ken uw reputatie. Ik weet dat u een harde kerel bent. Maar laat ik u één ding vertellen. Als u naar Forsyth komt en met mij mee marcheert, komt u niet levend uit die plaats vandaan."

'Ik weet hoe hard Forsyth is. Maar ik vond dat hij te pessimistisch was. Ik organiseerde een persconferentie. Ik deelde mee dat wij om negen uur bij het graf van dr. King zouden vertrekken en dat we naar Forsyth gingen. Ik dacht niet dat iemand zou meekomen. Zwarten zijn bang voor Forsyth. Ze weten hoe het daar is. Zwarten hebben zelfs geen zin om te tanken in Forsyth.

'Dean Carter, die vechtkunstenaar, zei: "Dat zijn domme mensen. Ze hebben te horen gekregen dat ze nikkers moeten wegjagen, kan ze niet schelen hoe. Ze krijgen van de wieg tot het graf te horen dat ze de nikkers buiten de deur moeten houden. Je doet alles wat je kan – afranselen, doden – om nikkers uit het district te houden. Dat is zo'n beetje hun cultuur." Dat is wat Dean Carter tegen me zei. Het is zo'n beetje hun *cultuur*.

'Ik dacht dat ik wel wist hoe het daar was. Ik wist niet hoe erg het in werkelijkheid was.

'De volgende ochtend waren er zo'n vijfendertig, veertig mensen.

'Ik voelde terwijl ik erheen reed dat die mensen een diepe frustratie hadden. Ik stond op en praatte en preekte de hele weg daarheen. Toen we aankwamen, stonden er zo'n dertig of twintig mensen te wachten om zich bij ons aan te sluiten. Een of twee van de Ku Klux Klan die wilden infiltreren. Maar tegelijkertijd waren er in totaal zo'n vijftienhonderd mensen – de kranten zeggen tweehonderd, maar ik zeg vijftienhonderd – en die hadden een bijeenkomst van de Ku Klux Klan en brulden: "Dood aan de nikkers! Dood aan de nikkers! Jaag de nikkers terug naar hun watermeloenveld in Atlanta." Vijftienhonderd. In totaal.

'De sheriff probeerde ons tegen te houden toen we uit de bus wilden stappen. Ik zei: "Wij zijn Amerikanen. Een mars is een kwestie van vrijheid van meningsuiting." Ik wou niet dat iemand ons zou tegenhouden.

'Die andere mensen waren zo opgepept dat ze als Olympische hordenlopers over hekken van meer dan een meter hoog sprongen en brulden: "Dood aan de nikkers! Dood aan de nikkers!"'

Toen ik hem in de rechtszaal had gezien – waar hij niets deed en weinig zei – had hij gejaagd geleken, geagiteerd. Maar nu, hoewel hij om mijn stoel heen liep en zijn verhaal naspeelde, met zijn voeten stampte, met zijn vuisten zwaaide, leek hij lucide. Zijn verhaal leek niet overdreven of grillig. En wat steeds duidelijker bleek was zijn praktische aanleg. Net als de mahatma in India wist hij hoe hij de dingen moest organiseren, hoe hij de instellingen van de maatschappij moest gebruiken: de politie, de pers.

De tegenstanders van de mars hadden zich ook georganiseerd. Volgens Hosea hadden ze voorraden stenen klaargelegd.

Hosea zei: 'De pers kwam almaar naar me toe'–merkwaardig, deze beschrijving van een gevaarlijke mars, met de pers vlak in de buurt: hoe had hij ze daar gekregen?–'De pers kwam almaar naar me toe en vroeg: "Is het gevaarlijk? Is het gevaarlijk, Hosea?" En ik zei dan: "Nee, het is niet zo gevaarlijk." En een van onze eigen stafleden zei tegen me: "Dominee, het is *gevaarlijk*." En hij had gelijk. Het wás gevaarlijk.

'Eén man, eentje uit Forsyth, rende naar de voorkant van onze bus, en toen naar de achterkant van onze bus–de bus die ons naar Forsyth had gebracht, de bus die ik had gehuurd–hij rende heen en weer in een poging mij te pakken te krijgen. Ik begreep wat hij deed. Hij leek me een leider, en ik dacht dat ik moest proberen contact met hem te maken via de ogen.' (Ik herinnerde me wat Howard had verteld: vermijd oogcontact wanneer het op straat gevaarlijk wordt. Dat was Howards methode om gevaar in het algemeen te ontwijken; en ik had gezien hoe zwarte kelners in Atlanta dat voortdurend in de praktijk brachten.) 'En toen hij weer vóór de bus kwam, glimlachte ik naar hem. Hij werd wild. Hij begon te krijsen. "Die nikker lacht naar me! Maak die nikkers koud! Ik wil geen mars van die nikkers. Maar die nikker heeft naar me gelachen!"'

De sheriff had Hosea toen verzocht zijn mensen weer naar de bus te roepen.

'Ik riep de mensen naar de bus en we reden een eindje verder om hem de kans te geven de Ku Klux Klan in bedwang te houden.'

Hosea trok een van zijn broekspijpen op en liet donkerrode plekken zien op zijn lichtbruine scheen en kuit. Hij zei dat die plekken veroorzaakt waren door een baksteen die tijdens de mars was gegooid.

Dat was het eind van de mars geweest. In de bus terug naar Atlanta had hij ergens aan moeten denken, en hij had geglimlacht. Zijn zoon had gevraagd waarom hij glimlachte, en Hosea had gezegd: 'Ik het het gevoel dat ik dr. Kings verjaardag echt heb gevierd.'

Als een echte verteller rondde hij zijn verhaal af, dat begonnen was met zijn veroordeling van de verkeerde manier waarop de mensen, ook zwarten, de verjaardag waren gaan vieren van 'dr. King'–zo sprak Hosea steeds over Martin Luther King.

Hosea zei: 'In de bus naar huis zei ik tegen mijn zoon: "Dat zijn zo ongeveer de slechtste blanke die ik ooit heb gezien."

'Ik heb vaker tegenover een vijandige menigte gestaan. Maar meestal waren dat oudere blanke mannen. Als er al vrouwen bij waren, dan hooguit een of twee, en ze hielden hun mond. Maar in Forsyth, o God, daar waren zoveel vrouwen bij, veel met kleine baby's op de arm, en die gilden allemaal scheldwoorden, zoveel haat. "Dood aan de nikkers! Nikkers krijgen AIDS!" En zoveel jonge mensen, tieners! Ik dacht: "Mijn God, we zitten nog zestig jaar met die jongen daar opgescheept."'

Na die eerste mars, zei Hosea, hadden sommige kranten geschreven dat hij uit Forsyth County verdreven was. Daardoor had hij zich aangemoedigd gevoeld om de tweede mars te organiseren. Veertigduizend mensen hadden toen meegedaan. De kranten zeiden twintigduizend, maar hij dacht dat het er veertigduizend waren geweest.

'Het racisme keert terug, man. Net als na de Burgeroorlog. Toen werd het beschreven als het einde van de Reconstructie. Nou, en nu staan we aan het eind van de tweede Reconstructie.'

Maar de kwestie-Forsyth was nu dood, zoals de sheriff had gezegd. Was er iets bereikt?

Hosea dacht, hoewel er geen zwarten naar Forsyth waren verhuisd, dat er veel goeds was bereikt. Hij somde een reeks goede dingen op. Ten eerste: de goede blanken daar in Forsyth hadden zich kunnen verzetten tegen de Klan. Ten tweede: de verdeelde groepen van de beweging voor de burgerrechten waren samengegaan, op een manier die niet meer was voorgekomen sinds de dood van dr. King.

'Ten derde: Forsyth dwingt eigenlijk zogenaamde leiders om op te houden met leuteren en de mensen te *leiden*, en niet te wachten tot de dingen uit zichzelf gebeuren. Dat dwingt de leiders erop uit te gaan en iets te doen en een confrontatie aan te gaan. Ten vierde: het mooiste van alles. Het heeft bewezen dat de strategie van dr. King niet verdwenen is door zijn dood, zoals andere mensen beweren. Ze zeggen tegen me: "Hosea, je bent gewoon een oorlogsmoede generaal. Het is tijd om op te houden met demonstreren en te beginnen met de onderhandelingen." Ze hebben de beweging van de straat gehaald en binnenskamers gebracht. Van de straat, binnenskamers. Daar besteden zij hun tijd aan. Maar ze moeten terugkeren naar mijn positie en toegeven dat de dingen op straat gebeuren.'

'Een oerkracht': zo had Tom Teepen Hosea beschreven. Maar ik had hem niet zo gezien. Ik had hem eerder gezien als een toneelspeler die zich aanpaste aan de persoonlijkheid die het publiek in hem zag. Dat dacht ik nu niet meer. Door de politiek van de City Council waarbij hij betrokken was, moest hij optreden als een showman; maar daardoorheen zag ik–nu, in zijn eigen kantoor–zijn logisch denken en zijn goedheid; en ik had het gevoel dat de mahatma zelf–met al zijn onhandigheid–iets van dergelijke kwaliteiten had uitgestraald.

Toevallig zag ik tussen de boeken op een plank aan de muur een boek met *Gandhi* op de rug. En toen Hosea even het kantoor uit moest om te praten met iemand die net was gekomen, bekeek ik dat boek. Het was een paperback. Het was niet de autobiografie van de mahatma, zoals ik had gedacht; het was het script van de film *Gandhi*, en op het schutblad stond een opdracht voor Hosea van de schrijver, Jack Briley: een opdracht (naar ik me herinner) van een man die woorden schreef aan een man die de slagen kreeg. Die opdracht, zo vond ik, deed beide mannen recht en verwees naar één verklaring (van de vele) voor de buitengewone indruk die die film had gemaakt. En het verhaal dat Hosea had verteld (en zijn publiek had slechts uit één persoon bestaan), de energie die hij uitstraalde, gaven een nieuwe betekenis aan de grote foto's aan de wanden: de muilezelkarren en de overalls en de jonge Martin Luther King, die Hosea vereerde en aanbad.

Toen hij terugkwam in zijn kantoor, had hij iets verloren van de energie die hij had uitgestraald onder het vertellen van het

Forsyth-verhaal. De plaats daarvan was ingenomen door gezag; nu was hij in mijn ogen helemaal glashelder.

Ik vroeg naar zijn recente campagne tegen drugs, over het posten bij de CIA.

Hij zei: 'Dat van die drugs, dat is gevaarlijk. Drugs zijn gevaarlijker voor onze mensen dan alle andere dingen–rassenscheiding, racisme–sinds de slavernij. De vrees voor de drughandelaars, de vrees die het gevolg is van drughandel, is erger dan de drug. Voor niets zijn ze ooit zo bang geweest als voor die handelaars. Ik ben op straat geboren. Ik ben op straat grootgebracht; ik woon nog steeds op straat. En zelfs ik heb nog maar pas ontdekt hoe gevaarlijk dat van die drugs is.'

Er zat dus logica in zijn optreden, net als bij de mahatma, zoals de aandacht van de hervormer werd verschoven van publieke naar particuliere kwesties, van de uitwendige vijand naar de inwendige. En de indruk die hij maakte, die van een heel praktisch man, nam nog toe toen ik hem vroeg naar het gebouw waarin we ons bevonden. Was het zijn politieke hoofdkwartier in een van de 'volksbuurten', of iets anders? Hij zei dat hij hier zijn werk deed. Hij maakte chemische stoffen. Dat was onverwacht. Ik moest er iets over gelezen hebben, ergens; maar het was niet tot me doorgedrongen.

Hij zei, even zachtmoedig als trots: 'Kom mee, ik laat het je zien.'

We liepen de gang in, langs het bureau waar, zolang ik er was, twee jonge mensen hadden gezeten, een jonge man en een jonge vrouw, zo stil als studenten, die een of andere rol speelden in Hosea's activiteiten. Aan het eind van de gang duwde Hosea een deur open en daar, vastgebouwd aan zijn kantoor, was een pakhuis met vaten en aan één kant stapels karton dat tot dozen kon worden gevouwen.

'Ik maak chemicaliën voor huismeesters,' zei Hosea. 'Vloerreinigers, vloeistoffen om ramen te zemen. Alles wat te maken heeft met het schoonmaakwerk van een huismeester. Ik heb mezelf onafhankelijk moeten maken van die mensen in het centrum.'

Hij had twintig mensen in dienst. Het bedrijf was groter dan ik dacht; en in deze zakelijke kant van de man zat weer, en meer dan ooit, iets van de Indiase mahatma, die zijn werkend leven was begonnen als advocaat, zeer precies was met de boekhouding, zorgvuldig met dingen als krantenpersen, en die in Zuid-Afrika in 1904, ter wille van een zelfde onafhankelijkheid en Ruskin-achtige deugd, een farm was begonnen. Een merkwaardige vervulling van het credo van de mahatma, zestig jaar na dato, en misschien was de prestatie hier nog groter geweest dan die van de mahatma in India: het veroveren van wettelijke rechten tegen een achtergrond van slavernij en geweld, voor een volk dat lang vernederd en ontrecht was geweest.

Hij ging met me mee naar buiten om op een taxi te wachten. Die scheen er niet te zijn. Hij zei: 'Ik houd wel iemand aan die ik ken, die brengt je wel terug.' Maar er kwam niemand langs die hij kende. Tenslotte vroeg hij twee van zijn mensen, die in een oude bestelwagen zaten te wachten, of ze me wilden terugbrengen. 'Geef ze iets voor de benzine,' zei hij. En terugrijdend over Highway 20 naar Atlanta, in het gezelschap van deze volgelingen van Hosea, arme mensen, in hun rommelige bestelwagen (met de radio aan), voelde ik me in een andere sfeer en voelde ik de afstand tussen de mensen die Hosea leidde of toesprak, en de achtergrond, toen de torens van het centrum van Atlanta in de verte oprezen boven de autowegen.

Op grond van allerlei indrukken (en eigenlijk meer op grond van verhalen over Shango en Shouters in Trinidad en herinneringen aan zwarte straathoekpredikers daar, en massale doopfestijnen op het strand) had ik me de godsdienst van de Amerikaanse zwarten voorgesteld als de godsdienst van extase en trance. Ik was niet voorbereid op de formaliteit ervan, of de sociale betekenis voor de gemeenschap, zoals in Howards geboortestadje. Ik was niet voorbereid op de zuiverheid, zoals bij Hosea. Of, later, bij Robert Waymer.

Dat was een knappe man van negenenveertig; formele kleding stond hem goed. Hij zat in de Schoolcommissie van Atlanta. Hij was afkomstig uit een zwarte familie in South Carolina. Ze hadden een familieboerderij van viereneenhalve hectare; niet groot, maar velen in de familie hadden ervan geleefd. En de familie stond goed bekend in South Carolina, in Orangebury, al drie generaties. 'Misschien vier.'

Ik vertelde hem dat een dergelijke familiecontinuïteit geen deel had uitgemaakt van mijn gedachten over het leven van de zwarten in het Amerikaanse Zuiden.

Hij zei: 'Het was een geheim.'

'Een geheim?'

'Je vertelt niet alles aan blanken.' En dat klonk zo vreemd uit zijn mond, daar in de betimmerde hal van het Ritz-Carlton, waar hij zo vol zelfvertrouwen zat, passend bij zijn omgeving.

Hij zei: 'Ze waren vijandig. Mensen die begrepen hoe ze leefden en trots waren iets voor zichzelf te doen, wisten dat je, als je zwart was, leefde in een vijandige omgeving.'

Hij vertelde over zijn familie in ruimere zin. 'Er was veel weerklank in de familie in ruimere zin. En door die weerklank, die samenwerking, zijn mijn vaders twee oudste zusters getrouwd met broers die tabaksfarmers waren, veeboeren, groentekwekers. Uit die eerste boerenfamilies zijn wij voortgekomen. En we waren heel handige mensen, geloof ik. We waren met zestien. Mijn moeder was de oudste dochter van een AME-dominee.'

Hij vertelde wat die initialen betekenden. *African Methodist Episcopalian*. Die kerk had dat jaar haar tweehonderdjarig bestaan gevierd, zei hij. Afrikaans? Had het iets met Afrika te maken? Nee. De kerk was gesticht door een voormalige slaaf, Richard Allen, toen hij ontdekte dat hij de blanke kerken niet binnen mocht. En dat was waar Bob Waymer telkens weer op terugkwam: de solidariteit die de zwarten hadden ontwikkeld doordat ze buitengesloten waren, de noodzaak die hen gedreven had tot de oprichting van eigen instellingen; en de breuk die was opgetreden door het einde van de segregatie.

Zijn vader was de oudste zoon van een boer. Er was dus een traditie in zijn familie. En toch was er ook een zekere bescheidenheid.

'Wij zijn eigenlijk geen leiders. Eigenlijk niet. U en andere mensen hebben de kans niet gekregen om te ontdekken hoe zwarten eigenlijk zijn. Mijn familie beschouwt zichzelf niet als bijzonder. We zijn goede, meelevende mensen, we zijn bereid elkaar te helpen. Een soort toewijding die begonnen is bij mijn grootvader en is doorgegaan met mijn moeder.

'U moet goed tot u laten doordringen dat u niets van zwarten afweet.

'De beweging voor de burgerrechten was geweldig voor iedereen. Maar de blanken zijn er meer door bevrijd dan de zwarten. Wij vormden een afgesloten, gesegregeerde, vervolgde groep in Amerika, en dat wisten we. Alles wat we leerden, de mensen van mijn leeftijd, wij wisten dat we goed moesten zijn in wat we deden. We moesten weetgierig zijn. Vaderlandslievend. Beter dan die anderen. Ontwikkeld. En gelovig. En *voorzichtig* ook. We moesten voorzichtig zijn omdat we het vijandige systeem moesten manipuleren om ons brood te kunnen verdienen, om te overleven en een aangenaam bestaan te leiden. We deden het goed, als algemene maatschappelijke groep. We richtten onze eigen instellingen op, onderwezen onze eigen kinderen. Openbaar onderwijs is een relatief nieuw denkbeeld. De eerste middelbare school in Atlanta, de Booker T. Washington, is in de jaren veertig van deze eeuw gebouwd.'

'Praat u daar nu veel over?'

'Nee. Niet veel. Er valt niets te praten. Als je iets zei, dan pochte je hoe goed je erin geslaagd was te overleven. En dat is onbelangrijk. Of je zou zitten op te scheppen. En dat is in mijn familie en in andere families net zoiets als zonde – dat is ijdelheid.'

Ik vroeg naar de plaats van de kerk.

'De kerk is van fundamentele betekenis. En ik ben niet bijzonder gelovig. De kerk is waar ik geleerd heb mezelf en anderen te respecteren. En dat is iets fundamenteels. En de tien geboden – dat is de wet. Meer is er niet. Toen ik een kind was, dacht ik dat dat de wet van mijn moeder was, en ik vroeg me af hoe de andere kinderen diezelfde dingen te weten waren gekomen.'

Hij was kalm. Toch waren er anderen – ik noemde Marvin Arrington – die niet kalm waren.

Hij zei dat mensen als Arrington 'acteurs' waren. Hij benadrukte het woord, en vervolgens legde hij het uit.

Arrington was advocaat. 'Er is een verschil in de opvattingen van zwarte Amerikanen die uitsluitend zwarte scholen hebben bezocht en degenen die hun hogere opleiding op blanke instellingen hebben gekregen.

'Iedereen wil succes hebben in wat hij doet. Leren is een heel pijnlijke verandering van jezelf en je opvattingen. Als je succes wilt boeken als advocaat in Amerika, zul je dat alleen bereiken als je een blanke advocaat imiteert of zelf zo wordt. Door je beroep—en dat geldt niet alleen voor de advocatuur—word je daarop afgericht. En dan word je het instrument van je eigen ondergang.'

Ondergang. Dood. Dat was een geladen woord. Maar hij bedoelde de dood van de ziel; en volgens hem was dit het soort dood dat zwarte mensen had overvallen door de desegregatie en het daarop volgende verlies van gemeenschap. Dat was precies hetzelfde onderwerp dat Howard—en dat leek nu heel lang geleden—had aangestipt toen we van de kerk terugliepen naar zijn moeders huis.

Bob Waymer zei: 'Ik bedoel ondergang. En ik zal u vertellen waarom. In het leraarsberoep en in de advocatuur en in alle andere vrije beroepen leer je bepaalde dingen van blanke instellingen over de zwarten. En die dingen zijn voor negentig procent negatief. Frederick Douglass—dat is een van mijn helden, en andere mensen hebben het ook gezegd—zegt dat je niet kunt planten zonder de aarde te bewerken. Een tijdlang, door de liefde en het medeleven, dat dr. King heeft kunnen doorgeven aan de rest van de wereld, zijn er veel mensen over de hele wereld geweest die het gevoel hadden dat er iets scheef zat, iets verkeerds in het rassenprobleem en de manier waarop zwarten werden behandeld. Maar die brave mensen hebben dat altijd al geweten. Dat wisten ze al. Wat dr. King heeft gedaan was een katharsis voor blanken. Hij is een geweldige geestelijke gezondheidskuur voor blanke Amerikanen geweest. Wat hij voor zwarten heeft gedaan, dat is dat hij hun rechten legaal heeft gemaakt en enorme aantallen zwarten heeft geïnspireerd om te vechten voor hun mensen en zichzelf.

'Maar toen zwarten eenmaal in blanke instellingen kwamen, constateerden ze dat het heel wat beter was om eigen instellingen te hebben, en dat het leven als blanke Amerikaan nou niet zo geweldig was. We dachten, als we maar eenmaal dezelfde rechten hebben, behoren al onze problemen tot het verleden. In werkelijkheid zaten we nog met tachtig procent van het probleem van vroeger, en nu kregen we ook nog te maken met al die dingen die geassocieerd worden met het leven van de blanken.

'Laat ik een komisch voorbeeld noemen. Als je huisbediende was en het eten kookte voor een blank gezin, dan wist je hoeveel ze zouden eten, en je wist, als je iets meer kookte, dat je dat altijd mee naar huis kon nemen. Dat deed je altijd. Dat hoorde bij de ingebouwde economie, de verborgen economie.'

En er waren andere voorbeelden, die niet zo komisch waren; die eigenlijk vernederend waren als je erover nadacht. In de tijd van de segregatie konden zwarten niet logeren in hotels of motels of eten in restaurants. Soms bediende men zwarten via een raam aan de achterkant; en het gebeurde vaak dat de kok, als hij wist dat de bestelling van het raam aan de achterkant kwam, een extra stuk vlees in de hamburger stopte. Dat is de oorsprong van de cheeseburger. En aangezien er geen hotels waren voor zwarten, ontstond onder bepaalde zwarte families het 'tourist home' waar zwarten konden logeren. Zwarten ter plaatse wisten meestal waar die te vinden waren en wezen de reizigers de weg. Het 'tourist home' was meestal een kamer bij iemand thuis; sommige mensen leefden daarvan.

'De beweging voor de burgerrechten heeft ons gelijk gemaakt. We hoefden niet meer zelf te zoeken naar slimme oplossingen. Alles wat we nodig hadden was een credit card en een goede baan. En wat daaraan mankeert? Dat mevrouw Smith, die een "tourist home" had, haar brood niet meer kan verdienen. We zijn van vier dollar per nacht voor een gezin–inclusief ontbijt en een sandwich voor onderweg, en communicatie–opgeklommen naar veertien dollar per nacht voor een kamer in het Holiday Inn.'

Communicatie via de 'tourist homes'; dat was een van de onverwachte vruchten van de segregatie, en het was iets dat door Bob Waymer beklemtoond werd. Nieuwe dansen, zei hij, verspreidden zich heel snel onder zwarten door die communicatie.

In die tijd zonder televisie leek het wel toverkunst: zwarten uit verschillende delen van het land kenden altijd dezelfde dansen wanneer ze elkaar ontmoetten. Door de desegregatie was dat verloren gegaan.

'Hotels als het Holiday Inn hebben er geweldig van geprofiteerd. Ik herinner me dat mensen die nergens heen reisden, naar het centrum gingen en zich lieten inschrijven bij het Holiday Inn, enkel en alleen omdat ze het recht daartoe hadden.'

Godsdienst was als iets dat in de lucht hing, een overvloed van emotie waarvan de mensen naar behoefte gebruik konden maken. De godsdienstige roeping kon velen overvallen. Voor sommigen omvatte de roeping gedachten van dienen en gemeenschap. Voor anderen, met een sterker zelfbewustzijn, die de wereld in waren getrokken met de wil om te winnen, maar zich vervolgens om verschillende redenen hadden teruggetrokken, was de roeping gekomen als een verlangen om het woord te verklaren, te prediken, om het geleefde leven op te offeren aan God en de mensen.

De blanke voormalige zakenman die ik ontmoette, te midden van een groepje oudere studenten in een theologische school, had zich 'gedeemoedigd door God' gevoeld. Pas nadat hij zijn religieuze beslissing had genomen was hem het kapitaal aangeboden dat hij had gezocht om zijn bedrijf gaande te houden. Dat aanbod van kapitaal was verleidelijk geweest, maar hij was niet bezweken. Hij was een knappe man, met opvallende blauwe ogen; hij moest weten hoe hij eruitzag; misschien had hij een gemakkelijker levensloop verwacht. Hetzelfde kon waarschijnlijk gezegd worden van de opvallende zwarte vrouw uit Alabama. Ze sprak over haar schoonheid als iets dat ze op de koop toe nam; en als iets dat gewoon een pluspunt was. Maar haar leven was, nadat ze het Zuiden had verlaten, verlopen in armoede en wanorde. En er was een zekere Danny, een musicus. Hij voelde zich, net als de voormalige zakenman, gedeemoedigd door God – hij zei het met dezelfde woorden.

Danny zei: 'Ik zag mijn leven als een gebroken spiegel – hier een stukje, daar een stukje.'

Ik was daar zo van onder de indruk–het soort chaos waar Anne Siddons het over had gehad–, en zo geïnteresseerd in wat hij te vertellen had over de ontwikkeling van zijn geloofsleven, dat ik nog eens met hem wilde praten. We spraken een tijd af. Hij kwam niet. Ik belde op. Hij zat te eten; ik kon het afleiden uit de geluiden; hij zei dat hij het veel drukker had dan hij had gedacht. We spraken een andere tijd af. En hij kwam.

Hij was zwart en stevig gebouwd; in zijn gele overhemd met korte mouwen leek hij erg informeel in de lounge van het Ritz, waar men die ochtend een video maakte over het hotel, met een mannelijk fotomodel, en voortdurend heel felle lampen verplaatste. Dat was de achtergrond van ons gesprek over godsdienst en de ijdelheid van de wereld.

Ik vroeg naar zijn gevoel dat hij gedeemoedigd was door God. En daar begon zijn verhaal.

'Mijn hele leven ben ik echt succesvol geweest, altijd op zoek naar roem, al op de middelbare school. In alles wat ik deed was ik nummer één. In de muziek moest ik de toon aangeven. Ik was aanvoerder van het footballteam, van het basketballteam. Ik hield de afscheidstoespraak bij ons eindexamen–ik had de hoogste cijfers gehaald. Zelfs als ik thuis hielp, deed ik mijn uiterste best omdat ik wist dat mijn ouders me zouden prijzen. Ik vond het heerlijk als men over me opschepte. Ik dacht dat ik iets heel bijzonders was–ik denk dat het veel te maken had met genade en natuurlijke gaven, door God gegeven, aan mij.

'En mijn ouders hadden vrije beroepen. Mijn vader was dominee en leraar, en mijn moeder ook. En de kleine gemeenschap waarin we leefden, omdat zij allebei een vrij beroep hadden, was nogal uniek. Ik was er trots op, als klein kind al. We woonden in een plaatsje in Texas.

'Ik kon zelfs denken dat wij wc binnenshuis hadden, terwijl de meesten in de gemeenschap dat niet hadden. En hoewel ik nooit over zoiets opschepte, had het wel invloed op me. Wij waren het eerste of tweede gezin dat een tv-toestel aanschafte. Mijn vader was eigenlijk de leider van de gemeenschap. De eerste zwarte in de schoolcommissie na de integratie.

'Ik was me ervan bewust dat als je opschepperig en trots was–

het naar buiten toe liet merken—de mensen je niet aardig zouden vinden, een hekel aan je kregen. Ik heb daarom mijn hele leven geweten hoe ik me bescheiden moest voordoen. Maar mijn doel was geprezen te worden.

'Ik kreeg een muziekbeurs, een football- en een basketball-beurs. En eigenlijk heb ik ze geen van alle geaccepteerd omdat ik niet wist wat ik wilde gaan doen. Tenslotte kwam ik tot de conclusie dat muziek de beste keus zou zijn. Mijn moeder had me lesgegeven in de eerste en tweede klas, en mijn zuster en ik deden altijd mee—in het koor of als solist—in de kerk. Dus muziek was altijd een manier geweest om de aandacht van de mensen te trekken. Het was niet iets waarover ik had nagedacht. Het was iets dat ik gewoon wist—als je zong, dan ging iedereen zitten om naar je te luisteren, en dan richtten ze hun aandacht op mij. Ik ging zelfs naar de kruidenier om solo te zingen voor de man daar, in ruil voor snoep.

'Toen ik naar *college* ging, keek ik naar de footballers—en toen stond mijn besluit vast: muziek. Die kerels op het footballterrein waren zo groot en zo gemeen. Dat zou een moeilijke tijd zijn geworden.

'Er was een talentenjacht op het *college*. Ik liep door het studentenhuis en hoorde beneden iemand gitaar spelen, en ik ging kijken wat er aan de hand was. Ik ging terug naar mijn kamer om mijn klarinet te halen en ik kwam beneden en speelde samen met die jongen—liedjes. Er kwamen allerlei mensen op af. De mensen kwamen naar beneden om te luisteren. Daarna kwamen er nog meer muzikanten bij. En op dat moment spraken we af een paar nummers in te studeren voor de talentenjacht. We hadden succes, die avond. De eigenaar van een nachtclub zat onder het publiek, en hij vroeg of we die avond in zijn club kwamen spelen. We speelden niet voor geld. We speelden voor doughnuts. We deden het met zoveel plezier—we kenden alleen die twee nummers. En zo is het begonnen. En die groep is de populairste van de stad geworden. We kregen een manager. We reisden het land rond. We maakten naam.

'Ik verdiende zoveel geld en was zo populair, en ik was pas negentien, gewoon een derdejaars *college*-student, en woonde in een fantastisch appartement, ik dacht dat ik een gave Gods voor vrouwen was. Totdat studeren plotseling onaantrekkelijk werd. Het leek onbelangrijk, omdat ik al op weg was naar beroemdheid en rijkdom – en ik vond beroemdheid belangrijker dan rijkdom.

'Dus ben ik van het *college* afgegaan, om me te concentreren op het leven van een ster. En na zeventien jaar bij verschillende platenmaatschappijen en na reizen door de Verenigde Staten en Canada, en Afrika – viel mijn leven in stukken.'

Dat kwam heel plotseling, in zijn verhaal. Maar Danny's verborgen pointe was dat hij de muziekwereld verkeerd had begrepen, evenals zijn positie daar. Zijn positie was altijd op de achtergrond geweest, als ondersteuning. Hij had te snel geconcludeerd dat hij een ster was, hij had zich laten misleiden.

'Ik begon het gevoel te krijgen dat ik mijn eigen leven niet onder controle had. Zelfs dat God oneerlijk voor me was. Omdat ik wist dat ik evenveel of meer talent had dan anderen. Maar ik liet me altijd gebruiken. Ze haalden ideeën uit mijn songs, maar publiceerden ze nooit in het hele land.'

'Bedoel je dat je geen manager had? Al die jaren niet?'

En het bleek dat de eerste manager die hij had gehad, op *college*, niet was gebleven. 'Een van de redenen was dat mijn leven lang alles altijd om *mij* had gedraaid. Dus was ik alles. Ik vond dat ik mijn eigen manager kon zijn, alles. Ik was niet onderdanig. Mijn trots maakte me blind voor de wijze woorden van mijn allereerste manager – hij had aangeboden me financieel te steunen als ik bij zijn groep bleef. Maar ik wilde mijn eigen naam op de posters. En zo is het al die jaren gegaan. De platenmaatschappijen en de promotors weten dat entertainers verslaafd zijn aan één ding. Aan entertainment. En daarom gebruikten ze ons, en wij lieten ons gebruiken.

'Ik ben mijn groep kwijtgeraakt. Dat was het moment waarop de crisis kwam. Ik zat in een nachtclub en ik weet nog dat ik dacht: "De tijd dat ik het meeste succes had, was de tijd dat ik een leerjongen was." Dat woord kwam bij me op: *leerjongen*. "Een *leerjongen* bij iemand die geld en contacten had."

'Als ik terugdenk, dan begrijp ik dat de Heer me toen aanpakte. Ik werd in zekere zin gedeemoedigd–om te erkennen dat ik iemand moest volgen in plaats van zelf steeds de baas te spelen. Maar ik dacht alleen in muzikale termen–misschien moet ik me aansluiten bij een groep die iets doet, ergens heen gaat, en liever een volgeling zijn dan een leider.

'Toen kreeg ik een grote kans. Ik weet nog dat ik in een studio van een platenmaatschappij was en me voorbereidde op de opnamen voor een album voor de maatschappij die me dat aanbod had gedaan–het was een soort auditie. En ik was *vreselijk*. Ik heb als een kind staan huilen in die studio.

'En ik herinner me dat ik gebeden heb in die studio. Ik zei: "Heer, waarom laat u dit met me gebeuren? Hoe kan ik bij mijn familie komen en vertellen dat ik mijn grote kans verknoeid heb?" Ik had overal in het land mensen opgebeld en gezegd dat ze naar me moesten uitkijken, want nu kwam het–eindelijk werd ik een grote ster. En hoewel mijn ouders het nooit eens waren geweest met wat ik deed, toch kon ik voelen dat ze hoopten dat ik het zou maken, dat mijn droom werkelijkheid zou worden. Ik droomde er voornamelijk van dat ik mijn moeder zou verrassen met een Rolls-Royce en een huis van een miljoen dollar.'

'Waarom denk je dat het zo'n mislukking werd in die studio?'

'Ik leek gewoon niet beter te kunnen. Ik geneerde me dood. Ik was depressief. Had het gevoel dat mijn leven voorbij was. Ik had het gevoel dat dit mijn laatste kans was. Alles werd erdoor verbrijzeld. Als je trots je leven lang is gevoed en als je dan te horen krijgt dat je niet deugt, dan is dat alsof je wordt uitgescholden voor bedrieger. Misschien ben ik nooit geweest wat ik zelf dacht.

'En daarom ben ik in die tijd begonnen na te denken over iets anders. Ik had mijn hele leven in mijn achterhoofd altijd een soort stem gehoord, en die zei: "Als je nou eerst eens songs schreef–andere mensen *jouw* songs liet zingen, dat zou voor jou de beste weg zijn." Dat voelde ik gewoon. Maar ik was te trots. Ik wilde niet slagen als schrijver van songs. Ik wilde mijn eigen songs zingen. Maar nu had ik het punt bereikt waar dat een laatste alternatief was. Want al zat ik volledig aan de grond, ik heb het nooit helemaal opgegeven. Dus dat was een deemoediging voor me – dat ik misschien moest proberen schrijver van songs te worden. Ik gaf dus een van mijn songs aan een musicus daar, een geweldige zanger, en ik werd zijn producer en manager. En op plaatselijk niveau hadden we succes. In die tijd ontmoette ik iemand die me over Christus vertelde.

'Dat was een dominee. Hij had een baan op het kantoor waar mijn vrouw werkte. Hij was een zwarte dominee. Voor in de zestig. Hij was ook musicus. Ik ging naar kantoor om mijn vrouw af te halen en ik ontmoette die man. En toen ik hem zag, was het of er *licht* straalde uit zijn ogen – ze gloeiden. Zijn glimlach sneed dwars door me heen. Hij keek me met zoveel *liefde* aan. En tegelijkertijd voelde ik dat zijn gezicht me naar zich toe trok. Maar van binnen voelde ik me vuil en onrein en beschaamd. En ik wilde de andere kant uit. En dat was op het kantoor van het verzekeringsbedrijf waar hij en mijn vrouw werkten.

'Alles wat hij zei was: "Ik ben blij dat ik je nu ontmoet. Ik heb zoveel over je gehoord." Hij was saxofonist, maar hij zei dat hij alleen *gezangen* speelde en hij vroeg of we niet samen wat gezangen konden spelen op de saxofoon. Eigenlijk had ik er geen zin in, ik was niet van plan erop in te gaan. Maar ik zei ja.

'Voordat hij kwam, ongeveer een week later, stuurde hij me een bijbel. Het was een "Living Bible". Voorin noemden ze bijbelgedeelten voor bijzondere doeleinden. En een ervan ging over: wat zegt de bijbel over succes? Ze noemden alle teksten over succes en wat je moest doen als je treurig en gefrustreerd was. Al die teksten gingen over vertrouwen in de Heer. Vertrouwen, en Hij zou handelen. De klemtoon valt op *Hij*. Mijn hele leven had ik de klemtoon gelegd op *ik*. *Ik* zou handelen, of *ik* kon het. Of *ik* heb gezegd.

En bij de gedachte aan die 'ik' die had gezegd, lachte Danny, alsof hij een grap had gemaakt.

'Toen ik samen was met die oude musicus, aanvaardde ik Christus. Hij deelde Christus met me. Hij heeft de Schrift voor me geopend.'

'Hij kwam bij me thuis, een week nadat hij me die bijbel had gestuurd. Mijn vrouw was er op dat moment niet. Hij had zijn saxofoon meegebracht. We speelden wat. En hij was echt geïnteresseerd in mijn dingen. En hij deelde Christus met me. We baden samen. En ik wist–maar het kwam vooral doordat ik zelf in de bijbel had gelezen en gezien had dat waar ik de last van het leven had gedragen, van het succes, van het geluk, met die last op mijn eigen schouders–ik wist, ik zag door de Schrift dat God, door Christus, alles aanbood waar ik naar gestreefd had.

'En dus bad ik en vroeg ik Christus in mijn leven te komen. Ik geloof dat God mens is geworden om onze zonden op zich te nemen, opdat wij kunnen leven in de rechtvaardigheid Gods. Er was een bijbeltekst daarover die mij echt aansprak. Dat was Galaten 5:22. In de "Living Bible" werd dat als volgt gezegd: de Heilige Geest wil vrucht dragen in jou. Vrucht. Enkelvoud, maar meervoud. Vrucht die bestaat uit: liefde, blijdschap, vrede, lankmoedigheid, goedheid, zachtmoedigheid en zelfbeheersing. Dat sprak me regelrecht aan. Succes hebben, dat is wanneer dat alles in mij leeft, omdat mijn geluk niet door mijn omstandigheden zou worden bepaald, maar door mijn relatie met God. Dus succes was niet meer afhankelijk van persoonlijke prestaties, maar bestond gewoon uit vrede en blijdschap omdat je weet dat God je liefheeft. Zozeer dat Hij me zou vergeven voor alles wat ik heb gedaan.

'Diezelfde avond, nadat ik gebeden had met die oude musicus bij ons thuis, ben ik met hem naar een gevangenis gegaan en heb ik deelgenomen aan een dienst. En dat ben ik elke avond gaan doen–dat gevangenisbezoek. Hij preekte, en ik zong.'

'Wat dacht je van de mensen in de gevangenis, de gevangenen? Hoe keken zij naar jou?'

'Ik *hield* van hen. Ik begon mensen te *zien*. Mijn leven lang had ik alleen mezelf gezien. Mijn liefde was op mezelf gericht geweest. Ik begon te zien dat de mensen mij heel wat meer te bieden hadden dan ik hun kon bieden. Met andere woorden, ik begon de mensen te zien zoals ik God zag.

'In die tijd speelde ik nog steeds met een band in de weekends. Maar mijn songs veranderden. Ik begon de wereldse woorden te veranderen in songs over Jezus. Ik begon te preken vanaf het podium.'

'Hoe reageerden de mensen daarop?'

'Alsof het een grap was.'

'Zwart publiek of blank publiek?'

'Gemengd. Ik begon de bijbel te bestuderen op weg naar de schnabbel, zoals wij dat noemden. Met de musici. Bijbelstudie tijdens de pauzes. En de groep kwam steeds meer in trek. Tegelijkertijd vertelde de man die mij tot Christus had gebracht me geduldig – en liefdevol – dat er een tijd zou komen dat ik een besluit moest nemen – om mij helemaal over te geven aan Christus.

'En daarmee heb ik geworsteld – ik heb me verzet. Omdat ik de Heer dag in dag uit, elke avond vertelde dat ik kon getuigen in een nachtclub, omdat de mensen daar niet naar de kerk gaan en niet naar de kerk willen. Maar ik bleef de Schrift lezen, en hoorde in mijn geest: "Zonder je af. Kom weg, bij hen vandaan. Wat heeft licht met duisternis te maken, of rechtvaardigheid met onrechtvaardigheid?"

'In die tijd waren mijn vrouw en ik op een avond thuis. En ik kreeg een visioen. Ik was in mijn geboortestadje in Texas. Ongeveer tweehonderd meter van ons huis vandaan is een vijver. Daar ben ik het liefst, zelfs nu nog. Daar vis ik, daar jaag ik, daar zwem ik. En ik zag mezelf door het veld lopen, op weg naar die vijver. Toen hoorde ik een stem die me Mozes noemde. En ik keek op, omhoog. En ik herkende de stem. Ik wist dat het de stem van God was, die zei: "Je moet zo ver gaan als je kunt." Onmiddellijk sloot ik mijn ogen en ging ik in het veld liggen. En plotseling ontstond er een nieuw beeld, dat eerst doorschijnend was, uit het beeld van mezelf daar in het veld. Dat was een gespierd beeld. Ik kon duidelijk de aderen op mijn armen zien, en de spieren die mijn hemd lieten openspringen. En op mijn gezicht stond zelfbeschikking te lezen, ambitie, heel krachtig en trots. En ik bleef doorlopen naar de vijver, en met elke stap werd ik feller, ambitieus en vol zelfvertrouwen. En opeens hoorde ik weer een stem die zei: "Mozes, verder kun je niet gaan." Toen keek ik boos omhoog. In mijn geest zei ik: "Nee, u kunt me nu niet tegenhouden. Ik ben er bijna. Ik kan het halen."

'De kracht die van boven kwam, drukte me neer in het veld, de kracht waarmee ik al die tijd worstelde. Terwijl ik nog steeds in verzet op mijn knieën lag, begon mijn huid te smelten en mijn botten begonnen ook te smelten, tot ik er tenslotte heel eng uitzag, als iets uit een griezelfilm. Maar ik bleef me verzetten, tot er niets over was dan een vloeibare massa—ik bestond uit vloeistof. En toen kwam er een ander beeld, eerst doorschijnend, het groeide uit dat beeld op de grond. Nu was ik vredig—in dit beeld stond vrede op mijn gezicht te lezen, en er was liefde en vreugde in mijn hart. Onderdanig, bereid om te gehoorzamen en te vertrouwen op de stem die me de weg wees.

'Toen ik wakker werd stak ik—in het visioen—mijn voeten in het water. En mijn vrouw werd wakker, want ik zat rechtop in bed en de tranen stroomden als water over mijn gezicht, en de koude rillingen liepen over mijn lijf. En de kracht die aanwezig was, maakte mijn vrouw wakker toen ik rechtop in bed zat. Mijn vrouw schrok wakker en riep: "Schat, wat is er? Schat, wat is er?" En ik begon te zingen: "Er is niets, God roept me." En ze ging onmiddellijk weer liggen en sliep verder.

'Korte tijd later heb ik me volledig overgegeven en ben ik predikant geworden. Ik heb me afgewend van wat een hitplaat had kunnen worden. Omdat ik wist dat de liefde Gods en de gehoorzaamheid aan Gods wil succes is.

'Een tijdje later, op mijn vierendertigste verjaardag, heb ik de Heer beloofd dat ik zou gaan waarheen Hij me zou zenden en zou doen wat Hij wilde dat ik deed. En Hij heeft me naar de methodistische kerk geleid, waar ik aspirant-predikant werd. Die kerk staat erop dat je een seminarie bezoekt. Het *college* dat ik koos, in mijn geboorteplaats, is heel erg duur. En ik had geen cent. Ik ging erheen. Ik werd afgewezen. De man die me afwees was een dominee die in de gemeenteraad zit. Hij zei: "Meneer, u durft wel, dat u hierheen komt, terwijl u geen cent hebt." Ik zei: "De Heer heeft me gezonden."'

Danny barstte in lachen uit bij dit verhaal over zijn afwijzing.

Ik vroeg: 'En wat zei hij?'

'Hij zei iets van: "Laat de Heer je dan wat geld geven, en kom dan terug."' En Danny lachte opnieuw, alsof hij begreep hoe verleidelijk het was geweest, voor iemand in de positie van die dominee, om zo te antwoorden.

Danny zei: 'Hij was hard. Dat was op een vrijdag. Die zondag dirigeerde ik het koor en speelde ik op de saxofoon in onze kerk. De districtssuperintendent kwam die zondag langs. Hij was onder de indruk toen hij hoorde dat ik aspirant-predikant was. Op maandagochtend werd ik opgebeld door de man die me had weggestuurd. Hij zei: "God moet je hebben gestuurd. We nemen je aan als student." En al mijn colleges werden betaald. Meer dan twintigduizend dollar tot nu toe. Dat was drie jaar geleden.'

Ik vroeg naar de oude musicus.

'Die is nog steeds mijn beste vriend. Ik *houd* van hem. Ik noem hem mijn vader, mijn broer, mijn vriend. Ik vertel dit verhaal, en zou willen dat het bekend wordt, zodat misschien een paar mensen worden aangeraakt door Jezus.'

2 Charleston
De godsdienst van het verleden

De autosnelweg loopt door tot op het schiereiland van Charleston, zodat je zonder moeite in het historische gedeelte aankomt. En na Atlanta was het of ik in Madurodam aankwam. De mensen in de hal van het hotel droegen toeristenkleding; hun voetstappen en stemmen weerkaatsten tegen de wanden en de marmeren vloer en bleven hangen boven de extravagante kroonluchter, waarop een nieuweling van tijd tot tijd zijn camera richtte, alsof die lamp ook deel uitmaakte van het toeristische Charleston, evenals de winkeltjes in de hal van het hotel; en de Slavenmarkt en het Museum van de Confederatie in de achttiende- en negentiende-eeuwse straten buiten; en de gerenoveerde markt met zijn vele winkeltjes en stalletjes, en met ernstige zwarte dames die buiten op de stoep zaten en manden vlochten. Het toeristische Charleston was namelijk niet alleen de achttiende-eeuwse stad en de slavernij en de Burgeroorlog, maar had ook iets van het Caribisch gebied van de moderne toeristen.

In het historische gedeelte reden door paarden getrokken rijtuigen voor toeristen op en neer, en de paarden droegen 'luiers' om de paardevijgen op te vangen. Andere bezoekers liepen rond om te kijken. En weer anderen – in merkwaardig ritualistische houdingen, alsof ze enigszins achterover leunden – fietsten rond, met twee tegelijk, in fietskoetsjes, een nieuw vervoermiddel voor toeristen.

Het historische gedeelte is klein. Het lijkt onmogelijk dat er nog iets echt is. Maar Charleston heeft inderdaad mooie achttiende-eeuwse straten en kerken en begraafplaatsen; en in het historische gedeelte wonen nog mensen wier achternaam op een van de straatnaambordjes wordt herdacht. ('Wat doen ze nu?'

vroeg een toerist aan de koetsier van zijn rijtuig, laat op een ochtend. Hij vroeg–omdat hij in zijn onschuld nog geloofde in de volmaaktheid van de wereld waarvoor hij een kaartje had gekocht–naar de oude families in de oude huizen waar ze langs kwamen. En de koetsier had zich ingeleefd in zijn rol van leverancier van wonderen en antwoordde: 'Nou, die zijn nog niet op.' Dit gesprek werd opgevangen in een van die huizen. Daar heb ik het gehoord–als illustratie van de geringe afstand die in het centrum van Charleston kan bestaan tussen de toerist en de toeristenattractie.)

Het is overigens de toeristenindustrie die het historische Charleston draaiende houdt, de oude families laat wonen waar ze zijn; hoewel het mogelijk is dat de toeristenindustrie, door de waarde van onroerende goederen op te drijven, in de nabije toekomst enkelen zal verdrijven. In Charleston wordt verteld dat het geld begint terug te keren naar enkele van de oude families; en geld, zo zegt men, is een drijfveer geworden, terwijl de mensen vroeger tevreden waren met een oude naam. Namen–eigenlijk zijn het de namen die geëerd worden op de plaquettes op de gebouwen. De gebeurtenissen zelf zijn klein, koloniaal, niet gedenkwaardig voor de bezoeker.

In dat toeristen-Charleston stikt de bezoeker al gauw. Er is echter meer dan dat. Er zijn de rijke voorsteden buiten het schiereiland. Er is het Charleston van de marinebasis. En er zijn de verschillende zwarte wijken. Er is een grote en fraaie middenstandswijk, aangekocht en verrijkt in een tijd van blanke paniek. In het centrum, op de plaats waar oude huizen moeten hebben gestaan, zijn zwarte woningbouwprojecten, kale bakstenen gebouwen die oprijzen uit platgetrapte aarde, gebouwen die de mensen naar buiten drijven en hen en hun kinderen en hun waslijnen aan vreemde blikken blootstellen, zodat de indruk van een achterbuurt, van veel mensen die op een klein gebied moeten leven, even onontkoombaar is als die van zwarte gezichten. De oostzijde van Charleston is eveneens zwart. De huizen daar–voor een deel goed verzorgd, vaak niet–zijn oud, in de oude stijl van Charleston; maar daar vind je geen toeristen. Na het Madurodam-effect van de rest van het oude Charleston lijken de zwarten dus op krakers, indringers op het bal van Charleston. Toch zijn ze even oud als de oude families.

Pas wanneer je oversteekt van het schiereiland van Charleston naar wat eens de slavenplantages zijn geweest, het uitgestrekte achterland van de stad, komt het slavenverleden tot leven – hoewel het nu grotendeels uit bossen bestaat.

Het land is vlak en moerassig, en het gaat kilometers zo door. Het bos – eiken, gombomen, ahorns, pijnbomen, esdoorns, magnolia's; een hoog bos – maakt duidelijk hoe vruchtbaar de bodem is. De vlakheid en toegankelijkheid en uitgestrektheid van het land verklaren de voormalige behoefte aan veel slavenarbeid; en maken de gedachte aan die arbeid tevens pijnlijk.

Nu is alles vredig. Van tijd tot tijd is er een opening in het bos, wat erop wijst dat een grote maatschappij land heeft aangekocht; er is een oude kerk; en er zijn zwarte nederzettingen. Die nederzettingen hebben een geschiedenis. De meeste liggen op de plaats van oude plantages die in beslag zijn genomen door de federale regering na de Burgeroorlog en verdeeld zijn in stukken land van tweeëneenhalve hectare voor de voormalige slaven. Oude gebouwen nu, historisch, deels in goede staat, deels armoedig; maar na honderdtwintig jaar overdracht van land zonder testament of documenten, zijn de aanspraken die men zou kunnen doen gelden voor het merendeel onmogelijk.

Ik heb dit bos langs de kust van South Carolina op een zondagochtend gezien. Mijn gids was Jack Leland. Hij was een gepensioneerde journalist uit Charleston en hij stamde uit een van de oude families. Al dit land en bos – dat de bezoeker zo eentonig voorkwam – kende hij tot in details. Deze begroeiing had hij als kind gekend; het had nog steeds iets magisch voor hem. Heel weinig van de oude plantages verbouwden nog iets. Op een paar werd vee gefokt. Andere waren aangekocht door rijke Yankees en in jachtreservaten veranderd.

'Die tweede invasie van de Yankees, zoals mijn vader het noemde, is in de jaren tachtig van de vorige eeuw op gang gekomen, en heeft voortgeduurd tot in de jaren dertig. En het was helemaal niet zo slecht, want daardoor zijn de oude gebouwen bewaard gebleven en kwam er werk voor de negers hier, wat goed was voor de economie.'

Het land en de zwarten die er werkten, de herdenking van het verleden – dat waren nog steeds dingen die Jack Leland bezighielden, hoewel zijn eigen familieplantage meer dan vijftig jaar daarvoor verkocht was. En onze excursie op zondagochtend had een herdenking tot doel.

We gingen naar Middleburg Plantation. Een huiskapel daar, die meer dan tweehonderd jaar oud was en gevaar had gelopen weggespoeld te worden, had met federale subsidie een steviger fundament gekregen. Er zou die ochtend een dienst in de kapel worden gehouden – een speciale lentedienst, maar ook een dankdienst. Middleburg Plantation was tot voor zes jaar in bezit geweest van de familie Gibbs; en de oude heer Gibbs, de schoonvader van Jack Leland, had uitnodigingen verzonden aan de mensen die volgens hem zouden willen komen. Daarna zou er een picknick zijn in de tuin van het plantershuis. Dat huis was gerestaureerd door de makelaar die de plantage had gekocht.

De huiskapel lag aan het eind van een lang pad door het bos. Het pad was ongeplaveid, zacht; plekken zonlicht op de bodem waren heel fel. Het was koel in de schaduw van het bos; in het open zonlicht was de hitte verstikkend. De kapel heette Pompion Hill Chapel; in het vlakke kustgebied van South Carolina heette alles wat een paar meter hoger lag een 'heuvel'. De kapel stond naast een moeras waar vroeger rijst was verbouwd. Het oppervlak van het water was hier en daar lichtgroen. De oorspronkelijke rijstvelden van dit deel van South Carolina waren aangelegd door Hollanders die hun kennis van rijst en dijken hadden opgedaan in Oost-Indië. Nu was het waterpeil in de moerassen gerezen door een stuwdam of hydraulisch complex een eind verderop, en die stijging van het waterpeil had de huiskapel van 1763 bedreigd. Met het geld van de federale subsidie had men een steunmuur van natuursteen aangelegd rondom de 'heuvel' aan de waterkant.

De auto's hobbelden over het zachte pad naar de kapel. De oude heer Gibbs, gekleed in een jasje met een groot ruitpatroon, begroette iedereen en wees parkeerplaatsen aan.

De kapel was een rechthoekig gebouw van rode baksteen, dat men door twee zijdeuren kon binnentreden; van binnen was het wit gepleisterd, zonder versieringen; en afgezien van de barokke apsis met pilasters aan het ene uiteinde waren er geen architectonische bijzonderheden. De vloer was betegeld; vloertegels, zei Jack Leland, hadden de kolonialen met bijzonder veel moeite vervaardigd. Het enige opvallende meubelstuk was de preekstoel, van cederhout uit de buurt, even oud als de kapel, gemaakt door een meubelmaker uit Charleston wiens naam nog bekend was. IHS, de vroomheid van de planter en slavenbezitter; nu het symbool van een ander soort vroomheid. En inderdaad, nadat men de oude heer Gibbs zijn erkentelijkheid had betuigd en nadat hij naar voren was geschuifeld over de vloertegels en zijn dank had uitgesproken aan iedereen die had meegeholpen aan het behoud van de kapel, was het thema van de preek–terwijl een luidruchtige motorboot van tijd tot tijd over het water scheurde, hoewel de golven nu ongevaarlijk tegen de grijze stenen muur sloegen–was het thema van de preek godsdienst als manier om de mensen onderling te binden. Gemeenschap kreeg nu een speciale betekenis, zowel kleiner als grandiozer.

Daarna gingen we naar het plantershuis. Bakstenen pilaren, groene hekken, een poort zonder muur, leidden vanaf de weg naar een zeer brede oprijlaan met eiken. De eiken waren honderdvijftig jaar oud; en die eiken van South Carolina hadden de vorm en de brede kroon van de samanbomen van Midden-Amerika, die naar de Caribische eilanden waren overgebracht als schaduwbomen voor bepaalde gewassen–cacao en koffie–en vandaar waren meegenomen naar andere streken, tot in Maleisië; zodat tropische plantages en kolonies uit de tijd van het imperium op elkaar waren gaan lijken, door de begroeiing die uit verschillende werelddelen was samengebracht. Hier, in South Carolina, zag ik iets als de samanbomen van Trinidad.

En opnieuw viel het felle zonlicht, dat door het lover scheen, in verblindende plekken op de beschaduwde bodem. Maar na deze lange, brede oprijlaan was het gerestaureerde plantershuis heel bescheiden, een witgeverfd houten bouwwerk met drie kamers boven en drie kamers beneden. Dat was een schok voor de fantasieën die je gekoesterd had over het weelderige leven op een plantage; en Jack Leland zei dat het huis zo klein was omdat de bouwer een Hugenoot was geweest, Engelse planters werden soms, als ze succes hadden, pronkzuchtig; de Hugenoten bleven zuinig en sober, ze investeerden en herinvesteerden in land en slaven. (En het allereerste plantershuis, aldus het boekje over de restauratie, was nog soberder geweest, met op de begane grond alleen een zitkamer en een eetkamer, zonder veranda of achtergalerij.)

Los van het hoofdgebouw stond een 'dependance', zoals een bijgebouw heette; en deze dependance, min of meer compleet, was een kookhuis met een bakstenen schoorsteen. Een andere dependance was afgebrand en daar was nu niets anders van over dan de schoorsteen. Zwarte bedienden waren slordig, zei Jack Leland. Vanwege die slordigheid was in Charleston het bouwen van houten dependances bij de wet verboden. Het hoofdgebouw mocht van hout zijn; voor de dependances moest men baksteen gebruiken.

Er waren nog meer dependances op het terrein van het plantershuis van Middleburg: stallen aan het eind van een open veld, en een pakhuis. Jack Leland vond dat ik dat pakhuis moest gaan bekijken. Het was een gebouw met twee verdiepingen, de vloer boven bestond uit houten spanen, die van de benedenverdieping uit baksteen. Boven werd rijst opgeslagen. Op de benedenverdieping waren twee cellen met tralies voor de ramen. Die waren voor slaven geweest; geen strafcellen, maar 'bewarings'-cellen, waar lastige nieuwe slaven getemd werden of zich, een voor een, neerlegden bij het leven op de plantage.

De lastige slaaf werd opgesloten in de ene cel. In de andere zat een oude slaaf, iemand die gewend was aan het leven op de plantage. De oude slaaf–die niet opgesloten zat, maar vrij was om te gaan en te komen–praatte met de nieuweling en probeerde hem te kalmeren; hij at iets, liet zien hoe lekker het was, bood hem eten aan; en de angsten en de boosheid van de nieuwe slaaf zouden tenslotte gesust zijn.

Ik liep over het lichte veld naar het pakhuis. Het was heet, de zon stak; niet echt een lenteweitje. Aan de ene kant van het veld lagen groenige vijvers–als moerasland dat door de aarde brak–en die waren vol waterlelies. Lotusbloemen, had Jack Leland gezegd. Maar het waren niet de tere rode lotusbloemen van India. Deze witte lelies, die zo gemakkelijk in South Carolina groeiden, waren een soort moerasplanten geworden, ze waren in elkaar verstrengeld, verstikten elkaar. En aan de andere kant van het pakhuis waren de twee cellen, slechts gescheiden door een rasterwerk, met een aarden vloer, en met kleine tralievensters in de hoogte, te hoog om bij te kunnen.

Het waren eigenlijk kleine hokjes, een soort hoge kasten. Het kostte geen moeite je te verplaatsen in de doodsangst van de nieuweling uit Afrika, de 'nieuwe neger', zoals hij in West-Indië werd genoemd, die misschien een paar weken of maanden daarvoor in de binnenlanden van Afrika gevangen was, naar de kust gedeporteerd, daar was vastgehouden in de omheinde kraal van een handelaar, bijvoorbeeld op Goree Island voor de kust van Dakar, en tenslotte was overgebracht naar een schip om de Atlantische Oceaan over te steken. Het was gemakkelijk zijn doodsangst na te voelen, de doodsangst van de man die stap voor stap was verwijderd uit wat zijn werkelijkheid was geweest. Het was ook gemakkelijk je te verplaatsen in het hart van de andere man, de trouwe slaaf aan de andere kant van het tussenschot, die bij hem zat en tegen hem praatte en hem het nieuwe leven probeerde voor te stellen als een gemakkelijk bestaan zonder zorgen, het enige ware leven.

De oude mevrouw Gibbs wilde bij de lunch weten of ik de cellen had gezien waar nieuwe slaven 'geacclimateerd' waren. (Ik had dat woord nooit eerder gehoord; later zou ik ontdekken dat het algemeen gebruikt werd in het Zuiden.) Het was iets dat je gezien moest hebben, zei mevrouw Gibbs; daaruit bleek wat de planters allemaal gedaan hadden om het hun slaven gemakkelijk te maken; dat was een kant van het leven op de plantages die niet algemeen bekend was.

Voor de picknick was gedekt op klaptafeltjes in de schaduw van de bomen. En overal om ons heen, onder de grote eiken van de oprijlaan van de plantage, waren mensen aan het picknicken–

de gemeenschap van de kerkdienst die zich uitgebreid had tot deze grote picknicklunch, op het terrein van het gerestaureerde plantershuis.

In de eetzaal van het huis zelf stond op een tafel een maaltijd klaar voor de gasten; op een andere tafel lagen foto's van het restauratiewerk, en ook foto's van bejaarde zwarten die in het huis hadden gewerkt. Er waren geen zwarten bij de picknick, maar deze bedienden werden herdacht. En een zekere Hill, van de familie die de plantage had gekocht van de Gibbsen en zich zo had ingespannen voor de restauratie bij wijze van gebaar tegenover de gemeenschap en de geschiedenis en het land, die Hill vertelde me dat er bij de documenten van het huis papieren waren die je in staat zouden stellen de voorouders van veel zwarten op te sporen. Hij droeg een blauwgestreept cloquékostuum, een grote, wat dikke, vriendelijke man, die iedereen vormelijk welkom heette.

Veel bedrijven en veel individuele personen hadden geld geschonken voor de restauratie. De kamers zelf waren verzorgd door verschillende woninginrichters. Dat verklaarde de verwarrende beschrijving van het huis in advertenties die ik had gezien: 'Middleburg Plantation Designer House 1987'. Het negentiende-eeuwse 'staatsievertrek', bijvoorbeeld, was ingericht door Lowcountry Decorators en Lowcountry Antiques. Ze hadden 'dramatische, kleurige bekledingsstoffen bij traditioneel meubilair' toegepast. Het geheel was aangevuld met onder andere 'een prachtig olieverfschilderij van een zwart dienstmeisje, ca. 1894' en 'nieuwe zijden bomen en planten, het antwoord voor de moderne huisvrouw op het probleem van "te weinig tijd"'.

De kamers waren eigenlijk toonkamers die een bepaalde periode tot leven wilden wekken; het gerestaureerde huis was een soort museum. En voor de verwachte bezoekers was aan het ene uiteinde van de achtergalerij een souvenirwinkel ingebouwd, en aan het andere uiteinde een keuken.

De restauratie was zorgvuldig uitgevoerd. Men had geen poging gedaan het huis eleganter te laten lijken dan het was geweest; en men dacht dat het huis nog een hele tijd zou kunnen voortbestaan door wat men nu had gedaan. De prachtige tuinen bleven. Jack Lelands bejaarde schoonvader, die een tijdlang in het huis had gewoond, was diep ontroerd dat het huis zou blijven bestaan. Dezelfde gevoelens had zijn dochter Anne, de vrouw van Jack Leland. Zij was als kind naar het huis gekomen om 'buiten' te logeren. Er was toen geen elektriciteit geweest, en wanneer ze naar bed ging, moest ze een olielamp mee naar boven nemen.

Het land en het verleden werden geëerd, de plantage en de rivier erachter, die de rijstvelden mogelijk had gemaakt, net als in Oost-Indië. Wat echter ontbrak waren de hutten van de slaven. Het plantershuis, zelfs met de dependances die nog over waren, miste wat het belangrijkste – en opvallendste – kenmerk was geweest. Jack Leland vertelde me dat de slavenhutten opzij van de oprijlaan met de eiken moesten hebben gestaan. De hutten werden 'de kwartieren' genoemd, of 'het dorp'. Ze waren nooit zo gelegen dat ze niet zichtbaar waren vanuit het plantershuis. En gezien de hygiënische toestanden van die tijd zou de slavenplantage ongetwijfeld een onsmakelijke kant hebben gehad.

Maar nu was de plantage gezuiverd van haar hutten. Wat restte was de prachtige oprijlaan met de eiken, die nog steeds groeiden. Het kostte moeite je voor te stellen dat er slavenhutten waren geweest in die grootse omgeving die eerder herinnerde aan Europese landhuizen. Alleen de hitte van het moeras en het licht, dat je aanviel zodra je uit de schaduw van de bomen kwam, herinnerden aan tropische gewassen die snel rijpten: arbeid, zweet, mensen, viezigheid.

De lege weg van die zondagmiddag leidde opnieuw door bossen, die ik nu met een wat andere blik bekeek; en leidde af en toe door een zwarte nederzetting, waar de afstammelingen woonden van de slaven die, kortstondig, getriomfeerd hadden over hun meesters, meer dan honderdtwintig jaar geleden.

Indigo, rijst, katoen – alle belangrijke slavencultures waren hier ingestort, net zoals in het Caribisch gebied de kokosoogst had geleden onder een soort 'roest', en zoals de cacao, die vroeger op sommige eilanden 'koning' was geweest, in de planterstaal, bijna uitgeroeid was door de ziekte die heksenbezem heette. Het had er dus alle schijn van dat bepaalde gewassen, wanneer ze op een niet meer menselijke schaal werden verbouwd, op de een of andere manier werden aangetast, economisch of door een ziekte die de balans herstelde; zoals epidemieën de menselijke bevolking uitdunden, en myxomatose de konijnen decimeerde wanneer ze door hun aantal niet meer zo schattig waren.

Niet ver van waar de landweg uitkwam op de hoofdweg verliet een menigte zwarten een grote kerk. Kostuums; japonnen; hoeden; auto's. Na de Middleburg-picknick een overeenkomstige gedachte van gemeenschap: de verdwenen slavenhutten omgetoverd tot iets heel anders, niet alleen tot de oude plattelandsgemeenschappen in het bos, maar ook tot de zwarte wijken in Charleston zelf, een paar voor de middenklasse, veel meer waar sociale woningen stonden, of–aan de oostkant–oude huizen, gemeden door de toeristen in de rijtuigen en de fietskoetsjes.

Een oudere dame, die in een van de huizen in de historische stad woonde, zei toen ze hoorde dat ik in Trinidad was geboren: 'In mijn familie gaat het verhaal dat onze voorouders, de Burkes uit Philadelphia, het eiland Trinidad hadden geërfd.'

We zaten in haar kleine tuin en dronken limonade. Het huis ernaast leek, hoewel het van baksteen was, onvoorstelbaar antiek, klein en scheef en curieus.

Ik zei: 'Het hele eiland?'

'Het hele eiland. Dat wil het verhaal. Mensen in het Zuiden hebben graag het gevoel dat ze althans vroeger rijk zijn geweest. Maar ze zijn gestorven, de Burkes, op reis naar de Bovenwinden, toen ze het land in bezit wilden nemen.'

Ik vroeg wanneer dat geweest was.

De mevrouw ging naar binnen en kwam terug met een stamboom, die letterlijk in de vorm van een boom was getekend. Haar moeder had daar veel tijd aan besteed. En daar, op een lage tak links, stond iets over de Burkes: 'Gestorven in mei 1795 op reis om land in Trinadad in bezit te nemen.' *Trinadad*–dat was de foute spelling in de stamboom, die de romantische afstand aangaf waarop in de familieverhalen Trinidad lag van Charleston en van Philadelphia.

Ik vond het een interessant verhaal. Trinidad was gedurende

bijna drie eeuwen na de ontdekking een vrijwel vergeten deel van het Spaanse imperium geweest. Aan het eind van de achttiende eeuw hadden de Spanjaarden, om hun bezittingen in Zuid-Amerika te beschermen, besloten het eiland open te stellen voor immigratie en een eiland vol oerwoud te veranderen in een suikerkolonie met slavenarbeid, naar het voorbeeld van Santo Domingo en Jamaica en Barbados. Maar de Spanjaarden konden zelf niet voorzien in die immigranten. Ze hadden de mensen niet; hun imperium was te groot. Om zichzelf zo goed mogelijk te beschermen eisten de Spaanse autoriteiten dat immigranten naar Trinidad rooms-katholiek waren; in ruil daarvoor boden ze gratis land aan, in verhouding tot het aantal slaven dat een kolonist meebracht. De mensen aan wie ze dachten, en die ook kwamen, waren Fransen van de Franse eilanden in West-Indië, waar chaos heerste na de Franse Revolutie en vervolgens de zwarte revolutie van Toussaint L'Ouverture in Santo Domingo en alle onrust en veroveringen die plaatsvonden gedurende de Napoleontische oorlogen.

Het verhaal dat er in 1795 mensen naar Trinidad waren vertrokken om 'land in bezit te nemen' was dus niet zo vreemd. Men kon zelfs beweren dat het hele eiland in bezit kon worden genomen. Nieuw voor mij was dat Ieren uit Philadelphia – die niet veel slaven konden hebben bezeten en niet in aanmerking zouden zijn gekomen voor gratis land – erover gedacht hadden daarheen te gaan.

Maar de Burkes uit dit verhaal hadden het niet gehaald. Ze waren verdronken, en Trinidad was een sprookje over grote rijkdom geworden. En in hun familiekroniek had het verhaal nog een vervolg. De notaris van de familie Burke, zei de mevrouw uit Charleston, was getrouwd met het kindermeisje van de familie. Samen hadden zij de weeskinderen Burke hun erfenis ontstolen. Generaties later was dat aan het licht gekomen. Op een dag had een van de nakomelingen van de notaris een nakomeling van een van de wezen ontvangen. De nazaat van de notaris had een paar porseleinen borden uit het familiebezit laten zien. Het waren er slechts elf. De nazaat van de wees zei: 'Het twaalfde heb ik thuis. Het is een van mijn kostbaarste bezittingen. In mijn familie gaat het verhaal dat de andere elf gestolen zijn.'

Een verhaal uit het Zuiden; een verhaal over oude families, een droom van rijkdom in het verleden. Maar het interesseerde me om een andere reden. Een van de allereerste boeken over de geschiedenis van Trinidad is geschreven door een pamflettist uit Philadelphia. Zijn naam was Pierre Franc MacCallum. Hij was een man van radicale en zelfs revolutionaire overtuigingen; hij haatte overheden, dat valt uit zijn verhaal af te leiden. In 1803 is hij naar Trinidad gegaan, zes jaar nadat het eiland door de Britten was veroverd. Hij stond vijandig tegenover de Britse gouverneur en vijandig tegenover Brits gezag in het algemeen; zo vijandig zelfs dat hij uiteindelijk gedeporteerd is – uit de allesbehalve plezierige gevangenis van Port of Spain gehaald en naar de haven gebracht, waar men hem op een schip naar New York zette.

De Franse voornamen van Mac Callum wekten de indruk dat hij voor een deel van Franse afkomst was. Dat kan iets van zijn radicale of anti-Britse gevoelens verklaren. Wat echter ook uit zijn boek blijkt is dat hij in zijn campagne tegen de Britse gouverneur en het Britse gezag op Trinidad meer gedreven werd door woede over de manier waarop arme Schotten en Ieren gedumpt waren in North en South Carolina. Hij was altijd een mysterie voor me geweest, die pamflettist met zijn half-Franse naam uit Philadelphia. Nu was hij minder raadselachtig. In dat verhaal uit Charleston over een familiefortuin dat tweehonderd jaar geleden in Trinidad verloren was gegaan, meende ik een verhaal te kunnen onderscheiden over nieuwe migratie en zoeken naar fortuin: een soort trek van verarmde mensen uit het onvruchtbare Philadelphia naar Trinidad, het eiland dat zojuist was opengesteld.

Er zijn altijd bepaalde dingen die buiten de geschiedschrijving vallen. Alleen de meest algemene bewegingen en thema's kunnen worden vastgelegd. Al die veelsoortige veranderingen, al die individuele risico's en avontuurlijkheden, en al die mislukkingen, kunnen niet worden vastgelegd. De geschiedenis is vol mysteries, precies zoals familiegeschiedenissen vol leemten en verfraaiingen zijn. Bepaalde dingen gaan verloren, zoals voor mij, als kleinzoon van immigranten uit India naar Trinidad, zulke nabije voorouders als grootouders mysterieus zijn en voor een deel onbekend, zodat het mij onmogelijk is een juist antwoord te geven, na slechts honderd jaar, op een vraag als: 'Waar kwamen je voorouders vandaan?'

Wat men zich nu niet meer goed kan voorstellen is hoe hecht verbonden de slavengebieden van de Caribische eilanden en het Zuiden zijn geweest. Toen de Franse planters van West-Indië onderhandelden met de Spaanse overheid over hun vestiging in Trinidad, oefenden ze druk uit door te dreigen met hun slaven naar het Amerikaanse Zuiden te trekken. Als planters zou dat gunstiger voor hen zijn, zeiden ze, vooral omdat de Verenigde Staten na de oorlog – de Onafhankelijkheidsoorlog – waarschijnlijk van betekenis zouden worden in dat halfrond (en dus beter in staat de inwoners te beschermen). En hoe rijk en verleidelijk moeten de vlakke kustgebieden met al die rivieren langs de kust van Carolina zijn geweest voor mensen die alleen de eilanden kenden!

En hoe vreemd was het te bedenken dat de zwarten van Trinidad, onder wie ik ben opgegroeid, in North of South Carolina geboren hadden kunnen zijn, wanneer alles iets anders was gelopen, en een totaal andere geschiedenis zouden hebben gekend. Het belangrijkste verschil is de afstand in beide maatschappijvormen tot de slavernij. De slavernij in de Britse koloniën is in 1834 afgeschaft; en daarna zijn de Westindische koloniën verder verwaarloosd. De zwarten uit het Britse Caribische gebied worden dus door honderdvijftig jaar gescheiden van de slavernij. De Amerikaanse slavernij was geëindigd met de Burgeroorlog. Maar men zou kunnen zeggen dat de vrijheid voor de zwarten pas in 1954 is gekomen; de Amerikaanse zwarten hebben dus in slechts dertig jaar bereikt wat ze bereikt hebben. In die dertig jaar hebben de Amerikaanse zwarten oog gekregen voor hun mogelijkheden; terwijl de wat grotere onafhankelijke gebieden van Brits West-Indië – Trinidad, Jamaica, Guyana – op allerlei manieren geplunderd en geruïneerd zijn.

Misschien begon ik gewend te raken aan het Zuidelijke accent, maar van tijd tot tijd had ik het gevoel dat ik iets opving van de opvallende uitspraak van het eiland Barbados—die ik uit mijn kinderjaren kende—wanneer ik zwarten in Charleston hoorde praten. Vreemd—het kleine Barbados dat een echo kreeg in het voorname South Carolina! In de achttiende eeuw echter was Barbados, rijk aan suiker en rijk aan slaven, het koloniale land van de onbegrensde mogelijkheden geweest. In de *Autobiography* van Benjamin Franklin is dat het land waarheen mensen vluchten om hun geluk te beproeven als kantoorbediende of advocaat, omdat Philadelphia zelf zo arm was dat er soms zelfs geen munten werden geslagen. En Barbados was het voorbeeld geweest voor de planterskolonie van South Carolina. En Barbados was een element in de aristocratie van Jack Leland als oude ingezetene van Charleston.

Twee van zijn kostbaarste bezittingen kwamen van Barbados. Het waren zeemanskisten, en ze waren in 1685 door een voorvader uit Barbados meegebracht, vijftien jaar na de stichting van de kolonie Carolina. De kisten waren veertig jaar in het bezit van Jack Leland geweest; hij had ze geërfd van een tante. Hij had met een historicus over de kisten gepraat, en hij had vernomen dat dergelijke kisten op maat werden gemaakt voor een zeereis, zodat ze tussen de spanten van het schip pasten. Ze waren gemaakt door een timmerman of schrijnwerker, niet door een meubelmaker. Ze waren hoog en onversierd, met pen-en-gat-verbindingen op de hoeken, zonder uitstekende delen, heel eenvoudig eigenlijk; en ze hadden een ereplaats in zijn zitkamer.

Hij woonde in een oud, heel smal 'enkel huis' in het centrum van het oude Charleston. Het huis was ongeveer vijf meter breed; er hoorde een klein lapje grond bij; het was een huis waaraan je zo voorbij zou zijn gelopen. Wat dat betrof, zoals hij daar woonde in een heel eenvoudig huis in een smalle straat, was hij representatief, emblematisch haast, voor de oude ingezetenen van Charleston, eerder trots op zijn familie dan op geld, trots op het land en zijn oude banden daarmee.

Hij droeg de geschiedenis daarvan met zich mee. En een van de eerste dingen die hij deed, toen ik hem bezocht na die zondag in Middleburg, was mij een kaart van de omgeving laten zien, waarop alle oude plantages stonden aangegeven; de kaart was een paar jaar daarvoor gemaakt. Er waren heel veel plantages geweest. De weg waarlangs we waren gereden, en die veel langer en rechter was dan enige weg op Barbados, had slechts een fractie laten zien van wat er was. Elke plantage was een eenheid geweest, een klein koninkrijk dat geregeerd werd door de planter; ze hadden elk een groot huis bezeten, en kwartieren; en op elke plantage hadden, zo zei Jack Leland, de kwartieren in het midden gelegen, om contacten tussen de slaven op de verschillende plantages te voorkomen.

De kaart hing op de overloop bij de trap van zijn huis. De trap bevond zich in het midden van het smalle huis en scheidde de voorkamer van de achterkamer. De ingang van het huis was aan de zijkant. Die centrale zijingang en trap waren kenmerkend voor een 'enkel' huis in Charleston – een enkel huis was hier niet, zoals ik gedacht had, een klein vrijstaand houten huis; het was een huis waar, ter wille van de privacy, de ingang niet aan de voorkant was, en waar één enkele kamer was aan weerszijden van de ingang en de trap. Een dubbel huis had twee kamers aan weerszijden van de trap.

Men zei dat het ontwerp van het enkele huis, samen met de gedachte van een slavenkolonie met plantages, geïmporteerd was uit Barbados en uit West-Indië in het algemeen. Ik had in Trinidad nooit iets gezien dat op de huizen in Charleston leek. Maar Trinidad was een laatkomer in West-Indië; en de oorsprong ervan was Spaans en Frans. De Westindische koloniën waaraan Charleston een voorbeeld had genomen, waren de oudere Britse koloniën geweest.

Het bleef merkwaardig voor mij in Charleston, die herinneringen aan het koloniale Brits West-Indië als kenmerk van voorname afstamming. Die gedachte van een koloniale aristocratie die dateerde van het allereerste begin bestond niet echt in Trinidad in mijn tijd; en bestaat ook nu niet in het voormalige Brits West-Indië. En wel om een eenvoudige reden: de koloniën van Brits West-Indië zijn min of meer opgeheven in de jaren dertig van de negentiende eeuw, toen de slavernij werd afgeschaft, en het leven is daar tot stilstand gekomen. Het imperium verplaatste zich naar het Oosten; het trok Afrika binnen. En het heeft geen zin dat men in het voormalige Brits West-Indië nu beweert tot de eersten te hebben behoord. Misschien kan men niet met recht beweren dat er een aristocratie bestaat in een kolonie waar niets van terecht is gekomen–er wonen simpelweg mensen die (net als Robinson Crusoe) naar de verkeerde plaats zijn getrokken. Terwijl Charleston betrokken was geraakt bij de grote gebeurtenissen in de geschiedenis van een heel werelddeel, en het onbeduidende begin nu onbeschrijflijk romantisch lijkt, toen het op één lijn stond met slavenkoloniën als Antigua of Barbados of Jamaica, en van hen afhankelijk was voor handel en ondersteuning.

De betekenis van een kolonie is hoofdzakelijk afhankelijk van de economische mogelijkheden. De Fransen hebben Canada (of wat zij als Canada beschouwden) ingeruild voor het zeer kleine Westindische suikereiland Guadeloupe. De Nederlanders hebben New York afgestaan aan de Britten in ruil voor de kolonie Suriname aan de Zuidamerikaanse kust. (Toen ik in 1961 in Suriname was, vertelde een Nederlandse lerares me dat men op Nederlandse scholen zei dat de Nederlanders er het best van af waren gekomen, want de Britten waren New York kwijtgeraakt, terwijl de Nederlanders–in 1961–Suriname nog bezaten.) En zonder de Verenigde Staten achter zich had het Charleston van na de plantages kunnen worden als Suriname of Guyana in Zuid-Amerika of Belize in Midden-Amerika, voormalige slavenkolonies waar de slavenhouders of hun opvolgers, toen het geld op was, tenslotte hadden moeten verdwijnen en het land hadden moeten overlaten aan de slaven en de mensen die de slaven hadden vervangen. Terwijl het Charleston dat nog bestaat, het Charleston van de oude families, de romance waar de toerist op afkomt, een blanke stad is, waar de zwarten (hoewel zij met meer zijn dan de blanken) indringers lijken.

Op een afstand van slechts vijf uur rijden ten oosten en zuiden van Atlanta (dat gesticht was als eindpunt van een spoorlijn in 1837) vond men dus een totaal andere geschiedenis dan die van Atlanta. Hoewel die geschiedenis, net als in Atlanta en Noord-

Georgia, in haar verschillende lagen zichtbaar was: de toeristen-stad, segregatie, de Burgeroorlog, de plantages, de grote slaven-bevolking, de rijkdom, de achttiende-eeuwse kolonie.

De vroege rijkdom was gebaseerd geweest op indigo, zei Jack Leland.

'Toen de revolutie begon, betaalde Groot-Brittannië nog een premie op indigo. Indigo was een degelijke verfstof. India speel-de nog geen rol. De overgrote meerderheid van de indigo kwam hiervandaan. Na de revolutie was er geen Britse markt meer, en de indigo is langzaam verdwenen. Na 1800 is er geen indigo meer aangeplant. De planters concentreerden zich op rijst en katoen. Die gewassen hadden ze al verbouwd, tegelijk met de indigo.

'De rijstplanters stonden aan de top. De katoenplanters kwa-men daar vlak onder. De gewone farmers stonden helemaal on-deraan, samen met de winkeliers. Het was een soort kastenstel-sel. Je hoort nog steeds mensen zeggen, al komt het tegenwoor-dig niet meer zo vaak voor: "Hij heeft een winkel." En dat bete-kent dat hij eigenlijk een beetje minderwaardig is. Het veran-dert nu snel. Geld is heel belangrijk geworden. Vroeger was fa-milie altijd belangrijker dan geld.'

De sociale vooroordelen van Engeland, versterkt door kolo-niale rijkdom–uit dit verhaal leek te blijken dat (zelfs afgezien van de slavernij) het succes, toen het de plantages van Charles-ton bereikte, vrijwel onmiddellijk begonnen was zichzelf te gronde te richten. Maar het land was gezegend: het was zo vruchtbaar en goed van water voorzien, zo vlak en toegankelijk.

'Na het verlies van de indigo is deze streek heel welvarend ge-worden. Deze strook land, die van North Carolina tot Florida reikt, is waarschijnlijk het rijkste landbouwgebied ter wereld geweest. En die planters waren de mensen die Newport, Rhode Island, hebben gesticht. Daar hebben ze hun zomerresidenties laten bouwen.

'De Burgeroorlog was de eerste zware slag. De oorlog heeft de slaven bevrijd, en de planters moesten gaan betalen voor hun ar-beid. En na de oorlog zijn de plantages uiteengevallen, letter-lijk.'

Dat kon ik me nu gemakkelijk voorstellen. Ik hoefde slechts te denken aan de oprijlaan met de eiken in Middleburg, slavenhutten te plaatsen onder die eiken, me een slavenbevolking voor te stellen die met vakantie was, of ontevreden; ik stelde me voor hoe de rijst groeide op die drijfnatte velden, en snel groeide; ik dacht aan de grote afstanden, en aan de hitte; aan het grote aantal zwarten en de weinige blanken. En dan begreep ik zonder moeite hoe de kleine koninkrijken die een paar generaties lang rijkdommen hadden vergaard, huizen in Charleston en zomerhuizen in Rhode Island hadden gebouwd, zomaar hadden kunnen instorten.

'De definitieve slagen zijn toegebracht door de grote orkanen. Dat zijn er drie geweest, in 1885, 1893 en 1912. Toen zijn de dijken gebroken, en er was geen mogelijkheid ze te herstellen. Tegelijkertijd begonnen ze rijst te verbouwen in Mississippi en Louisiana en Arkansas en het oosten van Texas. Die werd op hooggelegen grond gekweekt, en daardoor zijn de planters hier regelrecht geruïneerd. Zo omstreeks 1920 werd hier dan ook geen rijst meer verbouwd voor de uitvoer. We hebben nog wel wat verbouwd, maar alleen voor eigen gebruik.

'De katoensnuitkever is omstreeks 1915 gekomen, en binnen drie jaar was de katoenbouw kapot. De farmers zijn toen overgestapt op moestuinbouw. Dat wil zeggen groenteteelt – aardappels, bonen, tomaten, pompoenen – voor New York en de markt in het Oosten. Dat heeft geduurd totdat Californië een rol ging spelen, nadat men daar de woestijn was gaan bevloeien. De woestijngrond is heel vruchtbaar, en meer dan water hadden ze daar niet nodig.'

'Dus na een bepaald punt is de geschiedenis van de plantages een geschiedenis van pech en ondergang?'

'Het stemt me heel treurig. Mijn familie bezat slaven. Ik denk dat ze heel goede meesters waren. Een paar jaar geleden heb ik gesproken met een paar van de voormalige slaven – nu zijn ze allemaal dood – die op de plantages van mijn familie hadden gewoond. En ze praatten heel vleiend over de manier waarop ze behandeld waren. Slavernij was verkeerd. Ik kan het niet verdedigen. Maar het bestond. Het is gebruikt voor de opbouw van de landbouweconomie die wij hadden, en het was een redelijk goede, werkbare instelling.'

'Is er een speciaal moment geweest dat u zich bewust werd van het verleden van de plantages?'

'Ik ben opgegroeid op een plantage waar nog twintig voormalige slavenhutten stonden, en daar woonden allemaal negers in. En vanaf het begin wist ik dat die mensen vroeger eigendom van mijn familie waren geweest. En ik stond op goede voet met hen.'

'Was de rijkdom van de familie toen al aan het verdwijnen?'

'De rijst verdween, toen de katoen, toen de groenteteelt. En toen kwam de crisistijd. En mijn vader moest verkopen. En dat was het einde.'

Dat was ook de tijd, zoals ik later hoorde, dat veel van het meubilair van de oude huizen in Charleston in handen kwam van antiquairs. Charleston-meubels zijn nu verspreid over de gehele Verenigde Staten en zijn heel kostbaar, vooral wanneer ze gemaakt zijn door meubelmakers uit Charleston (zoals de man die de preekstoel voor Pompion Hill had gemaakt). Dit verhaal over het verlies van bezittingen herinnerde me aan wat Parkman had gezien op de huifkarrenroute naar Oregon in de jaren veertig van de negentiende eeuw, toen emigranten naar het Westen, bekaf van de gevaarlijke en zware tocht, hun kostbare meubelstukken, die ze hadden willen meenemen, langs de weg hadden achtergelaten.

Hoewel Jack Leland zijn land was kwijtgeraakt, praatte hij er nog romantisch over.

'Het land is niet van mij, maar ik heb het gevoel dat het mijn erfgoed is.' En dat woord, erfgoed, zou ik meermalen uit zijn mond horen, alsof dat het woord was dat veel verklaarde van zijn relatie met Charleston, zijn familie en voorouders. 'Die ene plantage, waar ik geboren ben, was door mijn familie gekocht in 1832. En mijn vader heeft in 1935 moeten verkopen. Die plantage is dus honderddrie jaar in mijn familie geweest. Maar er waren andere bezittingen, die nog langer in de familie waren geweest.

'Een van de ongewone dingen van mijn familie was dat mijn

voorouders Leland eigenlijk New-Englanders waren. De eerste Leland in South Carolina was Aaron Whitney Leland'–hij sprak alledrie die namen zorgvuldig uit en herhaalde ze, zodat ik ze kon opschrijven–'en die kwam uit Massachusetts. Hij was net afgestudeerd aan Williams College in Massachusetts en hij was hierheen gekomen als gouverneur voor de familie Hibben'– weer heel belangrijk, de naam van die familie–'die destijds bezat wat nu Mount Pleasant is, de oostelijke oever van de haven. En ik denk dat hij, omdat hij een slimme Yankee was, van godsdienst is veranderd en met een van de dochters is getrouwd. En zo is de Leland-familie begonnen, hier. Hij is van unitaristisch overgegaan naar presbyteriaans, en hij is zelfs presbyteriaans predikant geworden.

'Maar mijn moeder en mijn vader stamden uit families die hierheen waren gekomen in het begin van de kolonie, in 1670.' En van een van die vroege families had hij de zeemanskisten geërfd die in de zitkamer stonden, aan de andere kant van de middentrap.

Hoe was hij zich bewust geworden van de armoede van zijn familie?

'We hadden een heel goed leven. Er was eten in overvloed. En eigenlijk besefte ik niet dat we arm waren. Natuurlijk hadden we het beter dan de negers en wat wij de blanken uit de binnenlanden noemen. En ik besefte niet dat we in economische zin arm waren, dat er heel weinig geld binnenkwam.

'Ik heb één jaar hier gestudeerd aan het "College of Charleston". Dat was toen een particuliere instelling. Mijn grootmoeder heeft dat betaald. Toen is ze gestorven. Ik zocht een baan voor de zomer, en ik vond werk op een Noors vrachtschip dat bananen vervoerde van Cuba naar Charleston en Jacksonville, Florida. Toen nam de kapitein, die voor twee derde eigenaar van het schip was, een lading steenkool aan om naar Argentinië te vervoeren. En toen we in Argentinië waren, kreeg hij een aanbod om naar Australië te gaan. Zo ben ik in Australië terechtgekomen, en vandaar voer ik in een driehoek van Sydney naar Singapore en Manilla en weer terug naar Australië. In augustus 1939 kwamen we weer hierheen en haalden we een lading bananen op in Honduras, en vandaar naar het Noorden, naar Mobile, Alabama. Op de dag dat we de haven binnenvoeren, viel Hitler Noorwegen binnen. Waardoor het schip een schip van een oorlogvoerende natie werd. De *U.S. Border Patrol* raadde me aan van boord te gaan. Ik ging naar huis en weer naar het "College of Charleston". En het jaar daarop moest ik natuurlijk in dienst voor de Tweede Wereldoorlog, ik was de eerste uit Charleston die een oproep kreeg.'

Hij had dus een stuk van zijn opleiding gemist. De jaren die hij op de universiteit had kunnen doorbrengen, was hij zeeman geweest. Had hij het gevoel dat hij het gezelschap van leeftijdgenoten had gemist?

'Veel van de mensen op het schip spraken Engels Engels, Brits Engels. Het was een geweldig soort opleiding. De oorlog was ook zo'n stuk opleiding. Engeland, Noord-Afrika, Sicilië, Italië. En met mijn achtergrond – mijn vader en moeder lazen heel veel, en ze hadden mij het vermogen en het verlangen bijgebracht om te lezen en dingen te weten te komen.

'Ik ben in 1945 teruggekomen en weer naar *college* gegaan. En ik kreeg een baan bij de kranten hier en vanaf die tijd ben ik hier gebleven.'

'U hebt Charleston dus weer zien verrijzen?'

'Ik heb het ook zien veranderen. Toen ik een jongen was, bestond er geen zwarte wijk in Charleston, en geen blanke wijk ook. Blanken en zwarten woonden naast elkaar. De verandering is begonnen tijdens de crisis, toen een enorm aantal farms en plantages failliet ging en de negers die daar gewerkt hadden naar Charleston begonnen te verhuizen, of naar het Noorden trokken. En toen kwam de Tweede Wereldoorlog, en dat leverde een geweldige economische opbloei op, want dit was een grote marinebasis, en ze hebben een vliegveld aangelegd, en dat heeft nog meer negers van het platteland naar de stad gehaald.

'Na de oorlog kwamen de jonge mannen terug. De wijken waar de meeste negentiende-eeuwse immigranten hadden gewoond – Duitsers, Ieren en Italianen en Grieken – die families woonden nog in wat nu de zwarte wijk is. Een wijk met gemiddelde tot lage inkomens. Maar de jonge mannen konden na de geen lening van de banken krijgen om oude huizen in de stad te kopen. Ze moesten nieuwe huizen laten bouwen in de buitenwijken. En terwijl ze dat deden, kwamen de huizen van hun ouders leeg te staan, en daar trokken de zwarten in. En tegenwoordig hebben we een enorme zwarte wijk. En het oude Charleston, het Charleston van het schiereiland, is voor zestig procent zwart en voor veertig procent blank. De openbare scholen zijn voor vijfennegentig procent zwart.'

'En dat voor een stad die van de plantages heeft geleefd!'

'Het is inderdaad een geweldige omwenteling geweest. Bedenk eens het volgende. Dit huis, het huis waar ik nu woon, is ongeveer zeven jaar geleden gerestaureerd. Het is in de jaren veertig van de vorige eeuw gebouwd door een Ierse timmerman die misschien hierheen was gekomen op de vlucht voor de hongersnood na de misoogst van de aardappelen. De kamers zijn vreselijk klein. De architect die het verbouwd heeft, was een goede architect en hij heeft alle beschikbare ruimte nuttig gebruikt. En nu, op dit moment, zijn wij de enige blanke familie in dit blok. In deze straat moet ik zeggen, de straat heeft maar twee blokken. Alle anderen zijn negers.

'Neem het huis hiernaast. Misschien interesseert het u, misschien ook niet. Een paar jaar geleden ontdekte mijn schoonmoeder, de vrouw van John E. Gibbs, dat een paar oude getrouwen van de familie Gibbs – zo noemde zij ze – werden uitgebuit. En ze heeft dat huis gekocht en gerestaureerd, ze heeft er twee appartementen van gemaakt, met een bijgebouwtje op het achtererf. En daar wonen nu de vroegere bedienden van de familie Gibbs, en ze krijgt net genoeg geld van hen om belasting en verzekering te kunnen betalen. Het zijn geweldige mensen. Ze helpen ons waar ze kunnen.

'Vlak om de hoek hebben we hier een van die goedkope woningbouwprojecten. En die mensen zijn verschrikkelijk. Daar wonen alleen zwarten. Dat project levert alleen maar misdaad op. Daar gebeurt altijd iets vreselijks, of er wordt iets vreselijks gedaan door de mensen die daar wonen.'

'Vindt u het moeilijk om te midden van negers te wonen zonder gezag over hen te hebben?'

'Ik heb altijd te midden van negers gewoond. Altijd. En ze hebben me geholpen. We zijn goede vrienden. Maar sociaal gesproken leven we gescheiden. Daar kun je niet omheen. Maar vorig jaar, toen mijn stiefdochter trouwde in de episcopaalse kerk, St. Philip's, de moederkerk van de Anglicanen in het Zuidoosten van de Verenigde Staten – een grote, formele bruiloft, met een receptie achteraf in South Carolina Hall –, toen zijn de bedienden naar de trouwerij gekomen, en het was net of ze deel uitmaakten van de familie. Je kunt er niet omheen. Er is een oude man die net zo oud is als mijn schoonvader. Hij is tweeëntachtig. Hij is opgegroeid in een dependance van het huis van de Gibbsen aan Logan Street. En hij, die oude bediende, kan niet lezen of schrijven. Hij is officieel blind verklaard. En mijn schoonmoeder haalt zijn voedselzegels op en incasseert zijn bijstandscheques. En hij denkt echt dat hij een Gibbs is, een van de familie. Ik ben erg blij dat ik ze heb.' De oude familiebedienden die in het gerestaureerde huis ernaast woonden. 'Ze helpen ons waar ze kunnen.'

'Wanneer u denkt aan de manier waarop het rassenvraagstuk zich heeft ontwikkeld, denkt u dan weleens dat de slavernij een ramp is geweest voor het Zuiden?'

'De slavernij is inderdaad een ramp geweest. De afloop heeft altijd vastgestaan. Maar u moet bedenken dat de mensen in New England ook slaven hadden. Niet zoveel als wij. Ze hadden kleine farms. De Zuidelijke economie was afhankelijk van negerslaven. Het begin van het einde is kort na 1800 geweest, toen Groot-Brittannië de slavenhandel verbood. En daarna hebben de Verenigde Staten een wet aangenomen tegen de invoer van slaven!'

'Dus het eind was al in zicht toen de plantages nog op het toppunt van hun welvaart waren?'

'De grote rijkdom begon net te komen.'

'Als u het effect ervan nu bekijkt, ziet u het dan als een verzwakking van het land?'

'Dat ís het. De jongere negers, de negers van onder de zestig, zijn nooit echt in staat geweest zich aan te passen aan de levenswijze van de blanken.' Hij bedoelde dat zwarten uit die leeftijdsgroep in hun eigen gemeenschap leefden, niet dienden in de huizen van blanken, zoals hun ouders en grootouders hadden gedaan. 'Ze staan buiten en kijken naar binnen. En ze nemen de normen van de blanken niet over.

'Bijvoorbeeld – het krijgen van kinderen. Zoals u waarschijnlijk weet, houdt bij de negers de vrouw het gezin bijeen. En ze krijgen geweldig veel kinderen. In South Carolina tenminste zijn de buitenechtelijke kinderen die elk jaar worden geboren, voornamelijk zwart. En daar is geen schande aan verbonden – dat verandert tegenwoordig natuurlijk ook in blanke gezinnen. En die mensen zijn bereid om van de bijstand te leven – of liever, ze léven van de bijstand, of ze daartoe bereid zijn weet ik niet. De negerkerken, die vroeger het middelpunt van de negergemeenschappen waren, hebben buitenechtelijke kinderen nooit afgekeurd. Ze aanvaarden het. Het is eigenlijk een tragische situatie, buitenechtelijkheid, al die jonge zwarte meisjes die kinderen krijgen als ze dertien of veertien zijn, en geen man hebben om geld voor hen te verdienen.'

Ik vroeg hem naar de burgerrechten en de politiek van na de oorlog.

'In 1948 was er een federale rechter, James Watie Waring' – hij sprak de drie namen nadrukkelijk uit en spelde de lastige tweede voornaam voor me, en pas later zou ik ontdekken hoe berucht juist die naam was in Charleston – 'James Watie Waring. Die was afkomstig uit een heel oude familie in Charleston. En hij decreteerde dat negers niet meer uitgesloten mochten worden van de voorverkiezingen van de Democratische Partij. En dat was een juiste beslissing. Negers hadden nooit uitgesloten moeten worden. Destijds waren de voorverkiezingen van de Democratische Partij de eigenlijke verkiezingen in deze staat, omdat er totaal geen oppositie was. En tegen 1952 begonnen de negers in grote aantallen te stemmen. Ze zijn nu een machtige groep in het kiesstelsel. Ze hebben behoorlijk ingehaald. Helaas zijn hun leiders niet al te best. Hun leiders zijn vaak negatief, politici met een heleboel mooie woorden, maar heel weinig inzicht in de manier waarop regeren eigenlijk in zijn werk gaat.'

Dat was het punt dat hij benadrukte: de manier waarop regeren eigenlijk in zijn werk gaat. Charleston had een 'volksmenner', maar onder de zwarte ambtenaren daar waren een paar goede mensen. En nadat hij zoveel veranderingen had meegemaakt, was hij nu filosofisch geworden. 'Ik geloof dat het ons voortreffelijk gaat.'

Ik wilde weten hoe zijn gedachten over het rassenvraagstuk zich hadden ontwikkeld.

'Ik ben opgegroeid in een gezin waar ons verteld werd dat we bevriend konden zijn met negers en hen moesten respecteren en niet van hen mochten profiteren. Maar je kon ze niet verheffen tot gelijken in sociaal opzicht. Toen ik opgroeide, geloofde ik dat.'

Bij een later gesprek, toen ik had nagedacht over wat hij had gezegd, en terugkwam op deze kwestie, zei hij: 'De negers hadden hun eigen kastenstelsel. In Charleston was vroeger een aannemer die Pinckney heette. Hij was een mulat. Hij heeft veel metselwerk gedaan toen de oude huizen in Charleston gerestaureerd werden. Maar hij wist dat hij van vaderszijde afstamde van een van de beste families in South Carolina. En hij sprak over zijn arbeiders als "mijn nikkers". Dat schokte me, want mijn vader had ons ingescherpt dat we dat nooit mochten zeggen.

'De zwarte huisbedienden keken neer op de landarbeiders. Daar praatten ze minachtend over. "Een maïsveldnikker." Dat was een term van de huisbedienden. Die gingen alleen met elkaar om.

'Ik was pas zeventien toen ik op dat schip ging werken. Op die leeftijd heb je helemaal geen duidelijke ideeën. Maar toen ik in havens in het Caribisch gebied en Zuid-Amerika kwam, en in Manilla en Singapore, begon ik een beetje van mening te veranderen over mensen van andere rassen. Hier in South Carolina noemden ze Chinezen spleetogen. Maar in Singapore hadden die de macht in handen. Die waren daar de baas.

'Laat ik u een verhaal vertellen. Toen ik in het Army Air Corps zat, ben ik naar Chanute Field, Illinois, gestuurd voor een meteorologische opleiding. In mijn klas zaten vier negers die gestudeerd hadden op Tuskegee, en die hadden het geweldig moeilijk met wiskunde. Bij meteorologie moet je alle mogelijke dingen bestuderen–de verschillende natuurkrachten–en daar komt veel wiskunde bij kijken. En die jonge negers–die snapten daar niets van. De meesten op die opleiding waren Yankees. Ik was een van de weinigen uit het Zuiden en ik begreep dat die negers in de problemen zaten. Ik bood aan ze te helpen, en ik héb ze geholpen, en die negers hebben de opleiding afgemaakt. En ik zal het nooit vergeten. Ik stond op het punt te vertrekken naar Florida, waarheen ik was overgeplaatst, en ik moest daar bij Chanute Field de bus nemen, en die vier negers kwamen aangelopen en gaven me een fles whisky als afscheidsgeschenk. De Yankees op die opleiding waren wel vriendjes met die negers, maar ze zagen niet dat die negers hulp nodig hadden en staken geen hand uit om ze te helpen. Maar ik was opgevoed met de gedachte dat je negers moest *helpen*. Dat hoorde bij je plicht, je erfdeel.

'Het hoort gewoon bij je leven, geloof ik. Als ik vandaag bijvoorbeeld over straat loop en een blanke probeert bij me te bedelen, dan negeer ik hem. Maar als het een zwarte is, blijf ik staan en praat ik met hem om erachter te komen of hij echt hulp nodig heeft of dat hij alleen uit is op een gratis drankje. Ik geloof dat veel zwarten–de zwarten die ik goed ken–dat van me begrijpen. Maar voor de andere zwarten ben ik niet meer dan een bleekscheet, de vijand, de aartsdemon in mensengedaante. En ik geef onmiddellijk toe dat ze wel redenen hebben om blanken niet te mogen.

'Het is heel moeilijk om een zwarte zo ver te krijgen dat hij hier gaat zitten.' Hij maakte een gebaar naar zijn bank, die tegen de wand van zijn enkele huis stond, naast de deur, met aan de andere kant van de deur de twee zeemanskisten uit Barbados, die in 1685 in zijn familie waren gekomen en het symbool waren van zijn aristocratische afkomst, het symbool van die koloniale voorvader uit Barbados. 'Moeilijk om een zwarte zover te krijgen dat hij daar gaat zitten en met me praat. Ze zeggen niet wat ze denken. Ze vertrouwen de blanken niet. Die Oom Toms, de onderdanige negers–die zijn onoprecht. In 1952 was ik aangewezen om in alle districten van het zuiden van de staat na te gaan hoe de negers zouden gaan stemmen. De verkiezingen van 1952 waren de eerste waaraan negers in grotere aantallen zouden deelnemen. In Beaufort County, aan de kust, stond ik zelf versteld. De Republikeinse Partij was de partij van Lincoln. Maar nadat ik met zo'n honderd zwarten had gepraat, bleek dat ze allemaal op de Democraten zouden stemmen. Ik leverde een artikel in waarin ik dat zei, en mijn hoofdredacteur, die veel Oom Tom vrienden had, weigerde het te geloven.'

Ik vroeg Jack Leland of hij belangstelling had voor de situatie op de Caribische eilanden, en of die enige invloed had op zijn opvattingen over Amerikaanse zwarten.

Hij zei: 'Nou ja, kijk maar naar wat er gebeurd is in Santo Domingo. Dat eiland is in tweeën verdeeld, Haïti aan de ene kant, en de Dominicaanse Republiek aan de andere. In Haïti hebben ze alle blanken gedood. En als je naar Santo Domingo gaat, dan zie je een verschil van dag en nacht. De Dominicaanse Republiek heeft een stabiele economie. De Haïtianen gaan dood van de honger. Het heeft een geweldige indruk op me gemaakt toen ik op dat schip voer – we gingen naar de Dominicaanse Republiek om bananen te laden. Ik ontmoette daar een paar Engelsen, en die namen me mee naar Haïti. Het was als het verschil tussen dag en nacht. Ik vind het een rotidee dat dat komt doordat de blanken geen enkele rol spelen in Haïti, en wél in de Dominicaanse Republiek. Maar ergens is daar iets misgelopen. En wanneer ik kijk naar wat er nu in Afrika gebeurt – ik denk niet dat ze naar me zullen luisteren. Het Amerikaanse volk heeft zich afgesloten voor dergelijke gedachten. Men denkt nu globaal. Men heeft zijn denken afgestemd op één wereld, één mensheid. Het is onpraktisch, onwerkbaar. Ik denk niet zoals iemand uit Nigeria denkt, en hij denkt niet zoals ik. We zijn verschillende mensen.'

De eerste dag dat ik Jack Leland had leren kennen, had ik al gemerkt dat hij een kreupel been had. De derde of vierde keer dat we elkaar spraken, leek hij er bijzonder veel last van te hebben, en ik vroeg naar zijn been. Hij zei dat hij aan beide benen gewond was geraakt tegen het eind van de oorlog, in februari 1945. Hij had een bombardement uitgevoerd in Noord-Afrika, en de laatste bom was blijven hangen in het toestel. De bemanning had opdracht gekregen eruit te springen, en hij was ook gesprongen; het was de eerste keer dat hij gebruik van zijn parachute had gemaakt. Hij was op rotsbodem neergekomen en had de gewrichtsbanden van beide enkels gescheurd; het had tweeëneenhalve maand geduurd voor hij hersteld was. De ironie wilde dat de piloot die opdracht had gegeven uit het vliegtuig te springen, zonder problemen met het toestel was geland.

Zo was de oorlog voor hem geëindigd. Toch had hij over de oorlog gesproken als een tijd waarin hij veel geleerd en veel beleefd had; hij had nooit gesproken over deze blijvende beschadiging, voordat ik ernaar had gevraagd. Het leek een aspect van zijn opleiding, zijn keurige manieren, zijn 'Sir?' wanneer hij niet helemaal had verstaan wat ik zei: de manieren die deel uitmaakten van de wijze waarop het Zuiden zichzelf zag.

'Het is meer een soort godsdienst,' had de vrouw uit de hogere klasse in Mississippi gezegd toen ze sprak over de houding van haar familie (en andere families daar) tegenover de Burgeroorlog en het verleden; en de oude familiehuizen; en het aantrekken van historische kostuums op bepaalde dagen, wanneer het huis werd opengesteld voor het publiek. Geen maskerade, geen ijdelheid: meer een soort godsdienst. En ook in Charleston kreeg je het gevoel dat het verleden een godsdienst was.

Het kwam niet alleen door de oude huizen en de oude families, de oude namen, de antiquarische kant van de provinciale of staatsgeschiedenis. Het was ook het verleden als een wond: het verleden waarvan de dode of verkochte plantages spraken, waar vaak nog zichtbare herinneringen aan vroeger waren, de huizen, de dependances, de oprijlanen met eiken. Het verleden waarvan de meer-zwart-dan-blanke stad nu sprak, het verleden van slavernij en de Burgeroorlog.

Geen dag was sinds mijn aankomst in het Zuiden verstreken zonder dat ik in de kranten had gelezen over generaal Sherman, of over hem hoorde op de televisie. En–heel typerend voor kranten of televisie wanneer een bekende naam benadrukt moest worden, ironisch of anderszins–hij werd vaak bij zijn volle naam genoemd, met die eigenaardige Indiaanse tweede voornaam: William Tecumseh Sherman.

Charleston had de oorlog overleefd. Columbia, de hoofdstad van de staat, niet. Die stad was platgebrand door Sherman in 1865. Een oudere dame, een gids in de kathedraal bij het State House in Columbia, sprak tegen mij over die brandstichting; en ze praatte alsof het kort geleden was gebeurd. Misschien had men zich zo Hannibal herinnerd in Italië en Rome, honderd jaar na zijn optreden. De kathedraal was een van de weinige gebouwen die niet in brand waren gestoken door Sherman, zei de mevrouw. En misschien was de reden geweest dat hij dacht dat het een rooms-katholieke kerk was; Shermans vrouw was katholiek geweest. En tegen het eind van de rondleiding, toen we praatten over de gebrandschilderde ramen (zo breekbaar in een stad die met de grond gelijk was gemaakt), onderbrak ze zichzelf en zei ze, alsof ze nogmaals een dankgebed uitsprak: 'Het is een wonder dat de kathedraal niet ook is afgebrand.'

Ik had gelezen over de brand in Columbia. Maar dat gegeven speelde niet de hoofdrol in mijn denken die middag. En dat gepraat over brandstichting–door een oudere dame, in de kathedraal–maakte een akelige indruk. Ik was niet op zoek geweest naar de kathedraal. Ik was naar binnen gegaan nadat ik de begraafplaats had opgemerkt. Ik was op weg naar het park van State House om naar het Confederate Memorial te kijken. Ik was daarheen verwezen door een rechter aan wie ik een bezoek had gebracht. Hij had gezegd dat de inscriptie op dat monument bestudeerd diende te worden. Die was poëtisch en daarin was veel te vinden van wat het Zuiden over zichzelf dacht.

Op één kant van het monument stond: *Aan de doden van het Geconfedereerde leger uit South Carolina 1861–1865.* Op een andere kant stond: *Geplaatst door de vrouwen van South Carolina. Onthuld op 13 mei 1879.* Er zat iets retorisch in die verwijzing naar vrouwen; monumenten van verdriet en wraak, of van verdriet en geloof, zijn hoogst verontrustend wanneer ze treurende vrouwen uitbeelden.

Aan de kant van de drukke weg stond op het monument te lezen: *Dit monument vereeuwigt de herinnering aan hen die, trouw aan de instincten van hun afkomst, toegewijd aan de leer van hun vaderen, loyaal in hun liefde voor de staat, gesneuveld zijn bij hun plichtsvervulling: die een verloren zaak verheerlijkt hebben door de eenvoudige manhaftigheid van hun leven, het geduldig ondergaan van lijden en de heldhaftigheid van de dood, en die, in de donkere uren van gevangenschap, in de hopeloosheid van het hospitaal, in de korte, hevige doodsstrijd van het slagveld, steun en troost hebben gevonden in het geloof dat zij thuis niet zouden worden vergeten.*

Aan de andere kant, tegenover State House, en moeilijk leesbaar onder een schuine hoek wanneer je niet op het gras achter het monument wilde lopen, stond te lezen: *Laat de vreemdeling die in later tijden deze inscriptie leest, erkennen dat dit mannen waren die niet gecorrumpeerd waren door macht, niet bang waren voor de dood, niet onteerd zijn door de nederlaag, en laat hun deugden pleiten voor een rechtvaardig oordeel over de zaak waarvoor zij zijn gesneuveld. Laat de South-Caroliniaan van een andere generatie bedenken dat de staat hun heeft geleerd hoe ze moesten leven en sterven. En dat hij uit zijn verstrooide rijkdommen voor zijn kinderen de kostbare schat bewaard heeft van hun nagedachtenis, waardoor hij allen die aanspraak maken op hetzelfde geboorterecht, leert dat waarheid, moed en vaderlandsliefde eeuwig duren.*

Aan één kant: geboorte, geloof, plicht, lijden en dood. Aan de andere kant: de naamloze, niet nader gedefinieerde zaak, die geadeld was door die deugden. Toch zijn het fraaie bewoordingen. De pijn van de nederlaag is iets dat door iedereen kan worden meegevoeld, want iedereen heeft in zijn leven wel eens een nederlaag geleden en hoopt diep in zijn hart die ongedaan te kunnen maken, of althans een rechtvaardig begrip voor zijn handelen te vinden. De pijn van het Confederate Memorial is echter heel hevig; de nederlaag waarvan het spreekt, is volstrekt. Een dergelijke nederlaag leidt tot godsdienst. Zoiets kan een godsdienst worden: de kruisiging, een even eeuwigdurend verdriet voor christenen, net als de dood van Ali en zijn neven voor de sjiieten in de islam. Verdriet en de overtuiging voor een rechtvaardige zaak te hebben gestreden; een nederlaag die strijdig is met elk gevoel van moraal, elk gevoel voor het goede verhaal, het juiste verhaal, voor hoe het had moeten zijn: de tranen van het Confederate Memorial zijn verwant aan godsdienst, de hulpeloze rouw en woede (zoals de sjiieten die kennen) over een onrecht dat niet vaak genoeg herdacht kan worden.

En er was nog meer van op dit plein in South Carolina, de staat die met de oorlog was begonnen: nog meer pijn, nog meer vernedering, nog meer tentoonspreiding van een onrecht dat eens moest worden rechtgezet. Op de lagere granieten treden stond een levensgroot bronzen beeld van George Washington. Daaraan was de volgende plaquette bevestigd: *Tijdens de bezetting van Columbia door het leger van Sherman, van 17 tot 19 februari 1865, hebben soldaten dit beeld met stenen bekogeld en het onderste deel van de wandelstok afgebroken.* De wandelstok hing nog steeds in de lucht. Op de zuil aan de voet van de trap bevond zich een andere plaquette: *De bouw van dit State House is begonnen in 1855 en ononderbroken voortgezet tot 17 februari 1865, toen Sherman Columbia in brand stak. Het werk is hervat in 1867 en met tussenpozen voortgezet tot 1900.*

Het Confederate Memorial, dat was geplaatst door de vrouwen van South Carolina, was in 1879 opgericht; toen het Noordelijke bezettingsleger was teruggeroepen en de staat bevrijd was van de Reconstructie. De plaquette van het State House, met al dat verdriet over Sherman en de brandstichting, was meer dan twintig jaar later geplaatst, toen de wereld nog meer was veranderd. Die veranderingen bleken zelfs ter plaatse: het andere monument op het geplaveide voorplein van het State House was heel zwierig, een verheerlijking van de Spaans-Amerikaanse oorlog van 1898, met een inscriptie in de stijl van Kipling.

Het was alsof het verdriet van het Confederate Memorial verzoend was door de zwierigheid van het andere monument; alsof de ongenoemde zaak van het Zuiden had voortgeleefd en gerechtvaardigd was door de latere imperialistische oorlog; alsof de ongenoemde raciale bezorgdheid van de tijd na de Burgeroorlog, de latere gevoelloosheid tegenover zwarten, was ingelijfd bij iets dat veel minder ellendig was dan de slavenhutten met de zeer zwarte en voddige slaven van South Carolina, was ingelijfd, zoals sommige Zuiderlingen hadden gezegd, bij de grotere zaak van de blanke beschaving, die zich had uitgebreid tot Afrika, Australië en Oost-Indië.

Wat men in werkelijkheid verloren had, dat was het echte verleden van het Zuiden: de wereld van voor de oorlog, en vervolgens de oorlog zelf. Dat verdriet was speciaal en leek op godsdienst; het zou voortleven na de ondergang van de imperia van de negentiende eeuw, en zelfs nadat de gedachte van imperia zelf was verdwenen. Nu dat monument voor de Spaans-Amerikaanse oorlog gênant was geworden, het feit zelf vrijwel vergeten, was het enige dat nog ontroerde in het park van het State House, het enige waarvan je voelde dat het uit het hart kwam, de inscriptie op het Confederate Memorial. En er was nog steeds het probleem van de zaak waarvoor men gevochten had.

Hoe kon een dergelijke zaak verdedigd worden?

In de bibliotheek van mijn *college* in Oxford ben ik, op een dag in 1952, een boekje tegengekomen, een particuliere uitgave, een geschenk van de auteur, die misschien een voormalige Amerikaanse student was. Het boekje, dat in de jaren twintig was gedrukt, ging over slavernij. De schrijver wilde de misverstanden wegnemen die in de rest van de wereld heersten over de Amerikaanse slavernij. Dat zei de schrijver tenminste. Maar het boekje dat hij op zijn oude dag had geschreven, ging over zijn kinderjaren en de vreugden van zijn kinderjaren. Slavernij had deel uitgemaakt van zijn kindertijd; men kon zich zijn kindertijd niet voorstellen zonder de achtergrond van die slavernij en de bijbehorende rituelen. Blanke kinderen, zo zei de schrijver, kregen vaak slavenkinderen van dezelfde leeftijd om mee te spelen, en vaak om te mishandelen. De schrijver zei dat ook hij zijn 'eigen negerjongen' had gehad. Het feit dat dit zo was geweest, dat de schrijver zijn eigen slavenjongen had gehad, werd aangevoerd als afdoende verklaring van deze praktijk.

En iets dat even eenvoudig en hartgrondig was had een prachtig gedenkboek geïnspireerd, *A Carolina Rice Plantation of the Fifties*, in 1936 uitgegeven door William Morrow.

De jaren vijftig uit de titel waren de jaren vijftig van de vorige eeuw, vóór de Burgeroorlog, toen de plantages met hun slavenarbeid nog winst maakten. De historische kern van het boek was een korte verhandeling over die tijd van de hand van D. E. Huger Smith (Huger was een van de oude namen in Charleston die op een speciale manier werden uitgesproken: 'U-G', alsof het slechts die twee Engelse letters waren). Daarnaast bevatte het boek dertig aquarellen – van zeventig tot tachtig jaar later – van de hand van Alice R. Huger Smith; en een 'Verhaal' – in werkelijkheid een historisch essay – van Herbert Ravenel Sass (alweer zo'n oude naam, Sass van Duitse origine, Ravenel uitgesproken op zijn Frans, in het Charleston van 1987 nog steeds een naam die je overal tegenkwam).

De aquarellen, waarop tafereeltjes uit het plantageleven waren afgebeeld, waren romantisch: soms gingen ze over het werk op de plantage, tal van zwarte mannen die een kapotte kade herstelden, vrouwen die rijst overbrachten naar een platte plantageschuit; soms sfeerstudies van water en bos; soms zuivere kalender- (of 'Sovjet'-) kunst, de planter en zijn vrouw (als de vader en moeder op een illustratie voor een kinderboek) die zich blank en elegant bewogen tussen de glimlachende zwarten, met twee blonde kindertjes die boeketjes in ontvangst namen van zwarte kinderen.

Een grote reproduktie van het tafereel waar de kade gerepareerd werd zou ik later zien in een restaurant in Charleston, als iets uit de oude tijd – en romantisch, echt iets voor de toeristenstad. En de romantiek van de aquarellen was oprecht. Ze dateerden niet uit de jaren vijftig van de negentiende eeuw, de tijd van de slaven. Als ze uit die tijd hadden gestamd, waren ze misschien anders geweest – eerder topografisch en descriptief, en daarom meer verontrustend. De aquarellen waren gemaakt door iemand die (zoals ze in het voorwoord zei) een verdwijnende wereld wilde vastleggen; en ze waren gemaakt door iemand die geboren was tegen het eind van de periode van de Reconstructie – in de jaren zeventig van de negentiende eeuw – toen de uitgestrekte wereld van de plantages, de ordening van al die duizenden hectaren, op haar kop was gezet. Schaamte en boosheid om de Reconstructie, verdriet om de nederlaag, heimwee naar de wereld zoals die was geweest, of een idee van het verleden: dat alles – op deze aquarellen – vermengd met de vreugde om penseel en verf en papier, de vreugde om de natuur, het gevoel van de eigen verfijndheid.

En iets van die stemming was ook te vinden in het essay van Herbert Ravenel Sass. Ook hij sprak over romantische zaken: de oprijlanen met eiken, de schoonheid van de rivier waarop de plantershuizen uitkeken; de organisatie van de grote plantages; de technische vaardigheden die nodig waren voor het bevloeien en droogleggen van een getijde-plantage, elk bijna een kleine staat met een eigen vorst, die het recht had zijn onderdanen op bepaalde manieren te straffen.

Ongetwijfeld was het die gedachte van de plantage als staat waardoor de schrijver de Rijstkust zag als 'in wezen een poging om in Amerika het klassieke Griekse ideaal van de democratie te herscheppen'. En in een merkwaardige alinea, die geen melding maakt van Afrikanen of slaven of zwarten, wordt de plantageslavernij ingelijfd bij dat Griekse ideaal als 'de meest volledige economische geborgenheid' die ooit in Amerika geboden was aan bepaalde mensen. 'Voor die geborgenheid, die zich uitstrekte over het gehele leven, van jongenstijd tot ouderdom, moest een prijs worden betaald.' 'Een prijs' – dat is de zwijgzame manier waarop, om het idee van de klassieke wereld te kunnen volhouden, wordt verwezen naar de slavernij. En die 'prijs', zo voegt de schrijver eraan toe, is 'niet zo overdreven', als men naging aan wat voor mensen – die opnieuw niet genoemd worden – die geborgenheid werd aangeboden.

Er was echter – wanneer men dat Griekse aspect losliet – nog een andere manier om over slavernij te spreken. 'Voor het Zuiden veranderde het probleem van de slavernij in het probleem van de negers, en de staat Carolina heeft van 1831 tot 1865 eigenlijk gestreden tegen de dreiging van een "oplossing" van het negerprobleem die hen te gronde zou richten.' De staat had slaven nodig; zonder slaven kon hij niet bestaan; maar de slaven hadden de staat altijd bedreigd met ondergang. Daarom was de specifieke levenswijze in de rijstgebieden van Carolina de 'blanke beschaving' geworden; en die moest behouden blijven.

Deze manier van redeneren had iets gekwelds, deze tegenzin van ontwikkelde mensen en gelovige mensen – en gevoelige mensen – om ooit toe te geven dat wat zij verdedigden kortweg was: de wereld die zij gekend hadden. En dan is er steeds het

zwijgen – het gebrek aan verwijzingen naar negers, de slavenhutten onder de eiken – wanneer de wereld van de plantages no-
beler wordt gemaakt dan ze ooit is geweest, gaat lijken op de
Griekse stadstaat. Dat was, zevenenvijftig jaar daarvoor, ook
het zwijgen van het Confederate Memorial in Columbia geweest: de deugden van de dode mannen die de zaak verheerlijk-
ten, zonder dat die zaak ooit met name werd genoemd. Maar op
welke andere manier hadden ontwikkelde mannen, in 1879 of in
1936, zelfs in de hoogtijdagen van het imperialisme, de slavernij
kunnen verdedigen?

Ik had het boek over de rijstplantages gevonden in de verzameling van een dame met een beroemde naam. Ze woonde ongewoon eenvoudig in een oud huis in Charleston met een piazza
(in Charleston een voorgalerij of veranda) die uitkeek op een
groen erf in de schaduw van een oude eik, een erf dat niet or-
delijk was, maar evenmin overwoekerd door onkruid. Op de
grens van het erf (of achter het hek) was de raamloze achterzijde
van het buurhuis zichtbaar. Zo was de stijl in Charleston: de
piazza opzij, ter wille van de privacy. Maar het buurhuis dreun-
de van het lawaai van een radio; daartegen kon men zich niet beschermen.

En daar, op die piazza, waar de meubels eenvoudig waren,
verweerd, met niet te verwijderen stof (de verkoelende wind, zo
had Jack Leland me verteld, kwam uit het zuiden of westen, en
zo waren de piazza's gebouwd, om de koelte op te vangen), daar
ontmoette ik, door de vriendelijke bemiddeling van die dame,
de zoon van de man die het 'Verhaal' had geschreven voor het
plantageboek van vijftig jaar daarvoor.

Marion Sass was een man van in de vijftig, lang, mager, ietwat voorovergebogen, uitzonderlijk warm gekleed voor deze hete namiddag in Charleston: een bruin tweedjasje dat hij onmo-
dieus droeg over een pullover. Hij had kleine, treurige blauwe
ogen in zijn magere, zachtmoedige gezicht. Hij wilde niet met
zijn rug naar de verkoelende wind zitten; hij zat met zijn rug
naar de muur van het huis. De lucht was vol stuifmeel. Mijn eigen ogen traanden; ik voelde dat ik zou gaan hoesten; en net als
Marion Sass droeg ik een jasje. En op de doorbuigende vloer van

de piazza, tegenover die rommelige tuin of dat erf, bijna als op een toneel voor een stuk over het Zuiden, in het lawaai van de radio van de buren, praatten we.

Hij was verlegen; zijn stem was zacht; hij keek naar beneden en opzij. Hij stamde af van een van de oudste inwoners van Charleston, van Robert Sandford, die het land had bereisd en verkend vóór de stichting van de kolonie in 1670. Ik vroeg of een dergelijke afstamming geen last was in Charleston, of men daardoor geen beperkingen kreeg opgelegd. Hij zei dat het inderdaad een last was. Zijn afstamming was een van de dingen die hem vasthielden in Charleston. Eigenlijk had hij (ondanks zijn Duitse achternaam) graag in Engeland willen wonen; zijn overleden vrouw was een Engelse geweest. En over Engeland, het merkwaardige effect dat het op mensen had – zoveel mensen, zei hij, die Engeland voor het eerst zagen, hadden het gevoel dat ze daar thuishoorden – praatte hij een tijd lang verder; en over Engeland, voelde ik, had hij het liefst willen praten, als zoiets, zo eenvoudig en vrij van complicaties, voor hem mogelijk was geweest. Maar er was de last van de afstamming; en er was zijn bestaan als Zuiderling. En daarop, zonder dat ik iets hoefde te zeggen, bracht hij het gesprek.

Zijn vader, Herbert Ravenel Sass, was in 1884 geboren en in 1958 gestorven. Zijn vader was dus tweeënvijftig geweest toen het boek over de rijstplantages was uitgegeven. Achttien jaar later, zijn vader was toen zeventig, was de belangrijkste beslissing op het punt van de burgerrechten gevallen. Marion Sass zelf was in 1930 geboren. Hij moest enkele politieke nederlagen met zijn vader hebben meegemaakt, maar de zaak van het Zuiden, zoals hij die zag, leefde in hem voort.

Hij vertelde me dat zijn vader in de tijd dat de scholen geïntegreerd waren, het 'papieren gordijn' dat het Noorden had opgelegd aan de opvattingen van het Zuiden had doorbroken en een artikel had geschreven voor het tijdschrift *Atlantic*, waarin hij erop gezinspeeld had dat gemengde scholen zouden leiden tot een gemengd ras. Dat was onjuist gebleken, zei Marion Sass; na de integratie waren de rassen in sociaal opzicht meer in hun eigen groepen gebleven. Maar dat verminderde de noodzaak van zijn politieke werk niet, en daaraan besteedde hij meer tijd dan aan zijn advocatenpraktijk.

Dit praten over politieke arbeid, zei hij, zou kunnen klinken alsof hij moeite deed bepaalde mensen benoemd te krijgen. Daar had hij óók voor gewerkt. Maar hij was nu meer bezig met 'verzet'. Verzet tegen de verovering door het Noorden en verzet tegen de amerikanisatie, die eigenlijk neerkwam op vernoordelijking. Hoewel het ironisch was, merkte hij op, dat een paar van de belangrijkste 'Amerikaanse' dingen–Coca-Cola en country-muziek en zelfs het idee van de supermarkt–uit het Zuiden afkomstig waren. (Precies zoals er Zweden zijn die de vijf–of zes, of zeven–industriële uitvindingen kunnen opnoemen die Zweden rijk hebben gemaakt, zo leek Marion Sass de Zuidelijke bijdragen tot het idee 'Amerika' bij de hand te hebben.)

Het was niet nodig Zuidelijke waarden nader te definiëren. 'De Zuidelijke cultuur is niet simpelweg een kwestie van agrarische cultuur versus industriële, of de idealen van de eer versus de botte waarden van de handel. De Zuidelijke identiteit is belangrijk omdat ze Zuidelijk is. Wij zijn Zuiderlingen. Dat is voldoende. Het is zoiets als de Ieren. Maar zij–de Ieren–hebben niet die vreselijke last van een vreemde bevolkingsgroep in hun midden.'

Daar was het weer, vijftig jaar na zijn vaders essay in het boek over de rijstplantages, die vaagheid over 'het probleem'. Hoe ging hij daarmee om–met het rassenvraagstuk–in zijn denken?

Hij zei: 'Op welke manier wij daarmee omgaan? Ik probeer zo min mogelijk te maken te hebben met het rassenvraagstuk. Veel van de strijders voor de blanke suprematie komen uit het Noorden en hebben niets met het Zuiden te maken. De zaak van het Zuiden en het probleem van het Zuiden zijn eigenlijk twee verschillende dingen. Het Noorden gebruikt de zwarten voortdurend tegen het Zuiden. Dat hebben ze in 1860 gedaan, en ze hebben het in deze eeuw opnieuw gedaan.'

Het Noorden was nu o zo bezorgd over alle minderheden daar. Men had zich kunnen voorstellen dat ze het Zuiden zouden beschouwen als een minderheidsgebied. Maar dat deden ze niet. Het officiële Noordelijke standpunt zou je als volgt kunnen samenvatten: 'De blanke Zuiderling is geen minderheid. Hij is een achterlijke mede-Amerikaan die een minderheid, de negers, onderdrukt.'

Had hij de laatste tijd nog weleens zijn vaders boek over de plantages ingekeken?

Nee, de laatste tijd niet. Maar hij kende het boek goed, en hij deelde wel in de gevoelens over het oude leven op de plantages.

Ik zei: 'Maar u kunt toch geen heimwee voelen naar wat u niet kent?'

'Hoewel ik niet ben opgegroeid met enige kennis van het leven op een werkende plantage, leek het leven op de plantages – als we daar op bezoek gingen toen ik nog een kind was – meer op dat op het oude platteland in het Zuiden, al hadden we dan geen slavernij. Het was het oude, gemoedelijke plattelandsleven, en de relaties tussen de rassen waren veel meer zoals ze waren geweest. Dus ik kan wel heimwee voelen naar een verleden.'

Hij maakte zich even bezorgd als zijn vader, en werd zelfs geobsedeerd door de oppervlakkigheid waarmee het Zuiden werd vernietigd – de autowegen, de hamburgertenten; en hij leed onder de overdracht van een paar van de plantages aan mensen en bedrijven van buiten.

Het verleden als droom van zuiverheid, het verleden als reden tot treurigheid, het verleden als godsdienst: op precies dezelfde manier worden de sjiieten in de islam aangezet tot edelmoedigheid en opofferingsgezindheid, de droom van de goede tijd van de Profeet en de eerste vier kaliefen, voordat hebzucht en ambitie de zojuist verloste wereld hadden vernietigd. Het was precies hetzelfde als het Confederate Memorial had gezegd. En dat heel speciale Zuidelijke verleden, die zaak van het Zuiden, kon alleen zuiver gemaakt worden als de onsmakelijke kwestie van het ras erbuiten werd gehouden.

Toen we – opnieuw als in een toneeldecor – opstonden en naar binnen gingen voor een salade die onze gastvrouw had bereid, zei ik dat ik het gevoel had dat hij zich bezighield met emotie zonder program. Dat was hij met me eens; maar vervolgens zei hij dat het program in de maak was.

We praatten over meer algemene zaken. We bekeken een paar

van de oude boeken over South Carolina uit het bezit van onze gastvrouw. We bekeken kopieën van brieven uit haar familie—voor het merendeel brieven van plantages—die bijna twee-honderd jaar oud waren: de brieven waren overgetypt en tot zware folianten ingebonden. Wanneer zij—Marion Sass en onze gastvrouw—de namen van de plantages uitspraken, Fairfield, Oakland, Middleburg, Middleton, Hampton House, was het of ze het hadden over landhuizen. Maar vervolgens begreep ik dat ze ook zinspeelden op de families waarmee zij zelf verwant waren.

Hij reed me terug naar mijn hotel in zijn rommelige oude auto. Hij was geërgerd door wat ik had gezegd over emotie zonder program; en de volgende ochtend stuurde hij me een kopie van de brief die hij had geschreven aan het plaatselijk dagblad in 1983, en een kopie van een advertentie voor een op te richten Zuidelijke uitgeverij. Die kopieën had hij voor mij laten afgeven bij het hotel in een heel grote, gebruikte envelop, met mijn naam en zijn naam in heel kleine letters; de envelop was bedrukt met de naam van een gezondheidsorganisatie.

En toen belde hij op; en terwijl hij sprak, zag ik zijn magere, gevoelige gezicht voor me. Hij had de boeken uit die advertentie niet uitgegeven, zei hij; maar die advertentie had wel reacties opgeleverd; hij had het idee dat hij een gevoelige snaar had geraakt. Hij vertelde me dat zijn vader, door de ontwikkelingen in de jaren vijftig, tenslotte een voorstander van afscheiding van het Zuiden was geworden; en zover was hij zelf nu ook. De nederlaag van het Zuiden, de overgave door Lee, dat was voor hem een onstilbaar verdriet, voelde ik.

Ik vroeg of hij het Confederate Memorial in Columbia kende. Hij zei dat hij rechten had gestudeerd in Columbia, en hij hield van die stad, al waren er mensen die er een hekel aan hadden. Hij kende de tekst op het Confederate Memorial heel goed; hij citeerde een deel ervan aan de telefoon. De woorden waren geschreven door W. J. Grayson die, in de jaren vijftig van de vorige eeuw, een episch gedicht had geschreven, *The Hireling and the Slave*, een poëem in rijmende coupletten in de stijl van Pope. Het thema van het gedicht was dat de slaaf in het Zuiden het veel beter had dan de fabrieksarbeider in Massachusetts. Hij had het gedicht niet helemaal gelezen.

De zaak waarvoor hij streed was voortgekomen uit een onstilbaar verdriet. En ik had het gevoel dat dit alleen kon leiden tot nog meer verdriet: hij wist zelf dat het Zuidelijke denken nu een andere, en misschien meer overheersende kant had. Ik dacht aan wat Anne Siddons had gezegd in Atlanta: de noodzaak om op een bepaalde leeftijd emotie te sparen, hartstocht te onthouden aan algemene idealen ter wille van de eigen spirituele behoeften in de ouderdom en de zwakheid van de eigen menselijkheid. Ik praatte daarover zo goed als me dat mogelijk was aan de telefoon. Hij zei dat hij me begreep; maar het verontrustte hem toch dat hij soms zo in zichzelf kon verzinken dat hij zijn idealen vergat.

Toen keerde zijn hoffelijkheid terug en zei hij dat hij graag wat zou lezen van de boeken die ik had geschreven. Maar hij had last van zijn ogen – die ogen die me waren opgevallen met hun gevoelige randen, en die zo klein waren. Hij moest aan beide ogen geopereerd worden voor staar. Men zei dat dat tegenwoordig een eenvoudige operatie was, maar in de brochure die hij aangevraagd had (misschien in die overmatig grote envelop waarin hij de kopieën van zijn ingezonden stuk voor de krant en zijn advertentie over de uitgeverij had gestuurd) had hij gelezen over mogelijke complicaties. En hij wilde zo lang mogelijk vertrouwen op zijn eigen lenzen.

Op een hete ochtend – heet voor mei, zei iedereen, en zonder de regen die de tuinen nodig hadden, de regen die soms elke middag viel – op zo'n ochtend nam Jack Leland me mee naar wat hij zijn 'territorium' noemde.

Eerst gingen we naar Mount Pleasant, aan de oostkant van de haven van Charleston. Daar hadden de planters vroeger de zomers doorgebracht, en nu was het een voorstad die er zeer welvarend uitzag, met oude bomen, heel schaduwrijk. Niet ver beneden ons was de zee. We zagen een trawler die uitvoer. De Portugezen waren de eersten geweest die dergelijke trawlers in Charleston hadden gebruikt, in de jaren twintig, zei Jack Leland; hij registreerde alles wat met zijn stad te maken had. We waren naar Mount Pleasant gekomen om het huis van de Hibbens te zien, het huis van de familie waarheen Jack Lelands voorvader uit New England was gekomen als gouverneur, en waar hij gebleven was na zijn huwelijk. Het lag aan het eind van een doodlopende weg, een tweehonderd jaar oud huis met pilaren, het huis van de mensen die eens alle grond van deze voorstad hadden bezeten – een geschiedenis van voorouders die plotseling heel reëel werd.

Toen we verder gingen, wees hij me aan waar zwarte nederzettingen waren ontstaan op stukken land die ze na de oorlog, de Burgeroorlog, hadden gekregen. 'Het gaat ze niet goed. Deze negers bezaten tot aan de Tweede Wereldoorlog grond en ze hadden allemaal tuinen. Ze kweekten zelf veel van wat ze aten. Nu zie je heel zelden een negerfamilie die buiten woont en een moestuin heeft.'

We reden door zo'n zwart dorp, en Jack Leland wees me de huizen aan van twee van zijn zwarte 'vrienden'. Die vrienden waren mensen bij wie hij dingen kocht; zijn definitie van zwarte vrienden was South-Caroliniaans. Sommige huizen leken erop te wijzen dat de eigenaars welgesteld waren. Ik vroeg of dat soms kleine ondernemers waren. Hij zei nee; de zwarten in die huizen werkten waarschijnlijk op de marinewerf, of ze hadden een baan bij de federale overheid. De plaatselijke zwarte bevolking had haar meest ambitieuze leden verloren door migratie naar de steden in het Noorden; bijna elke neger met ambitie was vertrokken.

'Zegt de naam Stepin Fetchit u iets?'

Of die me iets zei! Stepin Fetchit werd in mijn kinderjaren aanbeden door de zwarten van Trinidad. Hij werd niet alleen aanbeden omdat hij geestig was en prachtige dingen deed met zijn ogenschijnlijk elastieken lichaam en schitterend liep en een schitterende stem had, en extravagante teksten uitsprak; hij werd aanbeden door de zwarten van Trinidad omdat hij optrad in films, in de tijd dat Hollywood hetzelfde was als vrijwel onvoorstelbare glamour; en hij werd ook aanbeden – en dat was het belangrijkste – omdat in een tijd dat de verschillende rassen van

Trinidad sociaal gescheiden leefden en de wereld voor altijd zo leek vast te liggen, met segregatie in het Noorden, in de Verenigde Staten, met Afrika onder Europees bestuur, met Zuid-Afrika zoals het was (waarover de plaatselijke zwarten zich totaal niet druk maakten), en met Australië en Nieuw-Zeeland zoals ze waren – omdat in die tijd, in Trinidad, Stepin Fetchit op het witte doek te zien was in gezelschap van blanken. En voor zwarten van Trinidad – die destijds neerkeken op Afrikanen en lachten en schreeuwden en joelden in de bioscoop wanneer ze Afrikanen zagen die dansten of met speren rondliepen – was het zien van Stepin Fetchit samen met blanken als een droom van een betere wereld.

Maar Jack Leland had het niet over deze aanbeden figuur. Hij dacht er anders over, nuchterder, net als anderen in Charleston. Hij zei: 'De ambitieuzen zijn naar het Noorden getrokken, en wij zijn blijven zitten met de Stepin Fetchits.' Er was nu een beweging in omgekeerde richting; nog niet omvangrijk, maar merkbaar.

Wat later zei ik dat ik de indruk had dat de zwarten van South Carolina heel zwart waren, minder van gemengd bloed dan de zwarten op de Caribische eilanden. Hij zei dat er weinig rasvermenging was geweest. De planters hadden relaties met slavinnen beneden hun waardigheid gevonden. Het verhaal ging dat de soldaten van de Unie na de oorlog niet zo kieskeurig waren geweest. Maar er waren niet veel mensen van gemengd bloed.

Waren de relaties tussen de rassen daardoor bemoeilijkt?

Nee; de relaties waren juist vergemakkelijkt. 'Mulatten en quadronen en zo, daar zit de boosheid.'

Later, een eind verder langs de autoweg, sloegen we af om te kijken naar een spectaculaire oude oprijlaan met eiken, gedeeltelijk vervallen: het soort oprijlaan waarmee de vader van Marion Sass zijn nostalgische herinneringen aan de plantagetijd was begonnen. En toen we verder reden, hadden we de zee rechts van ons, verborgen achter bossen; en links van ons was de rivier. Zout en zoet: waar het land zilt was, had men in de oude tijd katoen gekweekt; waar het water zoet was, had men rijst verbouwd. Nu lag er, langs een deel van de route, een grote plantage van kiwivruchten.

We reden een zijweg in, en plotseling, op een overwoekerd stuk grond, bij een presbyteriaanse kerk uit 1696, zag ik een kleine begraafplaats waar, naar Jack Leland zei, een aantal van de eerste kolonisten was begraven.

We kwamen op heilige grond.

Voorbij een van de kreken begon de oude plantage Walnut Grove. Die was het familiegoed geweest, in 1832 aangekocht, en verkocht in de crisistijd, in 1935. We reden nog steeds door bos. En vervolgens langs de zwarte nederzettingen waar de zwarten na de Burgeroorlog stukken van de plantagegrond hadden gekregen.

'Toen de kinderen nog klein waren,' zei Jack Leland, 'zette ik iedere keer als wij de kreek overstaken de auto stil. Ik liet ze uitstappen, en dan moesten ze drie keer buigen naar het oosten. Heilige grond.'

'Wat vonden de kinderen daarvan?'

Hij lachte. 'Ze kregen er een geweldige kick van. Ze doen het nog steeds wanneer ze hier komen. En ik doe met ze mee. De mensen zien ons buigen. Ze denken waarschijnlijk dat we gek zijn. Dat zijn we waarschijnlijk ook. Maar het is een prettig soort gekte.'

En nu, terwijl we door zijn heilige territorium reden en op bepaalde plaatsen herinneringen hem overvielen, ging hij dieper in op een paar dingen die hij eerder had gezegd. Ze waren arm geweest, er was niet veel geld binnengekomen. Maar ze hadden nooit gebrek aan voedsel gehad. 'Garnalen, krabben, oesters. Mosselen. Vis. Wild. Wilde kalkoenen. Eenden, reeën, patrijzen. Er was een overvloed aan wild. En mijn vader had natuurlijk de farm waar hij voedsel verbouwde.' En wanneer hij, Jack Leland, 's ochtends de deur uitging met de buks, waren de vogels die hij schoot voor de tafel bestemd. De jacht – die was hier belangrijk (ook voor zwarten); en wanneer je het land zag, begreep je dat. En het land verborg nog iets. Er was een kreek een eind verderop, met heel zuiver water. Die kreek heette de Branch; men had destijds bezoekers een bourbon met Branch aangeboden.

We sloegen af naar een smallere weg. We kwamen langs een huis in een tuin vol bomen.

'Dat is een armoehuis. Blanken uit de binnenlanden, arm blank uitschot, zoals ze zeggen. En dat is ook een armoehuis, zou ik zeggen. Zo'n jaar of zeventig oud misschien. Die horen er ook bij. Die mag je niet weglaten.'

Hij had een kennersblik – precies zoals de inheemsen in Maleisië een Chinees huis kunnen onderscheiden van een Maleis huis, enkel en alleen op grond van de manier waarop de omliggende grond is gebruikt. De huizen die hij armoehuizen had genoemd, had ik aantrekkelijk gevonden, met bomen en schaduw en struikgewas.

Hij zei: 'Ze hebben een zekere charme. Maar er ligt zoveel rotzooi. Je herkent een armoehuis aan de troep eromheen, en de algemene onverzorgdheid. Een stuk of vijf kapotte auto's bijvoorbeeld. Dat was vroeger heel kenmerkend.'

De armoedzaaiers hadden, net als de zwarten, een eigen plaats in het lokale kastenstelsel.

'Toen ik opgroeide gingen we samen met hen naar de lagere en middelbare school. Maar verder gingen we niet met elkaar om. Ons sociale leven was totaal anders. De meeste armoedzaaiers waren baptisten, methodisten, of van de "Pentecostal Holiness" – dat is die schreeuwgodsdienst. Terwijl mijn familie en de andere families hier in de buurt meestal episcopaals waren en presbyteriaans, en dat waren de sjiekste godsdiensten.

'Laat ik u iets vertellen. Op Walnut Grove hadden we een zomerhuis, waar mijn vaders jongere broers en hun vrienden 's zomers logeerden. Een huis met vier kamers aan de rivier. Dat was kort na 1902 – mijn vader was pas getrouwd en had zijn bruid daarheen gebracht. Hij was de oudste van elf kinderen.

'Op een dag stond mijn vader heel vroeg op, om zes uur, voor zijn gebruikelijke kop koffie. En hij zag een paar van zijn paarden bij het hek staan, gezadeld, maar met doorgesneden teugels. En na een tijdje verschenen zijn jongere broers en hun vrienden, te voet. Ze waren naar een "square dance" in de moerassen geweest, waar de armoedzaaiers woonden. Achteraf hadden ze hun paarden niet kunnen vinden, en ze hadden terug moeten lopen. En mijn vader waarschuwde hen niet terug te gaan. Want, zo zei hij, dat – het doorsnijden van de teugels van de paarden – is de manier waarop de armoedzaaiers je waarschuwen je niet met hun vrouwvolk te bemoeien. "De volgende keer pakken ze jullie harder aan."

'Maar ze luisterden niet naar hem. Ze gingen er weer heen. Ze reden terug over een pad door de moerassen, toen de armoedzaaiers zich uit de takken boven op hen lieten vallen, met messen. Als Indianen. En mijn ooms en twee van de anderen die erbij waren, zijn gedood. Het gebeurde 's nachts. Er kon niets bewezen worden. Niemand is voor de rechter gebracht. Het was de wet van het moeras. Je ging gewoon niet met die mensen om. Mijn vader zei altijd dat hij liever negers had wonen op zijn grond dan van die armoedzaaiers.'

De zwarten keken neer op de armoedzaaiers, en de armoedzaaiers haatten de zwarten, omdat de zwarten rechtstreeks met hen concurreerden. Maar de armoedzaaiers werden evenzeer uitgebuit als de zwarten, zei Jack Leland; en waarschijnlijk werden ze slechter behandeld door hun blanke werkgevers omdat men zich voor hen minder verantwoordelijk voelde.

'De armoedzaaiers zijn in aantal toegenomen na de Burgeroorlog. Vóór de Burgeroorlog waren er op deze plantages alleen planters en negers, en niemand daartussenin, behalve misschien de opzichters.'

Er was een kerk die Jack Leland me wilde laten zien, de familiekerk, de kerk waarbij Walnut Grove hoorde – St. James, in de Santee-parochie; Santee was de naam van de rivier. De kerk lag aan de King's Highway – een naam die uit de koloniale tijd dateerde en wees op een weg die op koninklijk bevel was aangelegd, in een tijd dat de meeste mensen per schip reisden. De weg was ongeplaveid. Als de normale hoeveelheid regen voor mei was gevallen, zou het moeilijk zijn geworden; maar nu was het eenvoudig. En al gauw waren we er: een oude kerk van rode baksteen met een voorportaal op pilaren. Aan de achterkant was nog zo'n portaal. De kerk was bedoeld geweest voor Fransen en Engelsen, maar het portaal voor de Fransen was nu dichtgemetseld. De rode baksteen zag er verwaarloosd uit in dit vochtige, tropische klimaat.

'Kom mee,' zei hij opeens; hij liep kwiek door ondanks zijn pijnlijke enkels, en nam me mee door het hek. 'Kom, ik laat je zien waar ik begraven ga worden.'

Het was heet, geen wind, en er zoemden muskieten. Overal in het rond, in de pijnbomen, riepen verschillende soorten vogels. Op het kleine kerkhof, dat droog was en vol bruine bladeren en gevallen dennenaalden lag, waren grafstenen.

'Al die mensen zijn familie.' *Jonah Collins. Geboren 1723. Gestorven 1786.* 'Dat is de zoon van de man die de zeemanskisten uit Barbados heeft meegebracht.' *William Toomer 1866–1955.* 'Mijn moeders oom. Advocaat en rechter.' Ik was eerst geschrokken van zijn levendigheid in de buurt van de plaats waar hij begraven zou worden, en vervolgens was ik ervan onder de indruk.

'Daar.'

Een gewoon, kaal stuk aarde, een kleine lege ruimte tussen de zerken. Daar zou hij begraven worden.

'Ik wil begraven worden in een vlak marmeren graf, hier direct naast Jonah Collins. Mijn naam zal erop staan, de datum van mijn geboorte, de datum van mijn dood. En onderaan zal één regel staan: *Neem er eentje van Jack.* En ik laat tweeduizend dollar na aan de kerk, zodat ze elk jaar na de lentedienst wijn kunnen drinken of whisky of wat dan ook. Ik denk dat de mensen daardoor aan me zullen blijven denken.'

De muskieten en andere insekten waren hinderlijk. Hij had ze verwacht; hij had een blik insektenwerend middel meegebracht. Zonder een briesje was de hitte drukkend, de zon brandde op je hoofd. Maar vaak waaide het wel, zei hij.

'Er is geen geluid dat te vergelijken is met de wind die door de pijnbomen ruist. En daar wil ik begraven worden, zodat ik daar eeuwig naar kan luisteren.'

Binnen was de kerk heel eenvoudig, met de mufheid en de stilstaande lucht van een gebouw waar niet vaak mensen komen, en zonder die warmte. De kerk was in 1763 gebouwd. (De kapel van Pompion Hill dateerde dus uit hetzelfde jaar.) Er was een ruw betegelde vloer, en de overige bouwmaterialen waren baksteen en pleister en hout. Er was geen natuursteen in deze streek, en de ramen hadden houten kozijnen, bewerkt als steen:

ter plaatse vervaardigd, misschien door slaven. De kerkbanken waren gesloten; een familie op zo'n bank zou verborgen zijn geweest, als in een doos met hoge zijkanten, zonder deksel. Misschien waren die banken zo gebouwd, zei Jack Leland, om de kinderen op hun plaats te houden, of misschien waren ze bij koud weer beter te verwarmen geweest, met de warme bakstenen die daarvoor werden gebruikt.

Hoe was hij op het idee gekomen van het feest ter gelegenheid van zijn dood?

'Er was een professor Ogg van de universiteit van Oxford in Engeland. Die is vijfentwintig jaar geleden hierheen gekomen. Die heeft me een verhaal verteld dat ik nooit eerder had gehoord. De zoon van een rijstplanter, een zekere Trapier, had Oxford bezocht in de jaren dertig van de negentiende eeuw. Hij was de zoon van een rijstplanter uit Georgetown, South Carolina–hij had in Europa rondgereisd in de jaren dertig. Hij was ontvangen door de *dons* van New College. Ik geloof dat het New College was. En hij had gevraagd om een muntcocktail. Ze hadden nog nooit gehoord van een muntcocktail. En toen hij terugkwam liet hij een zilveren kan maken en die heeft hij naar dat *college* gestuurd als geschenk, met geld voor muntcocktails.'

We reden verder naar McLellanville, aan zee, waar de familie 's zomers had verbleven. Het was nog steeds een familiebadplaats. Er woonden neven of andere familieleden in bijna elk huis in het blanke gedeelte van het dorp. De meeste zwarten woonden buiten het eigenlijke dorp. Jack Leland kende de geschiedenis van elk huis. Die magnolia daar was geplant door zijn vader in 1892, op wat toen het erf van Jack Lelands grootmoeder was geweest. Zijn vader had het jonge boompje meegebracht van Walnut Grove, in zijn zadeltas. En Jack Leland zelf had een rij eiken geplant langs de straat aan de voorkant. Dat had hij in 1934 gedaan, het jaar voordat zijn vader Walnut Grove had moeten verkopen. Het waren nu heel grote bomen. Maar dat planten was gebeurd in het kader van een federaal project–en ze herinnerden tevens aan de armoede van die tijd. Een vrouw had de leiding van het federale boomplantproject gehad. Ze had zo'n vijftien middelbare scholieren in dienst gehad, en die kregen een dollar per dag betaald.

We lunchten in een restaurant langs de autoweg, niet ver van McLellanville. De heel jonge dienster bleek Leland te heten; ze was een nichtje.

Ik las hem de tekst van het Confederate Memorial in Columbia voor. Hij was zichtbaar aangedaan.

Hij zei: 'Dat vind ik prachtig.'

Had hij nog bepaalde gevoelens over de Burgeroorlog?

Inderdaad. 'Toen ik een jongen was, deed in mijn familie het verhaal de ronde over de brandstichting op een van de familie-plantages nadat de oorlog al voorbij was. Dat huis was eigendom van een van de opstellers van de akte van afscheiding. Dat was in 1860 geweest. En daarom was de oorlog natuurlijk begonnen. De kolonel die de leiding had in de parochie van Christchurch was een kolonel Beecher, een broer van Harriet Beecher Stowe. Dat waren felle strijders voor de afschaffing van de slavernij, afkomstig uit New England, en ik geloof dat ik wel mag zeggen dat dat boek, *De negerhut van Oom Tom*, meer dan wat ook heeft gedaan om die oorlog uit te lokken. Het was een ergernis voor het Zuiden, waar maar dertien procent van de mensen slaven hield, en het had een enorm effect op de mensen in het Noorden.

'Het verhaal wil dat de vrouw van kolonel Beecher de parochie van Christchurch rondtrok om plantershuizen in brand te steken. In mijn jeugd dacht ik dat dat misschien een volksverhaal was. Maar niet zo lang geleden is een dagboek aan het licht gekomen van een dr. Marcy, een arts uit het leger van de Unie. Dat was een van de mensen die het recht hadden boeken, kunstschatten en allerlei andere dingen uit de huizen hier weg te halen om ze naar het Noorden te verschepen. En mijn dochter – die doet onderzoek op Middleton Place: ze is zelf gedeeltelijk een Middleton – heeft een kopie van dat dagboek. En daarin heeft ze gelezen over de brandstichting op Laurel Hill. Dat is het huis dat eigendom was van de opsteller van de akte van afscheiding. Dat dagboek bewees het: ze heeft misschien wel twintig huizen in brand gestoken, die mevrouw Beecher. Met fakkels huizen in de fik gestoken. De Beechers waren puriteinen. Die mensen hebben een mentaliteit die heel moeilijk te begrijpen is. Toen ze zendelingen naar Afrika stuurden, was het eerste wat ze deden die Afrikanen aankleden, ze bedekken.'

Vroeg in de middag. Weer op de weg kwamen we langs groepen zwarte kerkgangers die uiteengingen, wegreden in auto's. Ik vroeg naar zwarten en auto's, want ik herinnerde me dat in Trinidad pas na de Tweede Wereldoorlog auto's algemeen in het bezit van zwarten waren gekomen. Hij zei dat het zwarten een aantal jaren verboden was geweest auto's te besturen; men had hen als roekeloze chauffeurs beschouwd. 'En dat waren ze ook.' En in de oude tijd, zei hij, hadden zwarte kerken hun zondagse kerkdienst 's middags gehad, omdat veel zwarte vrouwen 's ochtends hadden moeten werken in de huizen van blanken, om de lunch te koken.

De groene borden langs de autoweg markeerden onze terugreis naar Charleston. Op een gegeven moment stopte Jack Leland. Hij leunde voorover, met zijn hand op de rugleuning van mijn stoel.

Hij ging weer rechtop zitten en zei: 'Nu zijn we buiten mijn territorium.'

De rechter van het hooggerechtshof van South Carolina, Alex Sanders, had mij gewezen op het Confederate Memorial. Ik had een introductiebrief voor hem gehad, en toen we elkaar voor het eerst ontmoetten in Columbia, had hij me meegenomen om te lunchen in de Faculty Club op de universiteit. We hadden over algemene dingen gepraat. Het was mij niet mogelijk hem precies te vertellen wat ik van hem wilde, om de eenvoudige reden dat je op een dergelijk soort reis niet weet wat je van iemand wilt voordat je met hem hebt gepraat.

Hij was een omvangrijke man met een sterk accent, waardoor je afgeleid kon worden van de precisie en de efficiëntie waarmee hij zich, als jurist, kon uitdrukken. Hij had me naar het monument gestuurd, zei hij later, om me in staat te stellen iets van het Zuiden te begrijpen. Hij zelf vond de woorden ontroerend, maar wist niet zeker of hij erachter stond.

'Verloren idealen worden omhelsd of geromantiseerd door de

tweede generatie.' Het monument was opgericht in 1879, veertien jaar na het eind van de oorlog. Hij vond het verbazingwekkend dat mensen in 1879 het geld voor het monument bijeen hadden kunnen brengen, in een tijd dat er niet genoeg te eten was. Hij herinnerde zich dat hij gepraat had met een paar veteranen van de Confederatie. Een van hen had gezegd: 'Ik heb me in mijn achterwerk laten schieten voor andermans nikkers.'

'Hij had namelijk geen slaven, begrijpt u. En de overgrote meerderheid van de soldaten in die oorlog bezat geen slaven. Ze waren kanonnenvlees voor de aristocratie. Identiteit is meer dan alleen maar denken aan het verleden. We moeten optreden als de curatoren van een museum. De Ming-dynastie heeft kennelijk veel mooie dingen gekend. Maar ik ben er zeker van dat er ook een boel rotzooi was. En de curator moet dan een keuze maken.'

Maar had hij, in de tijd dat hij was opgegroeid, niet een bepaalde opvatting over het Zuiden gehad?

Dat was niet het geval, niet meer dan een vis een opvatting had over de oceaan waarin hij zwom. 'Pas nadat ik volwassen was en hier wegging, heb ik een opvatting gekregen. En mijn eerste opvatting was dat ik me schaamde. Maar hoe ouder ik werd, des te meer besefte ik dat de misdrijven van het Zuiden de misdrijven van de mensheid waren, en dat bepaalde dingen daar beter waren dan elders. Er is een culturele attitude in het Zuiden die neerkomt op respect voor de familie en God en in sommige opzichten voor het vaderland. Hoewel vaderlandsliefde niet boven aan mijn lijstje van deugden staat, gelooft een patriot toch in iets dat groter is dan hijzelf, en daarom is het een deugd. In het Zuiden bestaat het gevoel dat het leven meer is dan het ogenblik.

'Eer? Dat is zo'n belangrijk onderwerp. Daar praten zoveel mensen over.

'Zo ben ik opgevoed. In het geloof dat waarheid de hoogste deugd is. Het wachtwoord voor het leven was onzelfzuchtigheid.' Hij zweeg even. 'Maar ik weet niet of dit alles wel zo specifiek voor het Zuiden is. Ik ben echter geneigd te denken, hoe dichter je nadert tot de evenaar, des te meer wordt het leven overdreven.'

'Hebt u geprobeerd u te distantiëren van het Zuiden, nadat u zich ervoor was gaan schamen?'

'Vooral wanneer ik samen was met mensen uit het Noorden. En zelfs wanneer ik in het Zuiden was, sprak ik openlijk kritiek uit op dingen die me niet aanstonden. Het racisme bijvoorbeeld.'

'Dat moet verontrustend zijn, als je je keert tegen de dingen waarmee je bent opgegroeid.'

Hij zei: 'Het veroorzaakt een zekere schizofrenie. Maar naarmate ik ouder word, word ik verdraagzamer. Ik word verdraagzamer tegenover onverdraagzaamheid. Als je een lid van de Klan tegenkomt dat bereid is met je te praten, en je vraagt hem wat de Ku Klux Klan wil, dan zal hij zeggen dat ze recht en orde verdedigen, en liefde en vriendschap, en broederschap. Als je hem zou vragen hoe hij die dingen zou willen verdedigen, zou hij zeggen: "Met alle mogelijke middelen. Of we nu een gebóuw moeten opblazen of een man moeten overvallen." Hij ziet niet in dat die twee denkbeelden onverenigbaar zijn. Tegen dat soort schizofrenie kun je niets beginnen.'

Bij onze lunch had hij gesproken over de aanvaarding in het Zuiden van de burgerrechten als een vorm van erkenning door het Zuiden dat hun vroegere standpunten immoreel waren geweest. Ik wilde weten of hij bepaalde fasen in die erkenning had kunnen onderscheiden.

'Het kost me moeite dat voor mezelf te verklaren. Het is een verwonderlijke zaak. Als u me aan het eind van de jaren vijftig, in het begin van de jaren zestig had verteld dat we in de zeer nabije toekomst een geïntegreerde maatschappij zouden krijgen, dan zou ik u niet hebben geloofd. Ik dacht destijds dat dat nog wel honderd jaar zou duren. Het zou zelfs een goddelijke ingreep kunnen zijn, de verandering die tot stand is gekomen–ik weet het niet. Het is moeilijk te begrijpen. Maar de mensen begrepen plotseling dat het verkeerd was. En dat is een wonder, dat mensen zeggen dat hun eigen gedrag moreel te kort is geschoten. Niemand legt ooit een bekentenis af op een dergelijke schaal. En hier hebben we niet alleen één mens, een individu, die dat zegt, maar een complete maatschappij.'

En onder commerciële druk kwamen nu sociale veranderingen tot stand. Onlangs was er een rel geweest over een zwarte topman van IBM die geen lid had mogen worden van een club in Columbia. Als gevolg daarvan had IBM de plannen voor een fabriek daar laten vallen. IBM noch de topman had over die kwestie willen praten of het racisme als oorzaak willen noemen; en daarom was het niet eenvoudig voor de mensen om er iets aan te doen. Het gevolg was dat er geen spektakel was gemaakt van de kant van de club; ze hadden gewoon hun beleid gewijzigd en een paar zwarten uitgenodigd om lid te worden.

Rechter Sanders sprak als jurist. Via het recht had hij een ruimere identiteit verworven.

Hij zei: 'Gewoonterecht is iets indrukwekkends. Het is opmerkelijk zoals dat in staat is onenigheden op te lossen op een manier die niet alleen de beschaving handhaaft, maar zelfs verrijkt. Het is voor mij niet ongewoon dat ik me bij een beslissing laat leiden door een beslissing die een rechter duizend jaar geleden heeft genomen. Ik ben me ervan bewust dat ik een ruimere beschaving dien. En ik weet dat ik die *dien*.'

'Dus u hebt geen identiteitsprobleem, geen conflict tussen achtergrond en beroep.'

'Niet meer. Ik leef meer in vrede met mezelf. Natuurlijk kan dat komen doordat ik oud word en minder snel een oordeel vel en meer begrip heb.'

Zijn familie had 'altijd' in South Carolina gewoond. Een vroege voorvader van moederszijde was overgekomen als zendeling onder de Indianen, en was vervolgens zendeling onder de slaven geworden.

3 Tallahassee
Het bestand met de irrationaliteit – 1

De mensen in Charleston hadden geklaagd dat hun middagregen uitbleef. Als om dat in te halen kwam er, op de dag van mijn vertrek, bijna zodra ik de stad had verlaten en naar het westen reed, een woeste wolkbreuk. De hoge bomen schudden heen en weer, de bladeren lieten hun onderkant zien, alle grote takken beefden afzonderlijk. De regen sloeg tegen de voorruit; nerveuze auto's stonden geparkeerd op de vluchtstroken, met de lampen aan. Een paar kilometer verder werd het weer helder, een gewone middag: hoewel tegemoetkomende auto's van tijd tot tijd—wanneer hun lampen brandden—je waarschuwden voor noodweer verderop.

Tropisch weer, met een continentale hevigheid die paste bij het landschap: het moeras van South Carolina dat uitliep in het moeras van Noord-Florida, groen en bruin riet, plekken water, zilver of zwart, een landschap dat indruk maakte door zijn omvang. En al heel gauw begon, vanuit dit tropische moeras, Charleston—dat ik als vanzelfsprekend was gaan aanvaarden, zo perfect was het—heel ver weg te lijken. Het was moeilijk te bedenken dat die stad daar lag; zoals het moeilijk was dit hele kustgebied te associëren met Afrikaanse slavernij, land dat zo duidelijk bij de Nieuwe Wereld hoorde, zo anders dan waar ook, land waarover je wilde nadenken om enigszins door te dringen in dat wonder.

De slavernij op de Britse eilanden in het Caribisch gebied begon kleinschalig te lijken, tam zelfs. Slavernij in Brits West-Indië was eigenlijk een achttiende-eeuwse instelling geweest; toen de slavernij in het Britse imperium was afgeschaft in 1833, was Engeland al een industriële handelsnatie en kon het zich veroorloven zowel de plantages als de eilanden af te schrijven. Slavernij in het Zuiden van de Verenigde Staten was het belangrijkst geweest in de eerste helft van de negentiende eeuw, dat wil zeggen het belangrijkst toen slavernij op het punt stond een anachronisme te worden, iets absurds in een land dat geïndustrialiseerd begon te raken. Maar de zakenwereld houdt zich bezig met het hier en nu (het is angstwekkend te lezen over het verlangen van de slavenhouders om de plantageslavernij uit te breiden naar de westelijke territoria); en er was een oorlog nodig geweest om de slavernij in het Zuiden af te schaffen. De bevrijde slaven bleven achter, in aantallen die men niet over het hoofd kon zien, niet langer eenheden van arbeid en rijkdom, een soort munteenheid; en zij–voor wie hoe dan ook de oorlog was gevoerd–waren het die het zwaarst te lijden kregen onder de angsten van het Zuiden.

Een slaaf is een slaaf; een meester hoeft niet te denken over manieren om hem te vernederen of te kwellen. In de honderd jaar na het einde van de slavernij is de zwarte in het Zuiden gekweld op manieren waarvan ik nooit had gehoord voordat ik in dit gebied was gaan reizen. Jack Leland had me verteld dat zwarten in de eerste jaren van de automobiel in South Carolina niet hadden mogen autorijden. In Tallahassee hoorde ik dat zwarten geen kleding mochten passen in winkels; ze moesten kopen wat ze hadden aangepast. In Mississippi konden zwarten niet doorstuderen; in South Carolina had men geprobeerd alle onderwijs voor zwarten te verbieden.

En er was in het Zuiden sprake van iets dat wij nooit hadden gekend in de koloniale tijd in West-Indië: geweld, en de afwezigheid van rechten. Hoe reageerde een zwart gezin op nieuws over lynchpartijen? Wat gebeurde er met de lijken? Hoe werden ze begraven? Een man die ik ontmoette, vertelde dat hij als kind geen boodschappenjongen had mogen worden van zijn vader. Zijn vader was bang geweest dat een blanke vrouw de jongen zou beschuldigen van gluren of een poging tot verkrachting.

In het Caribisch gebied was de zwarte, na honderd jaar koloniale verwaarlozing, honderd jaar na de afschaffing van de slavernij, in de meerderheid geweest op zijn eiland, met het recht zijn eigen leiders en eigen overheid te kiezen. De zwarte Amerikaan was omstreeks diezelfde tijd wel bevrijd, maar leefde als minderheid in het meest ontwikkelde land der wereld, een minderheid met bijzonder weinig rechten. Als Amerikaan waren zijn mogelijkheden veel groter dan die van een Westindiër. Maar de massa kon zich niet gemakkelijk voorwaarts bewegen; ze hadden te veel meegemaakt; de irrationaliteit van de slavernij en de jaren na de slavernij had velen irrationeel en zelfdestructief gemaakt.

Het was elke dag in het nieuws: drugs, misdaad, leven op straat, 'negatieve druk van rasgenoten' (zwarten die zwarten aftuigden omdat ze goede schoolcijfers haalden). In Atlanta had Anne Siddons me verteld dat het voor haar op een bepaalde leeftijd nodig was geworden emoties te sparen, een deel van zichzelf voor zichzelf te houden. Zwarten van alle leeftijden–die hun idealen naspeelden in hun leven–leken een dergelijke behoefte te voelen. Maar in hun veel wanhopiger situatie kon zo'n binnenwaarts gerichte blik hen gescheiden houden van hun streven en dat tegenwerken.

'Tenslotte is, denk ik, het moeilijkste (en dankbaarste) in mijn leven geweest dat ik geboren ben als neger en daardoor gedwongen ben een soort bestand met die realiteit aan te gaan.' Deze woorden van James Baldwin (een van de elegantste gebruikers van taal) waren me bijgebleven sinds ik ze gelezen had, bijna dertig jaar voordien. 'Realiteit'–dat was wat ik me herinnerde en wat ik aanvaardde; maar nu in het Zuiden, halverwege mijn eigen reis, begon ik me af te vragen of het bestand waar elke zwarte naar zocht, eigenlijk niet was afgesloten met de irrationaliteit van de wereld om hem heen. En de prestaties van bepaalde mensen begonnen nog groter te lijken.

Dominee Bernyce Clausell woonde in Tallahassee aan Joe Louis Street. 'Niet in het woningbouwproject,' had ze over de telefoon gezegd. 'Zegt u tegen de chauffeur niet in het project.' En de blanke chauffeur reed er niet alleen rechtstreeks heen, maar zag de dame met het omgekeerde boordje op straat staan, pratend met een lid van haar gemeente.

Dominee Clausell was een baptistenpredikante, en ze had enige naam verworven als de enige vrouwelijke baptistenpredikant in dit deel van Florida en als iemand die maatschappelijk werk deed. Ze was in het nieuws gekomen omdat ze hulpgoederen had gestuurd naar Mississippi, naar het stadje Tunica, in een arm gebied dat Sugar Ditch heette. Ze had een vrachtwagen vol voedsel gezonden. Aan de zijkant van de vrachtwagen had een spandoek gehangen met in keurige letters: TALLAHASSEE TO TUNICA. Daaruit bleek het gevoel voor effect van een copywriter, vond ik. Maar de dame die ik op straat zag toen de chauffeur haar aanwees, had niets afwijzends of assertiefs.

Ze was klein en slank en had een vriendelijk gezicht, ze maakte een geleerde indruk met haar boordje, iemand die paste bij de rustige woonstraat met kleine huizen en keurige tuinen; absoluut geen straat in het 'project'.

Ze nam afscheid van de vrouw met wie ze had gepraat en begroette mij. Ze zei dat de vrouw, een gemeentelid, haar had aangehouden toen ze op weg was naar de kerk om de lichten uit te doen. Ze vroeg of ik met haar meekwam. Het was een paar huizen verderop, aan de overkant van de straat: Calvary Baptist Church, een wit gebouw met een bord waarop de naam van haar overleden echtgenoot stond, ds. James Aaron Clausell. Hij had de kerk gesticht.

Het gras rond het kerkje was even keurig kortgeknipt als dat in de tuinen van de huizen. De lampen in het portaal brandden verkwistend.

Clausell—wat was dat voor een naam? Ze zei dat het Frans was, uit Louisiana. Het was de naam van een belangrijke vroege kolonist daar. Haar man had een lichte huid gehad, als velen in zijn familie.

En er was een verhaal over de stichting van de kerk in die straat. De Clausells hadden gebedsbijeenkomsten gehouden bij zich thuis, en mensen werden gered en gedoopt. Op een dag had dominee Clausell haar gevraagd. 'Wat zullen we doen met al die mensen?' Zij zei: 'Laten we een kerk beginnen.' Hij zei: 'Ik heb geen kerk nodig. Ik ben al dominee voor veel te veel kerken.' Zij zei: 'Maar ik dacht eigenlijk niet aan wat jij nodig had. Ik dacht aan wat de mensen nodig hebben.' En zo was de kerk begonnen. En toen dominee Clausell was gestorven, was Bernyce, zijn vrouw, de pastor geworden, volgens de wens van de gemeente.

De kerk, die van buiten zo wit en eenvoudig was, stond binnen vol voorwerpen. Ze werd kennelijk veel gebruikt en leek op een huiskamer of ontmoetingscentrum voor de gemeente. De centrale ruimte was ongeveer vijftien bij negen meter. Er stonden veel bloemen; er was een piano en een orgel. Het tapijt was groenblauw, de banken waren met groene stof bekleed. Aan het eind van de zaal was een heel grote afbeelding van Jezus en Maria Magdalena. Die was minstens viereneenhalve meter breed en anderhalve meter hoog. De afbeelding was drieëntwintig jaar daarvoor van een drukkerij bij Boston gekocht. Christus was opvallend blank, blond, langharig, een beetje—zoals ik elders ook al had opgemerkt—gelijkend op sommige schilderijen van generaal Custer.

Ik vroeg Bernyce Clausell naar de afbeelding.

Ze zei: 'De gemeente ergert zich er niet aan. Ik leer ze dat huidskleur niet belangrijk is. Een blanke Christus is beter dan helemaal geen Christus. Per slot van rekening is Christus zonder kleur.'

Maar ze kon ook een zwarte Christus laten zien, een zwarte Christus met zwarte discipelen. Die afbeelding was klein, die kon ze in haar hand houden.

Over het tapijt en de bekleding van de banken zei ze: 'Alles is ons gegeven. We nemen aan wat ons gegeven wordt. Daarom kleurt alles niet precies bij elkaar.'

Op de ramen zaten patronen van gebrandschilderd glas op papier, stroken papier die erop geplakt waren. De stroken waren bedrukt met een bloempatroon. Ze waren besteld bij Spencer Gifts, een postorderbedrijf; en ze waren gekozen uit een catalogus.

De kerkdeur ging open en een vrouwenstem groette de pastor. De eerwaarde Bernyce kende de bezoekster. Ze excuseerde zich en ging naar de vrouw toe. Ik keek niet om; ik keek naar de afbeelding uit Boston. De vrouw die was binnengekomen, praatte zacht; en dominee Bernyce's stem paste zich daarbij aan.

Hun woorden waren niet verstaanbaar. Slechts één zinnetje van dominee Bernyce bereikte me uit het gemompel. 'Je hoeft niet op de vloer te vallen en naar het plafond te springen.' Het gesprek ging nog enige tijd door: dat was de tweede keer die ochtend dat men de pastor had opgezocht met een probleem.

En toen de bezoekster na veel dankuwel en totziens vertrok, legde de eerwaarde Bernyce het uit.

'Haar dochter is vorige week gekomen en heeft Christus aanvaard. Ze wordt gedoopt. De dochter is veertien. Maar daarna heeft iemand haar dochter wijsgemaakt dat ze niet klaar was – en ze proberen echt haar uit de kerk weg te houden. Sommige kerkgenootschappen laten je niet toetreden tenzij je een emotionele, fysieke reactie toont. Daarom vertelde ik die moeder dat je tegenwoordig niet naar het plafond hoeft te springen.'

Ik vroeg haar nog wat meer uit te leggen.

Ze zei: 'U bent als Hindoe geboren. Wij worden niet als christen geboren. Wij worden als zwarte geboren.'

Het leek vreemd dat de pastor zoiets zei. Maar misschien bedoelde ze alleen dat de mensen moesten kiezen voor Christus.

'Om christen te worden heb je niet heel veel emotie nodig. In onze diensten zijn we alleen emotioneel als daar aanleiding toe is.'

Ze bracht me naar de kamer achter de hoofdzaal. Het was een ruimte die aan de kerk was vastgebouwd en de 'Clausell Fellowship Hall' heette, ter nagedachtenis aan haar overleden echtgenoot. Het zag er huiselijk uit. Er was een fornuis om te koken; en overal lagen kleren die waren ingezameld voor het liefdadigheidswerk van de kerk, vooral voor 'Mission Outreach'. De vriendelijk vrouwelijke pastor sprak de slogan van dit project doodserieus uit: 'Dit is ons "delen met velen"-project.' Het hoorde bij de zending van 'Tallahassee to Tunica'. Er waren kleren (toegedekt met groene lappen) aan rekken, in dozen, in zakken en op tafels. Ze zei dat haar oproep voor de armen van Tunica in Mississippi, zo'n negenhonderd kilometer daarvandaan, haar gemeente diep had getroffen.

Overal in het rond hingen in deze aanbouw, aan de wanden en op prikborden, foto's van zwarte Amerikanen. 'Wij maken de

Amerikaanse geschiedenis zichtbaar voor de mensen, zodat ze iets weten van hun erfgoed.' Er waren portretten van Martin Luther King, Richard Allen (de stichter van de African Methodist Episcopal Church in Pennsylvania), Booker T. Washington, Harriet Tubman, Frederick Douglass en zwarte Amerikaanse helden uit het leger; en er was een foto van het gebouw van de Atlanta Life Insurance Company, die eigendom van zwarten was.

We verlieten de aanbouw en liepen terug door de hoofdzaal van de kerk. Op de wand naast de voordeur hingen veel kleurenfoto's van dominee Bernyce's reis naar Europa in 1972. Dat–en al het andere–gaf de zaal iets van het plakboek van een vroom persoon. Maar er was nog iets meer. Deze oudere zwarte dame had als zwarte vrouw de grote wereld meegemaakt, de wereld van bekende mensen, en ze had iets van die glamour teruggegeven aan haar zwarte gemeente. Zoals ook alle eerbewijzen die zij had ontvangen beschouwd moesten worden als eerbewijzen aan een zwarte, en dus als eerbewijzen aan alle zwarten.

In het portaal van de kerk hingen knipsels uit tijdschriften, zwarte en blanke familiegroepjes. Dat was de manier waarop de eerwaarde Bernyce haar gemeente herinnerde aan moederdag, en ze had expres zowel zwarte als blanke afbeeldingen opgehangen. 'Wij zijn een biraciaal land.' Dat woord was nieuw voor mij; maar ze omschreef het nader en breidde het uit. 'Wij zijn zwart, maar het land is niet uitsluitend zwart. We zijn van allerlei rassen. Dus als we gezinnen laten zien, laten we gezinnen van verschillende huidskleur zien.'

De lucht was zwaar van stuifmeel. Aan de overkant van de straat, waar haar huis was, helde de bodem, zodat het huis in een klein dal lag; en de lucht daar was nog zwaarder. Er stond een auto onder een afdak. En in haar kleine zitkamer, veel kleiner dan je van buiten zou hebben gedacht, waren nog veel meer foto's en souvenirs en voorwerpen. Eén muur hing vol met ingelijste diploma's en plaquettes. Het was warm in de zitkamer, zelfs met de deur open.

Ze was geboren in Georgia, en ze was negen maanden toen ze door haar ouders was meegenomen naar Columbus, Ohio. 'Ik weet niet wat mijn pa deed. Mijn pa was dagloner. Hij was een klein mannetje. Hij kon niet zoveel.' En waarschijnlijk had ze haar kleine postuur geërfd van haar vader. 'We bleven een tijdje in Columbus. Toen ging mijn moeder dood en onze tante nam ons mee naar New York. Ik was dol op mijn tante. Ik was te jong om mijn moeder gekend te hebben. In New York hadden we alles om ons heen—stickies, moord, drugs—maar dat had geen effect op ons, want wij hadden ons leven in de kerk.'

Ze brak haar verhaal af om te praten over de aanpassingsmoeilijkheden van zwarte mensen van het platteland als ze naar de grote stad gingen. 'Je verliest alle banden met je familie, je gemeenschap, je kerk. Maar je krijgt de kans op nieuwe banden, zelfs in een wereldstad als New York. Je kunt je aansluiten bij een kleinere groep en je nuttig maken in die kleinere groep. Bijvoorbeeld een kerk, een gezelligheidsvereniging, een politieke groep of gewoon een groep op straat. Wanneer sommige jongemensen uit het Zuiden naar het Noorden trekken, willen ze toch een groep voor houvast. Dus helaas komen ze dan in contact met een groep op straat.'

Hoe verklaarde zij het sterke religieuze instinct van zwarte mensen?

'Ik denk dat het te herleiden is tot de slavernij. En zelfs tot vóór de slavernij. Tot Afrika. Ze hadden gewoon een sterk religieuze aanleg. In de slavernij was God hun bevrijder. En ze hadden het gevoel dat God het eens voor elkaar zou krijgen.'

Was het soms een vorm van escapisme?

'Voor sommige mensen zou het een vorm van escapisme kunnen zijn, dat zou ik niet willen ontkennen. Maar christendom is in de eerste plaats een levenshouding. Ik geloof dat de blanke kerken die ik ken op de onze lijken. Zij doen geweldig zendingswerk. Meer dan wij, want zij hebben meer financiën. Religie heeft een grote rol gespeeld in de opheffing van de segregatie.

'Ik moet wat over mezelf zeggen. Ik zelf heb nooit vijandigheid vanwege mijn ras ervaren tot ik vertrok uit New York en in Washington D.C. ging wonen. Dat was in 1941, toen ik vijfentwintig was. Ik had een baan bij de overheid. En daar had ik een ervaring die me schokte, de allereerste dag. De cafetaria in het gebouw van het Ministerie van Oorlog was nog niet open. Toen gingen we met een paar zwarte meisjes naar een broodjeswinkel en we kochten wat te drinken, en we stonden op het punt te gaan zitten, en toen zei de vrouw daar heel grof, heel grof: "Kunnen jullie, kan jullie soort geen andere plaats vinden om te eten?" Natuurlijk hadden we daarna niet veel trek meer.'

'Heeft dat uw geloof geschokt, of uw denken?'

'Ik begon te twijfelen aan het volk waartoe ik behoorde. Vóór die tijd was ik voor honderd procent patriot. Ik hield van Amerika. Maar mijn patriottische ijver werd er een beetje door geschokt. Niet mijn geloof. Door mijn godsdienstige opvoeding voelde ik geen boosheid jegens de vrouw in die broodjeswinkel. Washington D.C. was niet geïntegreerd. En dát was verbijsterend voor mij, dat de hoofdstad van het land niet geïntegreerd was.

'Toen we naar de grote cafetaria in het Ministerie van Oorlog gingen, waar we werkten, wilden blanken niet aan dezelfde tafel zitten als wij. Als wij bij hen gingen zitten, stonden ze op. We begonnen nog maar net te begrijpen dat zulke dingen bestonden. Ik ben er strijdbaar van geworden. We werden lid van een groep die geleid werd door de Quakers, en ons doel was de integratie van een aantal broodjeswinkels in de stad. We kwamen bij elkaar—alle Quakers waren blanken—en zeiden een gebed en spraken af waar we heen gingen. En ze vertelden ons dat we niet mochten reageren op eventueel geweld tegen ons. We moesten getraind worden. U kunt zich niet voorstellen wat voor dingen men tegen ons zei. De mensen spuugden ons in het gezicht. Als wij uit een glas dronken, pakten ze het op en gooiden ze het weg. Christus heeft gezegd dat we de andere wang moeten toekeren. En tenslotte is Washington, enige tijd later, ook geïntegreerd.'

De lucht was zwaar, van dat stuifmeel en van de vochtigheid van Noord-Florida. Mijn ogen staken; en nu ik dacht aan die gebedsbijeenkomsten begonnen de tranen over mijn wangen te lopen.

Ze zei: 'De mensen zijn veranderd. En sommige van die mensen kunnen niet geloven dat ze vroeger zo wreed zijn geweest.'

Ze formuleerde het zo uitstekend. Ze bood geen persoonlijke vergiffenis aan. Ze sprak over een ruimere verandering van opvatting. Het was mateloos ontroerend.

Ze zei: 'Die ervaringen hebben mijn persoonlijkheid gevormd en me meer karakter en kracht gegeven.'

Maar hoe was het anderen vergaan?

'Sommige mensen konden er niet tegen. Die hebben het opgegeven. Ze hebben zich erbij neergelegd. Voor die mensen is dat misschien het beste geweest. Niet iedereen is in staat tot vechten. De bijbel zegt: "Laat de sterken de zwakken steunen."'

Zij, die zo breekbaar en mager op de bank in haar kleine zitkamer zat, beschouwde zichzelf als een van de sterken.

'Het is nog steeds een probleem. Niet de segregatie, maar het racisme. Dat is meer subtiel.'

Ik wilde weten hoe ze tegenover het verleden stond. Maar het verleden, als voor vrijwel alle zwarten met wie ik heb gepraat, stopte voor haar op een bepaald punt.

'Ik heb me nooit in mijn wortels verdiept. Ik kan teruggaan tot mijn grootvader en grootmoeder. Omstreeks 1900. Verder niet.'

Nu waren er andere problemen naast het racisme. Er waren de problemen van zwangere tienermeisjes, drugs, schoolverlaters en het gedrag van zwarte scholieren van wie gezegd werd dat ze zwarten aftuigden die het goed deden in de klas.

'Dat probleem hadden we niet toen er scholen alleen voor zwarten waren. Nu–en ik vind het afschuwelijk om te zeggen–heeft de integratie een aantal zwarte kinderen schade toegebracht. Want toen de scholen zwart waren, moesten we op vaste tijden op bezoek bij de ouders. Als we problemen hadden, gingen we naar hun ouders, en de ouders werkten met ons samen. We hadden godsdienstige activiteiten op de scholen. We hadden een morgenwijding van een kwartier. Wat er gebeurd is op de geïntegreerde scholen is dat een aantal zwarte kinderen een voorbeeld heeft genomen aan blanke kinderen die niets presteren. En de ouders hebben niet zo'n hechte band met de scholen. Onze mensen die dit werk doen, moeten harder werken. Je kunt niet zo veel meer doen op de scholen.'

Ze beschouwde zichzelf als een van de sterken. Een deel van haar kracht ontleende ze aan haar geloof. Had ze ervaringen gehad die haar in haar geloof hadden gesterkt?

Ze zei: 'Heel veel. Aan één stuk door. God spreekt tot de mensen, net als vroeger. Toen ik zestien was, wist ik dat ik zou gaan preken. Ik heb het verteld in mijn kerk in New York. Ik weet niet hoe het kwam. Ik wíst het gewoon. En ik weet dat God in 1971, toen ik pastor werd, tot me had gesproken. Er zijn woorden in je hart, wanneer God spreekt. Maar er zijn gelegenheden geweest dat God tot me sprak met woorden, dat Hij me bij mijn naam riep, en dat ik omkeek om te zien wie me geroepen had, en dan was er niemand. De eerste keer dat ik God hoorde spreken, was toen ik nog een kind was. Hij zei: "Sta op en ga naar de kerk." Dat heb ik toen niet gedaan.

'Maar sinds ik pastor ben, spreekt God voortdurend tot me. Met woorden. Hij vertelt me dat ik iets moet doen. En dan antwoord ik Hem hardop. Sommige van mijn gemeenteleden weten van die ervaringen. Op een zondag sprak God tot me over een kind in de gemeente. Ik had me net omgedraaid om naar de preekstoel te gaan, toen God zei: "Bid voor dat kind!" Ik draaide me om en zag dat kind bij iemand op schoot zitten. Het was een dringend bevel. En ik zei: "Van wie is dat kind? Breng dat kind hier." Ik bad. Er waren mensen die huilden. Een week later werd het kind ziek, maar het is niet gestorven. Goddank!'

Gewoonlijk praatte ze niet over die ervaringen. Maar de keer dat ze dat gedaan had was toen ze moest verschijnen voor de wijdingscommissie van de zwarte baptisten in New York City. 'Ik moest mijn roeping rechtvaardigen. Ik vertelde hoe God tot me sprak. Toen ik dat aan de wijdingscommisie vertelde, begrepen ze precies wat ik bedoelde.'

Haar geloof had haar geholpen in de moeilijke tijden in Washington in 1941 en later.

'Ziet u, het is de Heilige Geest die ons in dergelijke gevallen leidt en beschermt.'

'Heb u zich ooit verlaten gevoeld?'

'Ik heb me nooit van God verlaten gevoeld.'

'Heeft Hij u gezegd dat u moest vechten?'

'Dat weet ik niet. Dat zat in me. En ik had het gevoel dat ik gedaan had wat ik kon.'

Ze vereerde wijlen Martin Luther King. Maar het verzet dat zij en de Quakers in Washington hadden gepleegd, had lang vóór de beweging voor de burgerrechten van de jaren vijftig en zestig plaatsgevonden. Ze was moediger dan ze zelf beweerde. Maar ze zei alles te danken te hebben aan haar geloof. 'Zoveel religieuze ervaringen, zoveel godservaringen.' En ze was blij dat haar beide dochters godsdienstig waren, en dat een van hen 'volledig toegewijd was aan de kerk'. In dat opzicht gaf ze als vrouwelijke predikant de fakkel door.

'Toen ik een kind was in New York, hadden we vrouwelijke predikanten in onze gemeente, dus voor mij was het niet iets zeldzaams of vreemds. Toen ik met een dominee trouwde, liet ik alle gedachten varen om zelf predikant te worden. Mijn man geloofde niet in het predikambt voor vrouwen. Maar hij wist dat ik dominee wilde worden, omdat ik soms opstond en sprak in de kerk. Wanneer de geest het wil, sta je op. Hij begreep dat ik oprecht was. Toen God tot me sprak in 1971, moest ik vergeten wat mijn man had gedacht. Ik moest toen ingaan op de roepstem. Ik moest naar de stem van God luisteren, en niet naar die van mijn man.'

Ik moest vertrekken. Ze gaf me een paar aan elkaar geniete fotokopieën van een boekje over haarzelf, een souvenir van een feest ter ere van haar op de 'Florida Agricultural and Mechanical University'. In het boekje stonden overdrukken van artikelen van haar in de *Tallahassee Democrat*; haar vele eerbewijzen werden opgesomd. Het titelblad was een paginagrote foto van haar, en op het omslag werd ze beschreven als een 'dienares van Christus'.

Ze gaf me ook haar kaartje. Op dat kaartje werd de Calvary Baptist Church beschreven – en opnieuw dacht ik aan de tekst van een copywriter – als 'het vriendelijke kerkje op de hoek van Joe Louis en Arizona'. Er was een tijd geweest dat ik dat typisch 'Amerikaans' zou hebben gevonden. Nu begreep ik er wat meer van en wist ik dat kerken als die van dominee Bernyce meer waren dan gebedshuizen, het waren gemeenschapscentra, maatschappelijke centra, en ze waren afhankelijk van de persoonlijkheid van de pastor.

Maurice Crockett, een omvangrijke, kaarsrechte, knappe bruine man van zesenvijftig, was hoofd van de Paroolcommissie van Florida. Hij was mij genoemd als plaatselijk voorbeeld van een succesrijke loopbaan van een zwarte. Daarom had ik hem willen ontmoeten. Hij had toegestemd in een gesprek, maar hij had niet begrepen wat ik wilde. En toen ik op een vroege middag naar zijn kamer werd gebracht, –zijn bureau was opgeruimd, en zijn hoofd rustte op zijn over elkaar geslagen armen, maar slaperig was hij bepaald niet–was hij niet direct tegemoetkomend.

Hij zei, en het klonk als een verklaring die hij had voorbereid: 'De meeste mensen van buiten zien ons als etnisch achtergebleven, halfgeletterd.' We zouden niet veel aan deze ontmoeting hebben gehad als we zo verder waren gegaan; maar toen hij begreep dat ik gekomen was om te luisteren, werd hij minder afwijzend. Al gauw kreeg zijn natuurlijke hoffelijkheid de overhand; hij praatte gemakkelijk, wilde graag die eerste onhartelijke indruk wegnemen.

Hij zei: 'Toen ik hoofd van een afdeling werd, de baas van zowel zwarten als blanken, waren de blanken niet erg gelukkig, en ik heb een paar jaar onder politiebescherming moeten leven.'

Dat leek nu zo onwaarschijnlijk, in de algemene wellevendheid van zijn kantoor.

'Misschien is het een overreactie geweest, maar je weet maar nooit. Er waren allerlei dreigementen over de telefoon, en toespelingen. En veel blanken namen ontslag.'

De strijd was niet plezierig geweest, maar wel noodzakelijk.

'Er zijn mensen die de indruk willen wekken dat toen er nog segregatie was, de blanken gelukkig waren, en de zwarten ook, maar dat is niet waar. Ik geloof niet dat iemand die nadenkt onder dergelijke omstandigheden gelukkig kan zijn. Ik had me nooit kunnen *veroorloven* gelukkig te zijn. Mijn keuzemogelijkheden waren zo beperkt. Mijn zoon kan tegenwoordig onbeperkt kiezen. Ik niet. Toen ik in 1964 dacht dat ik in aanmerking kwam voor promotie, namen ze me mee in de auto en legden ze uit dat ik de kwalificaties wel had, maar dat ze nog niet klaar waren voor een kleurling die dergelijk werk deed. Ik ben naar huis gegaan en ik wil u best vertellen dat ik gehuild heb. En het doet nóg pijn.

'Mijn zoon heeft, door mijn werk, nooit die vorm van afwijzing meegemaakt. Bij mijn werk hier word ik voornamelijk omringd door blanken, en dat is de omgeving waarin mijn zoon is opgegroeid.'

Zijn zoon was op blanke openbare scholen geweest, totdat zijn vader hem naar een zwarte school had gestuurd, die verbonden was aan de plaatselijke zwarte universiteit.

'Hij vond het vreselijk. Hij was nooit onder alleen maar zwarten geweest. De muziek was anders, de omgangsvormen waren anders. Michael had geluisterd naar de muziek van blanke jongeren. In zijn padvindersgroep was hij de enige zwarte jongen geweest.'

Maurice Crockett had een harde tijd doorgemaakt, en hij had meer dan overleefd. Maar waren sommige mensen niet gebroken onder die spanning?

'Sommige mensen trekken zich terug. En dat doe je door je met je kerk te bemoeien, met dingen in je eigen huis. In feite komt dat erop neer dat je je isoleert van de werkelijkheid. De kerk is uitsluitend zwart, en als je daarheen gaat, is iedereen vriendelijk, en je wordt niet bedreigd, en het is als een terugkeer naar de moederschoot.'

Maar hij had een bijzondere bron van kracht gehad.

'De meeste zwarte kinderen kennen voornamelijk het matriarchaat. Maar ik ben opgegroeid met een man. Dat was mijn stiefvader. Die was voor mij een rolmodel en een gids. Moeders zijn vaak niet zo streng voor jongens. Jongens hebben het soort structuur nodig dat een man kan geven. Ik denk dat veel van de zwarte kinderen tegenwoordig naar school zouden gaan als ze de fundamentele gezinsstructuur met een man in huis hadden. Maar zwarte mannen hebben het erg moeilijk om zich staande te houden, door het gebrek aan werkmogelijkheden.'

Ik vroeg naar zijn zoon, die van blanke scholen was weggehaald en naar zwarte scholen was gestuurd.

Maurice Crockett zei: 'Hij is begonnen zich bewust te worden van het feit dat hij zwart is, en dat niet iedereen dol op hem is. Hij begint nu aan zijn derde jaar op Tuskegee. Maar Michael heeft nog steeds zijn oorspronkelijke kader van blanke vrienden.'

Door zijn succes, door zijn nieuwe geborgenheid was Maurice Crockett nu bezig zijn zwart-zijn te herontdekken, opnieuw te bevestigen. Hij had godsdienst nodig, maar het moest wel een zwarte godsdienst zijn.

'Ik ben niet iemand die luidkeels zal getuigen. Maar ik ben graag in een kerk waar zoiets gebeurt. Veel van ons willen andermans normen nabootsen, en dat moeten we ook doen. Maar toch vind ik dat je, als de meeste etnische groepen, je niet moet losmaken van je fundamentele cultuur. Zeker als ik naar de kerk ga. De kerk is mijn redding. Door de kerk blijf ik bij mijn verstand.'

Redding, verstand–die twee had ik nog niet in één adem horen noemen. Maar zijn functie als hoofd van de Paroolcommissie stelde speciale eisen.

'Soms word je in deze baan door de stress om bij te blijven zo moe dat je van de pijn naar huis gaat. Een van de ergste dingen is dat wij het laatste persoonlijke gesprek moeten voeren met de terdoodveroordeelden. We gaan zelf naar de gevangenis en praten daar met de gevangene en zijn advocaat. Ons gesprek wordt genoteerd door een griffier. En wanneer de wereld me te veel wordt, ga ik naar de kerk. Voor ons zwarte Zuiderlingen wordt alles goedgemaakt door de kerk.'

'Voelt u zich nu een geslaagd man? Bent u tevreden?'

'Ik ben niet tevreden. Ik zal ontevreden mijn graf in gaan. Ik zal voortdurend proberen beter te worden. De mensen beweren dat we uit de bomen zijn gekomen en watermeloenen willen eten voor de rest van ons leven. Ik wil dat ze weten dat dergelijke stereotypen misplaatst zijn. Ik ontvang veel bezoekers voor mijn werk. De meeste mensen van buiten zien ons als etnisch achtergebleven, non-verbaal. Ik denk dat ze ons als halfgeletterd beschouwen.'

Dat was waar ons gesprek was begonnen. Nu was hij daarheen teruggekeerd, met een nadere verklaring.

'Maar dat is fout. Als iemand me zo benadert, laat ik hem weten dat ik niet iemand ben die op die manier behandeld kan worden.'

Zijn eigen bestand met de irrationaliteit–hoe was hij zo ver gekomen? Wat was er in het verleden dat hem nu, van deze afstand bezien, het meest verbaasde?

'Wat ik nu moeilijk kan begrijpen is hoe ik mijn woede heb beheerst. Ik neem aan dat je moet leren dat woede je problemen niet oplost. Je moet er soms voor gaan zitten en met jezelf worstelen.'

Hij worstelde nóg, van tijd tot tijd. Hij woonde in een blanke buurt. Hij wandelde met zijn hond. En ongeacht wanneer hij met de hond ging wandelen, 's ochtends of 's middags, altijd was er in een huis aan het ene uiteinde van de straat een oude blanke man die buiten op de veranda zat en naar hem keek. Het leek of de oude man zat te wachten tot Crockett langs zijn huis liep.

'Maar wat heeft dat voor zin?'

Ik begreep de verklaring van Crocket niet. 'Hij wil dat ik weet dat hij er is. Hij wil dat ik weet dat ik in het oog word gehouden.' En Crockett maakte een gebaar met zijn vinger, hij trok een horizontale lijn.

'Zegt hij iets? Praat u met elkaar?'

'We praten met elkaar. En ik moet altijd zo nadenken over wat ik terugzeg. De laatste keer zei hij: "Ik weet niet wie slomer is, jij of die hond." En dan moet ik iets terugzeggen, iets stoms als: "U bent slomer dan wij samen." Zulk soort flauwekul.'

Maar de buurman was toch zeker een gelovig man, een baptist misschien, een fundamentalist. Bracht dat niet een zekere communicatie met zich mee?

Dat wees Crockett van de hand. 'Blank fundamentalisme'– door hem als iets heel anders beschouwd dan het zwarte fundamentalisme, dat hij in de zwarte kerken prachtig vond en dat hij zag als een onderdeel van zijn zwarte cultuur–'dat is hun poging om terug te keren naar de goede oude tijd. De blanke kerk heeft nu een eigen school. Dat noemen ze een christelijke school; het hoofddoel is segregatie. De blanke fundamentalistische kerk heeft die mensen opgevreten en de problemen opgevreten. Het is een stuntelige poging om een structuur te herstellen die sinds lang overboord is gezet.'

Ik was op advies van een schrijver van de Westkust, iemand die oorspronkelijk uit Tallahassee kwam, naar Tallahassee gekomen. Noord-Florida, zo was mij verteld, was heel anders dan Zuid-Florida. Noord-Florida, de 'Panhandle', het smalle gedeelte van de staat, maakte deel uit van het Diepe Zuiden. Maar het had lang geduurd voor ik er de weg had gevonden; dat gebeurt soms op een dergelijke reis.

Tallahassee, de hoofdstad van de staat, was een kunstmatig administratief centrum halverwege de uitersten van de Panhandle, tussen de steden Pensacola en Jacksonville. En alles wat ik van de omgeving had gezien waren de paar kilometers tussen Tallahassee en de strandhuizen aan de zwarte kreken en het witte zand van de Golf van Mexico: een vakantielandschap van supermarkten, restaurants, caravans, benzinestations, kraampjes waar je levend aas kon kopen en kerken: wegwerpbouwsels in een gebied waar overwegend conservatieve blanke arbeiders woonden, waar (naar mij werd verteld) zwarten vroeger met vuur zouden zijn verjaagd als ze zich er hadden willen vestigen, en waar nog steeds haast geen zwarten waren.

Maar toen, bijna aan het eind van mijn verblijf in Tallahassee, zag ik iets anders dan dat vakantielandschap. Ongeveer een uur rijden verderop, vlak achter de autoweg – Amerikaanse autowegen doen elke staat lijken op alle andere, elk landschap op alle andere – zag ik oude onverharde wegen, bos waar vroeger akkers waren geweest, huizen die in hun geheel waren verlaten, schuren en garages op overwoekerde erven. Het leek een beetje op een verlaten Europees stadje in Afrika, in Zaïre of Rwanda.

Hier was een oude nederzetting geweest. Nu bestond die nauwelijks meer. Men kon niet meer van de landbouw leven; landbouw leverde niets op. En hier en daar tussen de vervallen huizen – met bomen en struiken die leken op te dringen, de open ruimten van de erven leken te verduisteren – waren huizen waarin nog mensen woonden, zwarten en blanken, mensen die niet bereid waren te vertrekken, die zich vastklampten, mensen die, zo zou je kunnen zeggen, bezig waren de eigenaardigheden van hun eigen karakter uit te leven. De dikke jongeman die zat te schommelen op de lage veranda, bijvoorbeeld, was de zoon van een zwarte farmer. Dit was de manier waarop hij zijn dagen wenste door te brengen; hij had gekozen voor deze eenzaamheid. Ik dacht aan de alcoholist in Howards stadje, omlijst door zijn raam op die zondag, naar buiten kijkend, maar ver van het leven in zijn gemeenschap. Hier bestond geen gemeenschap meer, de dikke jongeman zat te schommelen te midden van struikgewas.

Mijn gids was Granger. Hij was een blanke van in de veertig, en hij werkte in een hotel in een naburig stadje. Hij deed dat om het geld, om zijn eigen farm draaiende te houden. Het was een kleine farm, nog geen vijf hectare. Maar het was het land van zijn voorouders. Het was gekoloniseerd—oorspronkelijk Indianengebied, omheind en geclaimd bij de federale overheid—in het decennium voor de Burgeroorlog. De plaatselijke baptistenkerk was gesticht in 1856; Granger was baptist. Het land was nooit door slaven bewerkt. 'Wij hebben het gevoel dat wij de eerste Amerikanen waren,' vertelde een familielid van Granger me. En verscheidene voorouders waren naar dit deel van Florida geëmigreerd vanuit South Carolina, Virginia en Georgia.

In sommige takken van de familie gingen verhalen over oude rijkdom. Er was een verhaal dat een van hun voorouders een derde deel van een Engels graafschap had bezeten. Er was een later verhaal, uit de tijd na de rampen van de Burgeroorlog, over een andere voorvader die succes had gehad in de handel met China en een kist vol gouden munten mee naar huis had gebracht die, toen hij hem had leeggegooid op de vloer van de farm, een wolk van zuiver goudstof had doen opstijgen.

Nu werkte Granger in een hotel, twee dagen werken, twee dagen vrij, en hij verzorgde wat nog restte van de farm van zijn familie, wat hij niet deed voor het geld, maar uit trouw, omdat hij dat verschuldigd was aan zijn voorouders, en ook omdat boerenwerk voor hem hoorde bij de schoonheid van het leven. Boerenwerk betekende leven in deze velden, deze bossen.

We reden door zijn velden in zijn oude pick-up zonder airconditioning. Een van zijn koeien had net gekalfd. We stopten met de auto onder de pijnbomen, in de dunne, onderbroken schaduw, tussen de koeievlaaien en de dennenaalden, de denneappels, de knappende dorre takken. Hij stapte uit en praatte, van een afstand, tegen de moeder en het nog vuile kalf dat overeind trachtte te krabbelen. Hij had hier al een paar dagen op zitten wachten. Dit was het soort boerenwerk dat hij deed en waar hij van hield. Daar kwam zijn zachtaardigheid vandaan.

Maar er waren nieuwe ontwikkelingen op komst. Mensen met banen in de steden bouwden huizen in de dorpen. De oude farms werden bedreigd. Een cyclus die begonnen was toen het Indianengebied gekoloniseerd was, liep ten einde. (Het graf van Osceola, het opperhoofd van de Seminoles, op achtendertigjarige leeftijd gestorven als gevangene van de federale overheid, lag niet ver van Charleston, en binnen het gezichtsveld van Fort Sumter.)

Zo'n vijfenzeventig kilometer verderop, nog steeds in de Panhandle, maakten bouwprojecten en het failliet van de landbouw een eind aan een ander soort gemeenschap, een gemeenschap van zwarte deelpachters. Sinds het eind van de slavernij hadden hier zwarten gewoond. Vroeger was iedereen familie van elkaar geweest; de akkers vormden de grens van ieders horizon. Nu waren de wegen gekomen; de gemeenschap, nergens door beschermd, was bezig kapot te gaan; er stonden pijnboombosjes op de oude velden – jonge pijnbomen die uit welig struikgewas omhoog schoten. Maar niet iedereen was bereid naar een stad te verhuizen.

Het leven op het land was hier anders dan het leven dat Granger leidde op zijn vijf hectare. Men dacht hier anders over voorouders, geschiedenis, trouw. Voor Barrett, de zwarte man van in de dertig die me de omgeving liet zien, was het boerenleven van deze zwarte nederzetting met haar inteelt afgestompt en beschamend.

Barrett was een zwarte uit de middenstand, met ouders die een redelijk betaald vrij beroep hadden, leraren misschien. Hij kwam uit een wat groter stadje waar weinig zwarten waren. Voordat hij naar Tallahassee was gekomen, had hij gedacht dat alle zwarten in het Zuiden als zijn familie waren; en hij was nog steeds geschokt en woedend over de aspecten van het zwarte leven in Tallahassee die niet strookten met zijn vroegere denkbeelden. De gedachte dat hij tot een minderheid behoorde was zo sterk een onderdeel van zijn opvoeding geweest, dit idee was zo belangrijk voor hem, dat het hem moeite kostte, zei hij, om te wennen aan straten waar uitsluitend zwarten woonden. Ik vond hem aardig omdat hij dat zei; niet veel mensen zouden zoiets eenvoudigs en ondermijnends durven toe te geven. En toen hij door zijn werk in die oude zwarte landbouwnederzetting terecht was gekomen, zei hij, had hij geleden onder een 'cultuurschok'.

Ik vond de dingen die hij me liet zien niet zo vreselijk. Maar ik had dan ook niet zijn verwachtingen gehad. En omdat zijn boosheid weer toenam, en omdat hij door die boosheid weer het slechtste wilde zien, en het mij wilde tonen, reed hij met me naar een zijweg en zei: 'Kijk daar eens naar. Een huis zonder ramen.'

Het was hoogst merkwaardig, een eindeloos opgelapt en armoedig houten huis, dat alleen stond op een kaal erf, zonder bomen eromheen, en met struikgewas in het veld erachter.

Ik dacht dat ik nu begreep waarvoor Maurice Crockett zijn zoon had willen behoeden: 'blank' opgroeien en zich daarna, zoals Barrett, moeten aanpassen.

Barrett dacht niet over godsdienst zoals Maurice Crockett daarover dacht. Barrett vond niet dat de luidruchtige godsdiensten deel uitmaakten van zijn eigen zwarte cultuur. Nadat hij getrouwd was, zei hij, hadden hij en zijn vrouw erover gepraat naar welke kerk ze zouden gaan. Ze hadden er heel ernstig over gepraat, en ze hadden besloten naar de presbyteriaanse kerk te gaan.

Hij was twintig jaar jonger dan Maurice Crockett. Zijn behoeften waren anders dan die van de oudere man.

Toen we aan onze autorit begonnen, had ik zijn hartstocht ten aanzien van het rassenvraagstuk opgemerkt. Hij wilde iemand de schuld geven van de positie van de zwarten. In de eerste plaats gaf hij de blanken de schuld, maar vervolgens hadden zijn eigen woorden hem daarvan afgeleid, in de richting van een meer algemene irritatie. Ik had hem gevraagd naar die hartstocht; het rassenvraagstuk leek het onderwerp dat hem het meest bezighield. Hij had mijn vraag wel begrepen, maar er geen antwoord op gegeven. Nu we bijna weer bij het hotel waren, kwam hij terug op mijn vraag.

Hij zei: 'U vroeg daarnaar. Ik heb erover zitten nadenken. Ik denk dat ik boos ben omdat ik zwart ben. Ik weet niet of dat voldoende reden is, maar zo ís het wel.'

Het was een goed antwoord. Het was ingegeven door zijn oprechtheid.

Op de oprit naar het hotel stond een zwarte gestalte die ik had leren herkennen. Hij droeg een zwarte tulband en een crème-kleurig lang hemd, in Indiase stijl. Hij las hardop, zangerig, uit een Arabisch boek, misschien een koran. Hij besteedde geen aandacht aan de drukte om hem heen. Hij las hardop als een student; hij hield het dikke boek vlak voor zijn gezicht; hij zat op een laag muurtje; hij kon niet genegeerd worden.

Dominee Bernyce Clausell, Crockett, Barrett – zij vormden allemaal aspecten van een zwarte beweging die meer en meer bereikte. En op een dag kwam Jesse Jackson naar Tallahassee, op zoek naar steun voor zijn presidentskandidatuur. Al werd hijzelf niet door veel mensen gezien, zijn aanwezigheid was voelbaar. Zijn aanhang vulde het Golden Pheasant-restaurant vrijwel geheel. Later die avond stond een limousine met de motorkap omhoog te wachten voor een club waar de kandidaat mensen uit Tallahassee ontmoette. Zoveel stijl, zoveel onkosten; en dit was maar één dag, en niet eens zo'n belangrijke, in de agenda van een kandidaat voor het presidentschap.

Het zou historisch bevredigend zijn, en intellectueel eenvoudiger te verwerken, als er eigenlijk niets anders was dan die ene beweging; als de zwarten, die hun rechten hadden veroverd, nu de baas werden over hun eigen lot. Maar aan het andere uiteinde van die beweging, en voldoende dichtbij om die beweging in gevaar te brengen (ondanks de indrukwekkende aanwezigheid in het Golden Pheasant-restaurant van de mannen en vrouwen van Jacksons aanhang), bestonden irrationaliteit en een drift tot zelfvernietiging, en een wanhoop die in die vorm misschien nooit eerder had bestaan.

Het lijkt de laatste wrede streek van de slavernij: dat nu, in wat een tijd van mogelijkheden had moeten zijn, een aanzienlijk deel van de zwarte bevolking het moet stellen zonder de steun van geloof en gemeenschap, zoals die in de afgelopen honderd jaar zijn ontwikkeld. Op de Caribische eilanden speelden de slaven, in de tijd dat de slavernij op haar hoogtepunt was, 's avonds met de gedachte dat ze een eigen koninkrijk bezaten: zo had men een Westafrikaanse gedachte–die nog leeft in Ivoorkust–naar de plantages overgebracht: dat de eigenlijke wereld begint wanneer de zon ondergaat, en dat mensen 's nachts hun rol van overdag veranderen of omkeren. Zelfs geen fantasie van deze aard, geen Afrikaanse millenniumdroom, biedt steun aan het nieuwe, rechteloze zwarte element. Het is moeilijk zich te verplaatsen in hun leegte.

'Ik ben niets, ik besta alleen maar,' had een jonge zwarte in een jeugdgevangenis gezegd. 'Uw handen zacht,' had een ander gezegd, met woorden die voor mij van heel lang geleden leken te komen. 'Uw handen zacht als katoen.' Zijn eigen hand was ook zacht. Hij had de intelligentie en de gevaarlijke aantrekkingskracht van een bepaald type delinquent. Maar hij was ellendig verloren; hij was onbereikbaar. Een andere man had gezegd: 'Het is heel moeilijk voor een zwarte om een heel kleine stap te doen.'

Ze zouden allemaal over een paar maanden worden vrijgelaten. Maar er was niets voor hen in de buitenwereld; daar waren ze van overtuigd. En ze praatten allemaal alsof hun leven van te voren had vastgestaan, en al voorbij was.

'Bijna zestien miljoen handen zullen u helpen de last omhoog te trekken, of ze zullen, tegen u in, de last naar beneden trekken. Wij zullen een derde of meer vormen van de onwetendheid en misdadigheid van het Zuiden, of een derde van de intelligentie en de vooruitgang aldaar; wij zullen een derde bijdragen tot het zakenleven en de industriële welvaart van het Zuiden, of wij zullen blijken eigenlijk een lichaam des doods te zijn, stremmend, terneerdrukkend... het staatslichaam.'

Die woorden klinken als een spitsvondige aanvoering van misleidende argumenten. En dat waren ze ook. Ze zijn afkomstig uit de toespraak die Booker T. Washington heeft gehouden in Atlanta in 1895, toen hij pas negenendertig was: een beroemde toespraak die zijn reputatie gevestigd heeft, en waarin hij twee ogenschijnlijk onverenigbare dingen heeft gedaan – hij heeft blanken uit het Zuiden gekalmeerd, en hij heeft hoop geboden aan de zwarten in een tijd van bijna volstrekte hopeloosheid. Spitsvondigheden, overdreven; maar die woorden uit de toespraak van 1895 in Atlanta klinken nu als een profetie.

4 Tuskegee

Het bestand met de irrationaliteit – II

Ik had *Up from Slavery* leren kennen toen ik een kind was. Mijn vader had me een verhaal uit het boek voorgelezen, en ik geloof dat ik daarna zelfstandig meer van het boek heb gelezen. Mijn vader, die arm geboren was en ondanks zijn ambitie altijd arm is gebleven, hield van verhalen over mensen die zichzelf hielpen en over mensen die hun armoede overwonnen. Hij had geleden in Trinidad, en ik moet geweten hebben dat *Up from Slavery* een onuitgesproken raciale betekenis had en kon worden toegepast op de situatie op ons eigen eiland. Maar ik was te jong om iets te kunnen doen met dergelijke informatie. Ik luisterde naar het verhaal van Booker T. Washington dat mijn vader me voorlas bijna alsof het een sprookje was, en in het deel van mijn bewustzijn waar het bleef hangen, werd het ontdaan van zowel het raciale aspect als van historische tijd.

Binnen het algemene verhaal van een man die zich weet op te werken en succes boekt, was het verhaal in kwestie een verhaal over een proef. De jonge knaap, die alleen op de wereld is, en de wereld in trekt, had een bed moeten opmaken (zo leefde het verhaal voort in mijn bewustzijn). En wat op het spel stond, wat afhankelijk was van de juiste manier om dat bed op te maken, was de totale toekomst van die jongen.

Het was moeilijk dat verhaal te vergeten (en elke keer als ik een bed opmaakte, zweefde het mijn bewustzijn binnen): de proef als in een sprookje, het uitvoeren van een ogenschijnlijk onbelangrijke of betekenisloze taak op de best mogelijke wijze. Als het verhaal over de verleiding van een ridder die door zijn eer gebonden is, of van een heilige die een gelofte heeft afgelegd; als magische proeven in andere sprookjes: het oprapen van rijstkorrels, het raden van de naam van de dwerg, het spinnen van goud uit stro.

Maar het verhaal dat ik in mijn bewustzijn had bewaard, was op één punt fout. De voddige jongen, die als slaaf was geboren, die vele dagen en nachten had gelopen naar een bepaalde school om daar een opleiding te krijgen, had men als eerste niet gevraagd een bed op te maken, maar een kamer aan te vegen. De jongen had de kamer vier keer aangeveegd. De vrouw die hem op de proef had gesteld, had vervolgens niet gewoon gezegd: 'Goed, je bent geslaagd.' Ze had haar vingers over de randen en de vloer laten gaan om te controleren. De jongen had de proef dus toch goed begrepen. Hij had het bedrieglijk eenvoudige werkje bijzonder goed gedaan; en op die manier had hij alweer een mogelijke kwelgeest overwonnen en haar tot bondgenoot gemaakt op zijn magische reis.

Er was een reden waarom het verhaal, in mijn geheugen, was verschoven van het aanvegen van een kamer naar het opmaken van een bed. Bedden waren belangrijk voor de slavenjongen. In de slavenhut met de ene kamer, die tevens de keuken voor de farm was, en waar hij met zijn moeder had gewoond, had de jongen in vodden op de aarden vloer geslapen; en toen hij op zijn weg omhoog voor het eerst geconfronteerd werd met een opgemaakt bed, wist hij niet hoe hij dat moest gebruiken. Hij wist niet of hij op beide lakens moest slapen, of ertussen, of onder allebei. (Ik had sympathie gevoeld voor dat lastige parket, want ik was op achttienjarige leeftijd naar het gematigde klimaat van Engeland verhuisd uit het tropische Trinidad, waar wij de bedden op onze eigen manier opmaakten: één laken uitgespreid over het bed, een ander laken of een deken opgevouwen, zo nodig 's nachts te gebruiken als los dek. Het is zelfs mogelijk dat ik een vroege gêne heb overgebracht op mijn herinnering aan het boek.) En op de school die hij later had gesticht in Tuskegee in Alabama voor mensen die, net als hij, nog maar net uit de slavernij bevrijd waren, wilde Booker T. Washington dat zijn studenten leerden hoe ze bedden moesten gebruiken, en in meer algemene zin dat ze goede manieren leerden, zoals hij ze had leren begrijpen.

Een ontroerend verhaal, een legendarisch verhaal: de jongen die op de vloer van een slavenhut had geslapen was een van de beroemdste Amerikanen van zijn tijd geworden, had gedineerd met de president en was nooit opgehouden zijn volk te dienen. Het is heel begrijpelijk dat het effect van *Up from Slavery* op een self-made man als Andrew Carnegie groot was geweest en hem ertoe had gebracht grote sommen gelds te schenken voor de school in Tuskegee.

Tegelijkertijd had juist het legendarische van het verhaal van Booker T. Washington het losgemaakt van de grimmiger aspecten van het rassenprobleem in het Zuiden of in heel Amerika, waarover mensen schreven in boeken en kranten. Waarvoor had de grote roem van deze man gediend? Wat was er gebeurd met de grootse prestatie? En zo was het boek op de achtergrond geraakt, en was alleen de herinnering aan een proef met het opmaken van een bed overgebleven (die in mijn geheugen gedeeltelijk samenviel met het verhaal over Tolstoj, die op middelbare leeftijd, in de fase dat hij boer wilde zijn, de wens had uitgesproken zijn eigen bed op te maken). En daarna was zelfs de titel van het boek ondermijnd door de titel van de parodie van William Buckley, *Up from Liberalism*.

Pas toen ik deze reis was gaan voorbereiden en op het idee was gebracht naar Tuskegee te gaan, werd het boek weer realiteit voor me. Het was vooral reëel geworden toen ik op bezoek ging bij Al Murray in zijn appartement in Harlem.

Al Murray was de eerste afgestudeerde van Tuskegee die ik leerde kennen, en met wie ik daarover sprak. Hij was het geweest die me enig idee had gegeven van het formaat en de complexiteit (en het lijden) van Booker T. Washington; hij gaf de neutrale sprookjesfiguur bepaalde raciale trekken–de vader van de slavenjongen was wellicht een blanke geweest; en hij plaatste hem in de historische tijd. Toen de school was begonnen in 1881, als een eenvoudige ambachtsschool, hadden zwarte mannen kiesrecht, en de school had een kleine subsidie gekregen van de staat Alabama. Twintig jaar later, toen *Up from Slavery* verscheen, waren zwarte mannen in het Zuiden praktisch uit hun rechten ontzet. Het was tegen deze achtergrond van toenemende wettelijke beperkingen dat Booker T. Washington zijn school had uitgebouwd. Wat al heel moeilijk had kunnen zijn geweest in een tijd van stabiliteit, was veel moeilijker geworden toen de muren van vooroordeel, segregatie en vernedering voortdurend verschoven, naderbij kwamen. Booker T. Washington deed wat hij kon, had Al gezegd, omdat hij begreep hoe het kapitalistische Amerika werkte; hij wist hoe hij zich moest presenteren aan die kant van Amerika. Wat je vooral moest bedenken was dat Booker T. Washington een negentiende-eeuwse Amerikaan was, de tegenhanger van de Carnegies en anderen, wier rijkdommen hij had weten los te praten.

De bewondering van Al Murray voor zijn universiteit en de stichter ervan maakte de oude zwart-wit-foto's die hij me had laten zien, in de twee delen van de biografie die Louis R. Harlan had geschreven, bijzonder ontroerend: de staatsieportretten van Booker T. Washington; de formeel geklede jonge zwarten, mannen en vrouwen, die huishoudelijk werk en boerenarbeid deden, dingen die, slechts een paar jaar daarvoor, slavenwerk zouden zijn geweest, maar die nu (net als de proef die hun eigen leermeester had moeten afleggen door een kamer aan te vegen) een stap naar een betere toekomst vormden.

Ik reisde dus naar een bijzonder soort romantiek toen ik Tallahassee verliet, evenals het bedwelmende stuifmeel dat tot astma prikkelde, en op weg ging naar Alabama en Tuskegee; ik reisde door de vlakten van Georgia en vervolgens door de uitgebreide, vlakke neonverwarring van de moderne stad Columbus, Georgia: seksshows en banken van lening en hamburgertenten; en vandaar ging de tocht naar het rustige, landelijke, ogenschijnlijk achtergebleven Alabama.

Tuskegee werd een naam op de reclameborden langs de autoweg; werd de naam van een bos—en toen sprak het van een verleden van voor 1830, voor de plantages, een Indiaans verleden, wat een nieuwe associatie met die ongewone naam vormde; en toen veranderde het tenslotte in de naam van een plaats.

Ik had een stad verwacht als een paar andere die ik onderweg had gezien. Dit plaatsje was echter kleiner, armoediger: kleine eethuizen, weinig grote namen van hamburgertenten (ik miste de hoge, kleurige, rivaliserende reclamepalen, het autoweg-equivalent van het steekspel en de vlaggetjes uit de riddertijd), rommelige garages, kleine kruidenierswinkels: een plaats die nog arm was, eigenlijk niet de achtergrond voor het succesverhaal van de grote man. Maar toen kwam de campus, en die was grootser dan alles wat ik, en ook mijn vader denk ik, had gedacht. Mijn vader, die in Trinidad boeken las om vooruit te komen, vergeleek zichzelf ongetwijfeld met arme jongens die ingenieur of bruggenbouwer waren geworden in het geïndustrialiseerde Engeland; en hoewel mijn vader bepaalde aspecten van zijn eigen geschiedenis kan hebben teruggevonden in de kinderjaren van Booker T. Washington, zijn ieders mogelijkheden afhankelijk van de plaats waar hij toevallig woont. Tuskegee had niets dat aan slaven deed denken, of aan Trinidad; niets dat geëxcuseerd moest worden. Hoe weinig je er ook van had geweten, het was echt, en het was een prestatie op Amerikaanse schaal: tientallen en tientallen donkerrode bakstenen Georgian gebouwen in een heuvelachtig park.

'U moet bedenken,' zei een heel oude dame een paar dagen later tegen me, en zij had bijna haar gehele werkende leven in Tuskegee doorgebracht, 'dat tot in de jaren dertig de negers in de Verenigde Staten domweg geen geld hadden.'

En het effect dat de eerste blik op die campus op mij had, moet geleken hebben op het effect op mensen die het complex gezien hadden in de tijd van de segregatie, toen het een van de weinige mogelijkheden voor een zwarte was geweest, en toen het voor mensen die weinig bezaten als een droom moet zijn geweest.

Al Murray had onderdak voor mij besproken in het gastenhuis van de universiteit. Het heette Dorothy Hall. Het was in 1901 gebouwd als industrieschool voor meisjes. Het lag nu bijna in het midden van de campus, tegenover het grote bronzen standbeeld van Booker T. Washington die de sluier van onwetendheid wegnam van zijn volk.

Het was een beroemd beeld en het stond op alle prentbriefkaarten van Tuskegee. Ik kende het wel zo'n beetje, maar werd er niettemin door verrast. De beeldhouwer had concreet gemaakt wat eigenlijk slechts een uitdrukking was, een metafoor. Booker T. Washington, in driedelig kostuum, tilde letterlijk een laken op van een ineengedoken, gespierde jonge zwarte, die een ouderwets boek in folioformaat op zijn knieën hield: gestalte en attributen die samen zo onverwacht waren dat je je afvroeg hoe lang die gespierde zwarte knaap, naakt afgezien van het laken dat nu van hem werd verwijderd, zich met zijn grote boek onder dat laken had verstopt, en waarom hij daar was gaan zitten, en waarom Booker T. Washington hem als een goochelaar te voorschijn had moeten toveren.

Maar een zwarte man met wie ik twee of drie weken daarvoor had gepraat, had het beeld heel ontroerend gevonden toen hij als schooljongen was meegenomen naar Tuskegee. 'Misschien moet je daar zwart voor zijn,' had hij gezegd. En ik was bereid, op dat moment van aankomst, te kijken met zijn ogen van zo'n veertig jaar daarvoor.

Het stond er nog, retorisch en ietwat zeurderig, heel voorzichtig de romantiek ondergravend: *Ik sta niemand toe mij zo te vernederen dat ik hem haat*. De gegraveerde woorden van een ander tijdperk, de filosofie van de hulpeloosheid – evenals die andere woorden, eveneens in het voetstuk van het beeld gegraveerd: *Wij zullen gedijen naarmate wij leren de arbeid waardig en glorieus te maken en onze hersens en vaardigheid wijden aan de algemene werkzaamheden van het leven*. De filosofie van een man die tegen ongelijkheid streed, en lotsverbetering combineerde met het verlangen geen aanstoot te geven. En toch – het resultaat was een grootse prestatie.

Ik keerde het standbeeld de rug toe en liep naar de ingang van Dorothy Hall. Ik zag dat de ramen in slechte staat van onderhoud verkeerden en geverfd moesten worden. Een stuk gaas voor een bovenraam hing los. De fraaie donkerrode baksteen van het oude gebouw moest opnieuw gevoegd worden. Dit waren de bakstenen die de eerste studenten van Tuskegee eigenhandig hadden gemaakt, na drie hartbrekende mislukkingen met de ovens.

Het gebouw keek uit op het westen. Het was laat in de middag en heel warm. Ik vroeg of er een lift was, om met mijn bagage naar de bovenverdieping te gaan. Ik kreeg te horen dat het gebouw oud was en dat de lift het niet meer deed. Tegen de tijd dat ik mijn bagage boven had, na drie maal de hete trap op en af te zijn geklommen, en door de zeer hete bovengang naar mijn kamer was gelopen, waren mijn longen weer ontstoken. En de beklemming op mijn borst zou blijven zo lang ik in Tuskegee was.

De kleuren in de bloedhete club boven leken op de kleuren van een herenclub. Er was een olieverfschilderij van een blanke militair; en op de gang van de overloop hing een foto van Teddy Roosevelt. Dorothy Hall was in 1901 gebouwd; *Up from Slavery* was in 1901 verschenen; en in datzelfde jaar had Booker T. Washington gedineerd met Teddy Roosevelt op het Witte Huis. Oude geschiedenis, oude hoogwaardigheidsbekleders, oude veldslagen. En later vertelde men me dat veel beroemde Amerikanen ooit in Dorothy Hall hadden gelogeerd.

Bijna aan het eind van mijn verblijf ontdekte ik waar de lift was. De man die me dat liet zien, was een van de oudste mannen op de campus. Hij was musicus, of was dat geweest. Hij was als jongen van veertien naar Tuskegee gekomen, in 1913, toen Booker T. Washington nog leefde; en hij had meegelopen in de begrafenisstoet van Booker T. Washington in 1915. De oude musicus was een plaatselijke beroemdheid, en veel mensen die ik ontmoette vonden dat ik met hem moest praten. Hij was de stad uit toen ik arriveerde, maar hij stuurde bericht dat hij me zou komen bezoeken in Dorothy Hall, om twaalf uur 's middags; en hij kwam stipt op tijd. De oude man was er trots op dat hij punctueel was. Dat hoorde bij de traditie van Booker T. Washington, zei hij. En zijn verhalen—waarmee hij onmiddellijk begon—gingen over die oude, romantische tijd.

'Het was als de hemel toen ik hier kwam in 1913. Ik had nooit iets dergelijks gezien. Ik was van huis weggelopen en kwam hier aan met anderhalve dollar op zak. Maar Booker T. Washington stuurde nooit iemand weg.'

De bejaarde musicus ging artistiek gekleed: roze overhemd, blauwe das, lichtgroen geruit jasje. Hij was lang, had een rechte rug en was op zijn achtentachtigste trots op zijn rechte gestalte.

Dat hoorde ook bij de training van Booker T. Washington. Schone kleren, rechtop lopen, vastberaden stappen: geen geschuifel zoals in de oude tijd. Zo had Booker T. Washington het gewild. Alles moest tiptop zijn; alles moest schoon zijn. Elke dag wandelde Booker T. Washington rond op de campus en dicteerde hij opmerkingen aan een secretaris over dingen die verkeerd waren.

De oude musicus was afkomstig uit een stadje in Alabama, ongeveer tweehonderdvijftig kilometer ten noorden van Tuskegee. 'Mijn vader was een gewone arbeider. Mijn moeders familie leek bijna blank en had wel wat ontwikkeling.' De oude man knoopte zijn overhemd los om zijn lichte huidskleur te laten zien. 'Veel blanken daar praatten over mijn moeders familie alsof het neven en nichten waren. Ik ben hier aangekomen met alleen mijn broek en mijn tas, en zonder schoolopleiding. Een vroegere slaaf hier, ene Baker, die heeft me verteld dat als de mensen een slaaf erop betrapten dat hij leerde schrijven, ze dit' – de oude man bewoog zijn rechterduim op en neer – 'dat ze dit afzaagden, want als de slaaf kon schrijven, dan kon hij voor zichzelf een pasje uitschrijven om buiten de plantage te komen. Slaven mochten hun plantage niet verlaten zonder toestemming. Dat had Baker als jongeman gezien.

'Alles wat mijn vader mij, zijn oudste zoon, had kunnen leren – daar mankeerde niets aan, maar het ging niet ver genoeg. Hij heeft me het volgende geleerd. Geef oude mensen geen grote mond. Wees niet brutaal. Zoek geen slechte vrienden. En help pappa voor de familie zorgen. Dat was allemaal heel goed, maar het ging niet ver genoeg. Mijn moeders broer is op Talladega College geweest. Dat is opgezet door blanken – de American Missionary Society, een organisatie van blanken voor de stichting van scholen in het Zuiden voor vrijgelaten slaven. Tuskegee was anders. Na de afschaffing van de slavernij konden we hier stemmen. Zwarten. Een of andere plaatselijke politicus wilde onze stemmen hebben, en toen heeft meneer Adams tegen hem gezegd: "Als u ons zou kunnen helpen met een school, denk ik dat ik alle kleurlingen kan overhalen op u te stemmen." Dus hebben de mensen in dit district op die blanke gestemd, en de staat heeft tweeduizend dollar gegeven voor de oprichting van deze school.

'Daar in het noorden, mijn geboorteplaats, had ik een onderwijzer vijftig cent per maand betaald om me te leren lezen en schrijven en rekenen. Professor Moses had zijn school aan de westkant van het stadje. Professor Carmichael had zijn school aan de zuidkant. Ik woonde aan de zuidkant. Mijn pa wist niet, dat ik vijftig cent per maand betaalde aan professor Carmichael. Ik poetste schoenen. Mijn vader schepte steenkool uit goederentreinen. Om vier uur 's ochtends. Eén dollar per dag.

'Toen ik hier kwam en al deze gebouwen zag, en de eetzaal en de tafellakens, veertien studenten per tafel, meisjes aan de ene kant, jongens aan de andere, toen leek dat wel de hemel – ik had nooit zoiets gezien. En de oude kapel! Hier kwamen volwassen mensen heen. Die waren komen lopen, omdat ze wilden leren lezen en schrijven. Booker T. zocht werk voor die oudere mensen, werk bij blanken in de stad, waar ze overdag werkten, zodat ze 's avonds konden leren en betalen voor hun onderhoud.'

Hij was dol op het verleden, deze wat fatterige, vriendelijke man van achtentachtig. Hij was energiek en enthousiast; hij bestuurde nog zijn eigen auto. Hij reed me naar het allereerste schoolgebouw. 'Wilt u beweren dat niemand u dat nog heeft laten zien?' En vervolgens stond hij erop mij terug te brengen naar Dorothy Hall op de tijd die hij had toegezegd. Toen we terugkwamen in Dorothy Hall liet hij me de kleine lift daar zien, en vertelde hij me het verhaal dat daarbij hoorde.

Henry Ford was in 1941 naar Tuskegee gekomen, toen het George Washington Carver-museum was geopend. Carver, de hoogleraar landbouwkunde van Tuskegee, was toen een jaar of tachtig geweest. Henry Ford was zo geschokt geweest toen hij gezien had hoe de oude man de trappen van Dorothy Hall op wankelde, dat hij ter plekke had aangeboden een lift te laten installeren. Nu was de lift kapot en bijna onvindbaar, en de oude musicus, die nu ouder was dan George Washington Carver in 1941 was geweest, moest de steile trappen beklimmen.

De naam George Washington Carver riep oude herinneringen op, herinneringen die verwant waren aan wat ik me herinnerde van Booker T. Washington en de proef met het opmaken van een bed.

De meeste onderwijzers op mijn lagere school in Trinidad waren zwarten geweest. Over het algemeen waren het rustige mensen, een of twee waren alleen fel wanneer ze de zweep hanteerden, en in een tijd dat de wereld ze weinig had te bieden, hadden ze de gewoonte op hun rustige manier een raciaal gebaar te maken. Een vraag voor de klas kon als volgt luiden: wie is de beste cricketer ter wereld? Als je zei: Bradman–de Australiër– dan kon dat fout zijn. Een beter antwoord, en misschien zelfs het juiste antwoord, zou zijn geweest Headly, de zwarte van Jamaica, of Constantine, de zwarte van Trinidad.

De naam George Washington Carver associeerde ik met die lagere school en de ondergrondse raciale trots van de zwarte onderwijzers. Ik herinner me een filmpje dat een keer onder schooltijd vertoond moet zijn: een angstig zwart gezin in een hut, blanke ruiters buiten. Ik wist niet goed waar het over ging: de herinnering aan die film is vaag. Aan die film verbonden was een les over George Washington Carver, een zwart genie dat geweldige dingen had gedaan met de simpele pinda en alle delen daarvan nuttig had weten te gebruiken, behalve de vliezen en de doppen.

Dat hij geweldige dingen met de pinda had gedaan nam ik zonder meer aan. Maar dat hij niets met de pindadoppen hadden kunnen beginnen had me altijd geïntrigeerd. Waarom had men–gezien het feit dat van bamboepulp papier kon worden gemaakt–pindadoppen niet voor de papierfabricage gebruikt? Ik vond dat die leken op bamboemerg (ik dacht daarbij aan bamboe in verregaande staat van ontbinding). En die vraag bleef, de associatie met George Washington Carver–waarom hadden ze niet iets met die doppen gedaan?–elke keer als ik een pinda dopte. Precies zoals ik het verhaal van Booker T. Washington associeerde met het opmaken van bedden.

Maar–ongetwijfeld door de richting die ik met mijn studie was opgegaan–ik had nooit over George Washington Carver gehoord in de 'grote' wereld. Ik had nooit over hem gehoord buiten die lagere school; en ik was gaan geloven, niet dat hij een zwarte fantasiefiguur was, maar dat hij iemand was wiens prestaties overdreven waren door plaatselijke trots, zoals de *Trinidad Guardian* overdreef wat plaatselijke personen deden in de grote wereldsteden.

Ik had George Washington Carver nooit geassociëerd met Booker T. Washington en Tuskegee. En nu waren ze hier allebei, echt, in een prachtige omgeving, met een compleet museum dat naar George Washington Carver was genoemd. In 1941 was het museum geopend; in 1941 was Henry Ford gekomen en had hij die lift aangeboden; en dat was vrijwel zeker het jaar geweest dat ik, op mijn lagere school op Trinidad, toen ik acht of negen was, die angstwekkende film (waarschijnlijk afkomstig van het Amerikaanse consulaat) had gezien, over dat zwarte gezin in die hut en de blanke ruiters buiten.

Alles werd duidelijk toen ik de brochures las van de 'u. s. National Park Service', die het Carver Museum en het huis van Booker T. Washington beheerde als historische gebouwen. Hij was geboren als slaaf, die George, en hij was eigendom geweest van een man die Carver heette. Hij was misschien in 1861 geboren, tijdens de Burgeroorlog; en hij was gekidnapt, samen met zijn moeder, door mensen die slaven kidnapten in de ene staat om ze in een andere weer te verkopen. George was weer afgepakt van de kidnappers en teruggestuurd naar de Carvers; maar Georges moeder was nooit meer gevonden. George had zichzelf ontwikkeld. In 1897 was hij naar Tuskegee gekomen, en daar was hij de rest van zijn leven gebleven.

Naast zijn landbouwonderzoek had hij verschillende soorten klei verzamelt om verf van te maken; hij had geschilderd: hij had geborduurd. Hij had les gegeven op de zondagsschool. Hij had een hoge, vrouwelijke stem. In het museum was een grammofoonplaats waarop men Carver kon horen: hij droeg voor wat zijn favoriete gedichtje was geweest.

Figure it out for yourself, my lad.
You've all that the greatest of men have had:

> Two arms, two hands, two legs, two eyes,
> And a brain to use if you would be wise.

Op foto's bleek hij lang en mager te zijn, met een smal gezicht, knap, ongewoon.

Louis Harlan heeft in zijn biografie van Booker T. Washington slechts weinig te zeggen over Carver, en het weinige dat hij vertelt is niet altijd positief. Hij was twistziek, zegt Harlan; en vol respect voor blanken. Maar misschien kon het wereldbeeld van een niet erg mannelijke man, die als kind gekidnapt was en voor altijd gescheiden van zijn moeder, en die daarna afhankelijk was geworden van een vriendelijke, liefhebbende voormalige eigenaar, alleen maar het wereldbeeld van een slaaf zijn. En misschien was, binnen dat wereldbeeld, Tuskegee voor hem een soort levenslang toevluchtsoord geweest.

Een toevluchtsoord in Alabama–zo was ik na enige tijd gaan denken over Tuskegee in de tijd van de segregatie. Zoveel van de mensen die ik ontmoette hadden het grootste deel van hun leven doorgebracht in Tuskegee. En hoewel dat toeval kan zijn geweest, waren veel van de oude bewoners mensen met een lichte huid, sommigen waren bijna blank, hoffelijke, beschaafde mensen, die vreselijk gekwetst moesten zijn door de vernederingen van de buitenwereld, en die zelfs nu ze oud waren op hun hoede bleven.

Maar de gedachte van een toevluchtsoord–toen ik daarover sprak met betrekking tot George Washington Carver–werd van de hand gewezen door een oude man op de campus. Hij zei dat Booker T. Washington nooit iemand toevlucht had geboden. Toen hij Carver had gevraagd naar Tuskegee te komen, had hij dat, als steeds, gedaan omdat hij de besten wilde hebben voor zijn school.

Geen toevluchtsoord; het woord waaraan deze man de voorkeur gaf was oase.

'Toen ik hier kwam, in de jaren twintig, waren er geen verharde wegen. Dit hele gebied, de "Black Belt", is arm, en Tuskegee was echt een oase voor zwarten. Op allerlei manieren. Bijvoorbeeld de academische sfeer. De campus was mooi, verge-leken met andere. Wij hoefden niet het soort leven te leiden waartoe zwarten veroordeeld waren op het platteland, met na-me in de crisistijd. We hadden stromend water. We hadden eten in de cafetaria. We hadden geborgenheid. Als ik eruit gezet was, de "echte wereld" in had moeten trekken, was het me misschien anders vergaan. Ik was mogelijk agressiever geworden–ik weet niet wat ik gedaan zou hebben.

'Ik heb niet bewust voor geborgenheid gekozen. Zo is mijn le-ven nu eenmaal gelopen. Hoewel deze omgeving inderdaad veel bescherming bood tegen veel van de dingen waaraan je destijds werd blootgesteld–zwarten, bedoel ik. In de buitenwereld ge-noten we niet dezelfde juridische bescherming als blanken. Zo-dra je buiten deze campus kwam, viel je onder al die vernederin-gen. Alles was gesegregeerd.

'We waren ons allemaal bewust van de houding van de blan-ken, en het maakte ons ongelukkig. Het ergste was dat je niet wist wanneer er ooit een eind aan zou komen. Maar het was niet iets waar we op het Instituut bij bleven stilstaan.'

En de oudere man die me rondreed op de campus, om me te laten zien hoe ruim het er was, en om de geleidelijke groei uit te leggen, en me vervolgens rondreed door het bescheiden stadje waar nu alleen zwarten woonden, die man vertelde me dat het in de oude tijd heel onverstandig zou zijn geweest als een zwarte man, zelf in een auto, in de buurt van Lake Tuskegee was blij-ven rondhangen.

Vernedering in de buitenwereld; en op de campus de rechte rug, de militaire correctheid. En toch–en hoezeer moest de irra-tionaliteit de mensen hebben scheefgetrokken!–was het steeds nodig geweest de mensen in de buitenwereld te laten weten dat je niet hoogmoedig was geworden.

Mevrouw Guzman, die in 1923 naar Tuskegee was gekomen en jarenlang voor *The Negro Yearbook* had gewerkt, herinnerde zich dat de oude schoolkapel ook een klein cultureel centrum was geweest voor de stad, met films, concerten, lezingen. 'De blanke mensen uit de stad kwamen erheen. Ze kregen de beste plaatsen in de kapel, op de voorste rijen. Veel studenten en docenten waren daar boos over. Maar dat was de gewoonte. Blanken zaten vooraan, en negers daarachter. Toen er een jongere directeur kwam die daar een eind aan maakte, bleven de blanken weg.'

Maar wat in de jaren twintig en dertig ouderwetse onderdanigheid kon hebben geleken, was gewoon verstandig geweest in de tijd van Booker T. Washington. En misschien was Washingtons wens dat iedereen een vak zou leren, gebaseerd op een intuïtieve wijsheid, een soort zoenoffer voor de mensen in de buitenwereld, die zo gemakkelijk het zwarte Instituut hadden kunnen vermorzelen. Dat had een misverstand over de school in de hand gewerkt onder buitenstaanders (en misschien was dat niet eens zo erg). Sommigen zagen Tuskegee slechts als een ambachtsschool, een industrieschool. (Louis Harlan schrijft dat blanken soms brieven schreven waarin ze om geschoolde bedienden vroegen; één man had 'een volle neger', heel zwart, aangevraagd, om mee te nemen naar Frankrijk; al die brieven waren beantwoord.)

Het Instituut had natuurlijk veel meer geboden. Ideeën over handvaardigheid, anti-industriële ambachten, handenarbeid, à la Ruskin of Tolstoj, waren heel algemeen geweest in de laatste jaren van de negentiende eeuw. Aan Ruskin had Gandhi gedacht toen hij in 1904 in Zuid-Afrika zijn Phoenix Farm begon (in brand gestoken door Afrikaanse relschoppers in 1986). En hoewel deze twee mannen zo sterk verschilden – Washington de Amerikaan met nogal wat minachting voor Afrikanen of Aziaten, Gandhi de Hindoe die op zoek was naar een ideaal en nogal wat minachting voelde voor Afrikanen – vielen hun doelstellingen en methoden in opvallende mate samen: het inscherpen van zelfrespect bij een onderworpen volk via de gedachte van werken en dienen.

En het interessante was dat een aantal van de oude mensen met wie ik sprak in Tuskegee een zekere schoonheid en tevredenheid en menselijke volmaaktheid hadden gevonden in de ambachten die ze hadden geleerd. De oude musicus die als jongen in 1913 naar Tuskegee was gekomen, had het schoenmakersvak geleerd. (Tolstoj lapte soms ook wat schoenen in zijn werkkamer.) De oude man had gezegd: 'Ik kon binnen twintig minuten een paar zolen met de hand aannaaien. Veel mensen weten niet dat ik dat vak heb geleerd. Ze kennen me alleen als musicus.' Louis Rabb, die handelsadministratie op Tuskegee had gestudeerd en vervolgens met beurzen van Tuskegee personeelsadministratie op Columbia en ziekenhuisadministratie op Northwestern had gedaan en later een lange en roemrijke carrière in Tuskegee had gehad, Rabb had vier jaar lang kleermaken geleerd op de middelbare school van Tuskegee toen hij daar als jongen was gekomen, vanuit Mississippi. Zijn vader had dat vak voor hem gekozen, en Rabb vertelde me met een zekere stille trots dat hij nog steeds naaiwerk voor zichzelf deed.

Maar buiten de oase van Tuskegee was de wereld hard. In de bibliotheek stonden in een kast de mappen van Booker T. Washington. In een andere kast stonden drieënzestig kaartenbakken met het etiket LYNCHPARTIJEN.

Ik pakte een paar mappen van Washington uit 1903 en begon nog meer bewondering voor de man te voelen. Zoveel brieven van eenvoudige mensen, soms met potlood geschreven, brieven op vodjes papier, brieven waaruit armoede en hoop bleken–zo keurig bewaard, zo fris, na meer dan tachtig jaar. Ze waren allemaal gelezen en beantwoord, en veel van de doorslagen van de antwoorden droegen de initialen BTW. Ik vond een brief van een schoolmeester op het eiland Jamaica, pagina's lang, in keurig onderwijzershandschrift (kennelijk 'in het net' geschreven); en een andere brief van een zwarte vrouw op het eiland Tobago. Misschien waren die brieven in het archief van Tuskegee nu het enige dat nog restte van die mensen.

Op smalle strookjes roze papier waren geparafeerde paarsblauwe kopieën geplakt van Booker T. Washingtons beroemde aantekeningen voor de staf van Tuskegee, die hij aan zijn secretaris had gedicteerd bij zijn wandelingen over de campus of nadat hij te paard de campus was rondgereden. En dan waren er de meer politieke brieven aan mensen in Washington, over onderwerpen die moeilijk te begrijpen waren voor niet-deskundigen. Een leven heeft zoveel aspecten; zoveel gaat verloren.

Hoe had een man die zo laat en met zo weinig was begonnen,

zich een dergelijke ordelijkheid en zorgvuldigheid eigen gemaakt? Misschien is een van zijn geheimen de afwezigheid van sentimentaliteit. De brieven van eenvoudige zwarte mensen hadden mij ontroerd. Misschien was Booker T. Washington onaandoenlijker geweest. Hij wist dat mensen die nog maar net bevrijd waren uit de slavernij eigenlijk geen idee hadden van een opleiding en deze vaak beschouwden als een methode om lichamelijke arbeid te vermijden. Hij wist dat veel zwarten die nauwelijks konden lezen predikant waren geworden, vanwege het gemakkelijke leventje. Hij had dergelijke mensen vaak belachelijk gemaakt. In *Up from Slavery* had hij zo'n half ontwikkelde zwarte laten zeggen: 'O Heer, de katoen zit zo vol onkruid, het werk is zo zwaar, en de zon is zo heet, dat ik geloof dat dit zwartje geroepen is om te preken.' Heel merkwaardig, zo'n variétégrap uit de mond van de stichter van Tuskegee. Maar het feit dat hij zo'n grap kon maken zonder ooit op te houden te strijden voor zijn idealen, kon deel hebben uitgemaakt van zijn genie en incasseringsvermogen.

En in diezelfde bibliotheek de herinnering aan de achtergrond: de drieënzestig kaartenbakken over lynchpartijen. Ik was bang om ze te bekijken. Ik dacht dat het onofficiële verslagen waren en dat er sprake zou zijn van allerlei afschuwelijke dingen. Ik was opgelucht, toen ik een van de laden doorkeek, dat de verslagen voornamelijk bestonden uit kranteknipsels.

Deze vorm van vijandigheid was vanaf het eenvoudige begin de bestaansreden voor Tuskegee geweest. En hoewel die vijandigheid enkele van de fantasievolle plannen van het Instituut had verijdeld, plannen voor landbouwonderwijs onder zwarte boeren bijvoorbeeld, toch was daardoor de groei van het Instituut gestimuleerd, zelfs nog na de dood van Booker T. Washington. Segregatie en vijandigheid, waardoor de noden van de zwarten bepaald waren, hadden ook geholpen om de doelstellingen van het Instituut te bepalen, en hadden de groei van het Instituut een inwendige logica gegeven.

Toen de segregatie verdween, was er niets om tegen op te roeien; de functie van het Instituut moest wel veranderen. Toen zwarten dienst mochten nemen bij de luchtmacht, was het niet meer nodig dat ze leerden vliegen op Tuskegee. Toen zwarten konden worden toegelaten tot het ziekenhuis in Montgomery, een van de beste in de Verenigde Staten, was het ziekenhuis van Tuskegee niet meer zo nodig.

De stad–waar zwarte studenten eens hun Tuskegee-uniform hadden gedragen als een soort bescherming–was nu veilig: toen de zwarten stemrecht hadden gekregen, waren de blanken van Tuskegee weggetrokken. Er was dus een zekere overwinning behaald. Maar de stad die ze hadden overgenomen, was klein en armoedig, arm als de zwarten, niet te vergelijken met het geld en de levendigheid van het blanke universiteitsstadje Auburn, slechts dertig kilometer verderop. En Tuskegee Institute, nu Tuskegee University, waarvan men kon zeggen dat het had bijgedragen tot die plaatselijke overwinning, was bezig in verval te raken.

De snel wisselende indrukken die ik had gekregen op het moment van aankomst–de grootsheid, de retoriek, het verval– waren gebleven en nog versterkt. President Reagan had de universiteit niet lang daarvoor bezocht voor de opening van een nieuw gebouw voor ruimtevaartonderzoek en gezondheidsonderwijs, ter waarde van achttien miljoen dollar, genoemd naar generaal Daniel James, de eerste zwarte vier-sterren-generaal van de luchtmacht, die in 1950 was afgestudeerd in Tuskegee. De wegen van de campus waar de president langs zou komen, waren voor die gelegenheid geasfalteerd. Maar elders waren de wegen niet zo goed; en de kapotte glazen bollen van de elektrische lantaarns op andere gedeelten van de campus waren kapot gebleven. En niemand met wie ik heb gesproken (al heb ik met geen enkel officieel persoon gesproken) kon mij verzekeren dat de universiteit zich een faculteit kon veroorloven voor dat schitterende ruimtevaartgebouw.

Verval was al deprimerend voor mij, een bezoeker, iemand op doorreis. Het was geen onderwerp dat ik volgens mij ter sprake kon brengen bij oudere mensen die hun hele leven aan Tuskegee hadden gewijd, zoveel terug hadden gekregen en voor wie de geest van dienen en zelfhulp van Booker T. Washington zoveel had betekend. En het onderwerp kwam niet ter sprake.

Waren er tennisbanen? Ja, die waren er; vlak achter de bibliotheek. Maar het gras schoot omhoog door het asfalt van twee
(of drie) van de banen. De bezoeker kreeg een soort zwijgen opgelegd, zoals in een privé-woning; bepaalde dingen hoorde je
niet te zien.

Het onderwerp van het verval was beter bespreekbaar waar
de mensen zich veiliger voelden, in de faculteit diergeneeskunde
bijvoorbeeld, die een van de beste van het land heette te zijn en
zich gedroeg alsof dat zo was. Een dergelijke faculteit, die met
succes lobbyde voor federale subsidies (men had zojuist zes miljoen dollar ontvangen voor een nieuw project), kon overleven op
grond van de eigen voortreffelijkheid. Maar voor andere faculteiten was het niet zo gemakkelijk. Nu goede zwarte studenten
en docenten in trek waren bij universiteiten in het hele land, kon
Tuskegee geen speciale rechten meer doen gelden op overheids-
of particuliere fondsen. De filantropische miljonairs uit het
Noorden, die Booker T. Washington had weten te charmeren,
bestonden niet meer; op die manier werden de dingen niet meer
gedaan.

Maar er waren mensen die dachten dat Tuskegee nog een bijzondere zaak diende. Zwarte studenten behaalden niet zulke
goede resultaten als anderen bij de gestandaardiseerde toela-
tingsexamens voor de universiteiten. Tuskegee was altijd bereid
geweest dergelijke studenten op te nemen, en gebleken was dat
het dergelijke mensen kon opleiden voor de wereld van de arbeid. Een gepensioneerde bestuurder zei: 'Tuskegee is bereid
een student te accepteren zoals hij is, in academisch en sociaal
opzicht, en zal zo'n student door geïndividualiseerde aandacht
in vier tot vijf jaar tot zijn volledige vermogens brengen.'

Er was een andere, en misschien belangrijker reden waarom
sommige mensen vonden dat Tuskegee nog nodig was. Tuskegee was nog steeds een zwarte universiteit en kon een 'zwarte ervaring' bieden: en door de desegregatie leken steeds meer zwarte
mensen het gevoel te hebben dat ze die nodig hadden.

In Florida had Crockett, het hoofd van de Paroolcommissie,
me verteld dat hij het gevoel had gehad dat hij zijn zoon uit een
te blanke omgeving had moeten weghalen; hij had de jongen

eerst naar een zwarte middelbare school en vervolgens naar Tuskegee gestuurd. En nu hoorde ik van een knappe vrouw van drieëntwintig, afkomstig uit een verre staat waar weinig zwarten waren, en die het op elke universiteit goed zou hebben gedaan, waarom zij naar Tuskegee was gekomen.

'De scholen waarop ik vroeger ben geweest, waren volledig blank. Ze concentreren zich niet op jou als zwarte. Ze geven je iets van je eigen geschiedenis, maar niet veel. Daar probeer je alleen maar hard te werken, en je denkt: "Als ik net zo kan zijn als zij, dan zou alles in orde zijn." Je verliest jezelf een beetje. Je bent er niet echt zeker van wie je bent.'

'Wat was je allereerste indruk toen je hier kwam?'

'De allereerste? "Wegwezen." Ik kwam uit een mooie stad, een grote stad, alle voorzieningen, winkels, winkelcentra. En dan hier, als je die zandweggetjes ziet – het zijn geen echte *zand*weggetjes, maar soms zijn er niet eens trottoirs. Thuis was ik gewend vaak naar het centrum te gaan, uit te gaan. Hier was geen regelmatige busverbinding. Toen ik hier kwam, drong het tot me door: "Hier valt niets te beleven. O God. Ik zit hier in de val, en er valt niets te beleven. En het is zo heet en vochtig." Ik vind de mensen hier echte *plattelanders*. Zo gesloten. Ze zijn vriendelijk, maar ze hebben hun aparte boerengewoonten.'

En de accommodatie was niet ideaal. 'Sommige huizen zijn gevaarlijk. Er zijn dingen die gerepareerd moeten worden, deuren die gerepareerd moeten worden. Er zijn lichtknopjes die ondersteboven zitten. Ik heb het gevoel dat de mensen die het onderhoud op de campus doen, ik denk dat die niet trots zijn op hun werk. Ik merk die dingen op omdat ik ergens anders vandaan kom, uit een mooie stad, waar ze de dingen netjes doen, en goed.'

Maar kennelijk was er een reden waarom ze toch was gebleven. 'Het is míjn idee geweest hierheen te komen. Mijn moeder wilde niet dat ik van huis ging. Ik wilde in een geheel zwart stadje wonen, om niet tot een minderheid te behoren, maar tot een meerderheid. En dat is een van de dingen die ik hier wél goed vind. Soms, in die andere stad, ga je ergens naar binnen en dan ben je de enige zwarte. Maar als je hier een winkel binnenstapt, dan is de eigenaar of de manager zwart, de arbeiders zijn zwart, en dat helpt je bij het gevoel dat je je eigen doel kunt nastreven en bereiken.

'Hier concurreer je tegen je eigen mensen. En ze kunnen het je moeilijk maken omdat zij zich inspannen en jij je ook inspant. Thuis was ik een leerling die zessen en zevens haalde, hier haal ik achten en negens, ik voel me aangemoedigd als ik andere mensen dingen zie bereiken. En hier gebeurt dat. Ik ben nu klaar om van hier te vertrekken. Ik zou waarschijnlijk het liefst naar een ander zwart *college* willen gaan, misschien in Atlanta, maar het hóeft geen zwart *college* meer te zijn. Tuskegee heeft zijn nut gehad.'

Dat was een versie – honderd jaar later – van de gedachte van Booker T. Washington. Voor deze jonge vrouw (en er waren er meer als zij) bestond de gedachte van Tuskegee nog. Toch zei ze dat ze bijna niets van Booker T. Washington had afgeweten voordat ze naar Tuskegee kwam. Ze had alleen geweten dat hij een zwarte was die lang geleden iets beroemds had gedaan. Een maand na haar komst had ze *Up from Slavery* gelezen. 'De docenten hier moedigen je aan de geschiedenis van de school te onderzoeken, en dat ga je waarderen.'

Tuskegee draaide nog steeds goed. Het had een toegewijde gemeenschap, en het had nog een hart. De financiële problemen waren de problemen van zwarte scholen in het algemeen; en Tuskegee was er beter aan toe dan andere instellingen. De uitwendige toestand was veel beter dan die van Fisk University in Nashville, Tennessee, waar de campus hier en daar uit puinhopen leek te bestaan. Daar hadden ze ook zo'n melancholiek bronzen beeld, in Fisk, dat bedoeld was als bezegeling van de glorie, maar nu slechts leek te waken over de ruïnes. Dat beeld was het beeld van W.E.B. DuBois, de rivaal en criticus van Booker T. Washington.

DuBois had de nadruk die Tuskegee op ambachtelijke vorming legde, verkeerd gevonden; en volgens hem kon Washingtons ogenschijnlijke berusting in segregatie en zwarte ontrechting alleen maar leiden tot nog meer vernedering. Maar was er een alternatief? En kon men niet beweren dat de grote prestatie van Booker T. Washington, de grote dienst die hij de zwarten van die tijd had bewezen, zijn grote roem was geweest en het feit dat hij zo bewonderd werd? Je kunt boeken en documenten lezen; maar het is niet gemakkelijk om in je verbeelding terug te keren naar die bittere tijd en aan te voelen hoe zwaar het dagelijks leven drukte op de zwarten.

De onenigheid of het debat tussen beide mannen, DuBois en Washington, beiden mulatten, is beroemd. Men kan de indruk krijgen dat DuBois dichter bij de moderne gevoelens staat. Zijn bekendste boek echter, *The Souls of Black Folk* (1903), een verzameling essays en artikelen, is ietwat mysterieus. Alleen al de titel van het boek is vreemd, capricieus zelfs. De lyrische, mystieke toon (die vermengd is met sociale en economische gegevens en soms wat romantische fictie) doet denken aan sommige essays van Richard Jefferies, een Engelse schrijver over het platteland uit de late negentiende eeuw. (De lyrische DuBois klinkt als volgt: 'Ik heb een land gezien, heel vrolijk in de zon, waar kinderen zingen en golvende heuvels liggen als hartstochtelijke vrouwen, weelderig van de oogst. En daar op de King's Highway zat en zit een gestalte, gesluierd en gebogen...')

Ik heb zelfs de indruk dat DuBois geprobeerd kan hebben voor zwarten in het Zuiden te doen wat Jefferies had gedaan voor boerenmensen in Zuid-Engeland. Bij beide schrijvers vindt men een onzekerheid over hun relatie tot de mensen over wie ze schrijven. Ondanks zinspelingen van Jefferies dat hij sociaal onberispelijk is, was hij de zoon van een kleine boer, een boerenknecht bijna; en DuBois was een mulat. Het voorbeeld van Jefferies zou een verklaring kunnen zijn voor de manier waarop DuBois soms ontwijkend formuleert en te mooie woorden gebruikt (bij voorbeeld de poëtische vergelijking van 'de sluier' voor de segregatie). Waar Booker T. Washington een grap over een zwartje maakt, vraagt DuBois zich af: 'Wat heeft de slavernij betekend voor de Afrikaanse wilden?'

Maar dwars door de gemaniëreerdheid van DuBois en de manhaftigheid van Booker T. Washington heen kunnen wij het werkelijke leven van de negers van die tijd zien, evenals de problemen die beide mannen moeten hebben gehad bij het beantwoorden van de vraag wie zij zelf waren en bij het handhaven van hun eigen waardigheid tegen een dergelijke abjecte achtergrond. Als om dat probleem op te lossen lijkt het boek van Du-Bois lyrisch omwille van de lyriek. Men kan de indruk krijgen dat het boek zwarten en vervallen plantages gebruikt als poëtische kenmerken. Het gaat over tranen en woede; het biedt geen program.

In dit begin van DuBois was ook zijn einde vervat. Hij heeft heel lang geleefd en tegen het eind van zijn leven – bij wijze van confrontatie van irrationaliteit met irrationaliteit – heeft hij de Verenigde Staten verlaten om te gaan wonen in West-Afrika, in Ghana, een voormalige Britse kolonie die na de onafhankelijkheid spoedig tot Afrikaans despotisme verviel en snel zou terugkeren tot oerwoud en armoede, en arbeidskrachten zou exporteren naar de buurlanden.

In het begin van deze eeuw had Booker T. Washington in *Up from Slavery*, op zijn laat-Victoriaanse manier van man van de wereld, gewaarschuwd tegen een dergelijke sentimentaliteit aangaande Afrika.

'In het Engelse Lagerhuis, dat we verscheidene malen hebben bezocht, ontmoetten we sir Henry M. Stanley. Ik heb met hem gepraat over Afrika en de relatie van dat werelddeel met de Amerikaanse neger, en na mijn gesprek met hem was ik er meer dan ooit van overtuigd dat de Amerikaanse neger nooit zijn situatie zou kunnen verbeteren door naar Afrika te emigreren.'

Op deze reis heb ik *Up from Slavery* twee keer gelezen. De tweede keer, toen ik bijna vier maanden in het Zuiden was geweest, merkte ik dat het boek voor mij veranderd was. Het werd meer dan het sprookje over de opkomst van een achtergestelde man. Ik begon het te zien als een boek in een pijnlijk nauwkeurige code, dat afzonderlijke signalen, zelfs binnen één alinea, geeft aan Noorderlingen, Zuiderlingen en zwarten.

Ik begon het boek tevens te zien als het werk van een man die voortdurend bezig was geweest geld voor zijn school bijeen te brengen. Dat had ik altijd al moeten zien, maar ik had het niet gezien; dat was terzijde geschoven door de kracht van het verhaal. Onder die primaire aantrekkingskracht lagen andere zaken verborgen: de man van de wereld die goed geïnformeerd een beroep doet op de zeer rijken ter wille van de straatarmen; die zich presenteerde als eerzaam en waardig en manmoedig en ontwikkeld; en die toch tegelijkertijd zorgvuldig het tegendeel deed en duidelijk maakte dat hij zijn plaats wist als zwarte.

Daarom praat hij zo vol vertrouwen, als een welgesteld burger uit het eind van de negentiende eeuw, over 'de beste mensen' en de 'ondeugden' van 'de lagere klassen'. Maar hij geneert zich dood wanneer op een treinreis van Augusta naar Atlanta in Georgia, in een Pullmanwagon 'vol blanken uit het Zuiden', twee dames uit Boston, 'die naar het schijnt niet op de hoogte waren van de zeden in het Zuiden', erop staan hem uit te nodigen voor het diner. De maaltijd komt hem erg lang voor. Zodra hij kan, vlucht hij voor de dames naar de rookwagon, waar de mannen nu zijn, 'om te zien hoe de stemming was'. Het is in orde; de mannen weten wie hij is en willen zichzelf maar al te graag aan hem voorstellen.

In Engeland krijgt hij grote waardering voor de aristocratie en de tijd en het geld die deze aan liefdadigheid besteedt. Hij is onder de indruk van de onderdanige bedienden, die bereid zijn hun hele leven bediende te blijven en, anders dan Amerikaanse bedienden, zonder enige moeite de woorden 'meester' en 'meesteres' bezigen. In die dubbelzinnige opmerking kan men een troostende boodschap vinden, zowel voor zwarten als voor blanke Zuiderlingen. Hij raakt bevriend, zegt hij, met de hertogin van Sutherland. Zij is een beroemde schoonheid. Maar het zou onbescheiden zijn als hij als zwarte rechtstreeks iets dergelijks zou zeggen. Hij schrijft: 'Ik wil daaraan toevoegen dat ik geloof dat men van de hertogin van Sutherland beweert dat zij de mooiste vrouw van Engeland is.'

Zoveel valstrikken; zoveel mensen om naar de mond te praten; zoveel tegenstellingen om op te heffen; zoveel mogelijkheden tot ondergang. De prestatie is groot geweest. Maar tot welke prijs. Hij is op negenenvijftigjarige leeftijd gestorven.

In westelijke richting, langs de weg naar Mississippi, lagen slonzige kleine nederzettingen, als een voortzetting van de armoede van het stadje Tuskegee. Ik bracht de nacht door op een houtplantage aan de grens. Hier heerste nog een verlatenheid als in de dagen voor de eerste kolonisten zich hier vestigden: cipressen, half ontdaan van hun blad, met kale knieën die uit het modderige water oprezen als een soort gebocheld waterdier; van plaats veranderende moerassen, met bosafval langs de randen; zware, vochtige hitte. Het land was niet oud. In Tuskegee hadden zich pas in 1830 mensen gevestigd.

Twee maanden later reed ik opnieuw Alabama binnen, maar toen vanuit het noorden, vanuit Nashville, Tennessee, vanuit de heuvels naar het vlakke land rondom Huntsville. Huntsville was de plaats waar ruimteonderzoek en de industrieën die daardoor waren aangetrokken een compleet nieuw landschap in het Zuiden hadden geschapen: brede boulevards, lage, vlakke fabrieken, ruime parken uitsluitend om het oog te plezieren. Huntsville lag ook in de buurt van de plaats waar, in 1873, de eerste 'State Normal and Industrial School for Negroes' in Alabama was gesticht. Dat verleden was opgeslokt–hoewel er nog steeds katoen groeide, tot aan de rand van de nieuwe industriestad.

Vanuit het NASA-museum–vol bezoekers uit Azië, Indiërs, Chinezen ('gekomen om te kijken waar ze van plan zijn te gaan werken,' zoals een zakenman uit het Zuiden tegen me zei)–leek Tuskegee tot een ander tijdperk te behoren, te bestaan in een melancholieke kronkel in de tijd. Dat zette je aan het denken over de gevangenissen voor de geest die mensen voor zichzelf en anderen bouwen–zo overweldigend, zozeer deel van de wijze waarop de dingen schijnen te moeten zijn, en dan, opeens, na een kleine verschuiving, zo onwezenlijk.

5 Jackson, Mississippi
Het pioniersgebied, het binnenland

Zelfs in Alabama–waarvan de herhaalde klinker lijkt op een nabootsing van 'ma mama' of 'ma mammie' en (door al die liedjes) doet denken aan banjo's en zwarte mannen en plantages–zelfs in Alabama bleek Mississippi berucht te zijn om de armoede en de wreedheid jegens de zwarten.

Maar de zwarte (eigenlijk bruine) apotheker in Tuskegee had me ook verteld dat mijn astma zou afnemen naarmate ik verder naar het Westen reisde. En inderdaad, na de hitte en de hoge vochtigheidsgraad van Tallahassee (voor mij nog verergerd door de glazen toren waar ik had gelogeerd, en waar de westzijde vanaf de vroege middag hitte had uitgestraald), en na de benauwde hete lucht van de bovengang in Dorothy Hall in Tuskegee (waar ik soms, nadat ik de trap had beklommen, voelde hoe de hitte in mijn keel stokte en ik geen adem kreeg tot ik de betrekkelijke koelte van mijn kamer bereikte), begon ik op te leven in de gekoelde lucht van het Ramada Renaissance-hotel in Jackson, Mississippi.

Het airconditioningsysteem was geluidloos; het getinte glas van mijn raam hield zowel de zonnestraling als het verkeerslawaai tegen. Overal in het rond waren grote verkeerswegen. Aan de oostkant was de stad groen en verborgen bomen de meer welvarende woonwijken. In het noordoosten was een groot nieuw winkelcentrum. Aangenaam uitzicht: niet bepaald de armoede die ik had gevreesd. En ik was de stad dankbaar omdat ik als bij toverslag bevrijd was van die beklemming op mijn borst.

Maar Jackson had natuurlijk nog een andere kant; en wel daar, midden in het centrum. En op zondagmiddag was dat heel duidelijk zichtbaar, in de straten zonder de verkeersdrukte van door de week. De binnenstad was zwart. Er waren straten bestaande uit 'schietgeweer'-huizen. Het was de eerste keer dat ik die treffende benaming hoorde: smalle houten huizen (als stacaravans of ouderwetse treinwagons), waar de voorkamer overliep in de achterkamer en met de voor- en de achterdeur op één lijn. Op zondagmiddag waren de mensen buiten op straat, zodat de indruk van drukte en achterbuurt en zwarte huid direct was: alsof buiten leven, leven buiten de huizen, een aspect van armoede was.

Op de hoek van een straat, op een open terrein, in de hete middagzon, werd een gebedsbijeenkomst gehouden. Publiek was er niet. Iedereen was er artiest. De vrouwen waren op hun zondags gekleed, en de mannen droegen kostuums met dassen, behalve de pastor, die een witte toga droeg. Dit was de 'West Jackson Crusade' van de 'St. Paul Church of God in Christ'. Het was een gelegenheid om muziek te maken en te dansen. Veel van de mensen in die kleurig geklede groep zouden de kans krijgen om de preekstoel te beklimmen of de microfoon vast te grijpen en te zingen.

De liederen leken variaties op één tekst te zijn.

'What would I do without Jesus?'

Dat was alles wat een man van middelbare leeftijd in een bruin pak aan het zingen was, leunend op de preekstoel en vol vertrouwen over de microfoon gebogen, alsof hij een groot gehoor had, in plaats van helemaal niemand (behalve de mensen in onze auto). Wat zou die man doen voor zijn boterham? Wat zou zijn eigenlijke–of zijn andere–beroep zijn?

De koorleidster was een omvangrijke vrouw in een witte japon. Ze stond een eindje voor het koor. Ze onderscheidde zich van hen door het eenvoudige wit van haar japon, door haar omvang en door haar stem. Toen zij de microfoon in handen kreeg, ging ze niet naar de preekstoel. Ze nam de microfoon mee aan het snoer en zong vanaf de plaats waar ze stond:

'Don't let nobody turn you round!'

Dat was haar tekst, en de variaties leken vanzelf te komen.

'Don't let –
Don't let nobody –
Don't let nobody turn you round!'

En de groep danste. Onder de dansenden waren drie kleine jongens. Eén van hen stond vooraan. Hij was klein, misschien vijf of zes, en hij droeg een lange broek. De twee andere jongens waren groter; zij dansten achteraan; en de dans – al die ingewikkelde en vernuftige dingen die ze met hun benen deden – leek hen bij vlagen te overvallen. Het ene moment waren ze als kinderen bij een plechtigheid voor grote mensen, onverschillig en ver weg. En dan plotseling leken ze bezeten. De dans golfde door hen heen. En even plotseling kwamen ze dan weer aan het eind van hun dans, terwijl het zingen doorging, halverwege een regel uit het lied van de vrouw in het wit; en dan keerden ze terug naar wat ze daarvoor hadden gedaan, hun ogenschijnlijk kinderlijke bezigheden. De pastor in zijn lange witte toga danste terwijl de vrouw zong, en doordat hij op zijn plaats stond te dansen, zorgden de bewegingen van zijn gewaad voor een eigen ritme.

Zij waren niet de enige religieuze groep die die middag actief was in West-Jackson. De bus van een andere groep kwam langs, een witgeverfde bus met dunne rode strepen. En nadat die bus voorbij was zag ik, een paar huizen voorbij de dansende, evangeliserende groep, een andere jongen dansen, ditmaal met een zwarte straathond, waarbij de jongen de voorpoten van de hond vasthield.

Toen ze klaar was met zingen stak de jonge vrouw in het wit de straat over naar onze auto. Op het bovenste deel van haar voorhoofd stonden zweetdruppels van het dansen in de middaghitte – die hier nog verhevigd werd doordat ze weerkaatste van straten en gebouwen. Ze vroeg met een stem als honing of we getuige waren van de dienst, en ze gaf ons een traktaatje.

In het traktaatje stond een foto van de pastor, niet in zijn witte toga en met zijn kruis, niet in een pose die deed denken aan het ritme van zijn eigen dans, maar met colbert en das, bestudeerd, voorbij de fotograaf kijkend. Hij was ouderling Jesse Kelly. Behalve pastor van zijn kerk was hij 'oprichter van de "West Jackson Crusade", plaatselijk omroeper voor WOAD, afgestudeerd aan JSU' en werkte hij nu 'aan een doctoraal theologie aan Wesley Biblical Seminary'. Misschien zat er een verhaal – zoals dat van Danny of van dominee Clausell in Tallahassee – achter deze religieuze roeping, die (volgens het traktaatje dat de vrouw in het wit had overhandigd) een zondagsschool inhield, het predikambt in een nachtclub, bij de radio, op straat en in tenten.

De muziek en het zingen boeiden ons; het dansen boeide ons; we konden ons verbazen over die religieuze toewijding. Maar we konden slechts getuige zijn; we konden niet meedoen. En de toenadering door de vrouw in het wit bracht ons zelfs op de gedachte door te rijden.

Opzij van mijn grootmoeders huis in het binnenland van Trinidad was een hoge poort van golfijzer in een houten omlijsting. Dat was de hoofdingang van huis en erf. Een van mijn eerste denkbeelden – ik was toen zes of zeven – was dat er twee werelden waren: de wereld binnen, de wereld buiten. Als je die poort uitging, kwam je in een wereld die totaal anders was dan die in het huis; als je die poort binnenging aan het eind van de schooldag, zette je de gedachten van de buitenwereld van je af. Iedereen leeft met dergelijke denkbeelden; iedereen heeft verschillende manieren waarop hij zich gedraagt. Maar in een raciaal gemengde maatschappij, vooral wanneer het ras een belangrijke rol speelt, hebben die verschillende werelden raciale attributen of ondertonen. Onderscheidingen en verschillen kunnen de kracht van taboes krijgen – dingen die worden aangevoeld, en niet zozeer bewust uitgewerkt. In een dergelijke maatschappij is deelnemen iets anders dan getuige zijn; die dingen doen een beroep op verschillende kanten van de persoonlijkheid. En met een zekere – oude – opluchting maakte ik een eind aan mijn plezier in het zingen en dansen van de 'West Jackson Crusade' en keerde ik terug naar de stille heilzaamheid van de airconditioning in mijn kamer van het Ramada Renaissance-hotel in het noorden van de stad.

Ik wilde in Mississippi de dingen bezien vanuit een blank stand-punt, voor zover dat mogelijk was voor mij. Iemand in New York had me verteld dat dat niet eenvoudig zou zijn. Maar in Mississippi constateerde ik dat de mensen defensief waren als het om hun reputatie ging. Dat leek voor mij een begin te vor-men. Maar later was ik daar niet meer zo zeker van.

Bijvoorbeeld: hoe snel leek ik de limiet van Ellens denkbeel-den en herinneringen te bereiken! Ze was zestig, van goede fa-milie. Ze had liberale opvattingen; en het leek moeilijk voor haar verder te gaan dan een uitspraak over die opvattingen.

Ze zei: 'Ik heb het gevoel dat we in Mississippi een revolutie hebben meegemaakt sinds de jaren zestig. Het was hier net alsof er twee afzonderlijke maatschappijen bestonden. Zwarten heb-ben nu veel betere banen dan vroeger. Vroeger moest iedereen huishoudelijk werk doen–ik heb het nu over de vrouwen–, en nu werken ze bij McDonald's of op een bank of in een winkel.'

En daar bleef het enige tijd bij. Ellen scheen–misschien om-dat ik niet fel genoeg was, of omdat ik nog niet geleerd had te praten met mensen in Mississippi–niet meer te willen zeggen dan dat. Ik borg zelfs mijn notitieboekje op. Ze was zachtmoe-dig, hartelijk, wilde graag praten. Maar ik kon geen vragen be-denken om aan haar te stellen. Haar optimisme, haar denkbeel-den over vooruitgang en verandering, strekten zich uit tot vrij-wel alles wat ik kon bedenken. Tenslotte kwamen we te spreken over haar kindertijd. En toen haalde ik mijn notitieboekje weer te voorschijn.

'Ik ben opgegroeid in de crisistijd. Maar dat vond ik niet erg. Iedereen was arm. Ik vond het niet erg omdat ik veel ooms en tantes en neven en nichtjes had en zo–een groot aantal bloedver-wanten–al wist ik niet dat dat zo heette. Ze hielden van me en hadden tijd voor me. Ik ging 's zomers bij hen logeren. Ze had-den altijd tijd voor je en maakte je lievelingsgerechten klaar. Ze maakten zelfs jurken voor me.'

Die gedachte van een kleine gemeenschap, waar iedereen ie-dereen kende en de mensen familie van elkaar waren–ik had ontdekt dat dat voor veel mensen deel uitmaakte van de schoon-heid van het verleden.

Ik vroeg aan Ellen: 'Waar woonden die ooms en tantes?'

'Ze woonden in het meest conservatieve stadje van Mississippi.'

Heerlijke zomers in een conservatief stadje. Wat lag er buiten de familiegroep? Wat had Ellen als kind ten aanzien van de 'rednecks', de conservatieve blanke arbeiders, gevoeld? Bestond er echt zo iets als de 'mentaliteit van de redneck'?

Die bestond. Ze liet het zien. 'Laat me met rust.' Ze maakte een boksersgebaar met haar slanke armen. 'Een vechtersmentaliteit.' Maar zij was daartegen beschermd geweest. 'Ik had een tante die me veel voorlas. Ze had veel boeken. Ze was directrice van het postkantoor. Ze moedigde me aan mijn beste beentje voor te zetten. Ik neem aan dat het snobistisch klinkt, maar ze zei bijvoorbeeld: "Lieve Ellen, er zijn bepaalde dingen die wij nu eenmaal niet doen." Er waren bepaalde *mensen* met wie wij nu eenmaal niet omgingen.'

Ze keerde terug naar de liefde die ze in haar kindertijd had ervaren, die liefde die haar voor een deel had gemaakt tot wat ze was. 'Dat heeft me geholpen een positief beeld van mijzelf te krijgen – al praatten we daar destijds niet zo over. Ik denk dat de mensen hier nog littekens hebben van de crisis. Ik had de indruk dat het hier heel erg was. Er was totaal geen werk. Mijn zuster was ouder dan ik en zij heeft er meer onder geleden dan ik, maar dat kwam doordat ze oorspronkelijk meer had gehad. Er waren dingen die zij was kwijtgeraakt. Ik ben gewoon arm opgegroeid.

'Ik begon meer trots te voelen dat ik uit het Zuiden kwam toen ik wegtrok uit het Zuiden. Mijn man heeft in het Oosten gestudeerd, terwijl ik werkte. Dat was na de Tweede Wereldoorlog. In die tijd hadden we een politicus, een senator, die Bilbo heette. Bilbo was een racist, en hij pleitte ervoor alle zwarten naar Afrika terug te sturen bij wijze van oplossing van het probleem; en hij werd geweldig bewonderd door de bevolking van Mississippi, geloof ik. Maar hij werd geweldig gehaat door de mensen met wie ik samenwerkte in Massachusetts. Ik werkte voor een groep psychologen. Ze deden onderzoek naar groepsdynamica – vooroordelen en dergelijke.

'Dat was de tijd dat ik begon te zoeken naar positieve dingen over het Zuiden en Mississippi. Ik dacht na over de mensen. En ik dacht over de ontberingen die we hadden doorgemaakt – en je kunt niet verwachten dat mensen zich volmaakt gedragen als je bedenkt wat ze allemaal hebben doorgemaakt. De mensen in Massachusetts – in 1946 –, die deden soms zogenaamd verbaasd dat iemand uit Mississippi kon lezen en schrijven en dat we "schoenen aan hadden". Dat komt soms nóg voor. De mensen hebben een bijzonder slechte indruk van Mississippi. Maar er komt verandering in.'

'Komt dat door de literatuur?'

'De literatuur is gegroeid uit het vuil en uit die voorliefde voor praten, praten.'

En over haar tijd in Massachusetts zei Ellen nog: 'De mensen met wie ik samenwerkte, die wilden weten of ik echt het volgende wilde doen: er kwam een zwarte man op bezoek, en raad eens wie ze aanwezen om hem rond te leiden? Goed, ik heb hem alles laten zien. Hij was een schat van een man. Ik heb veel van hem geleerd. Ik geloof dat ze verrast waren. Ze hebben het nooit met zoveel woorden gezegd. Ik heb ze nooit de kans gegeven. Ziet u nu van hoe ver we zijn gekomen?'

Maar Mississippi had nog steeds de reputatie van geweld.

'De "rednecks" ten zuiden van de stad, die waren echt vreselijk. Die hadden die reputatie. Die vochten altijd. Er deden verhalen over hen de ronde. Bijvoorbeeld als er een handelsreiziger langskwam, dan spanden ze hem voor de ploeg en lieten ze hem de hele nacht ploegen. Ik weet niet of dat waar was of een bedenksel. Ze bedronken zich op zaterdagavond en dan vochten ze met elkaar en vermoordden ze elkaar. Dat is eigenlijk het akeligste deel van Mississippi. Het heeft gewoon een slechte naam. Maar uit die groep zijn een paar prachtige, voortreffelijke burgers voortgekomen, onder andere een paar grote predikanten. Dat bewijst toch dat er hoop is, nietwaar?'

En dan was er het rassenvraagstuk, dat je nooit mocht vergeten in Mississippi en het Zuiden.

'Ik speelde met mijn neefjes en nichtjes, en we speelden ook met zwarte kinderen. Dat waren de kinderen van de bedienden, de wasvrouwen en zo. Daarom denk ik dat Zuiderlingen meer begrip hebben voor zwarten dan Noorderlingen. We noemden hen negers–zwarte is een nieuw woord. Ik ben eraan gewend geraakt. Bij mij thuis zeiden we nooit "nikker".' Ik had Ellen niet naar die woorden gevraagd of zelfs mijn wenkbrauwen opgetrokken; wat ze zei kwam vanzelf. 'Mijn familie noemde die mensen ook geen nikkers. Ik denk dat ze daar gewoon te beschaafd voor waren. Ook al woonden ze op het platteland.'

Voor de derde of vierde of vijfde keer zei Ellen: 'Ik ben opgegroeid in een liefhebbende omgeving.'

Ze herinnerde zich iets; ze had zichzelf onderbroken om te zeggen dat ons gesprek haar dingen te binnen bracht, haar aan dingen van vroeger deed denken.

'Mijn papa hield van vissen. Hij nam me mee uit vissen. Ik denk dat ik daardoor niet zulke strenge opvattingen heb'–en ze bedoelde raciale opvattingen–'als andere mensen.' Ze onderbrak zichzelf opnieuw en glimlachte. 'Mijn zomers op het platteland zijn belangrijk, nietwaar?'

'Hoeveel zomers?'

'Zoiets als de eerste twaalf jaar van mijn leven. Ik weet dat ik andere gevoelens heb dan sommige andere mensen, maar ik weet niet precies waarom.'

'Om religieuze redenen?'

'Ik denk inderdaad dat mijn godsdienst verschil maakt, en het gevoel dat we allemaal naar Gods beeld en gelijkenis zijn geschapen. Waarschijnlijk niet toen ik een kind was. Ik wist toen nog niet genoeg om zo te kunnen denken.' En toen zei ze: 'En dan die verhalen over mensen die akelige dingen deden.'

Akelige dingen, in een liefhebbende kindertijd?

Ellens geheugen begon te werken; losse stukjes uit het verleden pasten in elkaar–ze had al gezegd dat dat gebeurde onder het praten, bij het antwoorden op vragen die haar nooit eerder waren gesteld. Ze zei: 'Mijn moeder vertelde me hoe ze haar dienstmeisje had verborgen voor de Ku Klux Klan. Zo zie je maar weer hoe we vooruit zijn gegaan. Mijn moeder had een dienstmeisje. Ze heette Mollie Wheeler, geloof ik. En de Ku Klux Klan wilde haar te pakken nemen. Waarom, dat weet ik niet. Mijn moeder praatte er niet al te vaak over. Ik denk dat de Klan het dienstmeisje om de een of andere reden wilde aftuigen en wegsturen. Mijn moeder zei dat ze haar had verborgen in een wasmand bij haar thuis om haar te beschermen. Natuurlijk kwamen ze niet bij mijn moeder binnen. Dat is eigenlijk nog vóór mijn geboorte gebeurd. De Klan, dat waren waarschijnlijk jongemannen, mensen met een goede naam in het stadje.'

'Maakte dat je niet erg angstig?'

'Ik geloof niet dat het me angstig maakte. Ik kreeg daardoor een grote hekel aan dingen als de Klan.' Ze voegde eraan toe: 'De "rednecks"–dat verhaal dat ik vertelde, dat is waarschijnlijk vóór mijn geboorte gebeurd.'

En ik begreep wat Ellen zei beter dan ik zei. Niet één situatie is volkomen gelijk aan een andere, maar op het Indiase platteland van mijn kindertijd op Trinidad hadden veel moorden en gewelddaden plaatsgevonden, en die gewelddaden hadden de Indiërs van Trinidad, die al van de rest van de bevolking gescheiden werden door taal, godsdienst en cultuur, een heel slechte naam bezorgd. Maar voor ons, in wier onmiddellijke omgeving die verhalen over moorden en bloedwraak zich afspeelden, stonden andere dingen op het spel. De familievete of de dorpsvete had vaak te maken met een opvatting van eer. Misschien was het een dorpse gedachte; misschien is die gedachte van eer vooral belangrijk voor een maatschappij die geen beroep op de wet kan doen of geen vertrouwen heeft in de wet.

Men moet zich bijvoorbeeld het volgende tafereel voorstellen in een Indiaas dorp op Trinidad in de jaren twintig of dertig. Een belangrijke man in het dorp is vermoord. De volgende ochtend, na de juridische formaliteiten, wordt het lijk opgebaard in een doodkist, die bijvoorbeeld op twee stoelen op de straat wordt gezet, voor zijn huis. Zoiets is een uitdaging van de kant van de familie van de vermoorde. Een van de mensen die op bezoek komen is de moordenaar. Hij moet komen; hij kan niet wegblijven; en het staat vrijwel vast dat men weet wie het gedaan heeft. En nu zijn twee mensenlevens verbeurd: dat van de moordenaar, en dat van het familielid van de dode dat de moordenaar zal moeten doden. De ongeschreven wet eist niets minder dan dat; het is onmogelijk, als men daar geen zin in heeft, gewoon weg te lopen.

Zo diep ging, voor mij, die gedachte van eer en bloedwraak, dat de film *Romeo and Juliet* (met Basil Rathbone) een van mijn eerste echte toneelervaringen is geweest, waarbij het verhaal voor mij niet zozeer ging over liefde alswel over een vete. Wat een angst, wat een gruwelen, alles wat zou volgen nadat het bloed het hemd van Mercutio had bevlekt! Eer–dat was wat ik begreep, of zag, in een aantal van de moorden om ons heen. Niet de barbaarsheid die, naar ik later begreep, door buitenstaanders aan ons werd toegeschreven.

Een dergelijk gevoel schreef ik toe aan Ellen, in haar kindertijd in het stadje waar ze zulke gelukkige zomers had doorgebracht bij haar bloedverwanten. Geweld, als dat zich voordeed, zou voor haar niet zo naakt zijn opgetreden als voor volstrekte buitenstaanders. Er waren te veel andere dingen mee verbonden.

Geweld destijds; en ook nu nog was er geweld. Het geweld in haar kindertijd was van de blanken gekomen. Het geweld waar men nu over sprak, was van de zwarten afkomstig en speelde zich af in de steden.

Ze zei: 'Ik denk dat het allemaal frustratie is. Zoveel geweld vindt nu plaats in de zwarte gemeenschap. Zwarten vinden het niet prettig als ik dat zeg, maar als je naar de gevangenissen gaat, zul je zien dat het waar is–daar zitten heel veel jonge zwarten.'

Hoe had ze het tot haar beschaving gebracht, tot haar rust, haar verlangen om eerlijk te zijn–in een staat met de reputatie van Mississippi?

Ze zei: 'Ik ben op een *college* geweest. Ik denk dat dat indruk op me heeft gemaakt. Ik had een heel goede professor. Ze waren persoonlijk in je geïnteresseerd. En mijn vader is gestorven toen ik nog jong was. Ik was net dertien. Toen ben ik op mezelf en andere mensen gaan letten. Ik denk dat ik te snel volwassen ben geworden. Ik woonde in een klein stadje. Mijn vader had ons niet veel geld nagelaten om van te leven. En mijn moeder moest dus gaan werken. Ze was verpleegster, en ze is weer gaan werken. En ik–ik ben bij mijn tantes gaan wonen, en ik ben daar op school geweest, in dat plattelandsstadje. Mijn moeder heeft heel hard gewerkt om mij naar *college* te kunnen sturen. Ze had veel succes in haar beroep. Ze was een sterke vrouw, en ze geloofde in eerlijkheid tegenover iedereen. Toen ze in opleiding was, verpleegde ze iedereen. Ze is opgegroeid met veel respect voor alle mensen.'

Toen zei Ellen plotseling, door willekeurige herinneringen die ontwaakt waren: 'Dit is een verhaal dat diepe indruk op me heeft gemaakt. Ik heb er nog niet zo lang geleden over gepraat met een van mijn familieleden. Het is echt gebeurd, ik ben erbij geweest. Ik was acht. Ik was op bezoek bij mijn tante, en zij had een geweldig dienstmeisje; en verscheidene neefjes en nichtjes van me waren er ook bij. Myrtle – het dienstmeisje – speelde piano. Ze kon alles op het gehoor spelen. Ze amuseerde ons kinderen eindeloos met haar muziek en zo. Er was een tijd dat ze een tweepersoons-autootje had en met ons uit rijden ging. En wij waren echt dol op haar. Ze was een zwart dienstmeisje. Misschien had een van haar vrijers haar die auto gegeven. Ze was fantastisch. Ze had haar lippen felrood geschminkt en ze had een grote gouden voortand.

'Maar goed, op een dag werd ze vermist. Ze woonde in een huis achter dat van mijn tante. En ze gingen tenslotte kijken wat er met haar was. En ze vonden haar en ze was dood – in een kast, ondersteboven. Ze was op haar hoofd geslagen met een houten knoest. Ze noemden dat een aansteekknoest – daarmee staken ze het vuur aan. Ze dachten dat een van haar vrijers het had gedaan, maar we hebben nooit gehoord wie het was. Het was vreselijk. Ik wist dat zoiets verkeerd was. Mijn tante was kapot van verdriet. Ik denk, als het een blanke vrouw was geweest die zo was gedood, dat ze wel hadden ontdekt wie het gedaan had. Maar dat is geloof ik iets dat ik nú denk. Ik geloof niet dat ik dat dacht toen ik acht was. Voor mij was Myrtle – Myrtle. Ik dacht niet aan haar als zwart. Ze knipte met haar vingers en begon te dansen.' En Ellen, gezeten in haar leunstoel, maakte een gebaar en knipte met haar vingers. 'Ze was gewoon vreselijk leuk. Ze was de dochter van de vrouw die van huis tot huis ging om de was te doen. Die deden ze in van die grote tobben. Dat was voordat er elektriciteit was op het platteland, toen de meeste huizen stromend water begonnen te krijgen. Mijn tante had stromend water en een badkamer binnenshuis, omdat mijn pa een watertoren had gebouwd toen hij daar woonde–vóór mijn geboorte.

'Ik ben naar haar huis gegaan.' Het huis van Myrtles moeder, achter dat van Ellens tante. 'Ze hadden haar lichaam weggehaald. Maar ik zag waar het had gelegen. Dat was puur nieuwsgierigheid. Mijn tante wilde niet dat ik erheen ging. Maar ik wilde zo graag, en toen vond ze het goed.'

Wat een verhaal, uit de herinneringen aan twaalf gelukkige zomers! En dat verhaal wekte nog een herinnering bij Ellen.

'Mijn moeder en vader vertelden wel eens hoe ze vroeger mensen ophingen op het plein voor de rechtbank. Officiële terechtstellingen, geen lynchpartijen. Dat was toen mijn vader en moeder nog klein waren. En mijn pa is geboren in 1897. En dat vond ik zó afschuwelijk–en zij ook. Dat waren de verhalen die de mensen vertelden toen ik opgroeide. Ik geloof dat we een heel eind zijn gekomen. Ik heb de indruk dat de mensen beschaafder worden, dat hoop ik tenminste.'

De verhalen die Ellen waren verteld in haar kinderjaren waren pioniersverhalen; zo beschouwde ik ze. Ze wekten herinneringen aan talloze wild-westfilms; en het was opmerkelijk ze te horen uit de mond van iemand die net zestig was geworden. Binnen de spanne van één leven leek zij van een pionierscultuur, of de resten van een pionierscultuur, terecht te zijn gekomen in het Jackson en de Verenigde Staten van de late twintigste eeuw. Daardoor kregen mijn gedachten een nieuwe vorm, evenals mijn gesprekken met mensen.

Er zijn filmregisseurs die er de voorkeur aan geven te werken met natuurlijk licht, het licht dat er is, het licht dat ze aantreffen. En het soort reizen dat ik ondernam, reizen met een thema, is afhankelijk van toevalligheden: de boeken die je op reis leest, de mensen die je ontmoet. Reizen op mijn manier leek op schilderen met acryl of in fresco; de dingen droogden snel. De complete vorm van een deel van je reisverhaal kan bepaald worden door een toevallige ontmoeting, een uitdrukking die je hoort of

bedenkt. Als ik iemand anders had ontmoet, zouden mijn gedachten misschien anders hebben gewerkt; hoewel ik tenslotte
had kunnen uitkomen bij hetzelfde algemene gevoel over de
plaats waar ik verbleef.

Ellens gedachten gingen, vlak voordat we afscheid namen, uit
naar haar vader, die gestorven was toen ze dertien was. 'Mijn vader heeft me verteld dat je nooit vooruit kwam over andermans
rug heen. We moeten allemaal samen vooruit komen.'

Dat was de grote ontdekking geweest van mijn reizen tot dusver in het Zuiden. In geen ander deel van de wereld had ik mensen aangetroffen die zo gedreven werden door de gedachten van
goed gedrag en een goed geloofsleven. En dat gold voor zwarten
én blanken.

Ik liet mijn gedachten gaan over het pioniersgebied, het leven
aan de uiterste grens van een beschaving. En vroeg op een middag ging ik op bezoek bij Louise, die bijna tachtig was en alleen
woonde in een groot huis in Jackson, in een tuin die nu te groot
voor haar was, en droog, na al die weken zonder regen.

In haar oude boekenkast, Amerikaans handwerk van omstreeks 1840, van kersehout dat na bijna anderhalve eeuw een
prachtige diepe kleur had gekregen, stonden kleine, in leer gebonden boekdelen van een editie van *The Spectator*–van Addison
en Steele–gepubliceerd door een Amerikaanse uitgever in Philadelphia in 1847. Dat was een herinnering aan het koloniale
verleden, aan een opvatting van beschaving en ontwikkeling die
zo strijdig leek met de omringende wereld. Een heruitgave van
The Spectator in 1847–want in die tijd hadden Amerikaanse uitgevers een zelfde slaafsheid tegenover Engelse boeken als Engelse uitgevers tegenwoordig tegenover Amerikaanse boeken. *The
Spectator*, honderd jaar na dato verschenen, in de tijd dat Parkman de huifkarroute naar Oregon bereisde en restanten, bijna
even verschrikkelijk als het gebeente, zag van de kolonisten die
hem waren voorgegaan: achtergelaten meubilair, misschien uit
het begin van de jaren veertig, net als Louises boekenkast, dat
die kolonisten op hun karren hadden geladen in de hoop het mee
te nemen naar het Verre Westen.

In een la van de kersehouten boekenkast lagen documenten en kopieën van documenten die te maken hadden met de geschiedenis van Louises familie. Haar familie dateerde uit de koloniale tijd.

Een voorvader van haar man was afkomstig geweest uit Pennsylvania. Hij was omstreeks 1820 naar Mississippi gekomen. 'Een en al wildernis, begrijpt u.' Hij hoorde bij een groep families die onderling met elkaar waren getrouwd. Ze waren niet rechtstreeks naar Mississippi gekomen. Ze waren samen gereisd door Georgia, Tennessee en Alabama. Ze sprak als volgt over de onderlinge verwantschap van deze groep: 'Toen die twee jongemannen'–de voorvaders van haar echtgenoot–'de huwbare leeftijd hadden bereikt, gingen ze naar Oxford'–het Oxford van Mississippi, in de heuvels ten oosten van de Delta, de alluviale riviervlakte–'en trouwden ze met twee meisjes Tankersley, die ze hadden ontmoet.' De Tankersleys hoorden ook bij die reizende groep families. 'Het land was nog niet ontgonnen en het reizen was moeilijk. En toen ze daar kwamen, zijn ze gebleven.

'Mijn grootvader was een jongen van zestien toen hij deelnam aan de Burgeroorlog, hij heeft gevochten bij Shiloh in Tennessee. Hij heeft alles overleefd en keerde terug naar Noordoost-Alabama, waar hij trouwde en kinderen kreeg. Het leven was zwaar na de Burgeroorlog, en vervolgens is mijn grootvader gestorven. Mijn vader is op zijn vijftiende van huis gegaan en is gaan wonen bij een oom in de Delta in Mississippi. Hij had wel wat schoolopleiding en hij betaalde een baptistendominee om hem boekhouden te leren, en toen heeft hij een zaak geopend en is hij begonnen grond in de Delta te kopen. *En het was prachtig land*. Nu is het één groot katoenveld–allemaal ontgonnen en drooggelegd. Maar toen was het net als in William Faulkners *Bear*, een van zijn beste verhalen. Het was één grote wildernis–grote eiken die nog niet waren omgehakt. Dat was vóór de plantages. Het was echt schitterend.

'Het was een land vol bloemen, alle mogelijke soorten wilde irissen en wilde viooltjes, waterlelies en alligators. Ze begonnen net met plantages in de Delta. Het was een zwaar leven. We hadden namelijk malaria. Als kind had ik elke zomer malaria.

Het duurde een tijd voordat de Delta ontgonnen was. Elk voorjaar stond het land onder water.

'Toen ik klein was–zo omstreeks 1915–waren ze nog bezig met de ontginning. Ze trokken erop uit en hakten in op die machtige eiken en ze lieten ze doodgaan en dan hakten ze ze om. Wanneer ze een akker aanlegden, vermoordden ze de bomen. Ik besteedde er nooit enige aandacht aan. Dat deden ze nu eenmaal. Ik vond het vanzelfsprekend. Ik speelde in de bossen. Als je niet op tijd voor het eten thuiskwam, kreeg je straf, want dan was je te ver weg gegaan en hadden ze je moeten zoeken. Iedereen had toen namelijk zoveel kinderen, begrijpt u. Er was geen geboortebeperking. We hadden er zoveel. En veel gezinnen verloren heel veel kinderen.'

Pioniersland, het Deltagebied van Mississippi. Toch had Mississippi de merkwaardige complicatie–voor een pioniersgebied–van slavernij, nog uit de tijd van de katoenplantages langs de rivier. De grens, de pioniers, de eenzaamheid: maar ook natuurlijk de goedkope zwarte arbeidskrachten. Wat vond Louise er nu van? De zwarte bevolking was nu heel talrijk in het land waar zij als kind had genoten van de wilde bloemen en de grote bomen van het bos.

Ze zei: 'Het had niet veel zin om in de Delta te wonen tenzij je grootgrondbezitter was. Je kon het zelf nooit ontginnen. Voor een deel waren het rietlanden.'

'Dat woord heb ik gelezen. Wat betekent het?'

'Een wilde soort riet, geen suikerriet. We hadden ruimschoots hulp, bedienden. Nadat ze bevrijd waren bleven ze namelijk gewoon waar ze zaten. Ze woonden overal en vermenigvuldigden zich. De blanken vertrokken vaak wanneer ze waren opgegroeid. Maar de zwarten bleven. En een van de redenen waarom ze bleven–het is zelfs nu nog interessant om de overlijdensberichten te lezen–is dat ze graag met anderen samen zijn. Ze geven niet veel om boterbriefjes en zo, maar de gezinnen zijn heel hecht.' En zwarte mensen kwamen graag terug naar de plaats die ze als thuis beschouwden.

Over die gedachte van de betekenis van de familie had ik gehoord in West-Afrika, in Ivoorkust. De andere gedachte, die van huwelijkstrouw – zo die al ooit had bestaan onder Afrikanen – was daardoor terzijde geschoven. Ik had in Ivoorkust gehoord dat het opgeven van ontrouw als reden voor echtscheiding als dwaasheid zou worden beschouwd. En dat paste bij een ander Afrikaans denkbeeld: je trouwde niet met iemand, je verbond je aan een familie.

Louise zei: 'Ik maak me erge zorgen over die zwarten, over het probleem van de zwarten. Mijn meisje vertelde me vanmorgen dat ze in haar straat rondrennen en met geweren in de lucht schieten – die jonge zwarten.' Een verwrongen versie van het pioniersgebied, hier in de stad Jackson. 'Ik weet niet hoe we daar een oplossing voor moeten vinden. Sommigen van hen zijn heel intelligent en ambitieus. Sommigen zijn primitief. Sommige blanken ook, maar misschien niet zoveel. Wij planten ons niet zo snel voort als zij.'

Ze kwam met een losstaande herinnering, waarin de gedachte van het pioniersleven en die van zwarte mensen samengingen. 'Toen ik opgroeide in de Delta, had ik een kindermeisje, natuurlijk. Ze was zelfs mijn min geweest. Er was geen poedermelk. Dokters wisten niets van baby's af. Die waren nog maar iets verder dan de bloedzuigers, maar niet veel. Erg knap waren ze niet.'

De prachtige bossen van de Delta, waar een kind kon spelen tussen de wilde bloemen, waren omgehakt. En haar vader had een plantage aangelegd. Wat was er met die plantage gebeurd?

'Mijn vader is gestorven toen hij vijftig was. Hij had vlak voor de crisistijd ongeveer vierhonderd hectare verkocht en had er nog ongeveer tweehonderdtachtig over.' Maar geen bossen meer. 'Modder in de winter, stof in de zomer. Mijn vader had een auto gekocht, een Chalmers. Dat was zelfs nog vóór de tijd van de radio. Het was een vorm van afleiding.' Soms gingen ze gewoon in de Chalmers zitten, voor hun plezier, zonder ergens heen te rijden. 'We leidden een rustig leven. Als een stadje acht kilometer verderop lag, dan was dat ver weg.' Maar later, toen de wegen beter werden en de auto's beter werden, stonden de mensen van de Delta erom bekend dat ze bereid waren grote afstanden af te leggen voor een diner of een andere gezelligheidsbijeenkomst.

En toen begon Louise over iets dat een verbinding legde tussen het Deltagebied en het Trinidad van mijn eigen Indiase gemeenschap. Er waren Chinezen geïmporteerd om in de Delta te werken; precies zoals Chinezen en Portugezen en, met langduriger effect, Indiërs uit India waren geïmporteerd naar Trinidad en andere koloniën van het Britse imperium (inclusief Zuid-Afrika) om op de plantages te werken, na de afschaffing van de slavernij.

Chinezen hier, langs de Mississippi!

Louise zei: 'Die Chinezen bleven strikt onder elkaar. En zo leven ze nog. Er was er een in Vance, en de blanken uit de laagste klasse plaagden hem genadeloos. Mijn vader beschermde hem als het te erg werd. Toen mijn vader stierf, heeft die Chinese man Vance ook verlaten. Ze pestten hem. De schoolkinderen kwamen op weg naar huis langs zijn winkel en dan riepen ze:

> "Chico Chinees
> Eet dooie rat.
> Vreet 'm op
> Als een zak patat."

'En dan kwam hij naar buiten–misschien was dat zijn gevoel voor humor–en balde hij zijn vuist en dan lachten ze en holden ze weg.'

Dat zat nog in haar geheugen gegrift, dat zinloze kinderrijmpje, kennelijk uit een ander land, en aangepast aan de Chinezen van de Delta. Even onuitroeibaar als het rijmpje dat sinds mijn kindertijd in mijn hoofd zat, over de Chinezen op Trinidad, een rijmpje dat gezongen werd door zwarte kinderen–en even onschuldig was:

> 'Pinda, pinda, leef je heus?
> Spleetjesoog en platte neus.'

Waar kwam dat vandaan? Een volwassene, of een kind dat van nature op rijm sprak, zoals bepaalde kinderen dat kunnen? Er moest een creatieve geest zijn geweest, zowel voor mijn Chinese rijmpje als voor dat van Louise.

Het zou plezierig zijn geweest wat verder te praten over kinderrijmpjes in Mississippi. Maar Louise had andere herinneringen. Ze raakte nu vermoeid en was niet meer zo goed als in het begin van ons gesprek in staat een gedachte uit te werken.

Ze zei: 'De zwarten waren zo onderdrukt in die tijd dat het een vreedzame omgeving was. Ze deden niet van die dingen die ze nu doen. Wij hadden heel weinig problemen. Zij gingen hun eigen gang, en wij ook. Wij waren gewend aan huispersoneel. Tijdens de crisis had mijn zuster een dienstmeisje. Ze had een dochter die net zo oud was als –' Maar dat verhaal is nooit afgemaakt. Misschien was de herinnering te pijnlijk; misschien wilde Louise dit liever begraven houden. Het leidde echter, onverwacht, tot de volgende gedachte: 'Ik heb groot respect voor wat de zwarten "arm blank uitschot" noemen. Ik geloof dat die mensen geleden hebben. Zij moeten ook kansen krijgen.' Toen zei Louise vermoeid, als onder de last van haar ziekte en ouderdom: 'Maar de wereld heeft zulke grote problemen, ze zijn te overweldigend.'

De combinatie van gedachten over zwarten, en arm blank uitschot dat evenzeer hulp nodig had, en haar zuster en de crisistijd leidde tot het volgende verhaal uit haar herinnering:

'Toen de crisis op zijn ergst was – we hebben nooit meer iets meegemaakt dat daarmee te vergelijken is – woonden we niet ver van een gevangenisfarm.' Met haar gedachten bij het verhaal dat ze wilde gaan vertellen zei ze: 'Maar dat was iets verschrikkelijks. Een van de bevoorrechte gevangenen daar werkte thuis bij de employés van die gevangenisfarm. O, dat was iets waar de hele Delta over praatte! De dochter van een van de bewakers daar – ze zeiden dat ze een verhouding had met een van die zwarte gevangenen. Ongehoord. Maar die gevangene heeft haar vader vermoord. En toen trokken ze erop uit om hem te vangen, en er was een beloning van tweeduizend dollar uitgeloofd. Dat was destijds veel geld, en de jeugdige zoon van een planter is zomaar naar de vliering van een schuur gelopen om hem neer te schieten. En natuurlijk heeft die gevangene hem doodgeschoten. Drieëntwintig of vierentwintig, de knapste man die ik ooit gezien heb, en een keurige jongeman; maar hij is zó zijn eigen dood tegemoetgegaan. En toen hebben ze die zwarte natuurlijk gevangen genomen en gedood. Dat is ongeveer vijftien kilometer van ons vandaan gebeurd. En iedereen was ervan ondersteboven. Maar nu komen hier voortdurend verkrachtingen voor. Het was destijds heel zeldzaam. Tegenwoordig schijnen ze daar niet veel ophef van te maken. Ik was destijds een jonge vrouw, een jaar of twintig. Ik was er diep van onder de indruk. Het was zo tragisch. Maar dergelijke gewelddadige uitbarstingen kwamen af en toe voor.'

We praatten over de moord op Emmett Till in 1956. Emmett Till (zo bijzonder als de namen van mensen worden wanneer ze in één adem worden genoemd met grote, tragische gebeurtenissen) was een jonge zwarte die beschuldigd was van fluiten naar of lastig vallen van een blanke vrouw, en hij was gedood. Dat was iets dat had bijgedragen tot de slechte reputatie van Mississippi.

Louise zei: 'Een deel van mijn familie woonde toen nog in de Delta. En hij had méér gedaan dan naar haar fluiten. Mijn broer had een drogisterij in Sumner, waar dat proces is gevoerd. Zulk soort mensen zijn wij niet.' Louise bedoelde de sociale verschillen in de Delta. Eerder had ze, naar aanleiding van de positie van haar familie als eigenaar van een plantage, gezegd: 'Overal vind je klasseverschillen.' En ze bedoelde nu dat een vrouw die als winkeljuffrouw werkte – zoals de vrouw naar wie Emmett Till zou hebben gefloten of die hij anderszins had lastig gevallen – van een andere sociale klasse was. 'Mijn moeder en zusters hebben nooit in dat magazijn gewerkt. Wij hadden altijd mensen in dienst.' 'Magazijn', een plantagewoord voor de winkel op de plantage waar arbeiders dingen kochten op afbetaling, aftrekbaar van hun loon. 'Mijn vader vond dat het niet gepast was voor de vrouwen van zijn familie om daar te komen. Daar kwamen alle mogelijke mensen – soms waren ze dronken.'

Ik was al eerder, toen Ellen vertelde over haar kindertijd, getroffen door de bescheiden betrekkingen van mensen van goede familie. Een van Ellens tantes was directrice van het postkantoor geweest; en nu vertelde Louise dat haar broer een drogisterij had gehad. Het was of klasse, in de armoede van het Zuiden,

iets was dat in de geest en het bewustzijn van een familie bestond, en te maken had met goede manieren en fatsoen.

Louise zei: 'De beweging voor de burgerrechten heeft alles
veranderd. Het heeft goede kanten en slechte.' Ze voegde eraan
toe, alsof ze door associatie op die gedachte was gekomen: 'Ik
zou niet ergens willen wonen waar helemaal geen zwarten zijn.
Ik heb mijn hele leven tussen hen gewoond en ik mag ze graag.
En zelfs nu nog'–en ze bedoelde ondanks de misdadigheid in
Jackson, en hoewel de stad op weg was naar een zwarte meerderheid en binnenkort zelfs een zwarte burgemeester zou kunnen krijgen–'zijn ze hartelijk en vrolijk. Ik zou ze missen.
Maar–we hebben zovéél zwarten hier in Jackson. En overal
waar ze zijn, zijn ze met zovelen, want ze houden van hun eigen
soort mensen, en ze vestigen zich niet waar geen andere zwarten
zijn–dan voelen ze zich eenzaam. Een vrouw was naar Iowa gegaan, waar ze veel meer verdiende, maar ze is teruggekomen
omdat ze zich daar zo eenzaam voelde. Maar ze vormen nu ben-
des in Jackson. Als ze meer verspreid door het land woonden,
zou dat beter zijn. Maar we zijn hier niet in Rusland. Zoiets
kunnen we niet doen.'

Het was bijna tijd om te vertrekken. Ze wilde eigenlijk vrij
zijn van de noodzaak om te praten; maar tegelijkertijd wilde ze
ook, nu ze eenmaal aan het praten was, verder gaan. En nogmaals keerde ze terug naar haar kindertijd in de Delta, toen het
land nog bebost was geweest.

'We hadden genoeg te eten, maar we leefden beneden wat nu
de armoedegrens zou heten. Het was een voorrecht om in de
Delta te wonen. 's Nachts hoorden we dieren in het bos. Een
panter. Dat klonk als een vrouw die huilde.'

Nu ze oud was en alleen woonde, was de eenzaamheid van
haar kindertijd, van de Delta, weer heel dichtbij.

'Mijn stiefmoeder vertelde vaak het verhaal van een dame die
miss Sunshine Easterling heette–Sunshine Easterling!–en die
naar een feestje wilde. Maar er was geen vervoer, alleen via de
spoorbaan. Dus daar gingen ze, langs de spoorbaan met zo'n
spoorweglorrie. Ze pompten zo op en neer, weet u wel.'

Dat wist ik eigenlijk niet. Ik had zo'n spoorweglorrie als zij bedoelde alleen gezien in Amerikaanse misdaadfeuilletons, toen ik een kind was in Trinidad.

'En,' zei Louise, 'ze zijn overreden door een goederentrein, en miss Sunshine Easterling was voor het leven kreupel. Dat verhaal moest ons weerhouden van te veel verlangen naar een uitgaansleven. We leefden bepaald heel geïsoleerd daar in de Delta.

'Ik herinner me dat ik een keer met kerstmis een prachtige hoed van echt beverbont kreeg. Die moet uit een winkel als Marshall Field zijn gekomen, want er waren in de buurt totaal geen winkels waar je zoiets had kunnen kopen. En ik kon nergens heen met mijn hoed van beverbont. Dus heb ik hem opgezet op de middag van eerste kerstdag, en toen ben ik daarmee langs de spoorbaan gaan lopen, in de hoop dat iemand me zou zien. Maar er was niemand. Ik was destijds twaalf.'

Zevenenzestig jaar later, opnieuw alleen in een Jackson dat meer gegroeid was dan ze ooit had kunnen denken, nu ze weduwe was en bijna alle avonturen van haar leven achter zich had, herinnerde ze zich die vroegere ervaring van eenzaamheid. Buiten was haar overwoekerde tuin, vol bomen; de aarde was droog, geel, wachtte op regen.

Een paar dagen later (toen de regen was gekomen) ging ik op bezoek bij Eudora Welty en vertelde ik dat verhaal over Louises hoed van beverbont. Miss Welty was maar één jaar jonger dan Louise, en ze wist wat voor soort hoed Louise had gekregen met kerstmis 1920.

'Die hoeden heetten Madge-Evanshoeden. Ze waren genoemd naar een heel jonge actrice. Ze werden maar in één winkel in Jackson verkocht. Jaren later heb ik dat kindersterretje ontmoet. Natuurlijk was ze toen geen kind meer, maar ze was wel blijven toneelspelen. Ik heb haar in New York ontmoet. Ze was iets ouder dan ik. Ze zei: "Ik ken uw werk, want in een van uw verhalen komt een Madge-Evanshoed voor. Ik ben Madge Evans." Ze was net zo'n jong meisje als wij toen ze die hoed droeg. Die hoed had een heel brede rand rondom, met linten die

tot aan je middel over je rug vielen. Het waren prachtige hoeden. En er waren ook strohoeden voor in de zomer. In die tijd
droeg je altijd een hoed. Je droeg zelfs een hoed naar de zondagsschool.'

Het bos dat Louise had gezien in de Delta, bestond niet meer; en
een dijk langs de Mississippi voorkwam nu dat de vlakte elk jaar
onder water kwam te staan.

Het land was zo vlak dat de bomen laag leken. En de velden
met jonge katoenplanten creëerden–vanuit de auto–lange,
hypnotische perspectieflijnen die langsflitsten: het groen van de
katoenplanten tegen het geel of donkerbruin van de aarde. Maar
de landbouw verkeerde in nood; en hoewel er nog prachtige
plantages waren als de 'Egypt', was de Delta niet meer 'één
groot katoenveld', zoals Louise had gezegd.

'Egypt' echter bood een doorkijkje naar het verleden, en naar
de sociale gewoonten en verdeeldheden van de plantagebescha-
ving. Achter het plantershuis en het 'magazijn' liep de rivier de
Yazoo, heel modderig, waar nog steeds de schuiten voeren; de
laatste rivierstoomboot had hier in 1932 aangelegd. Het koele
plantershuis ademde, bij de lunch, een gevoel van ruimte, van
grote afstanden die je gescheiden hielden van je buren. Boeken,
de belangstelling voor geschiedenis ('Egypt' was vrijwel die
hele eeuw in het bezit van dezelfde familie geweest), schilderijen (originelen, voornamelijk portretten, en reprodukties)
en zelfs het beeldje van een negerhoofd op de schoorsteenmantel
van de zitkamer, dat alles deed denken aan een beschaving die
ver verwijderd leek van die speciale wereld van werken in de
Delta.

Zelfs tijdens de lunch was men buiten bezig met ongedierte-
bestrijding. En even buiten de tuinen van het huis lagen de vlakke velden waarvan alles afhankelijk was. Machines ter waarde
van een miljoen dollar ploegden en oogstten en bemestten die
velden. In de oude tijd waren er veel minder machines geweest;
er waren veel meer arbeiders geweest.

Op het vlakke land tekende zich tegen de hemel de enkele rij
af van de ver uiteenstaande huizen van de paar zwarte arbeiders

die nu nog nodig waren. Vóór die huizen, op de weg–en heel duidelijk zichtbaar, als op een toneel: een gevolg van de vlakheid van het land en de grote hoogte van de hemel–speelden de zwarte kinderen, ze holden rond of fietsten. Bij de lunch in het plantershuis had je je in Argentinië kunnen wanen, op een estancia. Buiten, als je die arbeiderswoningen zag, had je je in een Afrikaans land kunnen wanen–Kenia misschien, als er heuvels op de achtergrond waren geweest.

Maar hoewel de prijzen de laatste tijd beter waren geworden, was katoen niet meer de absolute koning van de Delta. Wat de vlakheid van het land verborgen hield voor de autowegen was dat duizenden hectaren Deltaland nu gebruikt werden als viskwekerijen voor meervallen, even gecompliceerd en groot en Amerikaans-vernuftig, en gemechaniseerd en riskant, als andere ondernemingen in de Delta.

Ik reed op een vroege ochtend weg uit Jackson om getuige te zijn van het 'oogsten' van een paar meervalvijvers. De 'vijvers'– elk ongeveer zes tot acht hectare groot–waren de avond tevoren bevist met de zegen. De zegen leek op de bekende sleepnetten. Maar het slepen was gedaan door twee tractoren, een op elke oever; en de oevers lagen nu vol met stoffige dode vis, die nu niet zozeer aan vis deed denken als wel aan een soort leerachtig materiaal. Soms waren er slangen in de vijvers; en goudvissen, flitsend rood in de zegen en in de trechters van ijzergaas die de vissen uit de vijver overbrachten naar de vrachtauto's. Goudvissen, die zo mooi waren als je er een of twee tegelijk zag, waren hier 'uitschot' geworden, en moesten in de fabriek verwijderd worden van tussen de meervallen; ze werden weggegooid met het andere uitschot dat een vijver aantrekt (soms uit de snavel van een vogel gevallen), of vermalen tot kunstmest.

De gemanipuleerde natuur was lichtelijk in het honderd gelopen. De goudvissen waren ingevoerd om de algen op te eten die de meervallen een slechte smaak bezorgden. Maar vervolgens hadden de goudvissen zich wat al te veel voortgeplant–ongeveer zoals de kudzu-klimplant, de andere grote plaag van Mississippi, die uit Japan of China was geïmporteerd om erosie te voorkomen in de meer heuvelachtige streken van de staat, en zich zo op zijn plaats had gevoeld dat hij talloze vierkante kilometers had overwoekerd, tegen elektriciteitspalen op groeide en ze omvertrok, bomen doodde, overal grote slingers en guirlandes vormde, bosgebied overdekte met een dikke, gelijkmatige deken van— bijna letterlijk—onuitroeibare ranken (de reden waarom de kudzu was geïmporteerd, want de geweldige wortels hielden de bodem zo goed vast). De kudzu was, net als de waterhyacint in de Kongorivier, een wurger geworden.

Smaak—dat was hier het grote probleem met meervallen. En dat probleem had alle research van de verwerkingsfabriek en het 'Catfish Institute' tot dusver niet kunnen oplossen. Vooral in de zomer konden meervallen vreemde bijsmaken krijgen: modder, of verbrand hout, of iets petroleumachtigs.

De fabriek voerde daarom vijf of zes smaakproeven uit bij vis die op het punt stond geoogst te worden. De staart van een levende vis werd afgesneden, toebereid en geproefd. De verkoopmanager van de fabriek zei: 'We snijden de vis met vel en al. We willen de smaak niet beïnvloeden. Zó van de vrachtauto wordt de staart afgesneden, en dan gaat-ie in de microwave. Het vel wordt niet verwijderd.'

Toebereiden en proeven was de taak van één man. 'Onze visproever kan met gemak tweehonderd proeven per dag doen. Ik heb wel meegemaakt dat hij er driehonderdvijftig op één dag deed. Hij heeft zijn eigen methode om zijn mond te zuiveren. Als een vis heel slecht smaakt, zet hij de ventilator in zijn keuken aan—want een slecht smakende vis bederft de hele proefkeuken. In de zomer, zoals nu, zijn maar twee of drie op de vijftien proeven aanvaardbaar. In de winter zijn dat er meer.' En de meervallenkweker kon slechts hopen dat de vijvers met de afgekeurde exemplaren zouden verbeteren, en dat de vis daar bij een latere proefneming de smaaktest zou doorstaan.

De vis die die ochtend in de vrachtauto's naar de fabriek was gebracht, had dus alle proeven op één na doorstaan. In de fabriek moest één laatste proef worden gedaan. Gedurende de twee dagen voordat de vissen naar de fabriek waren gebracht, hadden ze geen voer gekregen, opdat niets hun smaak zou beïnvloeden. Nu de smaak goed was en ze één tot anderhalf pond wogen, waren ze bijna aan het eind van hun achttien maanden durende leven op de kwekerij.

In een broedplaats, een kleine overdekte schuur, kon je ze aan het begin daarvan zien: eitjes in troggen, in water dat op een constante temperatuur van dertig graden werd gehouden, en waar een elektrisch aangedreven peddel de plaats innam van de golvende staart van de mannelijke meerval; zonder die beweging in het water zouden de eitjes doodgaan. Na vijf dagen komt er leven–eerst als een zwart stipje–in de eitjes; en vervolgens wordt het jonge broed uitgezet in de vijvers, waar het achttien maanden zal blijven.

De vijvers worden voortdurend van zuurstof voorzien, anders zouden de vissen doodgaan. Het zuurstofgehalte van de vijvers wordt om de twee uur gecontroleerd, dag en nacht; een meervallenkweker kan niet al te lang wegblijven van zijn vis. Het voedsel van de meervallen wordt per computer geregeld. Het wordt op gezette tijden in het diepe van de vijver geworpen. De vissen zwemmen als het voedertijd is naar het diepe. Het zijn gewoontedieren. Ze eten niet wanneer ze onregelmatig of te veel te eten krijgen. Als er te weinig meervallen in een vijver zitten, eten ze niet genoeg om aan hun marktgewicht te komen, want het schijnt dat verminderde competitie hen even 'ontspannen' maakt als de wilde soorten, die hun voedsel zoeken op de bodem van rivieren. Wat had men niet een moeite moeten doen–experimenten en toevalligheden en verliezen–om de vissen te kweken die vroeg op die ochtend in de vrachtwagens van de fabriek werden geladen!

De visfabriek stond in het stadje Indianola. De arbeiders zaten buiten te schaften, in de telkens onderbroken schaduw van de pijnbomen, aan de overkant van de verharde weg voor de fabriek. Ze droegen bloederige witte schorten en dingen die eruitzagen als plastic douchemutsen. De meeste arbeiders waren zwart, en er waren veel vrouwen bij. Ze zaten op houten krukjes aan houten tafels en aten hun lunch. Een paar aten een hamburger–arbeiders in de ene voedingsbranche die het produkt aten van een andere voedingsbranche: het geven en nemen van de industriële maatschappij.

Na de lunch begon het werk weer. De vrachtauto's van de fabriek brachten de vissen–die ze in bronwater hadden vervoerd om ze zo schoon mogelijk te houden–over in een metalen kooi. De vissen werden in deze kooi opgetild en in een elektrische verdover gedompeld, een bak die groen geverfd was. En vandaar kwamen ze terecht op de lopende banden, binnen in het gebouw, in een ruimte waar de machines veel lawaai maakten, om ontkopt, uitgehaald en ontveld te worden.

Ontkopt, uitgehaald en ontveld–de verkoopmanager die ons rondleidde sprak deze merkwaardige woorden even vlot uit als mensen van een andere eeuw zouden hebben gesproken over misdadigers die opgehangen, van hun ingewanden ontdaan en gevierendeeld werden. Iets dergelijks gebeurde hier. Maar de nadruk in de visfabriek viel op snelheid, snelheid om de versheid van de vis te behouden–ze werden tot het allerlaatste moment in leven gehouden, en dan werden ze in precies drieëneenhalve minuut ontkopt, uitgehaald en ontveld, en onmiddellijk daarna (althans de filets of moten of repen of hapjes) in zeer koud water met ijs gedompeld. Het ijs was belangrijk in die fase: elk detail van het proces was uitgekiend. Het ijs, zo zei de verkoopmanager, wreef langs de gefileerde of gesneden vis, waardoor nogmaals een reiniging werd uitgevoerd. Binnen dertig minuten was de vis geheel verwerkt, klaar voor de verkoop.

'En dus,' zei de verkoopmanager, 'kan de klant 's avonds vis eten die diezelfde ochtend nog in leven was. Dat is een graad van versheid die niet geëvenaard kan worden door enig ander watercultuurprodukt. Wat zeevis betreft, dat is niet te vergelijken. Sommige zeevis heeft vier, vijf dagen in een boot gelegen voordat zo'n boot weer in de haven komt.'

Ontkoppen–dat was een nieuw woord voor mij. Maar het was een heel goed woord. Een mens kan onthoofd worden; een mens kan evenmin ontkopt worden als een vis onthoofd kan worden; en 'ontkopt' leek te verwijzen naar het toegepaste industriële procédé. De snelheid was voor een deel afhankelijk van de vaardigheid van de ontkopper of, zoals de verkoopmanager het uitdrukte, de koppenzager. Een goede koppenzager kon vijfenvijftig kóppen per minuut afzagen. Maar dan moest de vis goed verdoofd zijn en niet rondspartelen; de verdover in die groene bak moest goed werken. Zowel mannen als vrouwen werkten als koppenzager. De vrouw die ik een tijd lang gadesloeg, droeg gele handschoenen en duwde de verdoofde vissen in hoog tempo tegen een verticale lintzaag. Het uithalen gebeurde met een zuig-apparaat, zoals ik bijna twintig jaar daarvoor had gezien in wat nog over was van John Steinbecks 'Cannery Row' in Monterey, Californië. Buiten stroomden de ingewanden en ander bloederig afval van de verwerkte vis uit twee trechters in rode vrachtauto's; het werd afgevoerd, misschien (maar daar heb ik niet naar gevraagd) om in kunstmest te worden veranderd.

In het kantoorgebouw heersten ordelijkheid en stilte; en de meisjes daar waren blank. In de wachtkamer hingen kleuren-foto's van twee knappe blanke meisjes, Miss Catfish 1985 en Miss Catfish 1986.

In Cannery Row was ik in 1969 rondgeleid langs stilstaande machines, niet meer in gebruik, door de man die het complex had gekocht en hoopte het weer te kunnen verkopen. Hij vertelde me dat machines—zelfs zulke ingewikkelde en uitvoerige machines als in deze conservenfabriek—niet moeilijk waren als je ze eenmaal had 'gepraktiseerd'. En ik had het gevoel dat de directeur (en de verkoopmanager) van deze visfabriek op die manier meervallen 'praktiseerden'. Alleen was Cannery Row dood geweest; terwijl Sam Hinote bezig was een nieuwe industrie op te bouwen.

Hij was vijfenveertig. Hij was geboren in Alabama en had Auburn University bezocht. Door die naam moest ik denken aan mijn avondlijke ritten naar dat stadje en het naburige Opeli-ha voor een maaltijd, toen ik in Tuskegee logeerde. En omdat ik me herinnerde in Tuskegee iets gehoord te hebben over de relatieve verdiensten van de veterinaire faculteiten van beide universiteiten, zei ik: 'Auburn. Dat is de rivaal van Tuskegee, de zwarte universiteit.'

Sam Hinote glimlachte. Ik was een bezoeker: hij was tolerant. Hij zei: 'Tuskegee is een zwarte universiteit. Maar Auburn is niet de rivaal daarvan. De rivaal van Auburn is Alabama State University.'

Hij was zijn carrière begonnen als econoom, als marktanalist, die de prijzen van graan en andere levensmiddelen bestudeerde. Later, toen hij hoofd van economische research was van een groot bedrijf in Omaha, Nebraska, was het zijn taak nieuwe mogelijkheden voor dat bedrijf te zoeken. En zo was hij bij de meervallen terechtgekomen.

'In 1969 hebben we tenslotte een klein bedrijf opgekocht dat in meervallen deed. Het bedrijf dat wij gekocht hebben, had een broedplaats en een verwerkingsfabriek. Ze verkochten de jonge vis aan viskwekers en kochten de volwassen vis weer terug, en die verwerkten en verkochten ze dan. Ik vond dat het veel leek op het begin van de kippenfokkerij.'

Zijn analyse was juist geweest. De viskweek-coöperatie die hij in 1981 in Indianola met vijftig employés was begonnen, bood nu werk aan veertienhonderd personen, en indirect aan nog veel meer, onder wie veel zwarten die tot die tijd alleen seizoenarbeid hadden kunnen krijgen op katoenplantages, katoen wieden in het voorjaar, dat wil zeggen het verwijderen van onkruid dat niet doodgespoten kon worden, en werk met de katoenzuiveringsmachine in de herfst. Veel farmers hadden hierdoor hun farm kunnen behouden. 'Veel farmers hadden geen zin in die meervallen, maar ze hadden weinig keus. Het is moeilijk voor een farmer om op te geven. Eens een farmer, altijd een farmer.'

Sam Hinote had veel nuttige reclame gemaakt. 'We geven veel geld uit aan advertenties voor het bedrijf en de industrie in het algemeen om het image van meervallen te verbeteren. We hebben beroepskoks in dienst genomen, zoals deze hier'–hij stak een folder omhoog met een foto van een kok die een fraaie schotel in beide handen droeg–'om het image van de meerval te wijzigen.' Meerval, meerval–Sam Hinote was een toegewijd man en leek nooit moe te worden van dat woord. Het 'Catfish Institute', dat in 1986 was opgericht, had boekjes uitgegeven. Sam Hinote gaf me er een: *Fishing for Compliments–Cooking with Catfish*. Het was een campagne in Amerikaanse stijl geweest, met successen in Amerikaanse stijl. De meervalindustrie als geheel had nu een omzet van tweehonderd miljoen dollar per jaar, en bijna de helft daarvan was afkomstig van deze fabriek in Indianola. En Sam Hinote dacht dat de industrie binnen tien jaar een omzet van een miljard zou halen.

En hoewel de mens andere levende wezens niet volledig onder controle kan houden—Cannery Row is opgeheven omdat de sardines verdwenen zijn uit de kustwateren—en niemand volledig zeker kan weten wat er met de meervallen zal gebeuren—wat voor mutaties, wat voor ziekten—als gevolg van intensieve kweekmethoden, toch is het verbijsterend dat dit zich heeft afgespeeld in een gebied dat Louise had gekend toen het nog een wildernis was, waar malaria heerste en waar regelmatig overstromingen waren, maar een prachtige streek, met wilde bloemen—waar nu, enkele uren na hun vertrek uit de vijvers, de rode ingewanden van de vissen in rode vrachtwagens verdwijnen omdat hun levenscyclus is afgesloten.

Er is geen landschap als het landschap van onze kinderjaren. Hoewel Louises vader zelf planter was geweest, was voor haar dat 'ene grote katoenveld' dat de planters hadden aangelegd in de Delta een misvorming van het boslandschap dat ze als kind had gekend. En voor Mary, die veertig jaar later in de Delta was geboren, zou geen landschap het kunnen opnemen tegen het vlakke, kale land waar ze was opgegroeid.

Ze zei: 'Volgens mij is niets zo prachtig als dat eindeloos vlakke land en die eindeloos hoge hemel.'

Ze leidde me rond in het plattelandsstadje Canton, zo'n twintig kilometer ten noorden van Jackson, en gaf betekenis aan een armoedigheid waar ik een keer eerder zonder inzicht doorheen was gereden. Ik had alleen de afgewerkte lucht van de hoofdweg die door het stadje liep ingeademd en opgemerkt dat er veel zwarten waren in een stadje waar weinig werk leek te zijn. Plotseling, nu ik door Mary werd meegenomen naar de straten rondom het plein, zag ik de lagen van de geschiedenis, zoals dat zo vaak gebeurde in plaatsen in het Zuiden.

Het stadje was halverwege de jaren dertig van de negentiende eeuw gesticht. De meeste gebouwen rond het plein dateerden echter uit de twintig jaar tussen 1890 en 1910. De Burgeroorlog had daartussenin plaatsgevonden; en in een straat niet ver van het plein bevond zich de eerste herinnering daaraan.

Het was een straat met mooie oude huizen, maar met zwarte mensen. Sommigen zaten op de veranda. In het midden van de straat was een groen grasveld met een grijze marmeren obelisk. Aan één kant stond de inscriptie: *Opgericht door H.G. Howcott ter herinnering aan de goede en trouwe bedienden die de Harvey Scouts door dik en dun zijn gevolgd tijdens de Burgeroorlog.* Op een andere kant stond: *Een huldeblijk voor mijn trouwe bediende en vriend Willis Howcott, een kleurling, een jongen met een zeldzame trouw en loyaliteit, wiens nagedachtenis ik met grote dankbaarheid koester. W.H. Howcott.* En op een derde kant: *Loyaal, trouw, oprecht waren ze, stuk voor stuk.* Op de vierde kant van de obelisk stond niets.

De slaaf, Willis, had de naam van zijn meester aangenomen. Was de 'jongen', die zijn meester in de oorlog was gevolgd, inderdaad een jongen geweest, of was hij een man geweest die tot in zijn dood een 'jongen' was gebleven? De gevoelens waren oprecht; maar hoeveel uitdaging was gebleken uit de oprichting van deze obelisk, na de oorlog, ter nagedachtenis aan de trouw van slaven?

De obelisk stond in een zwarte straat. Het monument voor de Harvey Scouts stond op de blanke begraafplaats, ergens anders. En het monument voor de slaven werd nog onderhouden. Het gras rond de grijze obelisk was keurig kortgeknipt; op het voetstuk lag een boeket kunstbloemen. Zwarte mensen zaten vlak in de buurt op veranda's. Zwarte mensen kwamen voorbij terwijl wij keken. Vonden zij het niet erg?

Ze vonden het niet erg. Maar, zei Mary, het was ze nooit gevraagd. Misschien zouden ze het wel erg vinden als er op een dag iemand kwam die hun bepaalde vragen stelde.

Op de blanke begraafplaats, een paar straten verderop, en daar heel centraal, stond het monument voor de Harvey Scouts. Dat was eveneens een obelisk, maar niet zo eenvoudig als voor de bedienden. Er was beeldhouwwerk op aangebracht, gekruiste vlaggen, een ster en een halve maan; en er zat een metalen plaquette op het voetstuk. Ook waren er enkele versregels in gehouwen:

'Long since has beat the last tattoo
And peace Reigns now where Troopers Drew
Their sabres Bright to Dare and Do
Led forward by Ad Harvey.'

Het was onthutsend, die kreupele laatste regel; je kwam daardoor op de gedachte dat de eerste drie regels een citaat waren. Toch was er een offer gebracht: KAP. ADDISON HARVEY GEBOREN JUNI 1837 GESNEUVELD 19 APRIL 1865. *Op het moment dat de vlag des lands voor altijd werd gestreken, heeft de Dood hem verlost van de pijn van de nederlaag.*

Aan het eind van de begraafplaats, niet ver van de hoek met oude joodse graven, lagen kleine grafstenen, in rijen van vijf, langs de gehele lengte van de begraafplaats, met op elke steen de woorden ONBEKENDE SOLDAAT VAN DE CONFEDERATIE. Dat was schokkend, op deze begraafplaats in een klein stadje, de gedachte aan al die jongemannen die onbekend waren gebleven. De lijken of stoffelijke resten, zei Mary, waren waarschijnlijk enige tijd na de oorlog bijeengebracht. De stenen waren mogelijk in de jaren negentig van de vorige eeuw geplaatst. Het Harvey-monument en het monument voor de zwarte bedienden moesten van later datum zijn.

De begraafplaats werd nog gebruikt. Andere mensen, met meer verdriet, reden over de paden, net als wij. Er waren twee verse graven, onder groene tentdoeken met de naam van de begrafenisondernemer erop, Breeland. En niet ver daarvandaan was het familiegraf van de begrafenisondernemer, met een grote zerk waarop *Breeland* stond. Mary zei: 'Volgens sommige mensen is dat regelrechte reclame.'

Hoe klein Canton ook was, het had zijn sociale en raciale verdeeldheden. De rails van de trein scheidden de betere kant van het stadje van de mindere kant. Aan de mindere kant, de zwarte kant, waren veel huizen slecht onderhouden; en veel daarvan waren 'schietgeweer'-huizen, één kamer voor, één kamer achter, de huizen vlak bij elkaar. Er waren andere, betere zwarte wijken; maar zelfs nieuwbouwwijken leken in verval te raken. Er scheen niet veel werk te zijn in Canton. In een ouder gedeelte van het stadje stonden huizen die te maken hadden gehad met de houtzaagmolen, toen die er nog was. Milltown was voor de blanke arbeiders. Daarnaast was de zwarte wijk, met een naam die deed denken aan de slavenhutten op de plantages: Sawmill Quarters.

Er was nog een meubelfabriek in Canton; en er waren twee of drie andere fabrieken buiten het stadje. Maar de industriewijk was een zootje. Het leek op een tropische achterbuurt. Toen we bij de *country-club* kwamen – waarvan de leden mensen uit de vrije beroepen waren, uit Canton en uit Jackson –, kon je je nauwelijks voorstellen dat beide wijken hetzelfde klimaat en dezelfde plantengroei hadden. In de ene wijk leek de zon deel uit te maken van het bederf en de apathie. In de andere was het zonlicht, tussen de hoge bomen en de goed onderhouden oprijlanen, als een onderdeel van de algemene weelde,daar.

Zon, zonlicht – voor mij waren het altijd verschillende woorden geweest. Zonlicht was een plezierig woord. Zon was scherper; daarin veranderde het vroege zonlicht van Trinidad omstreeks acht uur, wanneer het tijd was om naar school te gaan. Op de blikjes 'Trinidad Grapefruit Juice' stond in mijn jongensjaren 'Fruit dat gerijpt is in tropische zonneschijn'. Dat had ik altijd te fraai geformuleerd gevonden. 'Fruit dat gerijpt is in hete zon' zou meer recht hebben gedaan aan het klimaat waarin ik woonde; maar dat zou niet zo'n mooie slogan zijn geweest. Tropische zonneschijn – dat waren toeristische woorden, had ik altijd gevonden; en ze konden weinig betekenen voor iemand die nooit iets anders had gekend.

De depressie op het gebied van landbouw en industrie nu; de beweging voor de burgerrechten twintig tot dertig jaar daarvoor; de crisistijd daar weer voor; en de Reconstructie; en de Burgeroorlog – het Zuiden leek, als je keek naar de lagen van geschiedenis waarin je de resten kon zien in een plaats als Canton, van de ene crisis in de andere te zijn gerold. En achter dat alles de instelling die de meeste van die crises had veroorzaakt, of ze verergerd had: de slavernij, die geleid had tot de tegenwoordige overbodigheid van zwarte mensen, mensen die niet meer nodig waren in een tijd van mechanisatie.

Mary zei: 'Het is frustrerend voor mij, want het probleem is zo enorm dat ik weet dat ik de oplossing ervan niet meer zal meemaken. Het is hartbrekend om te zien dat mensen zo moeten leven. En daardoor zal deze streek niet vooruitkomen. Economisch noch cultureel. Die mensen lezen geen boeken, of zelfs kranten. Televisie is het enige. En sommigen kunnen waarschijnlijk niet eens lezen. Niet zoals u of ik lezen. Ze kunnen een naambordje lezen, maar niet een gedachte of een denkbeeld.'

Bij onze rit door het stadje had ze me een middelbare school gewezen, een gebouw van rode baksteen, dat als opslagplaats voor meubels werd gebruikt sinds de scholen gedesegregeerd waren.

'Het aantal leerlingen op de openbare scholen heeft het gebouw overbodig gemaakt.' Ze bedoelde dat blanken hun kinderen van school hadden genomen en ze naar particuliere en meestal christelijke scholen stuurden. Maar dat werd nu financieel een zware belasting voor sommige mensen; en de mensen begonnen zich te bezinnen op de openbare scholen. 'Ik heb me de laatste tijd bemoedigd gevoeld doordat sommige mensen hier, die je niet liberaal zou kunnen noemen, beginnen te beseffen dat de toekomst van het stadje zo hecht verbonden is met het systeem van openbare scholen.'

'Bestaat er nog verbittering over de desegregatie?'

'Veel van de verbittering is doorgegeven aan de tweede generatie. Maar tegenwoordig is het meer een economische verontwaardiging. De mensen zijn verontwaardigd over bijstandsprogramma's als voedselzegels—en er is ook een instantie die voedsel en melk voor baby's verstrekt. En mensen die hard gewerkt hebben voor hun gezin worden natuurlijk kwaad als ze zien dat mensen voor niets krijgen wat zij met zoveel moeite hebben moeten verdienen. "Medicare" is ook zoiets. Er zijn klinieken waar de mensen naar draagkracht betalen. Dat betekent dat ze gesubsidieerd worden door de federale overheid—dat wil zeggen van de inkomstenbelasting van anderen.

'Ik ben niet zo weekhartig over het rassenvraagstuk, ik geloof niet in universele broederschap. De mensen zijn te verschillend. Ik geloof in God, maar ik ben niet religieus. Dit is de "Bible

Belt". Om de een of andere reden hebben de mensen in het Zuiden een geweldige aanleg voor gelovigheid–zwarten zowel als blanken. Als ik naar een kerkdienst ga waar de mensen ontzaglijk vroom zijn, krijg ik het gevoel dat ik iets mis. Maar het blijft niet hangen. Godsdienst is hier een sociale aangelegenheid. Gezelligheid, gemeenschappelijke maaltijden, zulke dingen. En ik geloof dat ik niet zo bijzonder sociaal ben.'

'Wanneer bent u zichzelf als Zuiderling gaan beschouwen, als iemand die anders is?'

'Dat heb ik altijd gevoeld. We zijn er immers zo trots op. We zijn doordrongen van het idee dat het Zuiden iets bijzonders is. Mijn familie is altijd geïnteresseerd geweest in de literaire aspecten. Wij waren heel trots op onze schrijvers hier.'

En hoe zat het met de andere kant? Het fanatisme, het geweld. Bestond er één visie die alles kon omvatten?

'Ik was me bewust van die andere kant. Het geweld, de ontberingen. Er is iets heel akeligs gebeurd in de tijd dat ik opgroeide. Dat was de moord op Emmett Till. Dat was een jonge zwarte knaap uit Chicago, die hier in de buurt op bezoek was. Hij is, zegt men, doodgeschoten omdat hij gefloten had naar een blanke vrouw die werkte in een winkel op het platteland. Dat is gebeurd in de buurt van Greenwood, waar ik woonde. In 1956. Ik was elf. Ik herinner me dat ik er voor het eerst over las in de krant. Ik had een vriendin die de mensen van die winkel kende. En ik herinner me dat kinderen op school zeiden dat het niet waar was, dat hij nog leefde in Chicago, en dat de mensen probeerden Mississippi een slechte naam te bezorgen. Maar hoewel ik pas elf was, wist ik dat dat niet klopte, en dat mensen die zo dachten van dezelfde klasse waren als de vrouw in die winkel.'

Daar was het weer, die nadruk op sociale verschillen. Hoe werkten die in de Delta, waar het leven zo geïsoleerd en beperkt was?

Mary zei: 'Mijn grootmoeder zei van sommige mensen dat ze geen "folks" waren. Waarschijnlijk was dat een van haar lievelingsuitdrukkingen. Ze was zich heel goed bewust van wie "folks" waren en wie niet.'

'Wie waren "folks"?'

'In het algemeen waren "folks" de mensen die niet op doortocht waren, die hier al een tijd hadden gewoond. Je kende hun familie. En wanneer ze bijvoorbeeld hier kwamen wonen vanuit Lafayette County, kende je hun familie.'

'Maar afgezien van een paar mensen in Natchez is niemand hier langer dan vijf generaties geweest.'

'Nee. Het betekende gewoon dat je wist dat het hetzelfde soort mensen was. Ze wisten hoe ze zich moesten gedragen. Ze zeiden niet "nikker". En ze zeiden ook niet "hij heb". Mensen die "hij heb" en "nikkers" zeiden, waren geen "folks"–daardoor stond dat soort mensen automatisch buiten de beschaafde wereld. Ze was fel op manieren. Als je met je ellebogen op tafel zat, pakte ze die zware zilveren messen en tikte ze daarmee tegen je ellebogen, als er tenminste geen bezoek was–in die tijd hadden de mensen van dat zware tafelzilver, niet van dat roestvrije staal. Ik denk dat we ons zo gedroegen omdat we oprecht dachten dat dit–het Zuiden–het beste van de hele wereld was. Technisch gesproken was mijn grootmoeder afkomstig uit Alabama. Ze had sinds haar huwelijk in Mississippi gewoond. Ik kan me herinneren dat mijn ouders probeerden me het rassenprobleem uit te leggen. En aangezien niemand het echt begreep–'

Dat interesseerde me. Ik zei: 'Niemand heeft dat zo tegen me gezegd.'

'Ik geloof echt dat ze het rassenprobleem niet begrepen. En nóg niet. Ik weet dat mensen van bijvoorbeeld mijn grootmoeders generatie–haar generatie en zwarten van dezelfde generatie hadden een contact dat niet meer bestaat. In die tijd had niemand geld. U weet wel, de crisistijd en zo. Veel van de banen voor zwarten waren afhankelijk geweest van de blanken–in de huizen en de tuinen en zo. Maar de blanken waren ook afhankelijk van de zwarten. Ik geloof dat er destijds meer onderling respect was tussen de rassen.'

'Mensen van buiten hadden die indruk niet. Er waren immers die lynchpartijen.'

'Die waren er inderdaad. Maar de mensen over wie ik het had–en mensen zijn vast tot veel meer geweld in staat dan ik besef–de mensen die zo onmenselijk optraden, waren niet kenmerkend voor de bevolking als geheel.'

'Wat voor effect heeft de uiterlijke toestand van Canton op u? De stad die u me hebt laten zien?'

'Dat soort vragen maken ons defensief.'

'Nee, nee, dat is mijn bedoeling niet.'

'Wat heb ik u dan laten zien? Gebouwen en velden.'

'U hebt me veel laten zien dat vervallen is. Dat is onwaardig tegenover de geschiedenis.' En ik bedoelde–hoewel ik het niet duidelijk formuleerde–dat er, als je de begraafplaats en het plein vergat, weinig in Canton zou zijn dat geen moderne achterbuurt was. Het land en de omgeving kon je eigenlijk niet in verband brengen met een groots en moeilijk verleden. Hoe hield zij, in deze omgeving, haar gevoel voor geschiedenis overeind?

Mary zei: 'Misschien is het inderdaad onwaardig. Maar ik geloof niet dat armoede en ontberingen beperkt blijven tot het Zuiden. Ik geloof dat we ons meer dan ooit bezighouden met de economische problemen. De mensen behandelen de problemen van zwart en blank als van één groep.'

'Wat waardeert u in het Zuiden?'

'Het is een heel koesterende omgeving om in te wonen. Ik houd van de mensen, al ben ik niet intiem met hen bevriend. Als er een of andere tragedie gebeurde, zouden de mensen te hulp schieten, al zijn ze geen familie van me. En het gevoel van het verleden kan bevredigend zijn–zelfs al komt mijn familie hier niet vandaan. Hoe heeft Faulkner het gezegd? Het verleden is reëler dan het heden? Ik weet de bewoordingen niet meer precies. Maar het komt doordat het verleden iets is waarmee we allemaal moeten leven. Misschien leggen ze in grotere steden niet zoveel nadruk op het verleden. Wij zijn altijd bezig met het verleden. Sommige mensen denken dat dat komt doordat wij de oorlog hebben verloren.'

We waren dus in een kringetje bijna terug bij waar we waren begonnen. Toen ik een militair ogende figuur op een monument op de begraafplaats had gezien, had ik gevraagd of hij het uniform van de Confederatie droeg. Maar het monument was iets anders dan ik had gedacht. En Mary had gezegd: 'Ze hadden geen uniformen. Tegen het eind mochten ze van geluk spreken als ze schoenen hadden.'

William zei: 'De mensen daar in het Noorden denken dat ze meer over de problemen en de mensen hier in het Zuiden weten dan wij. Ze denken dat ze weten hoe de zwarte denkt en hoe de blanke denkt. Wat de zwarten betreft hadden ze het aardig mis.' Het Noorden had het economisch meer actieve Zuiden ontwricht in 1860; en dat hadden ze opnieuw gedaan na de Tweede Wereldoorlog.

Ik wilde dat hij daarop doorging.

Hij zei: 'Laten we eerst bepaalde dingen doorspreken, voordat je aantekeningen gaat maken.'

Ik borg mijn notitieboekje op en we begonnen zomaar wat te praten. Hij was zakenman, uit een vooraanstaande familie in Mississippi. Hij was in de veertig. Hij was dol op het buitenleven en was gespierd en knap. Hij leek in veel opzichten geboft te hebben. Maar wat naar voren kwam, na slechts een paar minuten praten, was dat hij iemand was voor wie het geloof buitengewoon belangrijk was. Zijn uitspraken, zelfs de harde woorden die hij in het begin had gezegd, vielen binnen zijn opvatting van het geloofsleven. En daar begonnen we van voren af aan.

We zaten op schommelstoelen voor zijn bureau: de traditie van de voorgalerij, hier overgeplaatst naar een kantoor met airconditioning.

William zei: 'De bijbel zegt dat de Heer helpt wie zichzelf kan helpen, en dat geloof ik oprecht. Ik heb het gevoel dat er niet genoeg mensen zijn die proberen zichzelf te helpen. En ik geloof niet dat de hulp die die mensen nodig hebben, bestaat uit een blanco cheque.'

Ik vroeg naar de manier waarop zijn geloof zich had ontwikkeld.

'Alle vier mijn grootouders hebben heel veel werk verzet voor de baptistenkerk. Mijn ouders waren en zijn overtuigde lidmaten van de kerk. Ik kan me ons niet herinneren zonder gebed of bijbellezing. Ik heb mijn geloof beleden toen ik zeven jaar was.

Ik neem aan dat ik eerst naar mijn ouders ben gestapt–nadat ik de mensen op de zondagsschool had horen praten over Jezus en de Heer, en ik geloof dat Hij echt uit de hemel is gekomen en onder ons heeft gewoond en voor ons is gestorven om ons de kans te geven met Hem in de hemel te zijn. En tenslotte heb ik openlijk gezegd: "Ik wil Jezus aannemen." En zij zeiden: "Goed, dan gaan we naar de dominee." En die praatte met me. En ik neem aan dat ze dachten dat mijn geloof sterk genoeg was, en dus ben ik op mijn zevende gedoopt. Ik ben daarmee opgegroeid, ik heb het aanvaard, en ik heb die geloofsbelijdenis afgelegd.

'Omstreeks die tijd had ik een droom–maar daar heb ik pas jaren later aan gedacht. Ik logeerde bij mijn grootmoeder. Ik sliep op de achtergalerij. Ik herinner me dat ik rechtop in bed zat–ik was opeens wakker geworden–en dat ik dacht dat ik Jezus Christus door de achterdeur zag komen. Die deur had een kloppertje, een houten balletje aan een koord, en ik herinner me dat ik die klopper hoorde, en dat de deur openging. En ik kreeg een visioen van Jezus Christus die door die deur kwam. En ik herinner me dat ik die hele nacht heb opgezeten om te zien of Hij weer door de achterdeur zou weggaan. Maar dat is niet gebeurd. Ik heb nooit zoveel over die droom nagedacht tot zo'n zes, zeven jaar geleden. Ik reed over de autoweg, en opeens was die droom weer terug in mijn herinnering. Op dat moment besefte ik echt dat Jezus Christus in mijn hart was gekomen. En de reden dat ik Hem niet door die achterdeur had zien weggaan, was dat Hij ons niet had verlaten. Ik heb dat verhaal nooit met mijn familie besproken. Maar ik herinner me die droom en die hele nacht alsof het gisteren gebeurd is. Ik weet dat Jezus Christus toen in mijn hart is gekomen en nooit meer is weggegaan.'

'Heeft dat uw houding tegenover andere mensen gewijzigd?'

'Ik hoop dat ik geduldiger ben met mensen. Ik hoop dat ik eerder het goede zie dan de tekortkomingen. Ik probeer zeer zeker slechte ervaringen snel te vergeten. Ik probeer te vergeven en te vergeten.'

'En ongelovige mensen? Wat vindt u daarvan?'

'Ik denk dat ik het gevoel heb dat ik, als ik een voorbeeld voor hen ben, ze kan opwekken om minder ongelovig te zijn. En ik denk ook niet minder over iemand die een ander geloof dan het mijne heeft.'

'Heeft u het gevoel dat u in een godsdienstige gemeenschap leeft?'

'Dat geloof ik wel. Ik weet niet zeker of het gelovige deel van de gemeenschap de bevolkingsgroei kan bijhouden. Ik weet niet zeker of het *lidmaatschap* van de kerken op peil blijft. Maar ik weet dat er veel christenen zijn. Ik voelde me bemoedigd toen de mensen ontoegeeflijk reageerden op die kwestie van Gary Hart en Donna Rice. Ik voel me zeer zeker bemoedigd over het christendom in dit land en het werk des Heren.'

'Waarom zit u niet in de kerk?'

Hij begreep mijn vraag verkeerd. 'Daar ben ik gisteravond tot negen uur geweest.'

'Nee, nee. Ik bedoelde: waarom bent u geen geestelijke?'

'Ik geloof dat de Heer een bedoeling met ieder van ons heeft, een plan. Hij weet wat Hij wil dat we doen. Als we allemaal architect waren zouden we allemaal mooie gebouwen hebben, maar dan zouden we geen boeren hebben om ons voedsel te verbouwen. Ik denk dat Zijn plan voor de schepping is dat er heel veel mensen nodig zijn voor deze wereld. En Hij heeft Zijn werkers op alle gebieden nodig.'

'Is dat de reden waarom u zo denkt over mensen die niet werken?'

'Ik heb het nooit zo onder woorden gebracht, maar ik denk wel dat ik er daarom zo over denk.'

'Denkt u dat mensen werk nodig hebben?'

'Dat staat vast. De Heer heeft de Hof van Eden geschapen, en daar heeft Hij Adam en Eva doen wonen, en toen ze zondigden, heeft Hij ze uit de Hof van Eden verjaagd en tegen hen gezegd dat ze moesten werken.'

'Hebt u het gevoel dat de mensen nog steeds die zonde aan het boeten zijn?'

'Ik geloof niet dat ik hun zonden boet. Maar ik geloof wel dat we allemaal zonden hebben. De mensheid is zondig–zo zijn we nu eenmaal, dat moeten we aanpakken. Ik ben er vurig van overtuigd dat we zes dagen moeten werken en op de zevende dag moeten rusten. De Heer zegt dat Hij ieder individu talenten geeft, en de Heer zegt dat we die moeten gebruiken. Sommige mensen zijn schrijver, boer, architect. Dat zijn talenten die de Heer aan hen heeft gegeven.

'Iemand heeft een paar maanden geleden aan mijn vader geschreven. In die brief zei hij: ik geniet van mijn werk; hoe kan een geslaagd zakenman christen blijven? Moet hij bij zijn bedrijf blijven, of moet hij naar de kerk gaan? Mijn vader heeft hem teruggeschreven om uit te leggen waarom het nodig is dat een christen-zakenman in de wereld leeft. Onze eigen dominee heeft verscheidene malen gezegd dat hij, nu de televisie-dominees zo'n slechte pers krijgen, soms voor een dichte deur komt; dat de verantwoordelijkheid voor het leiden van mensen naar het christendom meer op de schouders van leken gaat berusten.'

Ik zei: 'Sommige mensen zeggen dat het het werk van de duivel is, dat die televisie-dominees in moeilijkheden zitten.'

William zei: 'Als ik ergens in faal, dan faal ik. Ik heb het gevoel dat ik de consequenties van mijn falen moet aanvaarden. Ik weet ook dat er machten buiten mezelf zijn die tegen me werken. Maar dat weet ik al voordat ik begin. Dus kan ik de verantwoordelijkheid niet afschuiven. Het is mogelijk dat de duivel het me heeft laten doen, maar het blijft mijn probleem, mijn verantwoordelijkheid. De uiteindelijke aansprakelijkheid ligt bij mij.'

Ik vroeg of hij nog wat meer wilde zeggen over die aansprakelijkheid.

Hij zoog lucht tussen zijn tanden naar binnen. 'Pff! Dat is nogal moeilijk om over te praten tegen een ander. Ik denk dat het teruggaat tot wat ik geleerd heb van mijn pa en ma. Dat je, als je verantwoordelijkheid hebt, ook aansprakelijk bent. Hoe meer verantwoordelijkheid, des te meer mensen hebben ermee te maken. En ik denk dat de aansprakelijkheid tegenover Christus de uiterste verantwoordelijkheid is die ik heb. Dat geeft me ook een achtergrond voor wat pa en ma me geleerd hebben over verantwoordelijkheid en aansprakelijkheid. De mensen die het meest van mij afhankelijk zijn, dat is mijn gezin, denk ik. Dan zijn er de mensen met wie ik zakelijke bindingen heb. Die hebben mij een zekere verantwoordelijkheid gegeven, en ik ben aansprakelijk. We doen zaken om klanten van dienst te zijn. En daardoor krijgen we weer een hele andere groep mensen tegenover wie wij aansprakelijk zijn, mensen die we nooit zullen zien.

'U hebt me verteld over uw excursie naar die meervallenkwekerij. Die meervallen zullen over de hele wereld gaan. En de kweker moet ervoor zorgen dat die vis goed van smaak is—voor degene die die meerval gaat eten, voor de plaats waar die meerval terecht komt. Als we ons werk goed doen, dan komen ze terug. Als we het niet goed doen, komen ze niet terug.'

Dus de godsdienstige denkbeelden van door God gegeven talenten, werk en aansprakelijkheid vielen samen met degelijke zakelijke praktijken. Dat gold ook voor andere religieuze groepen, dat samenvallen van religieuze toewijding en gevoel voor zaken: de ene vorm van toewijding moedigde een andere vorm van toewijding aan, en veranderde daar zelfs in. Het gold ook voor bepaalde kastegroepen onder de Hindoes en bepaalde minderheids- of ketterse sekten in de islam. Maar godsdiensten en beschavingen hebben een eigen identiteit. De ene lijkt niet automatisch op de andere. De gedachte van het door God gegeven talent vindt men terug in het Hindoe-denkbeeld *dharma*; maar de toewijding aan godsdienst en zaken van de Hindoe is anders dan de toewijding waarover William het had. Hoezeer de zakelijke praktijken van de Hindoe-zakenman ook de gedachte van dienen lijken in te houden, hij heeft uitsluitend een contract met God, en niet met andere mensen.

En over zijn contract met mensen praatte William nu verder. Hij zei: 'Zonder geloof zou ik helemaal geen doel hebben. Het geloof geeft een doel aan ons leven. Dat doel is de Heer te dienen. En de enige manier die wij kennen om Hem te dienen is de mensheid dienen. We kunnen Hem niets geven dat Hij niet al bezit. Daar kunnen we niet tegenop. Niets wat Hij niet allang bezit, afgezien van ons hart.'

William besteedde een bepaald deel van zijn vrije tijd aan werk voor de kerk. Hij leidde soms 'diensten'; hij gaf soms les op de zondagsschool; hij werkte met padvinders. Beoordeelde hij, die zo vervuld was van zijn kerk, mensen naar de mate van hun geloof?

Hij begreep de vraag als voor een deel een politieke vraag, die te maken had met 'gelijke kansen' en de rassenkwestie. Hij antwoordde–verwarrend, tenzij je begreep dat hij dacht antwoord te geven op een half-politieke vraag: 'Ik probeer geen enkel individu te beoordelen als individu. Ik beschik niet over de feiten om een oordeel op te baseren. Maar ik probeer hem en zijn handelingen te beoordelen naar het werk dat gedaan moet worden–ik probeer zijn sterke en zwakke punten af te wegen, voor zover ik ze kan interpreteren. Al is dat wat ze me vroeger altijd *verteld* hebben–dat iemand bij dat bepaalde werk past. Misschien was dat zo, misschien ook niet. Maar daardoor gaat zo'n individu intuïtief voelen: "Ik ben hier omdat jij me hier hebt moeten plaatsen. Wat ik presteer, doet er niet toe. Daarom doet het er ook niet toe wat ik hier doe." En op dat moment verliest zo iemand zijn gedrevenheid en een goede motivering.'

Maar William praatte hierover op vermoeide toon, alsof hij daar al heel vaak over had gepraat, en nu niet meer kon geloven dat de eenvoudige en voor de hand liggende dingen die hij zei, ooit zouden worden geaccepteerd.

Al schommelend liet hij het onderwerp van de gelijke kansen varen en zei hij: 'Ik heb zo'n gezond respect voor de eerste inheemse Amerikanen. Ik heb echt het gevoel dat ze geloofden dat de Heer leefde in alles op aarde, in de rotsen, de bomen, de struiken, de dieren–de Heer leefde in alles–en zij hoorden daar ook bij. En wat ik denk over de eerste inheemse Amerikanen is dat ze een bijna religieus respect hadden voor de natuur. Voor hen was het leven van een grassprietje even belangrijk als dat van een grote buffel. Ze maakten geen onderscheid. En waarschijnlijk beseften ze, meer dan de grootste geleerden ter wereld tegenwoordig, dat alles op deze aarde voortdurend met elkaar in verband staat. Ze begrepen de kettingreactie die in de natuur ontstaat wanneer je daar een evenwicht verstoort. En ik denk dat ze door hun respect voor alle levende dingen ook een respect voor de mensheid hadden, waarvan ik niet zeker ben of we dat ooit nog zullen zien.'

'Hoe hebt u dat van die Indianen ontdekt?'

'Ik heb een paar boeken gelezen. Ik heb een paar reizen naar het Westen gemaakt en onderweg gepraat met een paar Indianen. En ik ben onder de indruk gekomen van de aandacht die zij hadden voor kleine details. Elke actie heeft een reactie. En wat mij nu het meest bezorgd maakt als ik zie dat er een nieuwe autoweg of wegverbreding komt, waarvoor ze het land ontbossen, dat is dat ze daar op grote schaal plantaardig en dierlijk leven verwoesten, leven dat niet vervangen kan worden. Wat me daarbij stoort is dat het niet met enig bewustzijn of bezorgdheid wordt gedaan. Ze doen het alleen uit bezorgdheid om de dollar.

'Ga eens voorover op de grond liggen. Kijk eens drie kwartier naar een halve vierkante meter gras. Dan zie je het leven, de insekten. En dat vergroot je dan tot het formaat van een project.'

'Maar Mississippi heeft investeringen nodig.'

'Ik weet niet hoe het kan worden uitgewerkt. Hoe bezorgder je bent over die kleine dingen, en die kant van het leven, des te bezorgder zul je zijn om je naaste.'

Het contract met andere mensen, God dienen door de mensheid te dienen – dat waren gedachten waar William op terugkwam.

'Ik heb het idee dat mens en natuur moeten samengaan. De Heer heeft ons hier geplaatst als huisbewaarders. Veel van mijn gedachten zijn verbonden met mijn geloof en de schepping van de Heer.'

Ik had de indruk dat we nu konden terugkeren naar wat hij in het begin had gezegd, over het historische verlangen van het Noorden om de economie van het Zuiden te verstoren. Maar hij wilde op dat moment niet terugkeren naar die kant van de zaak. Hij wilde wat langer blijven stilstaan bij zijn meer mystieke denkbeelden.

Ik had het gevoel dat ik iets was gaan begrijpen van de manier waarop zijn fundamentalistische geloof – dat van buitenaf zo beperkt leek – in werkelijkheid compleet en flexibel was. De mengeling van het Oude en het Nieuwe Testament, het leven van Jezus en het boek Genesis, vormden één geheel. De heiligheid van de geschapen wereld, het goede, gewetensvolle leven, het liefhebben van de naaste als zichzelf–alles ging samen, en alles leek te passen bij het karakter en de geschiedenis van Mississippi: de liefde voor de natuur en het buitenleven, een zekere bewondering voor het pantheïsme van de Indianen, de liefde voor gezin en gemeenschap, de hekel aan bemoeienis van buiten, die haast kon worden ervaren als inbreuk op een godsdienstige code.

Over zijn geloof zei William: 'Ik loop er niet mee te koop. Ik hoop dat ik er geen reclame voor maak. Het is gewoon een deel van mijzelf. Ik wil geen o-zo-vrome zijn, of een heilig boontje, want zo voel ik me niet. Ik wil gewoon deel uitmaken van Gods schepping. Zijn werk is in alles terug te vinden. En hoe meer respect wij voor Zijn schepping hebben, des te meer respect hebben we voor onze medemensen.'

Na Tallahassee en Tuskegee had ik in Mississippi de dingen willen bekijken vanuit een blank standpunt, voor zover dat mogelijk was. Maar niet lang na mijn komst werd mij duidelijk gemaakt dat ik, gezien het hoge percentage zwarten in de staat en gezien de mogelijkheid dat Jackson binnenkort een zwarte burgemeester zou krijgen, met een paar zwarte politici zou moeten pratem.

Andrew, een jonge politicus uit Mississippi, maakte me dat op een dag duidelijk bij de lunch; en hij vond dat Willard de man was die ik moest ontmoeten. Andrew zelf zou Willard die dag voor het eerst ontmoeten, na de lunch, en hij vond dat ik met hem mee moest komen. 'Als de ontmoeting goed verloopt,' zei Andrew, 'kan ik weggaan en kun jij met hem praten. Ik kan hem altijd nog een andere keer spreken.'

Andrew was niet op zoek naar zwarte kiezers. Zijn ambitie als politicus was de hervorming van de constitutie van de staat Mississippi uit 1890; en daarvoor had hij alle politieke steun nodig die hij krijgen kon. Voor deze eerste ontmoeting met Willard had hij zich enigszins formeel gekleed, in een lichtblauw cloqué kostuum.

De ontmoeting zou plaatsvinden in een hotel in de buurt. We verlieten het koele restaurant en liepen naar de hitte van de parkeerplaats. De auto was heet. De airconditioning, die op 'hoog' stond, brulde; en de auto werd van binnen heter dan het buiten was geweest. De lucht werd net wat koeler toen we al bij het hotel kwamen en moesten uitstappen, de hitte van een andere parkeerplaats in. Steeds die herinneringen aan het ongemak van vroegere generaties; en verwondering over de energie die zij aan de dag hadden gelegd; en nog meer verwondering dat een felle oorlog was uitgevochten in dergelijke temperaturen.

We gingen in de lobby zitten wachten op Willard. Het gesprek verliep vlot, tot aan het tijdstip waarop Willard had moeten komen. Daarna werd het moeizaam, omdat we beiden wachtten op Willard. Andrew zei: 'Ik heb hem nooit eerder ontmoet.' Hij zei dat twee of drie keer. Eenmaal stond hij op en liep hij de lobby in om iemand die hij kende te groeten: onberispelijk van manieren, zeker van zijn charme, in zijn politieke rol die nu zijn tweede natuur was geworden.

En toen, nadat we het al hadden opgegeven, omdat er al vijftien minuten waren verstreken sinds de afgesproken tijd, kwam Willard. Hij was gekleed in overhemd en broek; geen das; en hij was onverwacht gewoon, totaal niet de zwarte leider of wouldbe leider met wie ik Andrew in mijn fantasie had zien onderhandelen. Ik had een zwarte man van een verontrustende charme verwacht. Willard had geen charme. Hij was in de veertig, dikkig, stevig, zonder enige teken van fysieke ontberingen. Hij had een serieus gezicht opgezet voor deze ontmoeting. Als je niet had geweten dat hij als politicus werd beschouwd, had je de woede in zijn ogen niet gezien, of zou je die vastberaden blik als sensueel hebben beoordeeld.

Willard was duidelijk een zeer plaatselijke politicus. Vanwege de grondwet van 1890 moet men in Mississippi zelfs voor de meest bescheiden openbare betrekkingen worden verkozen. Dit voorschrift, dat bedoeld was geweest om te voorkomen dat enige regering te veel macht kreeg, en ook om zwarten zelfs uit eenvoudige betrekkingen te weren, werkte nu in het voordeel van zwarten; en daardoor hadden betrekkingen die elders zuiver professioneel of technisch zouden zijn geweest, een politieke lading gekregen. Willard was verantwoordelijk voor de wegen in een bepaald gewest van een bepaald district: een heel bescheiden betrekking.

Ik vertrok vrijwel zodra ik Willard een hand had gegeven. En voor een deel dank zij Andrews goede diensten (de ontmoeting moest gunstig zijn verlopen) werd een gesprek gearrangeerd tussen Willard en mij, een paar dagen later.

Het was een afspraak voor de vroege ochtend. Ik had uit de aanwijzingen begrepen dat het een adres in Jackson was. Ik had niet naar de afstand geïnformeerd. Maar na zo'n twintig minuten op een grote autoweg begon ik het gevoel te krijgen dat ik terugreed naar Alabama.

Toen het tijdstip voor de ontmoeting al voorbij was, kwam eindelijk de afrit in zicht. Pas toen drong het tot me door dat ik helemaal geen huis- of kantooradres had gekregen, dat ik dat hele eind had gereden met niet meer dan het nummer van een gewest in het district als bestemming. Ik reed echter door, en dacht dat ik naar de weg kon vragen wanneer ik de grens van het district bereikte. Ik kwam langs een bord. Daarop stond de naam van het district en het nummer van het gewest. Het was niet het nummer dat mij was opgegeven. Maar ik bedacht dat ik zou stoppen bij het gebouw erachter. Er stonden auto's omheen geparkeerd. Toen ik bij het gebouw kwam, zag ik dat er tussen de geparkeerde auto's een lege ruimte was, en dat die ruimte gereserveerd was voor Willard. Dit was het adres waarheen ik had moeten komen. Maar hij was er niet.

Ik duwde de deur open en bevond me in een barak die in kantoorruimten was verdeeld. De barak was vol zwarte mensen. In het voorste kantoortje of hokje zat een zwart meisje met een telefoon, met andere zwarten om zich heen.

Dat meisje vroeg kwiek naar mijn naam. Die gaf ik. Ze zei dat zij de hele ochtend, evenals meneer Willard de dag daarvoor, had geprobeerd me te bereiken om me te vertellen dat meneer Willard niet op dit adres kon zijn, maar dat hij me een uur na de afgesproken tijd kon ontmoeten in Jackson. Hij zou me in mijn hotel in Jackson komen opzoeken. Ze hadden alle hotels in Jackson opgebeld om me te lokaliseren. Maar ze hadden me niet gevonden. Ze hadden het Sheraton gebeld, het Holiday Inn. Waar logeerde ik? Ik vertelde het haar. Ze zei dat meneer Willard daar over een uur zou zijn. Hoe kon ze hem bereiken? Over de radio, zei ze; en ik voelde dat die radio belangrijk was, een kenmerk van zijn functie.

Ik vroeg haar of ze hem over de radio kon oproepen terwijl ik daar nog was, zodat ik zou weten dat hij de boodschap had ontvangen. Ze zei dat ik me geen zorgen hoefde te maken. Dus reed ik terug naar Jackson, langs de weg die eerder die ochtend zo lang en onwaarschijnlijk had geleken, en die mij tegen het eind een beetje gejaagd had gemaakt omdat ik vreesde te laat te komen voor Willard.

Toen ik terugkwam in het Ramada Renaissance-hotel, was daar geen Willard. Toen ik zijn kantoor belde, zei het meisje dat meneer Willard met haar gesproken had over de radio en dat hij van plan was zijn afspraak na te komen. Hij wist zelfs het nummer van mijn kamer, zei ze. Maar Willard verscheen niet; en de volgende dag was er geen boodschap van hem of zijn kantoor.

Later vertelde ik Andrew over Willards kleine—of grote—grap. Andrew zei: 'Ik ken hem niet echt. Ik heb hem die dag met jou voor het eerst ontmoet.' En toen ik Andrew vroeg of de samenwerkingspolitiek die hij op het oog had echt mogelijk zou zijn, zei Andrew dat hij optimistisch moest zijn. De problemen van de zwarten waren groot, en er waren veel zwarten in Mississippi. Als hij niet optimistisch was, zei hij, kon hij beter verhuizen naar Oregon, waar slechts één procent van de bevolking zwart was.

Andrew zei: 'Het begint tot iedereen door te dringen dat er een ramp plaatsvindt in de zwarte gemeenschap, en er moet echt over gepraat worden. Het standpunt van de beschaafde pers is niet meer genoeg.' Toch wist Andrew alleen maar wat hij wist. 'Ik praat eerder na wat ik gelezen heb over de maatschappij dan dat ik het zelf heb meegemaakt. Ik haal het uit tv-documentaires en actualiteitenrubrieken. Ik heb het niet echt meegemaakt. Ik heb niet met zwarten of "rednecks" gepraat. Ik moet in zulke fundamentele politieke kwesties de knoop doorhakken. Als we niet kunnen samenwerken, zijn we verloren.'

Optimisme op de voorgrond; irrationaliteit op de achtergrond.

Het verhaal van mijn avontuur met Willard moet rondverteld zijn, want op een dag kreeg ik een telefoontje van iemand die Lewis heette. Hij zei dat hij een zwarte was en hij wilde me introduceren bij de echte zwarte beschaving. Hij werkte in het magazijn van een districtskantoor (zoiets als waar Willard toezicht hield). Hij begon me te vertellen hoe ik zijn huis kon vinden. Maar vervolgens zei hij dat hij me bij mijn hotel zou komen ophalen. Hij zei dat hij er binnen een uur zou zijn.

Hij hield zich aan zijn woord. Ik herkende hem zodra hij het Ramada-hotel binnenkwam. Hij was vlot, licht, vriendelijk. Hij gedroeg zich zo vlot dat ik me voorbereidde op een algemeen of neutraal gesprek, althans in het begin. Maar zodra we in de privacy van zijn auto zaten, en nog voordat we vertrokken waren van de parkeerplaats van het hotel, zei hij dat hij in de oude tijd niet had kunnen wonen waar hij nu woonde. Hij had meegeholpen zijn buurt te 'integreren'. Het bleek een bescheiden buurt te zijn. De huizen waren klein en stonden dicht bij elkaar. De verrassing, na wat hij gezegd had, was zijn tuin. Die was overwoekerd door onkruid en viel op tussen de beter onderhouden buurtuinen.

Binnen was het huis rommelig, benauwd, onfris. Hij zei niets over de rommel (zelfs een paar onafgewassen kopjes en borden in de zitkamer) en deelde alleen mee dat zijn vrouw met de kinderen een paar dagen naar haar moeder was; en in de rommel heerste een zekere orde.

Aan de wand van de zitkamer hingen ingelijste vergrotingen van twee oude zwart-witte studioportretten. Dat waren zijn grootouders. De ouderwetse kleren, de beklemming van boord en plooikraagje rond de hals, en de starende blikken van de geposeerde foto's waren merkwaardig ontroerend. Bij het vergroten of afdrukken waren de schakeringen van de foto's verbleekt, zodat beide mensen blank leken, met zwarte ogen. De foto's droegen het stempel van een fotograaf in Memphis.

Lewis zei: 'Mensen uit Mississippi. Ze waren naar Memphis gegaan. Iedereen ging naar Memphis. Mijn vader is na de oorlog teruggekomen naar Mississippi. Weet u wat ze deden? Die mensen op die foto's? Zal ik het u vertellen? Ze waren bediende. Die twee mensen zijn mijn opvoeders geweest. Er is geen haat in mij ontstaan omdat zij me geleerd hebben nooit te haten. Dat woord werd bij hen thuis nooit gebruikt. "Gedraag je netjes." Dat was hun motto. "Wees fatsoenlijk tegen iedereen." Dat kreeg je elke dag te horen. Dat hebben ze mij geleerd – dat ik me netjes moest gedragen en dat ik fatsoenlijk moest zijn tegen iedereen.'

Het was warm in de zitkamer omdat de airconditioning kapot was. Ik vroeg of hij een raam kon openzetten. Hij zei dat dat niet ging; dan zouden er insekten binnenkomen. Dus zaten we in de sterke, warme, muffe geur.

Hij zei: 'Toen mijn grootvader stierf, stuurde mijn grootmoeder een deel van mijn grootvaders kleren naar mijn vader. De kleren van een bediende, kostuums. Het waren namelijk nog goede kleren. Ze konden nog gedragen worden. En mijn vader heeft er een aan mij nagelaten. Ik heb het een keer aangetrokken. Het was alleen maar stof, maar het brandde op mijn huid.'

'Hebt u dat kostuum nog?'

'Ik weet niet waar het is.'

'Maar dat alles is al zo lang geleden.'

'Maar het verleden is altijd interessant. Als ik het verleden ken, kan ik mijn werk beter doen. Ik word er wakker van, als ik aan het verleden denk. Soms is het een wreed ontwaken. Als je denkt aan dingen die gebeurd zijn – dat ik niet kon wonen waar ik nu woon, en daar zelfs niet over dacht. Dat ik achter in de bus ging zitten. Dat mijn grootmoeder de was deed voor blanken, voor vijftig cent per mand. Waarom hebben ze haar niet beter betaald? Maar ik accepteerde het toen ik het hoorde. Het is een wreed ontwaken, nu. Maar ze hebben me wél beschermd tegen de haat. Die was er wel. Ik woonde in mijn zwarte wijk. Zij woonden in hun blanke wijk. Die haat was er, overal om me heen, en ik voelde het niet. Ze hebben me daartegen beschermd, mijn grootouders, en vervolgens mijn vader. Ik hoorde over zwarten die gedood werden. Maar mijn vader verbood ons altijd daar al te veel over te praten. En zal ik u eens wat vertellen? Tot aan zijn dood zei hij tegen blanken, mijn vader, "Ja, meneer!", "Nee, meneer!", hoe jong ze ook waren.'

'Wat vindt u daar nu van?'

'Ik zit er niet mee. Hij was mijn vader. Hij heeft veel goeds voor ons gedaan, voor zijn gezin. Dus heb ik niet tegen hem gezegd: "Zeg dat toch niet."' Hij vervolgde: 'Ikzelf vecht elke dag om gelukkig te zijn. Elke dag. Dat is het enige waarnaar ik streef. Tevredenheid, gelukkig in mezelf.'

Wat bedoelde hij daarmee?

'Ik kan mijn omgeving niet veranderen, maar ik kan mezelf respecteren. Ik zal u een verhaaltje vertellen. Ik ging een keer naar het huis van mijn moeders zuster. Zwarte soldaten kwamen vaak naar het huis daartegenover, en daar werden ze ontvangen door de jongedame die daar woonde. Op een dag klaagde een van die soldaten dat hij zijn portefeuille kwijt was. De politieman die de zaak moest uitzoeken, kwam naar het huis van mijn moeders zuster, want de jongedame zat daar op de veranda toen hij kwam. Hij liep op haar af en zei: "Heb jij de portefeuille van die jongen gepikt, meid?" Ze zei: "Nee meneer." Hij zei: "In de auto." En toen ze zich bukte om in te stappen, gaf hij haar een harde trap tegen haar achterste. Dat ben ik nooit, *nooit* vergeten.'

'Wat waren uw gevoelens daarover?'

Ik wilde dat weten omdat ik niet meer zeker wist wat hij bedoelde met een paar van de dingen die hij zei, de herinneringen waarmee hij speelde. Het werd ook donker, in het kleine, volle huis—hij leek daarvoor even onverschillig als voor de benauwdheid en de rommel—en het werd moeilijker zijn gezicht te zien wanneer hij iets zei. Hij praatte over een aantal dingen tegelijk. Hij wilde gelukkig zijn, tevreden; hij was beschermd geweest tegen pijn; en daarmee verweven was iets als bewondering voor de grootouders die zijn familie hadden gesticht en hem geleerd hadden dat hij niet in moeilijkheden moest raken in een irrationele wereld.

'Wat ik denk over de politieman en die vrouw? Ik weet het niet. Ik was nog zo jong. Ik heb er met niemand over gepraat. Ik heb het alleen zien gebeuren. Het was gemeen. Maar ik weet niet wat ik eigenlijk vond van die gemeenheid. Af en toe moet ik eraan denken. Zelfs vandaag. Ik zie het voor me. Maar ik weet niet wat ik erover denk.'

Gaf hij niet een beetje aan zichzelf toe door zoveel in het verleden te leven, juist nu de tijden waren veranderd?

'Ja. Ik geniet nu van de oogst. Maar ik geloof niet dat ik veel heb gedaan als strijder, als marcheerder voor de vrijheid.'

'Hindert dat u?'

Hij zei niets. Toen lachte hij. 'Ik weet niet wat ik daarover voel. Ik neem aan dat ik in een eigen wereldje leef. En ik zal wel zelfzuchtig zijn, daar in mijn eigen wereldje. Ik zou kwaad moeten zijn, en razend, en zou moeten vechten. Maar ik word niet kwaad.'

'Komt dat misschien uit de godsdienst voort? Hebben uw grootouders u dat geleerd?'

'Ik ben niet gelovig. Ik ben niet als zoveel mensen die elke zondag naar de kerk gaan en diaken willen worden.'

'Waarom kijkt u naar het verleden als u niet weet wat u erover denkt?'

'Ik praat zo graag over het verleden.'

Hoe ver ging dat verleden terug? Ging het terug tot de tijd van de slavernij? Nee, natuurlijk niet. Het verleden waar hij zo graag over praatte was het verleden dat hij zich kon herinneren, dat merkwaardig beschermde verleden.

Hij zei: 'Als mijn grootmoeder vijftig cent per dag verdiende, zou ik tevreden moeten zijn met wat ik nu verdien.'

Wat herinnerde hij zich het best en met het grootste genoegen van zijn grootouders?

'Trots. Trots. Mijn grootmoeder zat in de kerk met haar korset aan. Heel trots, heel "beschaafd". Een hele dame. Ik weet niet waar zij, en de anderen, dat vandaan hadden. Waarschijnlijk van de blanken. Tegenwoordig zie ik dat niet meer. Het zijn aardige mensen, maar dat speciale hebben ze niet. Ik neem aan dat ik het ook niet heb. Maar u moet weten dat ik mijn verleden echt respecteer, al was het gesegregeerd, al was het vol racisme, al was het wat dan ook. Omdat ik voel dat ik een plaats in de wereld heb, en die ga ik veroveren.'

De telefoon ging. Hij nam op in het donker. Hij luisterde meer dan hij praatte. Hij kreeg op zijn kop van iemand die hij kende omdat hij zich niet aan een afspraak had gehouden.

Toen hij de telefoon neerlegde, zei hij: 'Ik rijd u terug naar het Ramada-hotel.' Dat was de plaats waar hij had beloofd de man aan de telefoon te ontmoeten. 'Morgen praten we verder. Ik kom u om zes uur halen.'

Het was een opluchting om uit het huis te komen, in de open lucht, hoe warm die ook was.

En nu, op weg naar Noord-Jackson, leek Lewis een paar van de dingen die hij in zijn huis had gezegd, nader te preciseren. In zijn huis had het geleken of hij niet precies wist wat hij van de beweging voor de burgerrechten vond. Nu sprak hij vol eerbied over Martin Luther King.

Hij zei: 'Als die het niet op de geweldloosheid had gegooid, hadden ze *alle* zwarten in Mississippi gedood. Alle zwarten in het Zuiden.'

Ik beluisterde echte paniek in zijn woorden.

Ik vroeg hem opnieuw naar zijn 'kleine wereldje'. Had dat hem echt beschermd?

Hij zei: 'Ik neem aan dat ik alles daarbuiten wel zag. Ik was er bang voor – denk ik.'

En toen, zonder dat ik iets gevraagd had, begon hij over God te praten. In zijn huis had hij gezegd dat hij niet gelovig was op de manier van de meeste mensen. Nu zei hij dat hij zonder God niets zou hebben gedaan; zonder God zou hij niets zijn geweest; zonder God wist hij niet hoe hij het had kunnen volhouden.

Op de parkeerplaats van het Ramada Renaissance-hotel reed hij tot aan de rand van een van de rijen parkeerruimten. Er zat een zwarte man in een geparkeerde auto. Lewis stelde me voor. De man in de auto deinsde voor me terug.

Lewis kwam niet om zes uur de volgende dag, en ook niet om half zeven. Niemand nam op toen ik belde. Omstreeks acht uur nam hij op. Hij klonk moe, ver weg.

'Ik ben ziek geweest. Ik ben naar de dokter geweest. Ik heb vandaag niet gewerkt.'

'Ik heb heel vaak opgebeld, maar niemand nam op.'

'Het duurde heel lang bij de dokter.'

Hij vroeg of ik nu meteen naar hem toe wilde komen. Ik nam een taxi. De ventilatie in zijn huis was beter, maar de rommel was nog even erg. Hij zag er hoogst merkwaardig uit. Hij was op blote voeten, met een badjas open over zijn blote borst en een zwart netje over zijn haar. De kleding leek op een zwarte versie van de douchemutsen en de witte kielen van de arbeiders in de visverwerkingsfabriek.

Hij zei: 'Dat netje is om mijn haar in de krul te houden.'

Ik zei een paar beleefde dingen over zijn ziekte. Hij wuifde dat onderwerp weg. Hij liep op blote voeten rond in de zitkamer. 'Ik zal u vertellen over mijn grootvader. Ik geloof dat hij het soort man was dat wist hoe hij mensen moest aanpakken, met name de blanken uit het Zuiden. "Ja, meneer!" "Nee, meneer!" En je hoed voor hen afnemen en lachen. Maar hij had succes, in zijn tijd. Ongeacht hoe middelmatig dat vandaag of gisteren lijkt, het is gebeurd. En daar blijft het bij.'

'Het hindert u dat u niet meer hebt gedaan voor de beweging voor de burgerrechten?'

'De honden hebben mij nooit gebeten. Of het me hindert? Ik weet het niet. Dat moet u maar zeggen.'

De telefoon ging.

Het was weer zijn vriend, die van de vorige avond.

Lewis zei door de telefoon: 'Hij is hier. We hebben jouw inbreng nodig.' Hij lachte en werd een beetje ongecontroleerd, hij lachte door de telefoon, stampte met zijn blote voeten, voerde een soort toneelstukje voor mij op.

Nadat hij de telefoon had neergelegd zei hij: 'Mijn vriend is bang voor u.' Hij lachte op die nieuwe manier. 'U moet uw jasje uittrekken. Trekt u dat jasje uit, dan laat ik u zien hoe de zwarten eigenlijk leven. Ik neem u mee naar bepaalde plaatsen. U zult de geur van corruptie opsnuiven.'

Hij maakte een gebaar met zijn hand, als een kok die een heerlijk aroma wil oproepen. En toen begreep ik, door te combineren, dat het geen beeldspraak was. De ontwikkeling die met zijn grootvader was begonnen, eindigde bij hem: zijn eigen kleine wereldje, nu anders dan de wereld waarin hij was opgegroeid.

Hij begon zich aan te kleden voor de afspraak met zijn vriend. Hij zei—terwijl ik er nog maar net was—: 'Ik breng u terug naar uw hotel.'

Hij trok een broek en een overhemd aan, en we gingen naar buiten. Hij liet de deur op een kier staan. Ik wees hem daarop. Hij zei: 'Ik moet nog iets doen. Ik moet nog even naar binnen.'

Ik wachtte een tijdje op hem. Toen hij weer naar buiten kwam, had hij witte crème op zijn kin, het wit leek licht te geven in de schemering en tegen zijn donkere huid.

Hij zei: 'Zwarten hebben kroeshaar. Weet u daarvan? Dat haar groeit onder de huid. Het is heel moeilijk af te scheren. Die crème die ik erop heb gedaan, maakt het zachter. Tegen de tijd dat ik weer thuis kom, zal ik me kunnen scheren, dan zal het heel gemakkelijk gaan.'

En zo reed hij me terug naar het onbekende blanke deel van de stad, met dat netje over zijn haar en de witte crème op zijn kin en bovenlip.

Hij maakte een andere afspraak met me. Maar hij kon niet komen; ik was niet verbaasd. Hij klonk heel moe en traag en ver weg toen ik hem belde. Hij vroeg me later die avond te bellen. Toen ik dat deed, nam niemand op.

Zoals het moeilijk is de Amerikaanse afstanden te begrijpen, en de hitte van de zomer in het Zuiden, totdat je ze hebt meegemaakt, zo was het in Mississippi en in de stad Jackson moeilijk te begrijpen dat mensen van zeventig veel verschillende werelden hadden meegemaakt; dat de kinderjaren van brave burgers herinneringen hadden achtergelaten aan het pioniersbestaan, primitieve omstandigheden en gesloten gemeenschappen, dingen die je je nu moeilijk kon voorstellen.

Het stadje Eupora, in de heuvels ten oosten van de Delta, ligt nu aan Highway 82. Maar iemand als rechter Sugg, die in 1916 was geboren en in 1983 met pensioen was gegaan bij het Hooggerechtshof, heeft herinneringen aan zijn kindertijd in Eupora, in de tijd dat de Big Black River geen brug had, alleen een doorwaadbare plaats. Dat betekende dat er bij hoge waterstand geen mogelijkheid was de rivier over te steken, en dat de mensen dan bleven waar ze waren, in hun kleine nederzettingen, totdat het hoogwater afnam.

'We hadden zandwegen. Geen elektriciteit. Ik heb alle mogelijke schitterende dingen in de wereld zien gebeuren. Ik geniet van de weelde van de moderne beschaving. Instant televisie, instant amusement. Instant alles. Ik geniet overal van. Het leven was zwaar voor ons in het begin. Aan het eind van de Burgeroorlog waren we straatarm. En de slaven die bevrijd waren, hadden geen enkele opleiding. Het heeft ons honderd jaar gekost om onze kapitaalbasis weer op te bouwen. Onze slaven hadden geen kapitaal. Wij waren een landbouwstaat.'

Data zijn relatief. Voor mij hoort 1890, wanneer ik denk aan Trinidad en dus aan de tijd dat mijn Indiase voorouders net emigreerden naar de Nieuwe Wereld, voor mij hoort die datum bij een periode van duisternis, iets mythisch, heel ver weg. Wanneer ik daarbij aan Engeland denk, denk ik aan de moderne wereld: Oscar Wilde, de jonge Kipling, Gandhi (vier jaar jonger dan Kipling) die rechten studeerde in Londen. In het Zuiden werden data op dezelfde manier relatief. En ik begreep dat veel mensen van een bepaalde leeftijd een speciaal soort succesverhaal te vertellen hadden. Veel van hen waren met heel weinig begonnen, waren wellicht in de wildernis begonnen met slechts een vermoeden van beschaving. (Veel van hen moesten met even weinig zijn begonnen als mijn grootouders in Trinidad; maar – alweer iets relatiefs – zij waren in een gebied met meer mogelijkheden terechtgekomen.)

'Iedereen was arm. Ik heb geluk gehad. Mijn vader was winkelier. Hij is ook voor één termijn sheriff geweest. Hij had een winkel waar je van alles kon kopen. Winkeliers leenden geld aan farmers. Ze schoten goederen voor, en aan het eind van het jaar, wanneer de farmers hun oogst verkochten, voornamelijk katoen, werd er afgerekend. Als het een slecht jaar was, leden de winkeliers met de farmers, want als de farmers niet konden betalen, konden de winkeliers niet incasseren. Er stond niets zwart op wit, geen schuldbrieven of zo. Het motto was: "Een man een man, een woord een woord."'

Een succesverhaal voor de rechter. Maar gedurende de zeventig of tachtig jaar vóór zijn geboorte was het een leven met weinig vooruitgang geweest voor zijn voorouders. Ook dat moest je bedenken.

'Mijn familie van weerszijden is tussen 1830 en 1840 naar Mississippi gekomen. Mijn grootvader Sugg had een been verloren in de Burgeroorlog. Hij kon nauwelijks lezen en schrijven. Toen hij terugkwam, begreep hij dat een man met één been zijn brood niet kon verdienen als farmer. Hij is drie jaar naar school gegaan, en heeft daarna drie jaar voor de klas gestaan. Toen is hij vier jaar lang ontvanger voor Calhoun County geweest, en vier jaar klerk bij de rechtbank in Webster County. Hij heeft een farm gekocht. Hij had zeven kinderen die de volwassenheid hebben bereikt, en een aantal pachtersgezinnen. De pachters waren zwarten, voormalige slaven. Ik ben daar een jaar of tien geleden nog geweest, en heb een paar oude mensen ontmoet die afstamden van de pachters van mijn grootvader. Toen ik wegging uit Webster County was ongeveer een derde van de bevolking zwart. Ik ben een plattelander, weet u. Ik ben nóg niet gewend aan het leven in de stad.

'Eén keer per jaar kwam er een tent. Ze noemden hen *chautauqua's*. Die bleven ongeveer een week in het stadje. Ze hadden bijvoorbeeld muziekuitvoeringen; soms was er een man die een lezing hield; en er waren toneelstukken, drama's. Dat was ons amusement. Ze kwamen per trein. Dat was de enige manier waarop ze konden komen. Op zondagmiddag kwam er een passagierstrein langs. Er kwamen drie treinen per dag langs, maar zondags om halfdrie was er een passagierstrein die naar het Oosten ging. Een derde van het stadje ging dan naar het station om de trein te zien, om te kijken wie er in de trein zaten en wie uitstapten en wie uit het stadje weggingen. Iedereen genoot ervan – dat was iets om naar uit te kijken.

'Ik herinner me, toen ik nog heel jong was, dat er bericht kwam dat het circus van de Ringling Brothers kort na middernacht langs zou komen. Ongeveer het halve stadje is toen opgestaan om de circustrein te zien langskomen. Het was duidelijk dat we snakten naar amusement. Het waren meer dan honderd wagons – die indruk had ik tenminste.'

Anders dan de Delta, waar rijken en armen waren, en kaste- of klasseverschillen, waren er geen sociale verschillen in de heuvels, behalve dan tussen zwart en blank.

'We hadden geen particuliere scholen. Iedereen ging naar de kerk. We hadden geen society-rubriek. We hadden geen rijke families. We waren gewoon mensen. Er waren veel blanke analfabeten. Tijdens de crisistijd hadden we maar zes maanden school per jaar; in andere tijden gingen we acht maanden naar school. Er was gewoon geen geld om de onderwijzers te betalen. Het onderwijs had eronder te lijden. Maar veel van de oudere mensen hebben zichzelf ontwikkeld, zoals mijn vader. Hij had een prachtig handschrift. Zijn Engels was uitstekend.

'Ik had het verlangen de dingen te gaan bekijken waarover ik had gelezen. New York was voor mij alleen een plaats op de kaart. Ik had nooit gedacht dat ik daar zou komen. Ik wist dat China aan de overkant van de Stille Oceaan lag, en Europa aan de overkant van de Atlantische Oceaan. Ik heb nooit gedroomd dat ik daarheen zou gaan. Ja, ik droomde er wel van, maar ik dacht niet dat het werkelijkheid zou worden.

'Maar de meeste mensen waren tevreden en bleven waar ze waren. Wij waren een hechte groep. We hadden maar dertien-, veertienhonderd mensen in het stadje. De enige manier waarop je ergens kon komen was per trein, en je kon in zo'n plaatsje geen geheimen bewaren.

'Ik geloof dat die hechte band verantwoordelijk is voor een deel van het karakter van de mensen in Mississippi. Als je zo boven op elkaar leefde, moest je met de mensen kunnen opschieten, anders werd je uitgekotst. Je leerde de mensen accepteren zoals ze waren. We hadden veel zonderlingen, ruige individualisten. Een vriend van me zei laatst: "We schijnen niet meer van die vreemde vogels voort te brengen." Ik zei: "Wíj zijn nu die vreemde vogels."'

De hechtheid van die gemeenschap, die arm was en slecht onderwezen, leidde tot gewelddadigheid. De mensen voelden dan misschien geen behoefte aan schuldbrieven, en ze deden hun deuren niet op slot en hadden misschien niet eens sleutels voor een aantal van die deuren, maar ze konden heel opvliegend zijn. Er kwamen moorden voor, 'crimes passionels'.

'Ze werden gewoon kwaad, maakten ruzie, werden driftig. Sommigen waren dronken. Ze maakten ruzie en vochten, en soms werd iemand daarbij gedood. Het duurde lang voordat ze kwaad werden, maar als je zo iemand kwaad maakte, was iemands leven in gevaar. Voor het overige: behulpzame mensen, aardige mensen.'

Onafhankelijkheid was een ander aspect van het plattelands-karakter van Mississippi. 'Wij hadden tweeëneenhalve hectare land achter het huis. Daarvoor moest je veel en hard werken. Daardoor ga je erkennen dat je hard moet werken voor alles wat je wilt hebben. En het is met de godsdienst verweven, want we leren in de kerken dat werk eervol is en dat je niet lui mocht zijn en niet van anderen afhankelijk mocht zijn voor je levensonder-houd. In het boek Spreuken wordt veel gesproken over werk en straf en beloning.'

Daar was het dus weer, de gedachte van godsdienst, verwe-ven met de gedachte van het pioniersverleden.

'Ik denk dat ik zo ongeveer van de derde of vierde generatie na de pioniers was. Ik denk dat er nog wel wat van over was. Maar ik was me er niet echt van bewust. Wanneer ik terugdenk aan mijn kinderjaren, moet ik denken aan wat ik lees over landen die pas onafhankelijk zijn geworden. Sommige daarvan beginnen zich nog maar net te realiseren dat ze een beter leven kunnen krijgen, maar ze zullen moeten beginnen met wat ze hebben, en ze zullen onderwijs en opleiding nodig hebben. Dit land is ge-bouwd op harde arbeid.

'Laatst ben ik op reis geweest, met mijn vrouw, naar Arizona. Ik was er eerder geweest. Het woestijnlandschap is aantrekke-lijk, al die open ruimte. We hebben daar vier dagen rondgere-den. En ik moest denken aan de eerste mensen die erop uitge-trokken zijn en Arizona gekoloniseerd hebben, en de moeite die het ze gekost heeft om die canyons en rivieren over te steken, om water te vinden en zich te beschermen tegen de Indianen die vij-andig waren—niet allemaal, maar voor een deel. En ik ben zo dankbaar dat ik woon in een land van mensen die bereid zijn voorbij de horizon te kijken, met een visioen over het ontginnen van nieuw land opdat anderen een beter leven zouden hebben.

'Ik denk dat godsdienst een grote rol heeft gespeeld voor de pioniersgeest. Want de pioniersgeest, dan weet je in je achterhoofd dat je het beter gaat maken voor latere generaties. De motivatie daarvoor komt voor een deel uit het geloof, denk ik. Ik denk dat godsdienst en pioniersgeest zo hecht verweven zijn dat je ze niet van elkaar kunt losmaken.'

De pioniersgeest, de natuur, het geloof, het werk, het contact met andere mensen–in het wereldbeeld van rechter Sugg waren deze gedachten even innig verweven als in het wereldbeeld van William de zakenman. Het baptistische geloof had beide mannen compleet gemaakt, elk op zijn eigen manier. Maar rechter Sugg was tevens door zijn geloof en zijn verleden (die eigenlijk samenvielen) gebracht tot een onwaarschijnlijk mededogen–met de zwarte mensen die dertig procent van de bevolking van zijn geboorteplaatsje hadden uitgemaakt.

'Ik ben opgegroeid met zwarten die ik goed kende, met wie ik speelde–veel zwarten van mijn leeftijd. En ik vond dat het voor het merendeel diepgelovige mensen waren. Als onze kerk uit was, gingen we vaak op zondagavond naar de zwarte kerken om te luisteren hoe ze zongen, en ook om te kijken. We genoten ervan als we ze zagen en hoorden. Ik herinner me een oude zwarte man die wij "Uncle Steve" noemden. Ik kan me zijn achternaam niet herinneren. Hij speelde tamboerijn. En vaak was dat de enige begeleiding–maar het was genoeg. Ze hadden zo'n gevoel voor ritme. Je kon nauwelijks stil blijven staan als je die liederen hoorde. Veel van die liederen hadden ze zelf gemaakt. Die liederen hebben veel inhoud.'

Dan voelde hij zich zeker ongelukkig over wat er gebeurde met de zwarten in de steden, en in Jackson?

Hij zei: 'Het zwart-zijn is niet de reden. Ook veel blanken verkeren in die positie. De reden is dat ze geen geestelijke waarden hebben. Iemand heeft Jezus eens gevraagd wat het grootste gebod was. Het eerste luidde: heb God lief. Het tweede was: heb uw naaste lief als uzelve. En dat is volgens mij het effect van christelijke beginselen die dagelijks worden toegepast.'

De reputatie van Mississippi als gewelddadig jegens zwarten was gerechtvaardigd. 'Met name in de jaren zestig waren veel mensen niet bereid te erkennen dat zwarten dezelfde rechten en voorrechten hadden als mensen van andere huidskleur. Ik denk dat dat een overblijfsel was van de slavernij, toen de slaven be-dienden waren en beschouwd werden als eigendom, en niet als mensen. En wij blanken moeten erkennen dat God van *iedereen* houdt.'

Ik vertelde hem over mijn gesprek met Alex Sanders, de rechter van het Hooggerechtshof van South Carolina. Rechter Sanders had gezegd dat de verandering van opvatting in het Zuiden, de aanvaarding door blanken dat zwarten rechten hadden, wel-eens gebaseerd kon zijn op goddelijk ingrijpen.

Rechter Sugg zei: 'Ik geloof dat God een verandering teweeg moet brengen–op grond van de beginselen waarover ik het had. Hij heeft die beginselen vastgelegd, en ik moet ze aanvaarden. Hij heeft me niet met een bliksem geslagen en gezegd: "Hé, jongen, je moet de zwarten liefhebben." U moet bedenken dat ik ben opgegroeid in een stadje waar zwarten niet eens de voordeur mochten gebruiken. Het waren bedienden. Ik heb heel wat gewetensonderzoek moeten doen.'

'Wanneer bent u daarmee begonnen?'

'Vroeg. Vóór de jaren zestig. En ik ben tenslotte tot de conclusie gekomen dat toen Hij zei: heb uw naaste lief als uzelve–ik tot de conclusie kwam dat de zwarte óók mijn naaste was. En ik geloof dat ik negenennegentig komma negen procent van de vooroordelen heb overwonnen die iemand heeft wanneer hij is opgegroeid in een maatschappij waar blanken zich als beter beschouwen.

'Tja, ook op dat punt heb ik geen bliksemschicht gezien. Het is een langzame, gestadige aanvaarding geweest van de waarheid die sinds het begin van de wereld bij ons is geweest. Ik geef tegenwoordig bijvoorbeeld een zwarte man les in lezen en schrijven. Hij is negenendertig. Ik beschouw hem als een van mijn vrienden. We gaan samen uit vissen. Hij is acht jaar op school geweest, maar hij woonde op het platteland. Zijn vader was boer. Dus wanneer de school begon in september, moest hij thuisblijven om katoen te plukken en te helpen bij de maïsoogst en zo. Dus tegen de tijd dat hij eindelijk naar school kon, in november, waren alle boeken al vergeven en zat hij er voor spek en bonen bij. Van tijd tot tijd moest hij verzuimen om brandhout te hakken. En in het voorjaar moest hij thuisblijven om het land te ploegen voor het planten. Het resultaat was dat hij de helft van het jaar niet naar school ging. Hij kon een beetje lezen, een beetje schrijven, maar niet genoeg om in onze maatschappij te functioneren. Hij is een goed man; hij heeft een goede baan. Hij werkt hard. Hij is diep gelovig, getrouwd, drie kinderen. Ongeletterde mensen zijn niet dom. De meesten hebben een heel goed stel hersenen.'

Op die manier sprak rechter Sugg over het werk dat hij na zijn pensionering was gaan doen: Engelse les geven aan ongeletterden en aan 'internationalen'.

'Ik beschouw het als godsdienstig werk. Het geeft mij gelegenheid mijn geloof te delen met de mensen die ik les geef. Het christelijk geloof is gebaseerd op het prachtige beginsel dat wij onze naasten moeten helpen.'

Toen hij zestig was, en nog rechter was, had hij een cursus van de baptistenkerk gevolgd over lesgeven in Engels als tweede taal. Hij was daarbij aangemoedigd door zijn vrouw.

'Twee maanden nadat ik die cursus had gevolgd, verscheen er een jongeman voor me, op beschuldiging van inbraak. Hij was vijftien jaar. Ik veroordeelde hem tot het opleidingscentrum voor jeugdige delinquenten. De volgende dag kwam een van zijn zusters bij me, en die vertelde me dat hij in moeilijkheden was gekomen doordat zijn oudere broer hem gedwongen had hem te helpen. Die oudere broer was een ex-gevangene. De vader en moeder van die jongeman waren beiden alcoholist, en hij was minder dan één jaar naar school geweest. Meer school had hij van zijn leven niet gehad. De zuster zei, als ik hem een kans wilde geven, dan zou zij hem een thuis en werk geven. Ik zei tegen haar dat als zij hem een thuis gaf, ik hem zou leren lezen en schrijven. En dat heb ik gedaan. Na iets meer dan een jaar kon hij lezen en schrijven. Zijn vader was geen alcoholist meer. Dus heb ik goedgevonden dat hij terugging naar Texas, naar zijn vader en moeder.'

De loopbaan van de rechter vertoonde een ontroerende symmetrie. De man die was opgegroeid in een geïsoleerde, gesloten gemeenschap, had nu, in zijn drukke bezigheden na zijn pensionering, een missie gevonden. Zijn geloof had hem door alle veranderingen van zijn leven geleid. Zijn geloof had steeds deel uitgemaakt van de compleetheid van zijn wereld.

Ik had maar een heel vaag idee van wat een 'redneck' was. Iemand die onverdraagzaam en onontwikkeld was–dat suggereerde het woord. En het paste bij wat men me in New York had verteld: dat sommige automobielclubs hun leden kaarten verstrekten van veilige routes door het Zuiden, zodat ze streken die geteisterd werden door 'rednecks' konden vermijden. Vervolgens drong het tot me door dat het woord bij sommige mensen uit de middenklasse een romantische inhoud had gekregen; en dat het in die ruimere betekenis wees op de onintellectuele, fysiek sterke, viriele man, iemand die (bijvoorbeeld) 'shit' zei waar anderen bij waren.

Pas toen ik Campbell ontmoette, kreeg ik een volledig en fraai en lyrisch verhaal te horen, een verhaal waarin dat alles voorkwam, van een man die half neerkeek op de 'redneck' en voor de andere helft gek op hem was, en die, toen hij over de 'redneck'-genoegens begon, zelfs bekende dat hij zelf een halve 'redneck' was.

Strikt genomen had ik geen kennis gemaakt met Campbell vanwege zijn 'redneck'-afkomst. Men had mij verteld dat hij het nieuwe type conservatief vertegenwoordigde, met uitgesproken standpunten over het ras en de bijstand. (Rechter Sugg had me verteld dat mensen van dat soort nog voorkwamen, maar dat zíjn manier, die van begrip en hulp, de manier was om vooruit te komen, en dat de meeste mensen uiteindelijk die weg zouden inslaan.) Campbell was tevens de man die de andere kant van het gelovige Zuiden vertegenwoordigde: de autoritaire kant. En we praatten over gezin en waarden en gezag, allemaal heel voorspelbaar, tot ik toevallig vroeg: 'Campbell, wat versta jij onder het woord "redneck"?'

En–alsof hij daarop was voorbereid–daar trad een geweldig 'Theophrastisch karakter' uit Campbell naar voren, bijna in de stijl van de zeventiende-eeuwse 'character writers'. Het had een moderne versie kunnen zijn geweest van iets uit de Elizabethaanse literatuur over de lagere standen of uit de *Microcosmography* van John Earle, of iets van sir Thomas Overbury. (Sir Thomas Overbury zegt in 1616 over de Engelse landheer: 'Hij reist zelden verder dan het naaste marktstadje, en wat hij onderzoekt, dat zijn de graanprijzen. Wanneer hij reist, zal hij een omweg van vijftien kilometer maken naar het huis van een neef om kosten te sparen; en de bedienden beloont hij bij zijn vertrek door ze de hand te drukken.')

Campbell zei: 'Een "redneck" is een minder soort bouwvakker die heel bepaald niet van zwarten houdt. Hij drinkt graag bier. Hij draagt vanzelfsprekend cowboylaarzen–'

Op die concrete, lyrische manier sprak Campbell. Maar misschien is het beter op dit punt even terug te gaan en te luisteren naar wat hij over zichzelf had te vertellen.

'Mijn vader is in Alabama geboren, en zijn familie is weggetrokken van de farm die hun eigendom was, dertig hectare, die lieten ze achter om naar Mississippi te komen en de kinderen een opleiding te geven. Zijn vader, mijn vaders vader, en zijn moeder zeiden: "We moeten jullie daarheen meenemen, zodat jullie een goede opleiding krijgen." Ze hadden kennelijk wel wat geld, om te kunnen wegtrekken vanwaar ze waren. Die farm hebben ze gehouden. Pa heeft alles zo'n vijf, zes jaar geleden verkocht. En toen ze in Mississippi kwamen, hadden al die broers baantjes als ze niet op school zaten. Mijn vader is in 1923 of 1924 weggegaan uit Alabama. In 1928 heeft-ie eindexamen gedaan. Tenslotte had-ie een garage en een benzinepomp. Maar evengoed waren ze gelukkig. Ik heb mijn vader nooit van zijn leven horen vloeken, en da's de zuivere waarheid. Hij werkte dag en nacht. We hebben nooit een echte goeie band gehad. Daar had-ie de tijd niet voor.

'Mijn moeder was onderwijzeres. Ik ben opgegroeid als baptist. Dat werd me opgedrongen. We gingen naar de kerk zodra de deur openging. We gingen 's woensdags naar de gebedsbijeenkomst. We gingen naar de grote "revivals" in de zomer. Elke avond, ik verveelde me dood.'

En toen zei Campbell, zonder onderbreking: 'Op de lange termijn is dat het beste geweest dat ik ooit heb gekregen. Mijn ma en pa hebben me waarden gegeven die terugkeerden toen ik twintig was. Maar ik was opstandig geweest. De meeste kinderen pasten zich aan. Ik was een wilde jongen. Ik dronk meer, ondernam meer dingen. Ik ben gaan werken in een kruidenierswinkel toen ik twaalf was, verdomd als het niet waar is. Ik vond het geweldig. Je leerde iedereen kennen. Alle zwarten kwamen daar. Ze zaten op de haverzakken; mama kwam naar het stadje met vier of vijf koters en ook nog een stel aan de borst. Ik werkte daar met plezier. Er kwam altijd wel iemand. Er werd altijd wel gelachen. Je kende iedereen die binnenkwam. Het was een goeie winkel. Dat werk deed ik op de zaterdagen. Ik wilde graag geld verdienen. Toen ik begon kreeg ik vier dollar per dag. Toen ik er wegging, verdiende ik zo'n zeven dollar.

'Ik ben er vroeg vandoor gegaan. Ik zat 's zomers op zo'n kiepauto. Ze bouwden toen de grote autoweg hier en ze hadden iemand nodig die kon lezen en schrijven, om de zakken kunstmest te tellen die in het vliegtuig gingen. Ze bemestten de bermen van de weg zodat daar gras kon groeien. Het was stomvervelend werk. Dat is heel lang geleden. Gek zoals je verandert en volwassen wordt. Ik wilde een gekke tijd hebben. Ik heb genoten van mijn gekke tijd.'

'Je wilde een stoere jongen zijn?'

'In Noordoost-Jackson, zoals wij het noemen, is het belangrijk om getapt te zijn, aardig gevonden te worden. Maar ik had niks met de kerk. Ik ging wel met mijn ma met Kerstmis, maar ik verveelde me te pletter. Maar de waarden van de kerk—wees braaf, handel juist, drink niet, vermoord niemand, niet stelen, de tien geboden, begeer niet uws naasten vrouw—ik geloof niet dat die waarden nog worden onderwezen in sommige delen van deze beschaving. Als je kijkt naar die kinderen die rondlopen— en ik heb gewerkt in woonwagenkampen, en daar wonen nogal wat onplezierige types—die moeten een pak voor hun gat, zoals ik heel wat keren een pak voor mijn gat heb gehad.

'Ik denk dat het komt doordat het gezin kapot gaat. Als de vader en moeder er niet allebei zijn en hun plicht vervullen. Ik voed mijn kinderen zo op dat ze respect voor me hebben. En ik denk dat hij bang voor me is, en volgens mij is dat goed, want hij weet dat ik niet alles maar slik. Ik knuffel en zoen hem elke dag. Sommige mensen zeggen dat ik gelijk heb, anderen zeggen dat ik het fout doe. Ik was bang voor mijn vader. Ik was bang voor een pak voor mijn gat. Ik wil het niet anders. Van die kinderen die "Ja" en "Nee" zeggen, van die brutale kinderen–ik denk dat ze het veel beter zouden doen als ze elke dag tien minuten langer werkten en als ze "Ja, meneer" en "Nee, meneer" zeiden, en als je ze voor hun gat gaf tot ze het zeiden.

'Ik denk dat het allemaal teruggaat tot een goeie opvoeding. Ze moeten die kinderen thuis de waarden weer bijbrengen. We hebben het nou over zwarten. Zorg ervoor dat ze op school blijven, stilzitten godverdomme. Ik zou een dictator zijn en zorgen voor orde hier. Ik ben gewoon een vent van recht en orde.'

Campbell was voor in de veertig of achter in de dertig. Hij was kort en stevig, een sterke man. Hij droeg felgekleurde kleren. Hij praatte als iemand die een reputatie te verliezen heeft; maar zijn stem of gezicht verrieden geen spoor van humor.

Hij had gezien hoe de zwarte wijk van Jackson zich uitbreidde. En daar had hij aan verdiend, hij kocht van vluchtende blanken en verkocht met winst aan de zwarten die binnenkwamen. Er was een jaar geweest dat hij op die manier tien huizen had verkocht, en zestigduizend dollar had verdiend.

'Dat was niet zo gek. Het was woekerwinst. Ze zouden me moeten doodschieten.'

Ik wist niet zeker wat reputatie was en wat echt was. En toen had ik gevraagd: 'Campbell, wat versta jij onder het woord "redneck"?'

En toen had de man een gedaanteverwisseling ondergaan.

Hij zei: 'Een "redneck" is een minder soort bouwvakker die heel bepaald niet van zwarten houdt. Hij drinkt graag bier. Hij draagt vanzelfsprekend cowboylaarzen; een cowboyhoed is niet absoluut nodig. Hij woont in een caravan ergens in Rankin County, en hij rookt zo'n tweeëneenhalf pakje sigaretten per dag en drinkt zo'n tien blikjes bier per avond en hij wordt razend als hij geen maïsbrood en erwten en gebakken okra en varkenskarbonaadjes te eten krijgt–ik heb nog nooit een van die zakken gezien die niet van varkenskarbonaadjes hield. En hij is achter met de betalingen voor zijn caravan.

'Zo is-ie grootgebracht. Zijn vader was net zo. En die zak is gek op country-muziek. Ze zijn gek op jagen en vissen. Ze gaan de hele nacht naar de Pearl River. Ze leggen een lijn uit, zo'n lange vislijn dwars over de rivier, met om de één tot anderhalve meter een haak. Als aas gebruiken ze rotte ouwe kreeft, en die lijn zakt naar de bodem, en dan zitten ze op de oever de hele nacht te schijten en te drinken en ze stoken een flinke fik. Ze kijken twee of drie keer per nacht of ze een meerval beet hebben. Dat is dan een goeie meerval. Die klootzakken, die "rednecks" zeggen dat ze liever zo'n meerval uit de rivier hebben dan uit zo'n kweekvijver. Ze zeggen dat-ie beter smaakt.

'Weet je, ik mag die "rednecks" wel. Ze zijn zo ontspannen. Het kan ze geen moer verdommen. Het kan ze geen moer verdommen.'

'Komt dat doordat ze afstammen van pioniers?'

'Dat staat vast. Ze stammen af van pioniers. Ze zijn tevreden met die woonwagens. Ik heb nooit begrepen hoe mijn vader zo beschaafd is geraakt. Als je zag waar-ie vandaan kwam—hij kwam uit het meest godvergeten gat in de bossen aan de grens tussen Alabama en Mississippi. De "rednecks" zijn typische pioniers. Ze zitten toch verdomme niet te verlangen om golf te spelen op de country club. Ze hebben nog geen vijftien cent op zak en dat vinden ze het einde.

'Ze zijn van Schotse en Ierse afkomst. Veel onderlinge huwelijken, inteelt. Ik heb het nou over de goeie ouwe "redneck". Die krijgt "ooit" een baan van acht tot vijf. Maar er is ook een zogenaamd beter soort "redneck", en die wil alles beter hebben. Gemaaid grasveld, tuintje achter. En moe moet zo nodig dure jeans aan, en ze gaan eens in de drie weken uit eten bij Shoney's.'

Ik had veel van die restaurants langs de autowegen gezien, maar was er nooit binnen geweest. Leken ze op McDonald's?

Campbell zei: 'Bij Shoney's krijg je jus over alles heen. Dat vinden ze lekker. Ik ken die klootzakken.'

'Als hij of zij naar Noord-Jackson verhuist, is-ie van het betere soort. Dan praat-ie niet zo neuzig. Maar die goeie ouwe "redneck", die werkt maar zes of acht maanden per jaar. Die zegt tegen zijn vrouw: "Ik ga naar me werk." Maar hij gaat niet. Als het regent, gaat-ie niet werken—ben je nou helemaal? Hij gaat naar de smerigste tent die hij kan vinden en daar drinkt-ie bier en gaat-ie biljarten. Als-ie thuiskomt, maakt-ie een beetje ruzie met z'n vrouw, en hij is half dronken en eet wat maïsbrood en dan valt-ie in slaap, verdomd als het niet waar is. En zij begrijpt dat, ze kent niet anders.

'Zij drinkt niet. Meestal zijn het bij de "rednecks" de kerels die drinken—whisky of bier. Zij heeft een of ander klein baantje. Waarschijnlijk de basis van hun inkomen. Ze zal proberen elke dag werk te hebben. Maar hij zit altijd te wachten op die geweldige baan voor vijftien dollar per uur, en die komt nooit. Eén keer heeft-ie een vakbondsbaan gehad voor twaalf dollar per uur. En hij denkt dat-ie dat weer zal krijgen. Hij zal vijftien jaar zitten wachten op nog zo'n baan van twaalf dollar per uur. En die krijgt-ie niet, tenzij hij eindelijk eens naar Atlanta, Georgia, gaat, of naar Nashville—ergens waar je veel geld kan verdienen. Hier in de buurt zéker niet. Maar hij is zo verdomd tevreden. De klootzak is zo verdomd tevreden. Als hij een baantje voor vier dollar krijgt aangeboden: "Nee, ik heb wel wat anders te doen." Ik zou vijf kerels werk kunnen geven, nu, voor het minimumloon. Drie vijfendertig per uur. Maar ik vind nergens vijf van die klootzakken, al zoek ik de hele dag. "Wil je werken voor drie vijfendertig?" "Nee, ik werk niet voor een zak die me drie vijfendertig betaalt."

'Dus verdient-ie gemiddeld zes dollar, zes tot zeseneenhalve dollar per uur. En hooguit zes tot acht maanden per jaar. Zie je, hij wil niet de hele dag werken. Hij is tevreden als hij ervan kan leven. Ze houden er niet van als je ze vertelt wat ze moeten doen. Dat is die onafhankelijkheid. De ouwe pioniersgeest. "Ik heb zat te eten, te drinken, en een dak boven me kop. Wat moet ik met méér?"

'Godsdienst? Ze gaan wel naar de kerk als hun vrouw ze d'rheen slaat. Maar hij zal geen jasje en das of zo aantrekken. Dat doet-ie niet. Dan geeft hij d'r een trap voor d'r gat.

'Ze zijn niet zo seksueel. Ze drinken liever bier. En rondhangen met andere kerels en gaan jagen, vissen. We hebben het nou over de goeie ouwe "rednecks". Niet dat betere soort. Die hebben nog wel een stijve. Verdomd als het niet waar is.

'De "rednecks" vormen ongeveer zestig tot vijfenzestig procent van de blanke bevolking. Dan tel ik de goeie ouwe "rednecks" en de betere "rednecks" en een hele lading "rednecks" uit de lagere middenklasse bij mekaar. Die hebben dezelfde houding als de zwarten. Pa is een beetje meer thuis. Maar ze vinden het zó dat ze niks hebben. Dat is niet te geloven.'

Ik vroeg naar hun kleding, en met name naar de cowboylaarzen. Waarom waren die zo belangrijk?

'Dat is hun image nou eenmaal. Ze dragen een ouwe baseball-pet met de klep zó naar één kant. Een cowboyhoed willen ze niet. Ze willen die speciale "redneck"-stijl. Ze willen dat de mensen weten dat het ze geen moer kan schelen. Ze willen dat de mensen weten: "Ik ben een 'redneck' en daar ben ik trots op."

'Wat je d'r ook bij moet zetten, dat is dat die klootzakken *gek* zijn van country-and-western-muziek. Dat is hún muziek. Muziek om bij te huilen. Iemand is omgekomen bij een aanrijding met een vrachtauto. Of iemand is door een trein overreden. Of iemand is ervandoor met de vrouw van een ander.

'Presley is een "redneck" in het kwadraat. Dat zou je niet geloven. Een paar van de vrouwen hier zouden je een pak voor je gat geven als je zoiets zegt. Waarschijnlijk ben ik zélf een "redneck".'

En toen Campbell dat zei, kon hij bij mij geen kwaad meer doen.

Hij zei: 'Ik kleed me alleen anders. Een polohemd en een Corbin-sportbroek.'

Ik vond het prachtig, de concrete details die Campbell gaf, de merknamen, de onthullende bijzonderheden over mode, waar ik alleen felle kleuren had gezien.

Vervolgens gooide hij het abrupt over een andere boeg. 'Als mijn vader niet zo hard had gewerkt – en ik weet dat dat belangrijk was. Hard werken en proberen goed te doen –'

Ik wist hem terug te brengen op het onderwerp van het seksleven van de 'rednecks'.

'Als ze jong zijn, zijn ze niet te houden. Hoe ouder ze worden, des te meer gaan ze drinken, en dan hebben ze daar geen belangstelling meer voor. En zij ís daar dan gewoon, ze wast één keer per week hun kleren in de wasserette. Ze gaat erbij zitten kijken en rookt een paar sigaretten – ja, dat doet ze dan.

'Ik zal je wat vertellen. Mijn zoon, die gaat geen geintjes uithalen met een "redneck"-meisje in Rankin County. Het is niet geheim te houden. Iedereen kent iedereen. En ik zal je nog wat vertellen. Ze praten anders. En ik wil dat mijn kinderen in hun eigen sociale groep blijven, en daar zúllen ze blijven. Ik zeg dan: "Keith, zo ben je niet opgevoed. Daar hou je verdomme mee op. Daar sta je boven, en daar blijven we boven staan." Maar Keith is oké. Hij wil zich netjes kleden, hij wil er goed uitzien; hij wil geld verdienen. Wij horen bij Noordoost-Jackson. Dat is een betere buurt.'

Ik zei: 'Maar schoonheid is schoonheid. Een mooie vrouw zal overal bewonderaars krijgen.'

'Schoonheid is schoonheid. Maar als ze d'r bek opendoet en begint te praten en zegt dat ze in Rankin County woont – hó! – weg charme. Maar daar krijg ik waarschijnlijk nooit mee te maken. Dat zal mijn zoon nooit overkomen, want hij weet al wat een "redneck" is. Weet je waar dat woord vandaan komt? De achterkant van zijn nek is rood van de zon –'

Maar er gebeurde iets – iemand kwam binnen, iemand vroeg iets; en Campbell maakte die gedachte niet af. Dat kwam pas een paar dagen later, toen een oude man uit Mississippi me vertelde dat het woord 'redneck' in zijn kindertijd geen negatieve betekenis had; integendeel zelfs, het betekende iemand die zijn brood verdiende in het zweet zijns aanschijns; en dat het woord pas in de jaren vijftig van deze eeuw, toen het pioniersleven begon te veranderen, minder flatterende bijbetekenissen had gekregen.

Campbell zei: 'Ik bewonder ze om hun onafhankelijkheid. Maar het is niet goed voor de maatschappij van tegenwoordig. Dat staat als een paal boven water. Een hele tijd geleden was het geweldig. Maar nu niet meer. Je kunt geen zaken doen in een moderne stad met een dergelijke mentaliteit. We moeten die "redneck"-maatschappij en die zwarte maatschappij zien te veranderen, anders blijft het geld in die paar handen waar het altijd al is geweest. Wat mij betreft hoop ik dat alles zo blijft. Ze zouden me moeten doodschieten.'

Hij liet die politiserende toon varen. Hij zei: '"Rednecks" houden van vierwielaandrijving. Pick-up trucks met vierwielaandrijving. Dan kunnen ze overal heen in de moerassen. En sommigen hebben een ouwe gedeukte bestelwagen, half geverfd. Half geverfd, want die andere kant gaat-ie ook verven, alleen komt-ie nooit aan die andere kant toe. Hij zal eeuwig met dat ding doorrijden, tot het uit elkaar valt of een lekke band krijgt, en dan laat-ie hem gewoon staan. Hij heeft namelijk geen reserveband, zie je. En dan komt-ie die middag terug om hem te maken. Hij zal een van zijn maten vragen om een ouwe band en dan gaan ze die er samen opzetten. Die klootzakken kunnen alles met een auto. Die rotzakken kunnen alles. Ze kunnen zo'n auto naar de kant van de autoweg slepen en opkrikken en ter plaatse repareren.'

De ochtend was voorbij. Campbell had een zakenlunch. Hij ging erheen in de kleren die hij droeg, in zijn felgekleurde, horizontaal gestreepte groen-en-gele trui, met strepen van wisselende breedte. Maar hij had zo genoten van zijn verhalen over het leven van de 'rednecks', hij herinnerde zich nu zoveel van zijn eigen 'wilde' jeugd en er waren zoveel verlangens ontwaakt, dat hij nog wat meer wilde praten, en hij beloofde 's middags terug te komen, na zijn lunch, en vóór zijn zakenreis naar Florida.

Hij belde op na de lunch. Ik vroeg hoe het was gegaan.

'Ik stink als de hel. Een knoflook bij die lunch! Maar goed verdiend. Komt niet vaak voor, een zakenlunch waar ik geld bij verdien.'

Later ontmoetten we elkaar in de bar van een hotel. Hij had gedronken om zijn succes te vieren. Zijn ogen stonden waterig, wat bloeddoorlopen. Die ochtend had hij met een stalen gezicht gepraat; en ook nu praatte hij met een stalen gezicht. Maar de drank had zijn taal gekuist. Hij liet geen vloek horen, geen overbodig of godslasterlijk versterkend woord.

Ik zei dat ik had nagedacht over wat hij had gezegd over de 'rednecks'. Op grond van zijn beschrijving zag ik ze als een stam, een Indianenstam bijna, vrije mensen die vrijelijk door lege streken trokken. Maar kregen ze het zo langzamerhand niet benauwd, zelfs hier in Mississippi?

Campbell zei: 'Het is een aardig leven, maar het is wel afhankelijk van de vraag of een natuurlijk bestaan nog mogelijk is. Als die "rednecks" die natuurlijke omgeving in Mississippi niet hadden – want het buitenleven is alles voor hen –, zou ik denken dat ze zich erg gingen vervelen. En jachtvergunningen zijn nu zo kostbaar dat ze binnen vijf jaar uit de markt gedrukt gaan worden. Veel mensen uit Louisiana komen nu zo ver naar het noorden als hier, omdat wij veel herten hebben, grote herten, en ze betalen heel veel geld voor jachtvergunningen. Ik wil wedden dat je geen vijfenveertig minuten buiten Jackson kan rijden zonder land te vinden dat niet verpacht is. Daar staat dan een bordje bij: "Dit land is gepacht door club Zo-en-Zo. Geen toegang." Daar komt nog eens moord en doodslag van, let op mijn woorden. Er zijn in deze staat al een paar doden gevallen. De eendejacht met name – die is zo waardevol in de Delta, het is zo duur om daar een vergunning te krijgen. Dan moet je een heleboel geld meebrengen. Het zal je zo'n drieduizend dollar per jaar kosten om op eenden te jagen. Hoewel de eendejacht meer een herensport is. Die "rednecks" jagen eerder op vlees.

'Maar goed, Mississippi is groot. Ze gaan wel ergens stropen. En anders worden het gewoon bierdrinkers die nergens heen kunnen en niets te doen hebben. Dat vind ik zo zorgwekkend van die "rednecks". Ze passen zich niet aan, en ze laten zich inhalen. Naarmate de bevolking toeneemt, wordt jagen voor hen steeds duurder, en dat kunnen ze dan niet meer betalen.

'Op het moment hebben ze een paar clubs gevormd. Ze weten ergens iets heel goedkoop te krijgen en dan maken ze een deal met de familie, vijftien, twintig, dertig kerels, allemaal familie van elkaar, op land van de familie. Allemaal zo'n keer of tien, twaalf per jaar. En dat gaat goed.'

'En de vrouwen? Gaan die mee op jacht?'

'Die blijven thuis. Die maken zich zorgen over waar de volgende zak aardappels vandaan moet komen. Maar ze kunnen leven van honderd dollar per week. Goedkoper dan jij en ik. En

mager zijn ze ook niet. Sommigen zijn dik en rond. Wat zeg ik?
Ze zijn allemáál dik en rond.

'Na die lunch, je weet wel, ben ik teruggegaan naar kantoor.
De secretaresse daar is een "redneck". Ik vertelde haar van ons
gesprek van vanochtend. Over de "rednecks" en de pioniers-
mentaliteit. En ik zei tegen haar dat het niet meer zo geweldig
is tegenwoordig, weet je wel. Andere tijden. En toen zei zij:
"Weet u, meneer Campbell, d'r is een tijd geweest dat ik jaloers
was op u. Ik wou hetzelfde hebben als u. Maar nu weet ik dat ik
gewoon anders ben. Zo ben ik nou eenmaal geboren. Ik heb niks
en ik weet nou dat ik nooit niks zal hebben." Ik zei: "Dat komt
omdat je niet met de goeie vent bent getrouwd. Waarom geef je
je man geen trap voor zijn gat?" En zij zei: "O, meneer Campbell, dat kan ik niet doen. Hij is nou eenmaal een ouwe 'redneck'." En haar kinderen zijn net als hij.

'Presley, dat was de grootste "neck" aller tijden. En die vent
daar, die vent met dat lange haar en die baard.'

Hij bedoelde een man in een rood geruit overhemd dat uit zijn
broek hing. De man liep voorzichtig over de vloer, alsof hij bang
was uit te glijden op de leren zolen van zijn cowboylaarzen.

Campbell zei: 'Waarschijnlijk denkt-ie, met dat haar en die
baard, dat-ie een godsgeschenk voor de wereld is. Maar hij is
niet meer dan een "neck". Hij zit hier zo fout als een aap. Hij
heeft nog nooit van zijn leven op een tegelvloer gelopen. Hij is
hier naar binnen gekomen in de veronderstelling dat het weer
zo'n motel was. Hij weet niet wat-ie moet doen. Hij zit voor zich
uit te simmen: "O shit, waar ben ik?"'

Kunst heiligt, creëert, laat je zien. En hoewel andere mensen andere dingen zeiden over de 'rednecks'; hoewel één man zei dat de
beste manier om met hen om te gaan was niets met hen te maken
te hebben; dat ze te lichtgeraakt waren, dat ze te weinig opleiding hadden om tegen wat zij als belediging zagen te kunnen, te
weinig opleiding hadden om begrip op te brengen voor normaal
menselijk gedrag, of voor mensen die anders waren; dat hun
overdreven gevoel voor eer en beledigingen kon maken dat ze
met je praatten en tegen je glimlachten terwijl ze van plan waren

een kogel door je kop te schieten; hoewel dit de algemeen aanvaarde opinie was, had Campbells beschrijving van hun levenswijze mij trots en stijl en gevoel voor mode doen zien waar ik niets had gezien, mij doen opmerken wat ik tot die tijd onvoldoende had opgemerkt; de pick-up trucks waarmee ze zo zwierig rondreden, de baseballpetjes met de naam van een of ander bedrijf erop.

De volgende dag, een zaterdag, was het heel druk in het hotel en in het restaurant aan de andere kant van het parkeerterrein. En als om Campbells beschrijving van de 'rednecks' waar te maken stapten drie mannen uit een gedeukte en vuile auto en maakten ze de achterklep open om hun 'redneck'-laarzen te pakken. Ze waren op gymschoenen gekomen. Ze deden hun gymschoenen uit en trokken hun cowboylaarzen aan alvorens het hotel binnen te gaan. Een van hen maakte een flesje bier open met zijn tanden. En nu, na Campbells openbaringen, voelde ik dat de man met dat typische 'redneck'-gedrag zich misschien wat moed moest indrinken. Misschien zou hij zich, als hij het hotel binnenging en over de tegelvloer liep, 'zo fout als een aap' voelen.

Een paar dagen lang hoorde ik steeds Campbells woorden en uitdrukkingen in mijn oren; en ik praatte er met anderen over. Op een middag ging ik naar een farm even buiten Jackson. Iemand op die farm, die wist van mijn nieuwe rage, kwam naar me toe en zei: 'Drie van die "rednecks" van jou zitten hier te vissen in de vijver.' En ik haastte me erheen om te kijken, zoals ik me gehaast zou hebben om een zeldzame vogel of een hert te zien. En daar waren ze inderdaad, met blote bovenlijven, maar wel met die prachtige baseballpetjes op, in een boot tussen het riet, op een doordeweekse middag – mensen die ik, voordat ik Campbell had horen praten, tweedimensionaal zou hebben gezien, maar die ik nu zag als mensen met een bepaald verleden, levend volgens een bepaalde code, een bedreigde soort.

Het gaf een nieuw poëtisch tintje aan wat ik nu zag op de autoweg: de baseballpetjes met de klep 'zó naar één kant', de haarbanden of zweetbanden op het voorhoofd van vrouwelijke chauffeurs van pick-up trucks in de 'redneck'-stijl. En zelfs de advertenties in de kranten voor dergelijke trucks – en de prijs: ongeveer achtduizend dollar – kregen een nieuwe betekenis.

En over de 'redneck', de onwaarschijnlijke afstammeling van de pioniers, praatte ik met Eudora Welty toen ik bij haar op bezoek ging. Ik was te vroeg en wachtte op straat onder de druipnatte bomen. Zij zat al vroeg op me te wachten, en ik kon haar duidelijk zien door het raam zonder gordijnen. Maar ik durfde niet te vroeg aan te kloppen.

We wachtten dus een tijdlang onder de grote, druipende bomen in de mistroostigheid van na de regen, zij achter haar raam achter in haar natte voortuin, ik in de auto. En toen ik het gevoel had dat het tijd was, liep ik het natte pad naar haar voordeur op. Op de deur hing een briefje in haar krachtige handschrift: of de mensen niet meer langs wilden komen met boeken om te signeren. Ze wilde haar energie nu zoveel mogelijk sparen voor haar werk. Ik klopte aan; en zij deed open, alsof ze daarop had zitten wachten. Ze kwam me, door haar foto's, bijzonder vertrouwd voor.

Het pioniersland speelde een hoofdrol in haar verhalen: een feit dat ik nog maar pas had begrepen. En zij was bereid te praten over het karakter van de pionier.

'Hij is geen schurk. Maar voor een belangrijk deel is hij *sluw*. Soms gaat hij over de schreef en dan wordt hij regelrecht een rotzak. De zwarten hebben nooit in dat deel van de staat gewoond. Die zijn gekomen om op de plantages te werken. De meeste "rednecks" zijn zonder zwarten opgegroeid, en toch haten ze hen. Daar komen al die slechte dingen vandaan – die indruk maken ze. "Rednecks" werkten op houtzaagmolens en zo. En ze hadden kleine farms. Ze zijn allemaal ontzettend trots. Zij dicteren de politiek van de staat. Ze krijgen er een kick van – in die stadjes – wanneer die politici en evangelisten komen. Ze maken iedereen bang, zijn slimmer dan alle anderen, geven iedereen een pak slaag, maken iedereen dood – dat is de mentaliteit van het pioniersland.'

Ik vertelde haar het verhaal dat Ellen als kind had gehoord over de 'rednecks' ten zuiden van het stadje waar ze haar zomers had doorgebracht: het verhaal over handelsreizigers die afgeranseld waren en voor een ploeg gespannen en gedwongen een akker te ploegen. Ellen had gezegd dat dat een verhaal uit het verleden was; en ik had het gezien als een romantisch verhaal over de slechtheid van het verleden, een overdreven verhaal over mensen zonder God of gebod. Maar Eudora Welty nam dit verhaal serieus. Ze zei: 'Ik wil dat verhaal over die handelsreizigers best geloven. Ik heb wel gehoord dat ze mensen straffen door ze te dwingen akkers te ploegen.'

We praatten over Mississippi en de reputatie van de staat.

'In de tijd van de rellen kwamen veel mensen op doorreis bij me langs. Ze wilden dat ik voor hen bevestigde wat zij dachten. En ze dachten allemaal dat ik in doodsangst leefde. "Bent u niet aan één stuk door bang?" Een jongeman kwam vertellen dat hij gehoord had dat een zekere meneer Die-en-Die, een vreselijke racist, heel Jackson bezat, alle banken en hotels, en dat hij gruwelijke dingen deed met de zwarten. Dat was een sprookje. Het was niet waar. Het geweld hier is lang niet zo angstwekkend als dat in het Noorden – in de steden.'

Een pioniersstaat, cultureel beperkt – was dat moeilijk voor haar geweest, als auteur, als schrijfster? De rijkdom van een auteur is tot op zekere hoogte afhankelijk van de maatschappij waarover hij of zij schrijft.

Ze zei: 'Er zit veel achter, het hele leven van de staat. Bijvoorbeeld de grote variatie van de mensen die gekomen zijn om de verschillende streken te koloniseren. Daarvan word je je steeds meer bewust naarmate je ouder wordt – je ziet waar de dingen vandaan komen. Wat ik hier als auteur vooral heb geleerd is een gevoel voor continuïteit. In een plaats die niet zo sterk is veranderd, leer je de generaties kennen. Je ziet het complete verhaal van de geschiedenis van een stadje of een familie.'

Ik had steeds meer te horen gekregen over de ongewone grondwet van de staat Mississippi, de grondwet van 1890, van na de Burgeroorlog en de Reconstructie. Ik had gehoord dat die grondwet verantwoordelijk was voor veel van wat je nog steeds zag; en ik ging op bezoek bij de voormalige gouverneur William Winter, om daarover te praten. Hij had een goede reputatie in de staat, als gouverneur en als iemand die veel wist van de geschiedenis van de staat.

Winter ontving me in zijn kantoor, laat op een middag, aan het eind van een drukke dag; die ochtend was hij naar Little Rock, Arkansas gevlogen. De voormalige gouverneur was nu een van de vennoten van een advocatenkantoor in Jackson. Hij sprak zorgvuldig en in juridische termen; hij had boeken en een kaart klaargelegd; en terwijl we praatten sloeg hij telkens van alles na.

Aan de wand van zijn kantoor—tussen kleurenfoto's van zijn gezin—hing een grote, oude kaart van de staat. Toen hij een glas koude dieet-Cola voor me ging halen, stond ik op om ernaar te kijken. De kaart was op linnen geplakt en ingelijst; het was een persoonlijk geschenk geweest. Het was een Franse kaart, uit 1830 ongeveer. Alleen de zuidelijke districten van de staat bleken bewoond. Een groot gebied in het midden stond aangegeven als bedoeld voor blanke kolonisten. Hoewel dat gebied ongeveer even groot was als alle bewoonde districten samen, werd het op de kaart slechts aangeduid als Hinds County (en een deel daarvan zou later Rankin County worden, waarover Campbell zo gedreven had gesproken). De gebieden in het oosten en noorden waren, in 1830, nog Indiaans terrein geweest, van de Choctaws en Chickasaws.

De helft van de staat was van de Indianen geweest in 1830; in 1860 stond de Burgeroorlog voor de deur; in 1890, na de Burgeroorlog en de Reconstructie, kwam er een nieuwe grondwet. De geschiedenis leek elke dertig jaar een sprong te maken. Daarbij kwamen nog de gele-koortsepidemieën van 1873, 1874, 1878, 1903; en de crisistijd. Niets was zeker of stabiel.

De voormalige gouverneur zei: 'De sfeer waarin de grondwet van 1890 is opgesteld werd overheerst door de blanken die naar middelen zochten om de controle van de blanken over het politieke bedrijf in de staat te herstellen. De grondwet van 1861 had geen mogelijkheden geboden om zwarte kiezers en zwarte ambtsbekleders buiten te sluiten. Er waren veel zwarte ambtsbekleders toen de grondwet van 1890 werd opgesteld.' Er waren twee zwarte senatoren geweest, een zwart congreslid, een zwarte plaatsvervangende gouverneur en een zwarte hoofdinspecteur van het onderwijs. 'De grondwet van Mississippi van 1890 is het voorbeeld voor andere Zuidelijke Staten geworden – door de handige voorschriften ter ontmoediging van zwarte kiezers.'

Bijna even belangrijk als de raciale voorschriften waren de voorschriften tegen het zakenleven geweest. De mensen die de grondwet hadden opgesteld, wilden dat de staat 'een pastorale staat, een landbouwstaat' zou blijven. Ze wilden geen grote bedrijven aantrekken, waardoor 'ongunstige competitie op het gebied van de werkgelegenheid met de landbouwgemeenschap' zou kunnen ontstaan.

'We hebben verscheidene belemmeringen geschapen voor grote bedrijven. Dat had tot gevolg dat investeringen in fabrieken hier in de staat werden tegengewerkt. Een grote papierfabrikant, de Gaylord Corporation, wilde een fabriek bouwen in Pearl River, Mississippi. Vanwege de constitutionele beperkingen heeft men die fabriek gebouwd in Louisiana, aan de overkant van de rivier, zichtbaar vanuit Pearl River County, en daardoor is praktisch een nieuw stadje in Louisiane ontstaan, Bogalusa. In Mississippi golden beperkingen op de onroerende goederen die een bedrijf mocht bezitten, op de kapitaalstructuur van zo'n bedrijf. Zelfs in 1890 vielen wij op doordat we niet naar kapitaal streefden.

'Het gehele document ademt een archaïsche toon. Wat wij nu nodig hebben is het psychologische voordeel van een laat-twindigste-eeuws document. En verder moet de manier waarop we de staat besturen opnieuw gestructureerd worden. We moeten een groot aantal van de dingen die bedoeld waren om de macht te decentraliseren en te fragmenteren, overboord zetten. In 1890 wantrouwde men elke concentratie van macht in één individu. Met als gevolg dat door de wetgevende macht in Mississippi niet één wet is aangenomen op een manier die helemaal conform de grondwet van 1890 is.'

Hij bladerde in een indrukwekkend wetboek en liet mij Hoofdstuk 59 van de grondwet van 1890 zien.

'Voorstellen van wet mogen ingediend worden door elk van beide huizen, en kunnen door het andere worden geamendeerd of verworpen; en elk wetsvoorstel moet op drie verschillende dagen worden voorgelezen in elk huis, tenzij twee derde van het huis waar het voorstel hangende is, ontheffing verleent; en elk wetsvoorstel moet in zijn geheel worden voorgelezen, onmiddellijk voordat gestemd wordt over de definitieve aanvaarding; en nadat zo'n wetsvoorstel beide huizen is gepasseerd, moet het ondertekend worden door de voorzitter van de senaat en de voorzitter van het huis van afgevaardigden, bij een openbare vergadering; maar voordat zij hun handtekening zetten, moeten zij dit tevoren aankondigen, de lopende zaken in het huis dat zij voorzitten, opschorten, de titel van het wetsvoorstel laten voorlezen, en het, zo enig lid dat verzoekt, in zijn geheel laten voorlezen; en deze gehele procedure moet in de handelingen worden opgenomen.'

Er was een wijziging aangebracht in de sectie over amendering, zodat wetten konden worden aangenomen. Maar een lastige volksvertegenwoordiger kon nog steeds uitstel bewerken. 'Ik heb het zien gebeuren. Ik heb gezien dat één volksvertegenwoordiger opstond en eiste dat de wet werd voorgelezen.'

Had er een element van waanzin gezeten in de hoofden van de opstellers?

'Het was een grondwet die tegen de overheid was. Men wilde alle wetgeving zo moeilijk mogelijk maken. De opvatting was: hoe minder wetten we krijgen, des te beter zullen we het hebben. Hoe minder wetten, des te beter—zo mag je het wel uitdrukken.'

'Wat voor soort mannen waren dat in 1890?'

'Ze vertegenwoordigden de landbouwbelangen van de ultraconservatieve planters. Velen waren veteraan van de Burgeroorlog. Er was sprake van een sterke rassendiscriminatie. Ze waren vastbesloten de zwarten te elimineren uit het politieke proces.'

'Denkt u dat er zoiets bestond als romantische gevoelens voor het land?'

'Het waren gevoelens voor het land van de grootgrondbezitter, niet voor de arbeider. De kleine farmer overheerste daar niet. De grondwet was afgestemd op de economische belangen van de opstellers. Er was bijvoorbeeld sprake van handhaving van een rivierdijkensysteem langs de rivier de Mississippi—wat eigenlijk niet thuishoort in een grondwet.

'Dat zat als volgt: In het voorjaar van 1890 waren de dijken bezweken en kwam een deel van de Delta onder water te staan.
Daarom hebben de opstellers van de grondwet later dat jaar een
compleet artikel toegevoegd aan de grondwet, om berekend te
zijn op dergelijke rampen. Artikel 11.'

Hij liet het me zien. Het was acht pagina's lang. Het besprak
tot in details, technisch zowel als fiscaal, de manier waarop de
dijken moesten worden onderhouden; beschreven werd hoe belasting zou worden geïnd voor het onderhoud; namen van verdwenen spoorwegmaatschappijen werden genoemd.

'Een dergelijk artikel hoort eigenlijk niet thuis in de grondwet
van een staat. Maar u kunt eraan zien wat de opstellers bezielde.
Ze dachten aan hun farms in de Delta.'

Misschien had men geen romantische gevoelens voor het land
gekoesterd. Maar hoe verklaarde de voormalige gouverneur de
anti-overheidsgevoelens die uit de grondwet bleken?

'Daaruit bleek het fundamentele pioniersaspect van de staat.
Ze zeiden eigenlijk: "Wij gaan de overheid gebruiken voor de oplossing van problemen die ons belangrijk voorkomen, maar we
zullen niet toestaan dat de overheid zich met ons leven bemoeit."
In de praktijd werkte de grondwet de machtelozen in de staat tegen. Maar dat bezwaar geldt nu niet meer. Het is gecorrigeerd.'

En de grondwet heeft zijn sporen nagelaten. 'North en South
Carolina en Georgia hadden tabaksfabrieken en textielfabrie-
ken. Alabama heeft een degelijke industriële basis die teruggaat
tot de negentiende eeuw. Mississippi heeft nooit een dergelijke
basis ontwikkeld.'

Op het bureau van de voormalige gouverneur, en speciaal voor
ons gesprek te voorschijn gehaald, lag een kaart van de Verenigde
Staten waarop, voor het jaar 1984, de 'economisch gezonde' districten en de 'noodlijdende' districten waren aangegeven. De gezonde districten waren blauw gekleurd; de noodlijdende districten waren roze gekleurd. Op de kaart zag men drie concentraties
van noodlijdende districten: aan de Mexicaanse grens; de India-
nengebieden in het Westen; en – haast één groot roze gebied – de
Zuidelijke 'black belt' van Alabama en bijna geheel Mississippi.
Alleen het gebied rondom Jackson was blauw gekleurd.

En toch, hoewel er nood werd geleden–naar verhouding: Amerikaanse nood leek niet op de nood in andere landen–en hoewel veel mensen het eens zouden zijn met wat de voormalige gouverneur zei over de archaïsche trekken van de grondwet, toch waren sommige mensen ook nerveus omdat er dingen veranderden. De pioniersgrondwet was iets fundamenteels over de staat gaan weergeven. Veel mensen rouwden nu over het verleden waarvoor die grondwet had gezorgd, toen het leven 'gemakkelijker' was, landelijker; toen de gemeenschappen klein waren en iedereen iedereen kende; toen tijd nog geen geld was.

Op de kaart uit 1830 in het kantoor van de voormalige gouverneur was 'Hinds County' aangegeven als kolonistengebied voor mensen wier nakomelingen de 'rednecks' uit Campbells poëtische ontboezemingen zouden worden. Nu constateerden de 'rednecks', net als de Indianen vóór hen, dat hun jachtgebieden slonken.

Het was een pioniersstaat geweest, maar steeds met die tegenstrijdige component van slavernij. En over die slavernij sprak het oude plantagegebied rondom Natchez aan de rivier. Dat gebied, even vlak en warm en zacht als de rijstgebieden van South Carolina, sprak van rijkdom en de behoefte aan slaven, bij duizenden. Maar Natchez had ook zijn plantershuizen, die nu twee keer per jaar het doel van 'pelgrimstochten' waren: de oude sentimentaliteit van het Zuiden, de verdeeldheid in de geest, de schoonheid en het leed van het verleden, waarin de onnoembare, voddige zwarte kwestie van de slavernij was vervat.

Het was een erbarmelijk stadje, dat lag te dampen na de regen op zijn 'hoge oever'–die niet erg hoog was–naast de modderige rivier.

Regen droop van de zware takken van de rood-en-witte gagelbomen. Er was ooit olie gevonden. Die olie-hausse was, als menig andere hausse in het Zuiden, voorbij.

Louisiana lag aan de overkant van de rivier. Ik reed erheen, in de hoop iets echts, iets waarachtigs te vinden–niet iets dat te maken had met de toeristenindustrie–om te lunchen. Het was vlak Deltaland. De lucht die door de airconditioning van de auto naar binnen kwam, rook naar uien. Die sterke geur, evenals de vlakheid van het land en mijn kennelijk hopeloze speurtocht–alleen hamburgertenten langs de autoweg: hoge, wenkende palen, eenvoudige gebouwtjes eronder, heldere kleuren tegen het vlakke groen–dreven me terug naar Natchez.

Het stadje in Louisiana heette Vidalia. Vidalia was ook de naam van een soort uien. Die moeten een delicatesse zijn geweest in het Zuiden; vaak had ik langs de weg zelfbeschilderde bordjes gezien die Vidalia-uien te koop aanboden. Dus rook ik uien, totdat ik terugkwam in Natchez, waar ik de rioollucht van het oerwoud te ruiken kreeg, de geur van de rivier, die vrijwel precies hetzelfde was als de rioollucht van Manaus in het Braziliaanse oerwoud. Zoals de roestige golfijzeren daken en de ontspannen zwarte mensen die in oude houten huizen zaten of stonden of schommelden en naar buiten staarden, me aan West-Indië herinnerden–even verontrustend voor je oriëntatievermogen als die overwoekerde tennisbanen in Tuskegee waren geweest.

En ik had me vergist in het stadje Vidalia in Louisiana. Een vrouw in de souvenirwinkel, van waaruit je een stukje van de rivier kon zien, vertelde me dat. Het Vidalia van de uien lag in Alabama, hoezeer ik ook uien had geroken in Vidalia, Louisiana.

De vrouw zei lijdzaam–de zaken gingen niet zo geweldig–: 'Mijn man is gek op Vidalia-uien. Zondags'–ze woonden aan de overkant van de rivier–'als we naar de club gaan, zegt hij tegen me: "Susan, neem een paar Vidalia-uien mee." Dan zeg ik: "Naar de club? Op zondag?" En dan zegt hij: "Háál die uien." Hij heeft daar een zwart meisje in de club dat hem verwent. Hij is gek op brood met boter en ketchup en ladingen gesneden Vidalia-uien. Dat maakt zij dan voor hem klaar.'

Er was een wolkbreuk. Ik bekeek haar koopwaar. Ze verkocht een grote zwarte mama in een lange rode rok en witte blouse.

Ze zei: 'De dag dat ik die had ingekocht, zei ik tegen Pearlene–dat is de kokkin–: "Pearlene, weet je wat ik vanochtend heb gedaan? Ik heb twee exemplaren van jou gekocht." Ze had het niet meer, en ze zei: "Nou, dan had je voor mij ook wel die kleren d'rbij kunnen kopen."'

Het klaarde op. Maar op het moment dat ik naar buiten kwam, begon het weer te regenen. Ik ging terug de winkel in.

Ik zei: 'Ik wil geen kouvatten.'

Zij zei: 'Het eerste jaar dat ik deze winkel had, liep ik elke dag bronchitis op. Als mijn man niet had aangedrongen, had ik het nooit volgehouden. Maar toen ben ik op de een of andere manier immuun geworden. Zilver wordt in drie dagen mat bij dit soort weer. Als je om de drie dagen het zilver poetst, kan dat niet goed zijn voor het zilver.'

Het begon harder te regenen, grote, spattende druppels. Ze praatte verder, blij dat ze gezelschap had, te midden van haar Natchez-souvenirs. De Mississippi was vaag zichtbaar achter mist en regen; de brug was onduidelijk; de oever van Louisiana was niet te onderscheiden.

En toen ik terugkwam in Jackson—via de 'Indian Natchez Trace Parkway'—ontdekte ik dat de regen en de zware hitte en mijn eigen onwetendheid aangaande de dingen die ik had moeten opzoeken, mij het wonder van Natchez hadden onthouden. De rivier veranderde haar loop; op een bepaalde plaats werd de oever weggespoeld; en een paar aardige oude huizen uit de planterstijd waren bezig in de rivier weg te zakken.

> And every gal on Natchez bluff
> Will cry as we go by, oh.

Dat waren versregels die weer bij mij opkwamen door het weer en de hitte en de gedachte aan de arbeiders op de plantages: regels die, wellicht wat aangetast door het geheugen, afkomstig waren uit een lang verhalend gedicht van Stephen Vincent Benét over de Burgeroorlog, dat ik veertig jaar daarvoor had ingekeken.

6 Nashville
Heilige zaken

Toen ik op een onweersachtige middag in Mississippi terugreed van de Delta naar Jackson en opgewonden keek naar de donkere hemel, de regen, de bliksemschichten, de lampen van auto's en vrachtwagens, het water van zware wielen dat hoog tegen de ruiten opspatte, werd ik me opeens bewust van het plezier waarmee ik daar in het Zuiden rondreisde. Romantiek, een glans van hoop en vrijheid, was de eerdere etappes van de reis al gaan kleuren: mijn aankomst in Atlanta, de rit vandaar naar Charleston. Ik was mijn schrijfangsten bij beide gelegenheden al bijna vergeten.

En die middag dacht ik dat mijn geluk volmaakt zou zijn geweest als ik niets had hoeven te schrijven; als ik me geen zorgen had hoeven te maken over wat ik nu weer moest doen, wie ik nu weer moest opzoeken; als ik gewoon de ervaring had kunnen ondergaan. Maar als ik niet schreef, als ik geen doel had, of soms een gevoel van dringende noodzaak, als het schrijven me geen programma had opgedrongen, plaatsen om te bezoeken, hoe zou ik dan mijn dagen hebben doorgebracht in het Ramada Renaissance-hotel in Jackson tussen de autowegen? Zou ik zelfs ooit naar Mississippi zijn gegaan?

Het land was groot en afwisselend, voor een deel woeste gronden. Maar het was vrijwel overal eenvormig gemaakt, gemakkelijk voor de reiziger. Een van de gevolgen daarvan was dat geen reisboek (tenzij de auteur over zichzelf schreef) alleen over de wegen en de hotels kon gaan. Een dergelijk boek had honderd jaar geleden nog geschreven kunnen worden. (Het verslag van Fanny Kemble over haar reis in 1838 van Philadelphia naar de Sea Islands van Georgia, per trein en postkoets, gedeeltelijk over een weg die uit boomstammen bestond, is een waar avontuur.)

Een dergelijk boek kan nog wel geschreven worden over bepaalde landen in Afrika bijvoorbeeld. Een reiziger in een dergelijk land hoeft vaak niet méér te zeggen dan iets als: 'Dit ben ik, nu, hier. Dit ben ik, zoals ik uit die ouwe inheemse bus stap en door vreemde knapen, die me onzedelijke voorstellen doen, naar een smerig logement word gebracht. Dit ben ik, zoals ik hier wat drink in een bar met een paar rare snuiters van hier. Dit ben ik, zoals ik later die avond verdwaald raak.'

Een dergelijk soort reiziger is niet echt een ontdekker. Hij is meer iemand die zichzelf definieert tegen een vreemde achtergrond, en afhankelijk van zijn persoonlijkheid kan het een aantrekkelijk boek zijn dat hij schrijft. Een dergelijk boek kan over de Verenigde Staten alleen geschreven worden wanneer de auteur, door de lezer in vertrouwen te nemen, zich voordoet als een vreemde of een excentriekeling. Over het algemeen werkt die aanpak echter niet in de Verenigde Staten. De achtergrond is niet vreemd genoeg, kan dat niet zijn, niet op de eenvoudige manier waarop een Afrikaans land vreemd is. Het is te bekend, te veel gefotografeerd, te vaak beschreven; en omdat het meer georganiseerd en minder formeel is, staat het niet zo open voor terloopse waarnemingen.

Vanaf het begin van mijn eigen reis had ik bepaalde dingen willen onderzoeken, een duidelijk thema willen hebben. Die benadering leverde problemen op. In mijn achterhoofd maakte ik me steeds zorgen dat ik ergens zou komen en nergens contact kon krijgen, zodat ik niet verder zou komen dan de eenvormigheid van autowegen en hotelketens (dat was de romance waaraan ik me die middag in de Delta overgaf). Als je reist met een bepaald thema, moet dat thema zich mét de reis ontwikkelen. In het begin kun je een algemene en gespreide belangstelling hebben. Maar later moet je meer gericht te werk gaan; de verschillende etappes van een reis kunnen niet eenvoudig variaties op elkaar zijn. En zulk reizen met een thema was, meer dan andere vormen van reizen, afhankelijk van geluksfactoren. Het was afhankelijk van de mensen die je tegenkwam; van de kleine visioenen die je kreeg. Net als de krant van morgen werd de vorm van het hoofdstuk waaraan ik werkte voortdurend gewijzigd door dingen die toevallig onderweg gebeurden.

Puur geluk–ons gesprek was zo tam begonnen–had mij Campbells lyrische ontboezeming over de 'rednecks' van Rankin County bezorgd: het buitenleven, een restant van de onafhankelijkheid van de pioniers, vermengd met een afkeer van zwarten, en merkwaardigerwijs verweven met de voorliefde voor countrymuziek, 'Hún muziek, muziek om bij te huilen', en de cultus rond Elvis Presley.

Door die ontmoeting met Campbell was ik op het idee gekomen wat ik vervolgens zou kunnen doen (en daardoor liet ik mijn plannen ten aanzien van Faulkner en Oxford, Mississippi, varen). Hoewel ik weinig van muziek afwist en de prestaties van Presley, bij zijn leven, aan mij voorbij waren gegaan.

Het huis waar Presley geboren was, lag in het stadje Tupelo in Noord-Mississippi.

De zakenman die me daarheen bracht, zei: 'Hij was van heel lage geboorte.' Hij zei het ernstig, zonder medeleven; en hij leek daarbij een heel lichte hoofdbeweging te maken. Zijn afkeer van het soort lage geboorte dat hij bedoelde, was vermengd met iets als ontzag.

Ik herinnerde me wat Campbell had gezegd, en citeerde zijn woorden. '"De grootste 'neck' aller tijden?"'

'Nog lager.'

In het hotel in Jackson had ik in een tijdschrift een foto gezien van het smalle 'schietgeweer'-huis met zijn twee kamers, de voorgalerij die uitkwam op de slaapkamer die uitkwam op de keuken achterin. Op grond van die foto had ik een beschermd huis in een stadswoestenij verwacht. Maar Tupelo was een bedrijvig stadje, een van de meer bedrijvige plaatsjes in Mississippi, en het gebied rondom Presley's geboortehuis was een buitenwijk geworden, en het huis zelf leek op iemands bijgebouwtje (of 'dependance') in de schaduw van een boom, met overal in het rond gazons.

Op de voorgalerij hing een schommelbank voor twee personen aan kettingen aan het plafond. De voorkamer was de slaapkamer. Deze was nieuw behangen, met een eenvoudig bloempatroon; en aan een van de wanden hing een ingelijste copie van het gedicht 'If'.

Ik vroeg de vrouw die daar toezicht hield of dat gedicht er ook was geweest in de tijd dat Presley daar woonde–dat wil zeggen in de tijd van Presley's vader, die het huis gebouwd zou hebben. Het was een domme vraag; de vrouw gaf geen antwoord. De zakenman zei dat het behang vroeger wel uit krantenpapier zou hebben bestaan.

En natuurlijk had men het huis zo mooi mogelijk gemaakt, met de schommelbank en het ledikant en het oude keukengerei– als iets uit het 'Mississippi Agriculture and Forestry Museum' in Jackson, waar het tentoongestelde, huishoudelijke voorwerpen van slechts enkele jaren daarvoor, eerbiedig was uitgestald omdat het, ondanks de geringe ouderdom, deel uitmaakte van een speciaal plattelandsverleden dat velen hadden gekend en dat nu was verdwenen. (In Engeland zijn de jaren twintig binnen handbereik, als eergisteren. In Mississippi zijn de jaren twintig lang geleden, dicht bij het begin van alles.)

In het museum van Mississippi kon je het tentoongestelde verleden zien als een vorm van religie, een onderlinge band. En iets daarvan was terug te vinden in het mooier gemaakte 'schietgeweer'-huisje. (Stel je echter voor dat daar mensen hadden gewoond, in die kleine ruimte: stel je voor hoe boven op elkaar ze hadden geleefd, en wat een rommel het moet zijn geweest.) Juist door zijn nederige afkomst was de man nog eens zo heilig geworden, in de ogen van de–dikkige–mensen die op de schommelbank plaatsnamen om zich te laten fotograferen.

Achter het huis was een kiosk waar prentbriefkaarten en souvenirs te koop waren, en exemplaren van de kranten uit Memphis van de dag na Presley's dood in 1977; en er was een kleine, nieuwe kapel, met glas-in-lood. Opzij van het huis was een park. Dat had Presley's geld voor elkaar gekregen. Het leek op de verhalen die je hoorde–en die waren altijd ontroerend, de vervulling van allerlei fantasieën–over verpleegsters in ziekenhuizen en andere eenvoudige lieden die door Presley werden verrast met een gratis Cadillac.

In de souvenirwinkel zei de zakenman: 'Hoor je het accent van die vrouw? Moet je luisteren.' Hij sprak met hetzelfde ontzag als waarmee hij over Presley's afkomst had gesproken. Maar mijn oren waren niet zo fijn afgestemd als die van de streekbewoners. Ze hoorden niet wat de zakenman had opgevangen.

De zakenman had een historisch standpunt ingenomen. Daarvoor waren precedenten die bijna even oud waren als de staat. Zelfs Fanny Kemble voelt, wanneer ze in 1839 geconfronteerd wordt met de 'pinelanders' van Georgia, woede en minachting, en ze wijst deze mensen van haar eigen ras als weerzinwekkend af omdat zij ze ziet als gedegenereerd. Men stelt zich Fanny Kemble zachtmoedig voor, als iemand die onrecht haat. Maar als voormalig actrice, afkomstig uit een heel belangrijke Engelse toneelspelersfamilie, vond ze het ook belangrijk hoe mensen eruitzagen. Ze haatte slavernij; maar ze vond het afschuwelijk zoals de zwarten op de Amerikaanse plantages eruitzagen. (Ze vond de Westindische zwarten er beter uitzien.) En die passage over de 'pinelanders' verdient in haar geheel geciteerd te worden. Juist de herhalingen maken de verwarde emoties en schaamte van de schrijfster duidelijk:

'Dit zijn de zogenaamde "pinelanders" van Georgia, naar mijn mening de meest ontaarde menselijke soort die beweert van Angelsaksische herkomst te zijn ter wereld – smerige, luie, domme, wrede, trotse, straatarme wilden, zonder een van de meer edele kenmerken die wel eens gepaard blijken te gaan met de ondeugden van echte wilden. Ze bezitten geen slaven, want ze zijn vrijwel zonder uitzondering weerzinwekkend arm; ze weigeren te werken, want volgens hen zou dat hen op één lijn plaatsen met de verafschuwde negers; ze pikken land en stelen en lijden honger aan de rand van deze minst beschaafde van alle gemeenschappen, en hun gezichten getuigen van de ellende van hun situatie en van de volstrekte ontaarding van hun karakter. Wat de zaak van de misdadige slavernij betreft, die ondersteunen ze van harte – al profiteren ze er niet van – omdat dit de barrière is die het zwarte en blanke ras gescheiden houdt, en aan de voet daarvan wentelen ze zich in weerzinwekkende armoede, maar mateloos trots op de minderwaardige vrijheid die hen nog gescheiden houdt van de door de gesel voortgedreven zwoegers op de velden.'

Georgia was in 1733 gesticht als kolonie voor vrije mensen. Binnen zestien jaar was daar echter verandering in gebracht door de slaveneigenaars; en toen waren gemeenschappen van arme blanken ontstaan, zoals de 'pinelanders', migranten uit andere staten. Er waren geen groepen arme blanken van vergelijkbare omvang geweest in de Westindische slavenkoloniën. Daar waren eigenlijk alleen planters en slaven. Die eilanden zijn na de afschaffing van de slavernij dan ook in wezen zwart geworden; en bij ontstentenis van 'rednecks' hadden de eilanden geen geschiedenis gekend als het Zuiden na de Reconstructie. Bij de kolonisatie van de Nieuwe Wereld en andere nieuwe gebieden in andere werelddelen zijn mateloze wreedheden begaan, niet alleen aan de inheemse bevolking, maar ook aan de mensen die men daarheen heeft overgebracht. Lang nadat enige groep verantwoordelijk kan worden gesteld, leven de latere generaties voort als slachtoffers of erfgenamen van oude geschiedenis.

Ik begon een paar nieuwe ideeën te krijgen over de Presley-cultus in Tupelo: het geboortehuis van de man van het volk, de heilige van het volk, dat fraai en passend was gemaakt, een heiligdom. En ik was half voorbereid op wat ik later zag in de informele Presley-collectie van Charles Wilson toen ik naar het 'Centre for the Study of Southern Culture' kwam in Oxford, Mississippi.

Het opvallendste voorwerp daar was een poster waarop Presley linksonder te zien was, met een nauwe broek en een omvangrijk achterwerk, spelend op een gitaar, en met een trap die leidde naar zijn moeder en 'Graceland'–Presley's huis in Memphis–in de hemel. Vervulling van de 'redneck'-dromen: sociaal gesproken meelijwekkend op een zeker niveau; op een ander niveau een soort religieuze kunst, tegen het christendom aanleunend: de verheerlijking van de hoofdfiguur met seksualiteit en al, en Graceland als een variatie op het Nieuwe Jeruzalem op een middeleeuws schilderij van de Dag des Oordeels.

Aan de rand van Memphis lag Graceland. Op de borden langs de autoweg stond de naam aangegeven. Een openbare weg scheidde het huis en de tuin van de Graceland-parkeerplaats, de loketten voor de kaartverkoop en de plaats waar nu de twee vliegtuigen van Presley geparkeerd stonden: symbolen van majesteit.

Er waren rondleidingen door huis en tuin. Bezoekers konden niet zomaar wat rondlopen; ze werden vervoerd door speciale busjes die vertrokken bij de loketten. Op de middag dat ik erheen ging, waren de rondleidingen voor de eerste anderhalf uur volgeboekt. Ik heb het huis dus niet gezien en moest me tevredenstellen met de verhalen over tv-toestellen overal, de inrichting die geïnspireerd was door die van hotelkamers in Las Vegas, de kleine extravaganties van een man van eenvoudige smaak en genoegens, die niet wist hoe hij het geld dat hij verdiende moest uitgeven en in de problemen was gekomen toen hij, in de overtuiging dat hij zichzelf meer was verschuldigd, verder was gaan kijken dan de eenvoudige dingen die hem het best bevielen.

En het was gemakkelijk om bij de drukke loketten—met Presley-liedjes over de luidsprekers, verontrustend echt: de onsterfelijkheid van de heilige—de glamour te voelen, de magie van die stem en de onvoorstelbare rijkdommen die deze had voortgebracht. Die rijkdommen—uitgegeven zoals men wist dat ze waren uitgegeven: simpele verlangens vergroot, en vervolgens nogmaals vergroot—leken op rijkdom voor iedereen, voor alle dikke mensen onder de mensen die—op grond van een overeenkomstig Presley-principe van uitgeven, maar dan beperkt tot wat zij konden kopen, de snacks die hen eeuwig verleidden, in grote hoeveelheden en binnen handbereik, als een werkelijkheid geworden manna of een moderne versie van iets in een klassieke legende—mensen die vervulling en de glorie van de overvloed hadden omgezet in persoonlijk vet, vet als persoonlijk bezit.

Sinds het hotel in Charleston (en vooral na de drukke zakenmensen in het hotel in Atlanta) was ik me bewust geworden van heel dikke mensen, mensen die (als deeg) waren gerezen tot bijzonder bolle vormen van corpulentie. Niet slechts enkelen; ze vormden bijna een complete klasse. Charleston was een vakantiestad. Daar, in het hotel, waren ze verschenen in vrolijke vakantiekleding, die in hun geval nog eens twee of drie keer zo overdreven was; en ze waren ook in paren verschenen, en dat was bizar geweest. Op een gegeven moment waren er minstens vier van dergelijke paren in het hotel—ze waren gargantuesk, versperden de gangen en waren (ongetwijfeld een effect van hun aantal) niet zonder agressie.

Daarna waren ze me elders ook opgevallen. Campbell was echter de eerste geweest die me verteld had over de omvang van 'redneck'-vrouwen en gedaan had alsof dat het kenmerk van de streek of de groep was. Het was soms een vreugde, opwindend om hen te zien, om de individuele manieren te zien waarop elke menselijke gestalte die extra ponden arrangeerde: hier een buik, daar een zak, hier een kwab, daar een rol. Een vorm van zelfmoord, had je kunnen denken; maar ik begon me ook af te vragen—bij de kaartverkoop in Graceland, tussen al die trotse en opgewonden mensen—of de dikte van deze afstammelingen van pioniers en 'pinelanders' niet een eenvoudig element van zelfverzekerdheid bevatte.

Hoe moest deze aanbidding van de zanger worden begrepen? Deze mensen hadden politieke leiders; ze hadden sportlieden, filmsterren; ze hadden alle mogelijke helden. Maar die helden kon je alleen uit de verte zien; deze zanger was net zo iemand als zijn bewonderaars. Hij was iemand met wie zijn bewonderaars konden meeleven: de zanger voelde voor hen, namens hen.

In Brits West-Indië in de koloniale tijd—gedurende ongeveer honderd jaar na de afschaffing van de slavernij—hadden de zwarten geen helden gehad. Ze kregen pas heel laat helden, en die helden waren sportlieden, voornamelijk cricketers. Geen ander soort held was mogelijk in die beperkte maatschappijvorm. Maar toen zich eenmaal een politiek leven ontwikkelde, tegen het einde van de koloniale periode, kregen de zwarten van West-Indië leiders, in veel gevallen vakbondsleiders die vervolgens politiek leider werden en na de onafhankelijkheid optraden als eerste minister. Deze vroegere leiders, die helemaal van hen waren, werden door de Westindische zwarten meer dan vereerd. Ze wilden dat ze hen vertegenwoordigden, en op meer dan parlementaire wijze. Ze wilden dat hun leiders (die arm waren begonnen, als iedereen) rijk waren (ongeacht hoe) en machtig en opvallend. De glorie van de zwarte leider werd de glorie van zijn volgelingen. De leider leefde (of leefde zich uit) namens zijn mensen; en de mensen leefden via hun leider. Normale gedachten omtrent moraal en fatsoen waren niet van toepassing. Een leider hoefde niet bescheiden en correct te zijn; dat waren deugden uit een andere wereld. Een leider werd als zwarte bekleed met verantwoordelijkheid: hij moest groot zijn, meer dan levensgroot, ter wille van alle zwarten. Deze gedachte van de leider – die zoveel ravage heeft aangericht in West-Indië – is de laatste tijd gewijzigd; maar ze leeft nog wel.

Op iets als deze politieke aanbidding door zwarte mensen leek de Presley-cultus te steunen. Het was eigenaardig – voor mij – dat muziek zoveel van de emotionele behoeften van mensen had gedragen. En toen ik in Nashville in Tennessee naar een uitvoering van de 'Grand Ole Opry' ging, het aloude radioprogramma met country-muziek, voelde ik me geheel losstaan van wat ik zag gebeuren. Het was als een stamritueel; het had zich allemaal in een vreemde taal kunnen afspelen.

Hoeveel talent was daar te zien? Maar deed talent er iets toe tegen deze achtergrond? Het was voor de beroemden en zeer geliefden al voldoende wanneer ze zich vertoonden aan het publiek. De zaal was vol; in de gangpaden verdrongen zich mensen met camera's. De cowboyhoeden en overalls – werkkleding – van een paar van de uitvoerenden boden houvast: country-muziek creëerde een gemeenschap en was de expressie van een gemeenschap.

Nashville was het centrum van de country-muziekindustrie. Het was een industrie, maar in de straten van de muziekwijk liepen veel toeristen in vakantiekleding.

Een oudere zwarte man die me op een dag terugreed naar het hotel, zei over de toeristen: 'Allemaal blanken, ziet u wel? Zwarten haten country-muziek. Voor hen is het "redneck"-muziek. Dat symboliseert alles wat hen heeft onderdrukt en alles wat ze haten.'

Ik vroeg of Presley ook zo over de zwarten had gedacht.

De oude man zei: 'Praten met Presley over zwarten was als praten met Hitler over joden. Weet u wat hij gezegd heeft? "Alles wat ik van zwarten verlang is dat ze mijn platen kopen en mijn schoenen poetsen." Dat is vastgelegd.'

Toen ik dat zei tegen Allen Reynolds, producer van een platenmaatschappij, zei hij: 'O nee! O nee!'

Allen kwam uit Arkansas. Hij was negenenveertig; en ik had het gevoel dat hij misschien wat moe was van het verdedigen van het Zuiden tegen beschuldigingen van raciale aard.

Hij zei: 'Ik was in het "Baptist Hospital" in Memphis toen Elvis daar was. Misschien niet als patiënt – zijn vrouw kan er gelegen hebben. Ik stond met wat anderen bij de lift. Twee zwarte verpleegsters kwamen aangerend, ze leken wel bezeten. Ze zeiden: "Hij is er! Hij is er!" Ze grepen naar hun hart en holden weg om Elvis te zien. Ik vertel je dit verhaal omdat ik daardoor een vraagteken plaats bij die theorie dat zwarten Elvis haatten.'

Allen had zijn opleiding in Memphis ontvangen. Hij was dol op de stad geweest, 'om muzikale en andere redenen', tot 1968, toen Martin Luther King daar gedood was. Die moord had de relatie met de zwarte musici en andere zwarten verstoord. Misschien was er niets gezegd, maar de moord was een feit, een barrière, iets gênants, een reden tot zwijgen. (En toen ik zelf in Memphis verbleef, was het tot me doorgedrongen hoe verzuurd de sfeer daar was: de zwarte stad was één grote, reddeloze woestenij, en de blanken woonden, belegerd, ver weg in het oosten.)

Allen had nog wel zakelijke muziekvrienden in Memphis. 'Een van hen is Sam Phillips, van een onafhankelijk label. Hij is een soort afgod van me. Zijn prestaties maken nog steeds veel indruk op me. Hij heeft Presley gedaan aan het eind van de jaren vijftig. Hij is opgegroeid in Mississippi of Louisiana. De zwarte muziek heeft hem als jongen al sterk beïnvloed. In Memphis hadden we die harmonieuze mengeling van muziek. Sam was gek op zwarte muziek en hij zocht bewust naar een blanke met een zwarte' – hij zocht naar het woord – 'attitude. Zwarte energie.'

Ik vroeg Allen wat country-muziek voor hem betekende.

'Ik ben groot geworden met country-muziek en ik kan nog steeds niemand vinden die me een definitie kan geven van country-muziek. Maar voor mij is het echte volksmuziek, zowel tekst als melodie. En het gaat rechtstreeks over het dagelijks leven.

Mijn grootouders luisterden elke zondagavond naar de "Grand Ole Opry". Mijn grootmoeder was een van veertien kinderen geweest. En er was een vent, Little Jimmy Dickens, die een liedje zong dat "Sleeping at the Foot of the Bed" heette. En dan zei mijn grootmoeder: "Zo was het vroeger." Als er mensen op bezoek kwamen, zorgden ze niet voor een extra bed. De volwassenen gingen naast elkaar liggen en de kinderen lagen dan aan de voet van het bed. Country-muziek op zijn best komt uit de emoties van het dagelijks leven.'

In de country-muziek was de muziek zelf niet belangrijk. De woorden, daar draaide alles om. Maar de woorden waren zo eenvoudig, het waren er zo weinig, en de onderwerpen waren zo gestileerd. Was het moeilijk de kwaliteit van een liedje te beoordelen? Kon je je laten inpakken door rommel?

Allen zei: 'Dat weet ik vrij gauw. Ik werk bijvoorbeeld nu aan een album met een zangeres die Kathy Mattea heet. Dat is een nieuwe zangeres; dit is pas haar vierde album. Deze business werkt als volgt: er zijn een aantal maatschappijen met tekstschrijvers die voor hun dagelijks brood naar kantoor gaan en liedjes schrijven. Ik geloof niet dat dat altijd even bevredigend werkt. Je krijgt veel van die dingen die op wenskaarten thuishoren. Toen ik vertelde dat we zochten naar materiaal voor dat album van Kathy, kreeg ik een hele massa songs—die vrijwel geen van alle acceptabel waren—van de maatschappijen en de tekstschrijvers.'

Dat verklaarde het getypte briefje op de voordeur, dat de mensen vroeg hun cassettes in de brievenhuis te deponeren en niet binnen te komen om erover te praten.

'Ik moet elke week luisteren naar een boodschappenzak vol cassettes. Nashville is een soort Mekka voor een heleboel dromers. Maar tegelijkertijd ontmoet ik steeds muziekuitgevers en tekstschrijvers, want ik ben op zoek naar materiaal, en het moeilijkst van alles is de echte liedjes te vinden. Dus dat briefje op de deur werkt maar gedeeltelijk.'

'Zoek je een liedje, of zoek je een tekstschrijver?'

'Allebei. Ik ben altijd op zoek naar de ware tekstschrijvers. We hebben een paar hele goeie. De meeste die ik ken, komen uit een eenvoudig milieu, van het platteland. Dat wil niet zeggen dat ze onontwikkeld zijn. Ze komen uit het hele land. Maar over het geheel genomen komen ze uit een omgeving die slechts voor een deel stedelijk is. Ze hebben een goede, sterke band met de kleine stadjes en de mensen.'

Ik dacht aan andere vormen van gestileerd schrijven – komedies uit de Restauratie, de boeken van P.G. Wodehouse, die in een namaak-'upper-class'-wereld spelen – waar een geestige manipulatie van het genre al een kunst was.

Allen zei: 'Ik ken iemand van de andere kant van het land. Die man schrijft alle mogelijke muziek. Hij heeft wat succes geboekt in country met een paar songs waarvan ik weet dat ze pure fantasie zijn, en gebaseerd op het gevoel dat die man heeft voor gestileerde elementen. En toch zijn een paar van die songs heel goed.'

'Maar je zou toch staande willen houden dat het beste werk meestal voortkomt uit persoonlijke ervaring.'

'En oorspronkelijkheid.'

'Is die nog mogelijk?'

'Ja. Maar de industrie is niet zo op oorspronkelijkheid. Net als bij andere vormen van schrijven is ongeveer tien procent origineel, en er zijn heel veel eendagsvliegen.'

We gingen naar boven om te luisteren naar een paar van de cassettes die waren ingezonden voor het nieuwe album van Kathy Mattea. In de luisterkamer stonden letterlijk de boodschappenzakken waarover hij het had gehad.

Allen zei: 'Het eerste dat me opvalt bij de meeste van die cassettes is hoe weinig originaliteit erin zit. Zelfs de titels kunnen identiek zijn. Alle mogelijke liedjes over het vuur van de liefde, de vlammen van de liefde. Veel van dergelijke titels. Het liefdesvuur dat onblusbaar is.'

Het liedje waarnaar we luisterden ging over liefde, sentimen-

teel, algemeen, zonder enig concreet detail dat je aan een bepaalde achtergrond of persoon deed denken.

Allen zei: 'Het is een commercieel deuntje. Wenskaartenspul.
Daar hebben drie schrijvers aan gewerkt, en je hoort dat ze geen
enkel ander doel hebben gehad dan een paar ballen te verdienen.
De muziek ook. Het is geen vlees en geen vis. Een beetje pop,
een beetje country, een beetje smartlap. En totaal geen soul. En
dat gaat dus terug in de boodschappenzak.'

Er lagen cassettes op de planken in de luisterkamer. En op de
bovenste plank stonden clowntjes van aardewerk.

We luisterden naar een van de liedjes die Allen in het album
zou opnemen.

'Het heet "Eighteen Wheels and a Dozen Roses". Hij–de
vrachtwagenchauffeur–maakt zijn laatste rit van die dag naar
huis met een dozijn rozen voor haar. En nu hebben ze heel wat
in te halen. Het is geen grove tekst. Ik vind het aardig. Er zijn
een aantal songs in country-muziek die te maken hebben met de
truckers. Veel van het country-publiek reageert op auto's en
vrachtauto's.'

Ik ving losse regels van het liedje op, zag het spel met de cijfers. 'Eighteen wheels and a dozen roses.' 'A few more songs on
the all-night radio.' 'Ten more miles on his four-day run.'

Allen zei: 'Achttien wielen. Iedereen weet dat dat een grote
truck met oplegger is.'

Hij liet nog een liedje horen dat hij had uitgekozen. Het heette 'Late in the Day'.

Hij zei: 'Dat is peinzend, droevig. Het gaat over verlies van
liefde, verloren liefde.' Hij citeerde een regel: '"You don't know
it's a good thing till it goes slipping through your fingers."'

En we luisterden opnieuw:

> Now I pour whisky, break the ice,
> Put my feet up, close my eyes,
> And try hard to listen to what my heart might say,
> Try to find the rhyme to take me back in time,
> To be with you here, late in the day.

Allen zei: 'Ik ben gek op dat liedje, want de sfeer en de beelden roepen van alles voor me op. En alleen al de melodie is me dierbaar, klinkt me heerlijk in de oren.'

We praatten over de manier waarop hij de muziek had ontdekt.

'In mijn leven was het vanzelfsprekend dat je thuis muziekinstrumenten had en muziek maakte voor jezelf en voor je vrienden. Toen ik een kind was—in Arkansas—kwamen de buren 's avonds met gitaren, fiedels, harmonika's, mandolines, en dan zaten ze uren te zingen. Ze vonden het zalig. In de tijd van mijn grootmoeder hadden ze in de zomer leraren die van de ene plaats naar de andere trokken. Ze hadden zangscholen, en kinderen en volwassenen gingen daar elke dag heen en leerden zingen en harmonie. En aan het eind van zo'n week hadden ze "a big all-day sing", zoals ze het noemden.

'De aantrekkingskracht van de kerk in het Zuiden is voor een deel de muziek geweest. Ze genoten van de muziek en het zingen en de "harmonizing". Zowel bij blanken als bij zwarten zie ik duidelijk de invloed van de kerk en de gospelsongs op de wereldse muziek. Een paar van Elvis' lievelingsliedjes—om te zingen—waren voor de kerk. Hij is de personificatie van de onderlinge relatie tussen werelds en gospel, blank en zwart.'

Kathy Mattea, van wie Allen het nieuwe album uitbracht, hoorde bij wat Allen noemde de 'folksy' kant van de countrymuziek. Er was een andere kant. 'Een van onze beste zangers en schrijvers is Loretta Lynn, en dat is een van de typisch aardse tekstschrijvers, een legende. Haar muziek gaat meer over de bars en over huiselijke ruzies. Ze is begonnen te zingen toen ze een huis vol kleine kinderen had. Het was een manifestatie van iets natuurlijks in haar aard—een natuurlijke manier om zich te amuseren, uitdrukking te geven aan haar gevoelens. En ze was arm. Ze had niet meer dan een radio en een gitaar. Een zwaar leven, een armoedig bestaan.'

Hoewel de zangers voor het merendeel gelovige mensen waren—en godsdienst een natuurlijk ingrediënt van mensen in het Zuiden was—en hoewel het publiek, dat even gelovig was, verwachtte dat hun zangers de waarden van het gezin uitdroegen, was er tegelijkertijd een tegenstroom. Allen zei: 'Het publiek ziet de zangers worstelen met hun eigen *demonen*. En men kan zich identificeren met zo'n worsteling.' Daardoor werd het publiek menselijk en ontvankelijk en trouw, en daardoor kregen leven en liedjes van sommige zangers een element van het passiespel.

Ds. K.C. Ptomey, de presbyteriaanse pastor van Westminster Church, in een van de meer welvarende buurten van Nashville, zei over country-muziek: 'Het is blanke soul-muziek. Het is te vergelijken met de rol die muziek speelde voor slaven in de vorige eeuw. Daardoor ontstaat een gevoel van gemeenschap tussen onderdrukte mensen. Ik houd ervan. Ik luister ernaar omdat ik in de teksten protesten hoor tegen de onderdrukkende aspecten van het leven zoals dat wordt ervaren door een arme blanke.' Over het veelbeschreven geloofsleven van sommige zangers zei hij: 'Ze zijn op een speciale manier gelovig. Godsdienst is voor hen eerder een gemeenschappelijke emotionele ervaring dan een gemeenschappelijke leer.'

En soms konden de emoties extravagant zijn. Terwijl ik in Nashville was, verscheen er een boek dat *Sunshine and Shadow* heette, de autobiografie van een zangeres van de 'Grand Ole Opry', Jan Howard. Ze stond op het punt te beginnen aan een promotietrip door zestien steden, en in het kunst-en-cultuursupplement van het plaatselijke dagblad, de *Tennessean*, stond een bespreking van haar boek.

'Ze was een van elf kinderen, geboren in wanhopige armoede op het platteland van Missouri. Op haar achtste is ze verkracht door een van haar vaders vrienden. Op haar vijftiende is ze getrouwd. In vier jaar tijd kreeg ze drie zoons, en vervolgens werd ze een mishandelde echtgenote, die tenslotte een zenuwcrisis kreeg.

'Toen haar man haar probeerde te vermoorden, vluchtte ze met tien dollar op zak en haar zoontjes op sleeptouw. Ze klopte aan bij vreemden en smeekte om onderdak. Haar tweede man, een luchtmachtsergeant, bleek bigamie te hebben gepleegd. De twee kinderen die ze van hem kreeg zijn gestorven.'

Daarna had ze iets meer geluk gehad. Ze ontmoette een tekstschrijver in Californië, trouwde met hem, verhuisde naar Nashville en werd een ster. Toen liep het huwelijk stuk, op een onsmakelijke manier.

'Terwijl ze herstellende was van de bittere scheiding, sneuvelde haar oudste zoon Jimmy in Vietnam. Korte tijd later pleegde haar zoon David, acteur en zanger, zelfmoord onder invloed van drugs...'

Het was moeilijk te geloven dat iemand dat alles had meegemaakt en er dan over kon zingen. Maar ze stond op het toneel van de 'Grand Ole Opry', een slanke, kleine gestalte, fraai aangekleed en met een glimlach, hoewel haar vreselijk levensverhaal veel plaats had ingenomen in de krant van die ochtend. En het publiek van de 'Opry' kwam naar voren rennen met camera's, fotografeerde haar en vuurde haar aan, wenste haar het beste toe.

'Hún muziek, muziek om bij te huilen' – zo had Campbell het beschreven. Maar dat was nog maar het begin. Blanke soulmuziek; de zanger als ster en slachtoffer, en in beide rollen representatief voor de gemeenschap; en in de eenvoudige muziek, via de echo van oude Schotse en Ierse *reels* en *gigs*, klonk een gevoel van melancholie en verlies, de melancholie van een gedeporteerd volk met vage herinneringen aan – of misschien alleen een gemeenschappelijk gevoel voor – 'oud, ver verdriet, en veldslagen van lang geleden'. Daar niet van los te maken waren de fundamentalistische pioniersgodsdiensten die voor deze mensen de gedachte van een complete, geschapen wereld hadden bewaard, en een complete, door God gesanctioneerde gedragscode.

Jan Howard had de *Tennessean* verteld over de problemen die ze had gehad bij het schrijven van haar autobiografie. 'Het was afschuwelijk een paar van die nare dingen opnieuw te beleven. Soms zat ik achter mijn schrijfmachine zo te beven dat ik de toetsen letterlijk niet kon aanraken. Of ik huilde. En soms bad ik letterlijk om kracht.'

Muziek en gemeenschap, en tranen en geloof: ik had het gevoel dat ik, door de country-muziek, begrip had gekregen voor een hele andere cultuur, iets waarvan ik nooit had gedacht dat het bestond in de Verenigde Staten.

In een tijdschrift in mijn hotelkamer stond dat Nashville 'de gesp van de Bible Belt' was. Kerken vulden twaalf pagina's van de Gouden Gids. De *Tennessean* had een redacteur 'kerkelijke zaken' en er was een wekelijkse pagina 'godsdienstnieuws', met veel advertenties voor kerken (met name Church of Christ-kerken), sommige met een foto van de modieus geklede pastor of predikant. De meeste protestanten in Nashville hoorden bij de fundamentalistische pioniersgodsdiensten; de Southern Baptists waren de belangrijkste groep.

De sjiekere kerken, de presbyterianen en episcopalen, bekeken deze baptistische overmacht van een zekere sociale afstand, zonder rancune of concurrentie.

Dr. Tom Ward, de episcopaalse pastor van Christ Church, zei dat de Southern Baptists die soms naar zijn kerk kwamen het daar te stil vonden. '"Jullie preken niet". Het ethos van de baptisten is het gepredikte woord. En dat is het ethos van de christelijke kerk in het Zuiden. Preken betekent namelijk eerder emotionele woorden dan het geleerde essay van de Church of England—het prediken van het woord en het aantal geredde zielen tellen. Maar ik moet wel het volgende kwijt. Als je zegt: "Ik ben Southern Baptist", dan is dat een andere manier om te zeggen: "Ik ben Zuiderling." Ik bedoel dat dat het ethos is, in religieuze zin. Wat in hun ziel begraven ligt is de angst voor hel en verdoemenis. Mijn vader is geëxcommuniceerd door de United Methodist Church in Meridian, Mississippi, in 1931—toen hij zeventien was—omdat hij naar een dansfeestje was geweest. Dat is de methodistische kerk. Veel literatuur van de Ku Klux Klan is christelijk getint. Revival-beweging—waarom? Om de geest weer in vuur en vlam te zetten. Wat voor geest? Eén foute stap; veel foute stappen; en daar heb je de Ku Klux Klan.'

De presbyteriaanse pastor van Westminster, K.C. Ptomey, zei eveneens dat de identiteit van de Southern Baptist voor een deel de Zuidelijke identiteit was. 'Dat klopt helemaal. Ziet u, een Southern Baptist ziet zichzelf als iemand anders dan een American Baptist. American Baptists zijn veel opener; ze zijn niet zo star. En ik wil daar nog aan toevoegen, over de Southern Baptists: het heeft te maken met de gemeenschappelijke opvatting dat de bijbel letterlijk waar is; het heeft te maken met de moraal. Als je Southern Baptist bent, ben je bijvoorbeeld ook geheelonthouder. Moraal, dansen, drinken – het omvat het hele leven.'

Ik vroeg hem naar de revival-beweging.

'De gedachte van de reveil-mensen is: "Terug naar God." Dat hoor je vaak zeggen.'

'Terug?'

'"Verloren" is het woord dat zij gebruiken. En wat ze daarmee bedoelen is "verdoemd". En daarom hebben ze zo'n revival nodig.'

De op één na grootste geloofsovertuiging in Nashville was de Church of Christ. Deze was ook fundamentalistisch, en eveneens oorspronkelijk een pioniersgodsdienst. Ze waren begonnen (zo vertelde K.C. Ptomey) als een afsplitsing van de presbyterianen; en in sommige opzichten streefden ze naar een grotere zuiverheid dan de baptisten.

'Ze hebben zich ontwikkeld tot een sekte of geloofsrichting die denkt dat zij de enige ware christelijke denominatie zijn. De baptisten zouden zoiets nooit zeggen. Maar de mensen van de Church of Christ zeggen bijvoorbeeld: "Jij bent geen christen. Je moet bij de Church of Christ horen, want dat is de enige ware kerk."'

Er waren meer Church of Christ-kerken in Nashville dan in enige andere stad. Ds. James Vandiver, die van deze kerk was, vertelde me waarom.

'Het Midden-Zuiden ligt heel centraal. Het ligt zo dicht bij de plaats waar Amerika is ontstaan. De mensen kwamen hierheen vanaf de kust, en vanhier trokken ze naar Texas, Oklahoma en de prairies – en in al die streken zult u constateren dat de Church of Christ heel groot is. Vanuit cultureel en sociaal-economisch standpunt hebben de mensen in dat gebied gemeenschappelijke waardesystemen en een in wezen agrarische economie. En in wezen zijn mensen van dat type vaak iets geloviger.'

Ds. Vandiver schonk me veel van zijn tijd. Hij praatte graag over zijn kerk en hielp me met vreugde bij mijn onderzoek. Hij bleek een volstrekt integer man. Ik wilde iemand uit de Church ontmoeten die twijfels had gekregen. Hij beloofde daarvoor te zorgen, en dat deed hij ook. Later bracht hij me zelfs in contact met iemand die uit de Church was getreden.

Hij was pastor van de Church of Christ van Harpeth Hills, een flink eind ten zuiden van het centrum van Nashville. Toen hij me over de telefoon vertelde hoe ik hem kon bereiken, noemde hij zijn kerk een 'voorziening'. Wanneer ik bij een bepaalde boulevard of ringweg kwam, moest ik linksaf slaan; honderd meter verderop zou ik de 'voorziening' zien. Dat vond ik een mooie term. Ik had dat woord voor het eerst in een dergelijke betekenis horen gebruiken op Grenada in 1983, ten tijde van de Amerikaanse invasie. Bij een ochtendlijk gesprek had de militaire persofficier het tijdelijke terrein achter prikkeldraad voor gevangenen een 'voorziening' genoemd.

De voorziening van de Church of Christ in Harpeth Hills was een helderrood bakstenen gebouw: de welvarende kerk van een welvarende gemeenschap. Ds. Vandiver was een man van in de veertig, stevig gebouwd, met een bril. Hij vroeg of ik hem James of Jim wilde noemen.

'Dat informele past bij mij en past bij onze theologie. Wij proberen op alle mogelijke manieren de verschillen tussen geestelijkheid en leken op te heffen.'

In zijn werkkamer klonk muziek.

Jim zei: 'Een radiozender met zachte muziek. Ik had die aanstaan toen ik vanmiddag hier wat werk deed. De jongere generatie zou het liftmuziek noemen.' Hij glimlachte.

Hij droeg een overhemd met korte mouwen, maar ook een das. Hij zat op een driezitsbank tegen de betimmerde wand. Boven hem hing een schilderij van een prieeltje; naast de bank stond een ficus. Eén wand werd geheel door boekenplanken in beslag genomen.

Jim zei: 'Laat ik je de Church of Christ zo eenvoudig mogelijk uitleggen in historische termen. Wij proberen twee dingen te doen in onze kerk. Het ene is de bijbel aanvaarden als onze enige leidraad voor geloof en handelen. Wij geloven in de onfeilbaarheid van de Schrift.' Het andere dat de kerk trachtte te doen was terug te keren naar het allereerste christelijke geloof. 'Binnen drie eeuwen na de stichting van het christendom overheerste de roomsgezindheid, tot aan Luther, Calvijn en de andere grote hervormers, de mensen die zeiden: "Laten we de bijbel aan de gewone man geven en de roomse kerk hervormen. Laten we de misbruiken afschaffen, de corruptie die is ontstaan."

'Er is altijd een groep die weer naar de Schrift kijkt en zegt: "Laten we het zó doen." In het begin van de negentiende eeuw kwamen hier, als gevolg van de expansie naar het Westen, die pioniers—evenals mensen van de kust—en ik denk dat de pioniersgeest er veel mee te maken heeft gehad. Die mensen vertegenwoordigden een brede middengroep van het protestantisme—met name methodisten, baptisten. De Church of Christ vertegenwoordigde een afwending van het protestantisme, geen terugkeer naar Rome, maar naar het allereerste begin van het geloof, helemaal terug naar Pinksteren, de eerste bijbelse datering van de christelijke cultuur.

'Dat was de pioniersgeest. "Wij staan nu aan de grens, laten we de geschillen bijleggen. Laten we broeders in Christus zijn." Ik wil niet ijdel klinken, maar ik heb het gevoel dat de kerk waar ik bij hoor, gesticht is in het jaar 30. Ik zeg alleen dat de reveilbeweging hier historisch parallel loopt met die beweging op Amerikaans grondgebied.'

'Wanneer was dat?'

'Van het begin tot het midden van de negentiende eeuw. Dat is de periode die wij het Amerikaanse reveil noemen.'

'Waardoor is dat veroorzaakt, denk je?'

'Elke grote religieuze vernieuwing is ontstaan door een terugkeer naar de Schrift.'

'Jullie staan zo dicht bij de baptisten. En toch zijn jullie zo tegen hen.'

'Wij zijn op veel punten verwant met de baptisten. De bijbel, de drieëenheid, een kerk, de evangelische leer, de persoonlijke bekering tot Christus. Maar op andere punten verschillen we. Wij zingen zonder muziek. Wij vieren wekelijks de Maaltijd des Heren. Wij leren dat de doop van *wezenlijk* belang is voor de verlossing. De baptisten leren alleen dat de doop noodzakelijk is voor toelating tot de kerk. En wij zijn autonoom. Elke kerk is on-afhankelijk.'

Maar hoe belangrijk de Church ook was in Nashville, de aanhang liep terug. De Church, die gepast had bij de behoeften van de pioniers, paste minder bij stadsbewoners. Jim was zich bewust van de problemen; hij zag de dingen zuiver en openhartig.

'We beleven een tijd van grote veranderingen, en dat is een ware uitdaging voor ons. Wat voor veranderingen? Van agrarisch naar handel en industrie, van landelijk naar grootsteeds, van arbeidersklasse naar midden- en hogere klasse.'

In de *Tennessean* had ik een stukje van de redacteur 'kerkelijke zaken' gelezen over het plan van zes Churches of Christ in Nashville om samen te gaan, 'ter bestrijding van hoge onkosten... teruglopend lidmaatschap en om opnieuw enthousiasme te wekken voor broederschap en zending.' Die zes kerken hadden in totaal twaalfhonderd lidmaten: zes kleine kerken uit een andere, meer landelijke tijd.

Henry kwam Jims werkkamer binnen. Dat was zo afgesproken: Jim en ik zouden een tijd onder vier ogen praten, en later zou Henry erbij komen. Henry was zesentwintig. Hij was van gemiddelde lengte, had keurig achterover geborsteld haar, droeg witte jeans en een blauw polohemd met korte mouwen. Hij was zijn hele leven scholier en student geweest, en hoewel de studie voor zijn doctoraal voorlopig opgeschort was, had hij nog academische ambities. Hij was net terug van een reis naar Oeganda voor de Church, waar hij vooronderzoek voor de zending had gedaan. Op het moment werkte hij, om geld te verdienen, als timmerman, en van die acht dollar per uur kon hij net rondkomen.

Ik vroeg wat hij dacht van de kansen van de Church in Oeganda.

Hij zei: 'Die zien er heel goed uit. Maar de situatie zou zich kunnen ontwikkelen tot een volgende staatsgreep.' (Maar binnen een paar minuten zou hij me vertellen dat zijn gedachten over Afrika en zendingswerk niet zo eenvoudig waren.)

In Zuidoost-Oeganda had hij verschrikkelijke dingen gezien.

Hij had honderden mensen gezien die geketend in kringen hadden gezeten. Dat had indruk op hem gemaakt. Maar hij leek niet te weten wat hij moest doen met die kennis en ervaringen.

Ik wilde horen over de ontwikkeling van zijn geloof–bij deze jongeman in jeans en polohemd. Had hij de een of andere spirituele verlichting ontvangen? Had hij een geloofsbelijdenis afgelegd? Ik had gehoord dat dat verplicht was.

Hij zei: 'Daar kun je onderuit. Heel tegenstrijdig. Mijn ouders waren allebei steunpilaren van de kerk. Er was een hechte band tussen vader, moeder en kind. Maar–wat ik bedoel–ik wist wat de nodige stappen waren voor de verlossing in Christus. Al toen ik vijf of zes was. Ik wist wat die stappen waren. Dat is helemaal niet ongewoon.'

'Alsof het bij je identiteit hoort.'

'Ja. Ik heb die stappen gezet toen ik acht was. Ik ben gedoopt, kopje onder, toen ik acht was. Maar om terug te komen op uw vraag over een geestelijke ervaring, het eerlijke antwoord is nee. Achteraf bezien betwijfel ik of die dingen die ik op mijn achtste heb gedaan, iets te betekenen hebben.' Hij zweeg even en zei toen: 'Ik ben op het moment helemaal ondersteboven. Ik heb me losgemaakt van mijn familie.'

Ik was verbaasd. Jim had beloofd een ontmoeting met iemand die twijfelde te arrangeren, maar ik had die ontmoeting op een andere dag verwacht.

Jim zei: 'Laat mij, als mentor, allereerst zeggen dat ik denk dat Henry een schoolvoorbeeld is van iemand die is opgegroeid in een religieus milieu, waar hij een geloofsbelijdenis heeft afgelegd.'

Henry zei: 'Als doctoraalstudent ben ik gaan twijfelen aan de objectiviteit–de rationele processen–die de Church of Christ–'

Ik had al in het begin gemerkt hoe hij steeds zijn woorden verbeterde. Nu leek het hem onmogelijk een bepaalde gedachte uit te werken: te veel nieuwe dingen verstoorden zijn oorspronkelijke gedachte.

Hij zei: 'Ik voel me gedwongen dit te zeggen. Mijn Afrikaanse ervaring heeft een vermoeden versterkt dat ik al eerder had, dat er iets mis is–wat ik bedoel–de denkprocessen of gedachtenvormen van een westerling–ik geloof dat ik dat kan verbreden, het geldt niet alleen voor de Church of Christ, maar ook voor andere conservatieve protestantse kerken–ons misbruik van de rede– de westerse geest–de conservatieve "evangelicals"–'

Ik zag dat hij een riem van Yves Saint Laurent droeg.

Jim zei: 'Ik zie dat je op weg bent een heleboel denkbeelden te simplificeren.'

'Ik kwam in Afrika en ik voelde weerzin tegen wat de zendelingen hadden gedaan. In plaats van de Afrikanen het christendom van de eerste eeuw bij te brengen hadden ze hun een westers, blank christendom geleerd. Veel jonge Afrikaanse predikanten vonden dat ze hun predikambt niet op de juiste manier konden vervullen zonder een sportjasje en een das, wat totaal on-Afrikaans is.'

Dat leek te kloppen: de denkbeelden van de Church of Christ die samengingen met verzet tegen koloniale mimicry.

En Henry praatte daarover verder: 'Christendom is in een oosters kader ontstaan–'

Ik kreeg een idee dat ik niet uitsprak: een oosterse religie voor het Wilde Westen? Was de vroege Church of Christ inderdaad zo gepresenteerd aan haar volgelingen? Of was die oosterse herkomst van de godsdienst een jonger idee?

'–en we moeten weten wanneer we onderscheid maken tussen het ware wezen van het christendom en westerse culturele bagage.'

Dat leek ook te kloppen, maar toen zei Henry: 'De mentaliteit van mijn ouders is erg exclusivistisch, wat betreft de mensen die naar de hemel gaan. Dat betekent dat zij weten wie de ware– met een hoofdletter W–christenen zijn. De spanningen zijn eigenlijk begonnen toen ik naar de universiteit ging. Daar waren ze helemaal niet gelukkig mee. Ik heb onderdelen van de geloofsleer in twijfel getrokken. En mijn ouders schijnen te denken dat ik, als ik niet net zo geloof als zij, het ware geloof afwijs.' Plotseling voegde hij daaraan toe: 'Ik sta zo gevoelloos tegenover wat er gebeurt.'

Hij zei dat opgelucht, alsof hij blij was het gegoochel met al die nieuwe, losstaande gedachten te kunnen opgeven.

Jim zei: 'Dat is kenmerkend voor twijfelende mensen in de conservatieve kerken.'

Ik zei: 'Iemand heeft tegen me gezegd dat ik de kerken in het Zuiden grondig moest bestuderen. Omdat alles over vijftien jaar totaal veranderd zal zijn.'

Jim zei: 'Dat geloof ik ook.'

Henry zei: 'Dat geloof ik ook.' En hij voegde daaraan toe: 'Het hele christendom kost me moeite. Dat speelt zich op intellectueel niveau in mijn hoofd af, Jim. Maar emotioneel ben ik erg gehecht aan die *broederschap*.'

Een ervaring in Afrika, de schok van een burgeroorlog tussen stammen, een nieuw idee over zendingswerk, dat tot nog meer twijfel leidde; wat ooit het complete, bevredigende geloof van een complete, duidelijke, gesloten wereld was geweest, was niet meer voldoende. En hij was 'ondersteboven'.

Ben daarentegen—die ik op een andere middag in Jims werkkamer ontmoette—was heel rustig. Hij was afkomstig uit een Church of Christ-familie. Zijn grootouders van weerszijden waren van de Church geweest; en zijn vader had een vrij beroep. Ben was achttien. Hij kwam niet van het platteland; hij was in Nashville geboren. Maar zijn geloof was zuiver. Hij had voor het eerst 'gepreekt' toen hij zestien was.

Hij zei: 'De jeugdleider van de kerk moedigde ons aan God te leren kennen—'

Ik informeerde naar die jeugdleider.

Jim zei: 'Dat is een staflid in vaste dienst.'

Ben zei: 'De jeugdleider moedigde ons aan God te leren kennen en Hem met anderen te delen. Hij probeerde ons een ijver en een vuur bij te brengen dat naar anderen zou uitstralen. Dus toen mijn kennis van God groeide, wilde ik dat natuurlijk met anderen delen.'

'Waren er bepaalde oefeningen die je moest doen?'

'Bij de eredienst en in de kerk gingen we naar catechisatie en studeerden we en was er interactie. Maar ook buiten de kerk deden we dingen samen—een avondwijding bij iemand thuis en samen eten. En alleen al door samen te zijn met mensen van hetzelfde geloof voelde je je gesticht. Vaak praatten we over wat er in ons leven gebeurde. Als je niet met je ouders kon opschieten bijvoorbeeld, gingen we bij elkaar zitten en praatten we daarover–als persoonlijk probleem en als algemeen onderwerp van gesprek.'

Jim zei tegen Ben: 'Een les in het helpen van anderen.' En tegen mij: 'De opgroeiende jongere wordt geconfronteerd met veel pressie van leeftijdgenoten. Wij geloven dat christenen in de wereld moeten leven en zich niet moeten terugtrekken.'

Ben zei: 'Soms gingen we–met zo'n dertig of veertig mensen–de stad uit, om te kamperen, zodat we weg waren van al die afleiding, de tv en radio, die invloeden van buitenaf, waar we allemaal samen waren en in groepjes van vier of vijf praatten. In zo'n kleinere groep kun je altijd meer persoonlijk zijn. Het is gemakkelijker om te delen in de kleinere groep dan in een groep van dertig man.'

Ik zei: 'Net als de vroege christenen die naar de woestijn trokken.'

Jim zei: 'Dat is daarmee te vergelijken.'

Ben zei: 'Het herscheppen van ons geestesleven, op dat punt kun je ons vergelijken met de vroege christenen.'

'Hoe lang duurden die kampen?'

'Vrijdagmiddag, de hele zaterdag en het grootste deel van de zondag. Een weekend.'

'Leuk? Of plechtig?'

'Niet plechtig,' zei Ben. 'Zinvol.'

'Vreugdevol?'

'Vreugdevol. Een innerlijke vreugde, omdat we aan het herscheppen waren, en groeiden. We wisten dat we steeds sterker werden, dichter bij God, en dichter bij de mensen om ons heen en onszelf, wanneer we teruggingen. En dat is de bedoeling van zo'n weekend.'

'Met hoeveel weekends ben je meegeweest?'

'Ik heb aan acht van zulke weekends meegedaan.'

Jim zei: 'Tweemaal per jaar.'

Ik vroeg naar zijn kennis van God, en hoe die was gekomen.

'O, niet iets wonderbaarlijks. Niet iets dat vorige week

woensdag of vorige week donderdag is gebeurd. Maar gedurende de hele dag heb ik een constant gevoel van Zijn aanwezigheid en ik weet dat Hij bij me is. Het heeft zich echt ontwikkeld in de afgelopen paar jaar, toen ik de Schrift ben gaan onderzoeken. Wij worden aangemoedigd de Schrift te onderzoeken. Je hoeft het niet te doen. Het is een persoonlijke beslissing.'

'En hoe staat het met de toekomst?'

'Ik hoop advocaat te worden. Dat gaat volgens mij hand in hand met het geloof. Het type geloof dat wij hebben is een godsdienst voor mensen. Zoals meneer Vandiver invloed kan uitoefenen vanaf de kansel, zo kan ik als advocaat een voorbeeld zijn in mijn gemeenschap, zodat de mensen mij zien als een vriendelijk, hoogstaand individu.'

'Maar de broederschap van de Church of Christ neemt af in aantal.'

'In aantal misschien. Maar de mensen die afvallig worden zijn de mensen die toch al lauw waren in hun geloof.'

Ondanks zijn verwarring had Henry gesproken—en Jim Vandiver had me daarop gewezen—over zijn emotionele binding met de broederschap van de kerk. En Ben vond de gedachte van de broederschap inspirerend. Maar Melvin, die voor in de veertig was en de afgelopen vijf jaar los was geraakt van de Church of Christ, trok een gezicht toen ik sprak over die broederschap.

Hij zei: '*Nee, nee*. Die broederschap *irriteerde* me juist. Ik heb *nooit* genoten van die broederschap.'

En het was inderdaad moeilijk voorstelbaar dat iemand die zo elegant en bekwaam was, en die zijn beroep en zijn vaardigheid in zijn beroep zo bagatelliseerde, het was moeilijk voorstelbaar dat iemand met zulke manieren geestelijk voedsel zou ontlenen aan een weekend als Ben had beschreven.

Hij zei: 'Het is zo saai.'

En onmiddellijk leek dit zo eenvoudige bezwaar onweerlegbaar. Maar Melvin had het grootste deel van zijn leven in de Church doorgebracht. Hij wist er alles van.

'Ik zal niet zeggen dat het altijd saai is geweest. Als je zo'n vijfenzeventig jaar teruggaat, toen moet het onderhoudend zijn geweest, een vorm van amusement, die broederschap. Nu zou ik zeggen dat het een verlengstuk van de evangelische beweging is. Om je erbij te blijven betrekken, om het aantal lidmaten op peil te houden.

'Het Zuiden was vroeger vrijwel volledig agrarisch. "Revivals" in tenten waren een gelegenheid voor bijna de gehele gemeenschap om elkaar te ontmoeten—net als de diensten op zondag. U zult constateren dat "revivals" een heel grote rol hebben gespeeld in de groei van de Church of Christ, tot zo'n tien jaar geleden—en *die* zijn zo ontzettend saai, het stompzinnigste dat je kan overkomen.'

Ik zei: 'Amerika is nu eenmaal een beschaving waar alles om plezier draait.'

'Precies. Ze verliezen de strijd. En dat is een heel belangrijke factor, dat plezier. De meeste mensen die die grote evangelische bijeenkomsten bijwonen zijn jonge mensen. Uiteindelijk komen ze niet meer terug. Het gaat ze vervelen. En dat is jammer. De kerk moet nooit proberen amusement te bieden. Als ze dat proberen, worden ze doodsaai. Het stimuleert niet, emotioneel noch intellectueel. Voor amusement hoef je alleen maar je tv aan te zetten.

'Ik denk dat ik dat gemakkelijk kan verdedigen. De hele Amerikaanse evangelische beweging was gebaseerd op zo'n *show*, zo'n circus. Het beste voorbeeld op het ogenblik is Oral Roberts. Die tijd is voorbij. We hebben films, tv, we reizen. Maar toen je je hele leven op een farm zat, was het een onderbreking van de sleur.

'De kerk zal in haar geheel wegsterven. Of laten we zeggen dat ze over vijfentwintig jaar niet meer zal zijn zoals ze nu is. Als ze nog wil bestaan, moet ze *terug*keren naar haar leerstellingen. Nee, dat zeg ik niet goed. Ik geloof dat het waarschijnlijk vanaf het begin een dwaling is geweest. Om te blijven leven zal ze antwoorden van verlossende aard moeten bieden. Waarmee ik bedoel dat ze eigenlijk niet meer kan doen dan dat. Ze kan alleen ingaan op de vragen van de mensen over het leven. Ze moet ophouden op te treden als rechter, als entertainer, als ontmoetingsplaats. Vroeger was de kerk zelfs het gemeentehuis. Je ging niet met je probleem naar een advocaat. Je ging naar de kerk. De Church of Christ vertelt je tegenwoordig dat je niemand gerechtelijk mag vervolgen, dat je met je problemen naar de kerk moet komen en de kerk moet laten beslissen. Dat was een heel efficiënte manier om problemen aan te pakken in een kleine agrarische gemeenschap. Heel effectief. Hoewel de kerk als rechter en jury de mensen morele schuldgevoelens bezorgde – ze voelden zich veroordeeld door God wegens civiele overtredingen.'

Hij had een vrij beroep en was op weg naar de top, en hij had tenslotte de compleetheid van de cultuur van zijn kinderjaren afgewezen. Godsdienst, het pioniersgeloof, had die compleetheid bewerkstelligd; nu was dat een last waar hij van af wilde. In een nieuwe wereld moest godsdienst een eigen plaats hebben, als alle andere dingen. Toch wist hij dat hij daardoor een deel van zijn identiteit afwees.

'De Church of Christ doet geweldig goed werk door traditionele waarden te verweven met christelijke beginselen, universele christelijke beginselen. Het gevolg is dat je, als je begint te twijfelen aan de tradities, niet in staat bent die twijfel los te maken van je geloof in christelijke beginselen. Het wordt heel verwarrend. Die verwarring is soms ondraaglijk. Ik kan begrijpen waarom het Henry moeite kost de woorden te vinden voor bepaalde dingen. Je krijgt last van schuldgevoelens en vervreemding, de gedachte dat je je erfgoed loslaat. Ik ben door heel veel schuldgevoelens heen gegaan. Die zijn het ergst. De Church of Christ bezorgt de mensen opzettelijk schuldgevoelens. Ze is ontzettend bestraffend. Je krijgt zo ongeveer het gevoel van de huifkarren in een kring: als je bepaalde tradities aanvalt, is dat godslasterlijk. Ik geloof dat ik u wèl moet vertellen dat ik mezelf beschouw als een religieus man. Ik denk eigenlijk dat ik nu religieuzer ben dan vroeger. Letterlijk.'

En Melvin voelde een soort verdriet over de noodzakelijke breuk met het Zuiden die hij had doorleefd.

'Het Zuiden verliest zijn identiteit, en dat is betreurenswaardig. Zuiderling zijn is een geestestoestand – ik weet dat dat afgezaagd klinkt. Het is een manier van kijken naar je plaats in de wereld, een plaats die meer vastligt dan in veel andere streken.

Bent u in Californië geweest? Dat is alles wat het Zuiden niet is. En het merkwaardige is dat veel zakelijke ideeën in Californië zijn begonnen. De hamburgerketens, de doorgaande autowegen, bepaalde modevormen. Dat komt doordat creatieve mensen in het Zuiden gesmoord worden. Ze verhuizen uit het Zuiden en andere streken naar Californië. Creatieve mensen moeten weg uit het Zuiden. Het zal heel lang duren voordat dat smoren ophoudt. Mijn generatie zal de band losmaken. Dat zeg ik heus niet met trots. En ook niet met schaamte. Of veroordelend. Ik constateer het alleen.'

Was er niet de mogelijkheid van een nieuwe vorm van intellectueel leven, een nieuwe kracht, door de verbreking van die band?

Daar ging Melvin niet op in. Hij keerde terug naar wat hij eerst had gezegd. 'De band wordt verbroken door mensen van mijn generatie omdat ze van de verveling af willen. Als verzet tegen dat gewetensonderzoek. "Ik heb dat gewoon niet nodig." De Church of Christ staat echt verbijsterd tegenover wat er gebeurt.'

En wat Melvin had gezegd, werd bevestigd door een ander vooraanstaand man. Deze man vertelde me dat zijn buren, mensen met vrije beroepen en een geslaagde carrière, oorspronkelijk afkomstig uit kleine stadjes, waar ze tot de baptistische kerk of de Church of Christ hadden behoord, nu allemaal presbyteriaans waren. Een van de redenen was (zoals dominee Ptomey al had laten doorschemeren) dat het presbyteriaanse geloof sociaal aanvaardbaarder was. Een andere reden was dat deze kerk inschikkelijker was, minder veeleisend, minder opdringerig of alomvattend. Godsdienst moest nu haar eigen hokje hebben, haar eigen sociale plaats bijna.

Het pioniersleven was er niet meer. En de godsdiensten die daaruit waren voortgekomen, begonnen langzaam te sterven. Vroeger, toen mannen, meestal zonder veel opleiding, zichzelf slechts hadden hoeven uit te roepen tot predikant, hadden de mensen zichzelf kunnen herkennen in de uitleggers van het Woord. Die kwaliteit van huisbakkenheid had de godsdiensten tot creaties van een gemeenschap gemaakt, persoonlijk en hecht en onaantastbaar. Nu had men een zekere afstand nodig.

Een van de meest geslaagde tekstdichters in de country-muziek is Bob McDill. Het Zuiden is zijn beste onderwerp: een eerbetoon aan de 'rednecks', tegen de achtergrond van de harde jaren die mannen van middelbare leeftijd hebben doorleefd en waarover ze hun kinderen vertellen. De beste liedjes van McDill maken de indruk van volksliedjes.

'Cotton on the roadside, cotton in the ditch.
We all picked the cotton, but we never got rich.'

Hij had een werkkamer bij een muziekuitgeverij in Nashville, en hij genoot een zekere faam als iemand die elke werkdag naar zijn kantoor ging om zijn liedjes te schrijven. Daar bezocht ik hem. Op zijn bureau lag een gele gelinieerde bloknoot met wat eruitzag als een in het net geschreven versie van een voltooid liedje. Andere papieren lagen er niet op zijn bureau. Maar er stonden merkwaardige siervoorwerpjes: herinneringen aan Londen–een kleine rode dubbeldekkerbus, een gardesoldaat, beefeaters, een Londense taxi.

Hij was drieënveertig. Hij was lang en slank. Hij hield van het buitenleven en jaagde op eenden. (Dat was hier een herensport, zoals Campbell me had verteld; echte 'rednecks' jaagden op vlees.) Hij was in het oosten van Texas geboren, en hij had liedjes geschreven sinds hij vijftien of zestien was. Hij was altijd geïnteresseerd geweest in poëzie, muziek, gitaren, drums, banjo's, piano's. 'Niet dat ik daar allemaal op kan spelen, of goed op kan spelen.'

Hij zei dat de eerste liedjes die hij had geschreven zelfgenoegzaam waren geweest. 'Ik heb pas commercieel leren schrijven toen ik achter in de twintig was.' Daarvoor was de houding van de professional nodig geweest. De tekstschrijver schrijft voor zangers en zangeressen, en hij heeft een bijzondere relatie met hen.

Hij was in 1967 naar Memphis gegaan en had daar een jaar doorgebracht. 'In Memphis probeerde ik teksten te schrijven voor zwarte musici, zwarte zangers. Ik zat als schrijver in de staf van een uitgever en werkte ook in een studio als assistenttechnicus.' Die poging om zwarte liedjes te schrijven was geen succes geweest. 'Het had me kunnen lukken als ik genoeg tijd had gekregen om die zwarte mentaliteit te leren kennen, die zwarte benadering van de muziek. Ik begon het net te leren toen ik er wegging. Je moet in je tekst iets zeggen dat de zanger ook kan zeggen, waarmee ze zich kunnen identificeren. Het ging precies zo toen ik hierheen verhuisde. Ik moest de manier van denken leren kennen. Ik heb die subcultuur, die niet de mijne is, leren kennen. De woordenschat is heel beperkt. Je moet leren grote dingen te doen met kleine woorden. Zowel in zwarte muziek als in country-muziek, en vooral in country-muziek.'

Het was zo'n apart soort kunst, liedjes schrijven, zo totaal anders dan mijn eigen soort kunst. Ik wilde een soort inleiding hebben, en ik vroeg of hij wilde praten over de problemen die hij met een liedje had gehad.

Hij koos 'Somebody's Always Saying Goodbye'.

'Railroad stations, midnight trains,
Lonely airports in the rain,
And somebody stands there with tears in their eyes.
It's the same old scene, time after time.
That's the trouble with all mankind.
Somebody's always saying goodbye.

Taxi cabs that leave in the night,
Greyhound buses with red tail-lights.
Someone's leaving and someone's left behind.
Well, I don't know how things got that way,
But every place you look these days
Somebody's always saying goodbye.

Take two people like me and you,
We could've made it. We just quit too soon.
Oh, the two of us, we could've had it all,
If we'd only tried.

But that's the way love is, it seems.
Just when you've got a real good thing,
Somebody's always saying goodbye.'

Bob McDill zei: 'De overbrugging–tussen de beeldspraak van de eerste twee coupletten–de afstandelijkheid–, en het persoonlijke–dat heeft me veel moeite gekost. Totdat ik op het idee kwam van gewone conversatie. De toehoorder kan op die manier gemakkelijker de overstap maken. Er was nog een probleem–ik had nog niet duidelijk gemaakt hoe de situatie lag tussen de twee mensen, degene die aan het woord was en de verloren geliefde. Dat moest ik in vier regels doen. Het lijkt nu zo voor de hand te liggen. Maar u weet hoeveel tijd voor de hand liggende dingen kosten. Ik begreep dat het niet nodig was een oordeel te vellen over het gedrag van die twee. "*Somebody is always leaving*." Het klinkt haast alsof zij het zou kunnen zijn, de zangeres. Maar om de een of andere reden weet ze nu dat er iets ergs is gebeurd–hij heeft iets heel goeds weggegooid. Twee coupletten met beelden, en dan moet je in zeven regels die hele persoonlijke kwestie samenvatten.

'Ook muzikaal had ik er moeite mee. Twee lange stukken melodie die compleet zijn, één keer, twee keer. Dan moet je iets anders–en toen kwam ik op het idee om alleen de tweede helft van de melodie van de eerste helft te herhalen.'

Toen hij begon te praten over het schrijven, was hij opgestaan en had hij de andere kant op gekeken.

'Soms begin je met een emotie, een gevoel over het een of ander. Soms een titel, soms een regel uit de tekst. Maar dan komt het moeilijkste. Dan neem je dat kleine stukje, dat ideetje, en daar bouw je almaar op voort. Dat is het zwaarste werk. Het probleem is dan er geen rotzooi van te maken. Je tekst is zo klein dat elk woord moet tellen. Vanaf het allereerste woord moet je werken in de richting van dat centrum.

'Je schrijft regel voor regel. De dingen waarmee wij rekening moeten houden en waarmee serieuze dichters geen rekening hoeven te houden zijn de tonaliteit en ook of het te zingen is. Je kunt geen ingewikkelde dingen doen, of dingen die moeilijk onder woorden zijn te brengen. Het moet doodeenvoudig zijn om te zeggen en te zingen. Het moet zo uit de mond van de zanger rollen.'

Ik vroeg om een voorbeeld van een regel die verbeterd moest worden. Hij kon zich zoiets niet herinneren uit zijn eigen werk.

'De computer in je hersenen verwerpt aan één stuk door mogelijkheden. Die verwerpt alles wat onhandig is of moeilijk om te zingen.'

En uiteindelijk was er geen enkele manier om te definiëren wat een goed liedje zou worden. Het was allemaal een kwestie van gevoel.

'Als het goed aanvoelt, als het je iets doet, is het goed.'

Hoeveel ik ook vroeg, hoeveel uitleg ik ook kreeg, zelfs van iemand die zo bereid was te praten als Bob McDill, niets kon de toverkracht verklaren: het oproepen en de herkenning van impulsen die oppervlakkig beschouwd eenvoudig waren, maar die, gecombineerd met muziek, verrijkt met een refrein, ongedefinieerde gebieden in hart en geheugen leken te raken.

> 'Mama said, don't go near that river.
> Don't go hangin' round ole Catfish John.
> But come the mornin' I'd always be there
> Walkin' in his footsteps in the sweet Delta dawn.'

Bijna niets, op het eerste gezicht. Maar dan komen de beelden en de associaties: mama, rivier, vis, voetstappen, Delta, dageraad.

Bob McDill had gezegd dat hij de subcultuur had moeten leren. Maar de beelden en woorden uit het Zuiden in zijn beste songs zijn anders dan de gestileerde motieven van veel countrymuziek. En hoewel hij benadrukt dat hij zijn teksten nuchter, dag in dag uit schrijft op kantoor—en misschien omdat hij er zo nuchter over praat, aangezien het mysterie niet beschreven kan worden—schrijft hij waarschijnlijk, wanneer hij zich daartoe gedreven voelt, met het meest eigen gedeelte van het zelf waarmee, zoals Proust zegt, serieuze schrijvers hun werk doen.

Hij zegt dat zijn beste liedje is 'Good Ole Boys Like Me'.

'When I was a kid Uncle Remus he put me to bed,
With a picture of Stonewall Jackson above my head.
Then Daddy came in to kiss his little man
With gin on his breath and a Bible in his hand.
And he talked about honour and, things I should know.
Then he staggered a little as he went out the door…
I guess we're all gonna be what we're gonna be.
So what do you do with good ole boys like me?'

Elk detail daarin was weloverwogen. Zijn doel was, zei hij, zo-veel mogelijk van het Zuiden in een paar regels te vangen. En het liedje is heel beroemd geworden; veel mensen met wie ik sprak, noemden het; voor hen was de sfeer belangrijk. Een 'good ole boy' was (zoals ik had begrepen uit Campbells verhaal in Jackson) een 'redneck'; maar het was ook een meer algemeen woord voor een oude Zuiderling, iemand die gevormd was door de oude gewoonten. Het liedje kon een ironische indruk maken, en vervolgens werd het een eerbetoon. Maar daaronder is het een elegie over het Zuiden, de oude geschiedenis en de legende, de oude gemeenschap, het oude geloof.

De conventie van de Southern Baptists, die zo'n twee weken daarvoor bijeen was geweest in St. Louis, had – ondanks krach-tig verzet van de gematigden – gekozen voor een extreem fun-damentalistisch standpunt. Baptistische seminaries moesten gezuiverd worden van mensen die niet letterlijk in de bijbel ge-loofden; uit de zondagsschoolliteratuur moest deze nieuwe strengheid blijken.

Ds. Tom Ward, de pastor van de episcopaalse Christ Church, zei: 'Hoe meer de baptistische godsdienst bedreigd wordt, des te vuriger worden ze.' Ds. Ptomey, de presbyteriaan, dacht dat de nieuwe maatregelen de negatieve kant van de baptistische vroomheid lieten zien. Hij zei: 'Ze hebben de politieke proces-sen binnen hun geloofsrichting zo gemanipuleerd dat ze mensen in hun schoolbesturen benoemen die hun visie van bijbelse let-terlijkheid delen.'

Ds. Will Campbell, die er meer bij betrokken was dan die twee anderen, was hoogst verontwaardigd. Will Campbell was een beroemde plaatselijke baptistische pastor of adviseur. Hij had geen eigen kerk. Hij opereerde onofficieel, vanuit zijn farm even buiten Nashville; die informaliteit maakte deel uit van zijn reputatie. Ondanks die Thoreau-achtige omgeving en zijn pioniersstijl had hij een degelijke theologische opleiding genoten, inclusief drie jaar op Yale Divinity School. Hij was voor in de zestig.

Hij was naar de conventie geweest. Hij zei: 'Ik kan niet analyseren waarom ik daar met een bijna klinische depressie vandaan ben gekomen. Ik ben nooit een pastor met een kerk geweest—daar heb ik me dertig jaar geleden al van losgemaakt—maar historisch gesproken is de gedachte van het baptisme iets geweldigs geweest. Dat groepje linksen, echte radicalen, dat geloofde in de scheiding van kerk en staat. Niemand gelooft daar nog in. Ze weigerden de oorlog in te gaan; ze weigerden een eed af te leggen of zitting te nemen in een jury; ze weigerden hun baby's te dopen; ze praktiseerden gemeenschap van goederen. Daar is tegenwoordig niets meer van over.

'Gematigden en fundamentalisten—geen van beide partijen is historisch gesproken baptistisch. Ze beweren letterlijk in de bijbel te geloven. Niemand gelooft letterlijk in de bijbel. Vraag eens aan de man die dat beweert: "Zullen we samen de gevangenis gaan afbreken?"

Ik weet nooit zeker of de ware gedachte van het baptisme ooit tot over de Atlantische Oceaan is gekomen. De pioniersgeest, de cultuur, heeft de godsdienst zo overheerst dat je een burgergodsdienst kreeg, een culturele godsdienst, een versmelting.'

Ik zei: 'Maar daardoor zijn de mensen gediend.'

'Inderdaad. Maar daardoor is het geloof verraden.'

Will Campbell had een bijzondere opvatting van geloof. 'Godsdienst hoort niet afhankelijk te zijn van een credo. De grote kerk van Christus is ontstaan door het leven van Christus te negeren. Wat ik in St. Louis heb gehoord—en wat me depressief maakte—waren leerstellingen, leerstellingen en de verdediging daarvan. Ik heb weinig gehoord over leerlingschap. De kerken bieden een theologie van zekerheden. En dat maakt me bezorgd. Jeremia heeft gezegd: "Het is niet goed om al te zeker te zijn van

God." En zelfs Christus, toen hij gekruisigd zou worden, heeft in grote nood uitgeroepen, en die nood blijft in vertaling verstaanbaar: "Indien het mogelijk is, laat deze beker aan Mij voorbijgaan." Niet één grote godsdienst kan op alles alle antwoorden geven. Jezus heeft de mensen niet gezegd wat ze moesten denken. Hij heeft geen geloofsbelijdenis voorgeschreven. Christus heeft geen credo of bijzondere theologie gegeven.'

Hij leek te bedoelen dat geloof iets was waar je voortdurend naar moest zoeken, waar je je naar toe moest worstelen. Toen ik dat tegen hem zei, antwoordde hij dat dat een redelijke samenvatting was. Maar de denkbeelden van Will Campbell waren moeilijk; en ik wist niet zeker of hij niet alleen maar beleefd tegen me was.

Later bedacht ik dat alleen een heel vroom man, en iemand die binnen de kerk van de Southern Baptists was opgegroeid, zoveel van zijn mensen kon eisen. Zijn omgeving–de farm, de studeerkamer in de blokhut waar hij bezoekers ontving–vertelde het een en ander over de man. Hij gaf je een idee van de kracht van de pionierspediker, de kracht van het oude geloof.

Maar Will Campbell was niet alleen daarom befaamd, en bijna, zoals iemand zei, een monument in het Zuiden. Hij was beroemd om zijn politieke standpunten waartoe hij door zijn geloof was gekomen. Hij had moedige dingen gedaan in de beweging voor de burgerrechten. Maar daar had hij het niet bij gelaten. Godsdienst en een verlangen om tot een vergelijk te komen met de geschiedenis van het Zuiden hadden hem verder gevoerd dan de zaak van de zwarten, tot aan de zaak van de 'rednecks', die de zwarten haatten. Hij had deze beide groepen in het Zuiden als tragisch gezien. En iets als een religieuze bekering (binnen zijn toch al vurig geloof) had hem ertoe gebracht geestelijke hulp te verlenen aan leden van de Ku Klux Klan.

Die bekering was als volgt in haar werk gegaan: Een spotter had hem gevraagd wat de christelijke boodschap was. Will Campbell had geantwoord dat de boodschap was: 'Wij zijn allemaal ellendelingen, maar God heeft ons niettemin lief.' (Dat was een versie van de verlichting die hij op Yale had ontvangen– 'God is bezorgd om het lijden van Zijn volk'–en waardoor hij buiten zijn starre opvoeding had kunnen treden en bij de beweging voor de burgerrechten terecht was gekomen.) Enige tijd later had een lid van de Klan een van Will Campbells vrienden doodgeschoten. De spotter had toen gevraagd aan Will Campbell, die diepbedroefd was en woedend op 'rednecks' en Klanleden en armoedzaaiers: 'Welke ellendeling heeft God het meest lief?' De ellendeling die gedood was, of de ellendeling die hem gedood had en nog leefde? Will Campbell twijfelde geen seconde aan het antwoord: hij had ook een taak tegenover het levende Klanlid.

Het verhaal over die bekering wordt verteld in Will Campbells autobiografie *Brother to a dragonfly*. In dat boek is niet alles altijd even duidelijk. De hoofdlijn van het verhaal wordt onderbroken door anekdotes en is soms te fragmentarisch. Maar men krijgt de indruk dat Will Campbell door die bekering een vollediger en speciaal inzicht in de geschiedenis van het Zuiden heeft gekregen.

De arme blanken, die voor een groot deel afstamden van contractarbeiders en in zoverre een erfenis van dienstbaarheid gemeen hadden met de zwarten, hadden niet meegeteld in het Zuiden tot aan de Burgeroorlog. Omdat ze toen nodig waren om in die oorlog te vechten, werden ze geëvangeliseerd en kregen ze hun idealen toebedeeld; en daarna werden zij, als 'rednecks' en Klanleden, nog steeds arm, nog steeds het slachtoffer, verantwoordelijk gesteld voor en bespot om wat in werkelijkheid het racisme van de gehele maatschappij was.

De religie van de Klan, een religie van vroomheid en haat, die het gevolg zijn van de Burgeroorlog, wordt door Will Campbell vergeleken met het oudtestamentische jodendom. En hij vindt een gelijkenis met Psalm 137 ('Indien ik u vergete, o Jeruzalem') in een 'bezield' Klanlied als het volgende:

> 'You niggers listen now,
> I'm gonna tell you how
> To keep from getting tortured
> When the Klan is on the prowl.
> Stay at home at night,

Lock your doors up tight.
Don't go outside or you will find
Them crosses a-burning bright.'

En hij legt de gelijkenis met 'Indien ik u vergete, o Jeruzalem' uit
door middel van de volgende parafrase of transpositie: 'Indien ik
u vergete, o Atlanta, Vicksburg, Oxford, Donelson, gedenk, O
Heer, die nacht dat de Yankees het oude Dixie versloegen! Toen
Sherman zei: "Met de grond gelijk, steek het in brand!" Gelukkig hij die jullie kleine Yankee-kinderen neemt en ze tegen Stone
Mountain te pletter slaat.'

Will Campbell praatte niet over de Klan toen wij elkaar ontmoetten. Hij gaf me een overdruk van een artikel dat hij had geschreven: 'The world of the redneck', waarin hij zijn opvattingen uiteenzette en de tekst en de analyse van het Klanlied gaf.
Hij verwees me niet naar zijn boek *Brother to a dragonfly*; dat heb
ik zelf gevonden. We praatten over godsdienst en de conventie
van de Southern Baptists; en over de 'liberale wildernis' waarin
hij, zo zei hij, jaren had rondgetrokken. We praatten bovenal
over het immense verleden van het Zuiden dat hij–hoewel hij in
1924 was geboren -met zich meedroeg en waaraan zijn omgeving–een blokhut achter zijn farm–eer leek te bewijzen.

Hij was afkomstig uit Mississippi. 'Ik was een Mississippiaan
van de vierde generatie. Mijn familie heeft een farm in Mississippi gehad sinds ongeveer 1790, denk ik. In de pionierstijd was
Mississippi een territorium. Het hoorde bij de "Louisiana pur-
chase".* Een territorium, geen staat. En burgers uit staten als
Georgia konden daarheen trekken en een claim leggen op een
stuk land als ze zich daar wilden vestigen. Het land was eigendom van de federale overheid. Al gauw was het katoen er. De hele economie van Mississippi is lange tijd katoen geweest. Tweehonderdvijftig hectare–dat lijkt veel voor één familie. Maar stel
dat een familie tien kinderen had. Dan werd dat verdeeld. Vijfentwintig hectare. In de negentiende eeuw kon een gezin daar

---

* De aankoop van een groot deel van het tegenwoordige Zuiden–oorspronkelijk
Frans gebied–door de Verenigde Staten in 1803. (Noot v. d. vertaalster)

nog van leven. Maar als je dat dan weer gaat verdelen – zo zijn de families uiteengevallen en verspreid geraakt.'

Will Campbell pruimde tabak onder het praten. Dat was iets waarom hij bekend stond; en van tijd tot tijd spuwde hij in een kwispedoor. Ik had nog nooit iemand een kwispedoor zien gebruiken. Op verschillende plaatsen in het Zuiden had ik grote affiches gezien die reclame maakten voor Granger Select-pruimtabak: '*Meet up with a Cleaner Chew*'. Dat had ik een raadselachtige aansporing gevonden, tot iemand me had verteld dat het eigenlijk 'redneck'-taal was. 'Meet up' betekende 'leren kennen', 'op vertrouwde voet komen te staan'. Ik vroeg of ik Will Campbells tabak mocht zien. Het was 'Beech Nut', met dropsmaak. '*Balanced and Better, Softer and Moister*'. In het soepele foliezakje zag het er geurig en aantrekkelijk uit.

'Mijn familie was een familie van grondeigenaren geweest in Georgia. Een van de zoons had met een vriend gevochten bij de barbier, waarbij die vriend gedood was. En de rechter zei tegen zijn vader: "Uw enige kans is verhuizen naar een van de territoria." Dus pakten ze hun boeltje, de hele familie, en reisden ze met huifkarren tot ze in dat gebied in Zuidwest-Mississippi kwamen. Misschien hadden ze nog verder naar het Westen willen trekken. Maar op de ochtend dat ze verder wilden trekken, hoorden ze een haan kraaien. Dus toen wisten ze dat er een paar andere kolonisten waren. Ze gingen met die mensen praten – of de Indianen vijandig waren, en hoe het land was, en hoe de winters waren, en wat ze verbouwden. En het interessantste vind ik dat de plaats waar ze zich vestigden precies zo was als waar ze vandaan kwamen. Als je je ogen dichtdeed en ze dan weer open deed, zou je niet weten dat je ooit uit Georgia was vertrokken.

'Tegen de tijd dat mijn ouders volwassen werden was er geen ruimte voor ons op het land. Mijn familie was daar geworteld, in die plattelandsgemeenschap, zodat het onlogisch is dat sommige mensen zeiden – toen ik voor de beweging voor de burgerrechten begon te werken, als probleemoplosser voor de "National Council of Churches": sommige mensen noemden me "problemenmaker" – dat de zoon van Lee Campbell, die zich zo druk maakte voor de nikkers, een buitenstaander was. Dat maakte het in zekere zin nog gevaarlijker. Ik probeer het niet romantisch te laten klinken–in die tijd was er niet veel voor nodig om je tot een radicaal te maken. Het enige dat erger is dan een buitenstaander is een verrader, en ik werd als een verrader beschouwd–van de familie Campbell-Webb-Parker-McMillan. De familie van mijn grootmoeder waren Webbs. De familie Webb was de eerste die daar een farm had.

'Mijn grootmoeder herinnerde zich dat haar vader, op die tocht van Georgia naar het territorium Mississippi–toen het geld opraakte–zich aan een kolonist in Alabama bekend maakte als vrijmetselaar. Ze hadden elkaar de geheime vrijmetselaarshanddruk gegeven, de geheime vrijmetselaarsparolen; en de kolonist had hem wat geld gegeven. Tien dollar. Tegenwoordig het equivalent van misschien duizend dollar. Mijn grootmoeder heeft dat haar leven lang onthouden.'

Dat was een mooi en ontroerend verhaal. Dat zei ik tegen Will Campbell.

Hij zei: 'Die mondelinge traditie is van effect geweest op de hardnekkigheid waarmee ze vasthielden aan al die oude gewoonten–en dat betekende onder meer segregatie. "Will, op die manier ben je niet grootgebracht!" En dat maakt je weer tot een verrader. Voor hen was segregatie een christelijke gewoonte. God had de rassen geschapen. En ik kon ze niet uitleggen dat God de rassen niet had geschapen. Dat God mensen had geschapen, en dat sommigen naar het noorden waren getrokken en de pigmentatie van hun huid waren kwijtgeraakt, en dat anderen naar het zuiden waren getrokken en die donkere huidskleur hadden ontwikkeld. Volgens hen had God blanke mensen geschapen–en Adam en Eva waren blanken. En toen Hij Cham vervloekte, was de vloek die zwarte huid. Maar ze waren en zijn diep-religieuze mensen, en het was belangrijk om voor alles een religieuze verklaring te hebben.

'Laat ik iets zeggen dat een ontkenning lijkt te zijn van wat ik zojuist heb gezegd. Wanneer ik "ze" zeg, bedoel ik de gemeenschap als geheel. Mijn eigen familie had geen belang bij een gesegregeerde maatschappij omdat het geen slavenhouders waren. Het waren zelfstandige boeren. De ruimere historische waarheid is dat "mijn mensen" naar dit land zijn gekomen als contractarbeider. Heel veel zelfstandige boeren zijn gekomen als contractarbeider. En later hadden we zwarte slaven.

'Ik zal niet ontkennen dat ik rassenvooroordelen had, daar ben ik mee opgegroeid. Het was niet iets waarover je praatte – zwarte mensen gingen niet om met blanken, trouwden niet met hen. Ze werkten met hen samen op de farms. Op de akkers heerste gelijkheid. We speelden zelfs met elkaar. Toen we klein waren, speelden we met zwarte kinderen. Maar op een bepaalde leeftijd wist je dat ze zwart waren – tegen de tijd dat je naar school ging. Dat accepteerde je.'

Hij zei dat hij daar een liedje over had geschreven. Hij pakte een gitaar die vlak bij hem lag en begon te zingen. Ik was daar niet op voorbereid. Ik werd erdoor overvallen; en het effect van dat zingen en dat gitaarspel, die de kleine hut geheel vulden, was hypnotisch. Ik gaf me over aan de emotie van de zanger en aan de manier waarop hij er volledig in opging.

Het was een lang lied, een ballade, met veel recitatief. Het ging over een zwarte jongen en een blanke jongen die samen opgroeiden op een farm in het Zuiden, totdat ze gescheiden werden volgens de raciale gewoonten van die streek. De vader van de zwarte jongen werkte voor de familie van de blanke jongen. De zwarte familie woonde in de rokerij; de blanke familie woonde in het hoofdgebouw, dat niet veel groter was. Toen de crisis kwam, werd de zwarte arbeider ontslagen en gingen hij en zijn familie naar Memphis. Toen raakte de blanke familie de farm kwijt, en ook zij moesten naar Memphis trekken. Daar ontmoette de blanke jongen, nu een man, weer de zwarte jongen, eveneens een man geworden, en ze werden opnieuw vrienden.

Voor een deel was het een lied over een waar verhaal, zei Will Campbell; voor een ander deel was het bedacht. Zijn familie was de farm niet kwijtgeraakt en ze waren niet naar Memphis getrokken. Het sentimentele in het lied, wat het tot een fabel maakte, voor de moraal zorgde, was dus het bedachte deel.

'De mannelijke leden van mijn familie waren niet fanatiek. Bevooroordeeld, maar niet fanatiek. Ik herinner me een dag in Campbelltown – alle Campbells woonden in één stadje, niet meer dan anderhalve kilometer van elkaar vandaan. En daar gebeurde het volgende. Een oudere zwarte man, John Walker—die woonde daar in de buurt; hij was kort daarvoor vrijgelaten uit de gevangenis, waar hij gezeten had wegens het stelen van maïs van zijn pachtheer. Hij kwam aangelopen over de zandweg. En wij waren aan het spelen op de "stomp". Niet op een grasveld. Je had het huis, het erf, het houten hek; en voorbij het hek was een soort landje met gras, een soort weiland, en dat heette de "stomp". Daar werd niets verbouwd, het was zelfs geen weiland voor koeien; het was meer een speelterrein. Op het erf was geen gras. Dat zou zijn weggeveegd met een kornoeljebezem. Gras op je erf, dat was iets voor armoedzaaiers. En wij waren op de "stomp", en die zwarte man liep over de zandweg, en wij riepen hem scheldwoorden na. "Hé nikker! Hé nikker!" Hij reageerde totaal niet. De plaatselijke zeden stonden niet toe dat hij reageerde op blanke kinderen.

En achteraf riep mijn grootvader ons allemaal naar zich toe. Hij zat op een boomstronk. Hij noemde ons allemaal "hon". En hij zei: "Hon, er bestaan geen nikkers op de wereld." En wij zeiden: "Jawel, opa, John Walker is een nikker." We konden hem nog in de verte zien lopen over die stoffige weg. En hij zei: "Nee, alle nikkers zijn dood. Nu zijn er alleen nog kleurlingen." En op die manier legde hij ons uit dat de Burgeroorlog voorbij was.'

(In *Brother to a dragonfly* stond een andere versie van dat verhaal. De maïs die John Walker had gestolen was 'een zak met kolven suikermaïs'. En hij had niet gevangen gezeten wegens diefstal van die maïs. Hij was afgetuigd door een paar mannen, en hij had op een grappige manier over dat pak slaag verteld—waardoor hij de pesterij van die jongere jongens als het ware had uitgelokt. 'Jewel. Ze hebben me gepakt alsof ik een gevangenisboef was. Ze hebben me met een riem geslagen. Geslagen tot ik zowat moest schijten.' Het verhaal dat Will Campbell mij in zijn blokhut had verteld—waarin de zwarte man zwijgend en duldzaam was geweest—paste beter bij de gevoelens van deze tijd. De versie in het boek, waar de zwarte man een grap had gemaakt over zijn pak slaag, en misschien ook over zijn diefstal, klonk echter.)

Will Campbell zei: 'Mijn grootvader had maar twee jaar lagere school. Hij kon zijn naam schrijven en ik neem aan dat hij kon lezen. Maar zoals hij de taal gebruikte! Ik zat altijd te hopen dat de dominee hem zou vragen voor te gaan in gebed. Wij waren baptisten. Ik herinner me hoe de oude man een gebed afsloot: "En wanneer wij tenslotte knielen om te drinken uit de bittere bron des levens–" En daarmee, met "de bittere bron des levens", bedoelde hij de dood…'

'Dat waren en zijn dus de belangrijkste invloeden in het leven van blanke Zuiderlingen op het platteland–dat gevoel van thuis, voortgekomen uit ontheemdheid, contractarbeid, migraties, en het vinden van dat thuis in de farms, de gemeenschap. En dat gevoel van thuis is heilig geworden.

'Dat gevoel van thuis werd bedreigd door de raciale veranderingen die plaatsvonden. En het wás een bedreiging. Dat je plotseling begreep dat dingen die altijd zo waren geweest en altijd zo zouden blijven, nooit meer hetzelfde zouden zijn.

'En ik probeerde uit te leggen aan mijn collega's–niet-Zuiderlingen in de beweging–dat wanneer blanken zeiden dat desegregatie van de scholen neerkwam op het kapotmaken van de scholen zoals zij ze hadden gekend, ze iets zeiden dat wáár was. Ik gebruikte dan het voorbeeld van Abraham en Isaäk. De mensen zeiden tegen me: "Je vraagt me mijn kinderen op te offeren op het altaar van de integratie dat het Hooggerechtshof heeft opgericht." En mijn antwoord was en is: "Ik vraag jullie alleen om trouw te zijn aan de God die jullie aanhangen. Als christenen hebben jullie een God die verder gaat dan de afgodenbeelden die wij hebben opgericht: thuis, gemeenschap, openbaar onderwijs–die we inderdaad kunnen opofferen. Abraham was bereid zijn kind op te offeren. Wij leggen ons kind op het altaar van de integratie, wij leggen het brandhout van de gerechtigheid eronder. Maar het kind is niet geofferd–door Abraham. Uiteindelijk is het kind gered.'

Will Campbell zei: 'Misschien geldt die analogie niet meer. Maar destijds kon ik het goed gebruiken.'

Hij begon te vertellen over zijn werk voor de burgerrechten; en daaruit viel af te leiden hoe hij zich later, als kerkelijk leider, had verzet tegen politieke uitbuiting.

Hij zei: 'Wij gingen niet uit van de beslissing van het Hooggerechtshof in mei 1954. Voor ons lag het veel fundamenteler. Rechters in het Hooggerechtshof kunnen van mening veranderen. In onze tijd is dat al gebeurd. Het motto van de liberale beweging was recht en orde. Maar tegen de tijd dat Nixon en de zijnen Midden-Amerika ontdekten, was de uitdrukking "recht en orde" synoniem met "nikker". En toen zei de andere partij: "Wij moeten recht en orde hebben." Zodat Martin Luther King Jr. en anderen werden beschouwd als onruststokers, en dus als een bedreiging van recht en orde.'

Hij praatte over de paradoxen en dubbelzinnigheden van het succes van de beweging.

'Ik denk dat door de manier waarop ik grootgebracht ben, mijn kansen om vrij en openhartig te worden over het ras veel groter waren dan toen mijn kinderen opgroeiden. Want toen ik een kind was, bestonden er bepaalde veronderstellingen waar nooit over werd gepraat. Je praatte er niet over of zwarte mensen zitting namen in jury's of samen met ons naar school gingen of bij ons kwamen wonen. Maar elk kind dat na mei 1954 is geboren, heeft op een negatieve manier over zwarte mensen horen praten. Dus zitten we nu met een generatie mensen die vervuld is van haat en in staat is die gevoelens te laten blijken.

'En dat vind ik bijzonder gevaarlijk, want we krijgen nooit meer dat geweldloze verzet als onder de leiding van dr. King en anderen.'

Vroeger, zei hij, als je vijfduizend zwarten rond een gerechtsgebouw zag marcheren en vroeg waarom ze marcheerden, antwoordden ze dat ze marcheerden omdat ze niet werden geregistreerd als kiezer. Als je zwarte mensen zag demonstreren bij een broodjeswinkel, vertelden ze je dat ze dat deden omdat ze niet mochten eten in broodjeswinkels. De zaak was destijds glashelder.

'Maar hoe zou geweldloos, passief verzet tegenwoordig werken? De problemen zijn niet even helder afgebakend. Als je tegenwoordig vijfduizend zwarten ziet marcheren, kunnen ze je alleen vertellen: "We marcheren rond het gerechtsgebouw omdat we voor jullie nog steeds nikkers zijn."

'Ik herinner me een liedje dat bij ons in de kroegen werd gezongen. "Move Them Niggers North".

> Move them niggers north,
> Move them niggers north.
> If they don't like our Southern ways,
> Move them niggers north.'

Hij had de woorden eerst gewoon uitgesproken, maar al gauw
bezweek hij voor het zangerige ritme en zong hij de woorden
half.

Aan het eind daarvan zei hij: 'Ik herinner me dat ik dat eens
gehoord heb in een pas gedesegregeerd wegcafé in Noord-Ala-
bama, waar ik was gestopt met een zwarte vriend. Het zat in de
jukebox. Dat was kennelijk voor ons bedoeld. En toen we weggingen, zei mijn vriend—hij was gekwetst—: "Er bestaat zeker
geen wet tegen het bedienen van een jukebox." En ik zei: "Nog
niet. En ik hoop dat die er nooit komt ook."'

Hij herhaalde zijn antwoord aan zijn zwarte vriend. Ik begreep niet wat Will Campbell daarmee bedoelde; en pas later,
in zijn eigen artikel over 'The world of the redneck', ontdekte
ik dat dit een lied van de Klan was. Op deze indirecte manier
begon hij over het onderwerp van de Klan en de armoede en
de tragedie van de 'rednecks', en zijn jaren in de 'liberale wildernis'.

Hij zat op een krukje aan een hoog bureau of tafel, met de
kwispedoor aan zijn voeten. Er stond een oude barbiersstoel in
een hoek van de blokhut, bij de airconditioning. Er was ook een
schommelstoel; een bank tegen een van de wanden; een tapijt
op de vloer; en een kleine lage tafel met een gepolijste of gelakte
schijf boomstam als blad. Een banjo of ukulele hing aan de
wand; en er waren foto's en tekeningen en originelen van car-
toons. Op een hoge richel stond een oud blikken reclamebord:
Say Goo-Goo. A nourishing lunch for five cents. 'Goo-Goo' was de
naam van snoep waarvoor nog steeds reclame werd gemaakt in
het radioprogramma 'Grand Ole Opry'. En door dat oude blikken reclamebord zag ik opeens de ogenschijnlijk willekeurige

combinatie van voorwerpen in de blokhut als een verzameling voorwerpen van mensen.

Will Campbell zei: 'Ik ben weer terug bij het begin. Ik ben opgegroeid in een fundamentalistisch milieu – al heette dat toen niet zo. Iedereen was baptistisch. In die wereldvisie betekende christen-zijn: niet roken, niet drinken, niet uitgaan op zaterdagavond.' Maar hij had méér verlangd van zijn godsdienst; en zijn geloof had zich ontwikkeld naarmate hij meer studeerde. 'Ik was geïnteresseerd in ethische problemen.' Dat leidde in het Zuiden onmiddellijk tot de rassenkwestie en zijn werk voor de burgerrechten. 'Ik ben nog steeds tegen oorlogen en segregatie en te lage lonen voor arbeiders. Maar ik ben gaan begrijpen dat ik de ene wettische code heb ingewisseld voor de andere. Het liberalisme van mijn middelbare leeftijd heeft me geen betere dienst bewezen dan het fundamentalisme van mijn vroegere leven. De christelijke boodschap luidt dat wij geschapen zijn als vrije mensen, en dat niemand het recht heeft meer van ons te eisen dan Jezus heeft gedaan. En Jezus heeft geen credo of nauw omschreven ideologie gegeven. Ik heb geconstateerd dat het sociale liberale credo even doctrinair was als het fundamentalistische religieuze credo. Jezus heeft ons gevraagd aandacht te hebben voor onze naaste.'

En voor Will Campbell was dat de – in zijn ogen verachte – 'redneck': de mens als hijzelf. Hij haatte dat woord. Hij vond dat het alleen gebruikt mocht worden door mensen als hij.

'De tragedie van de "redneck" is dat hij de verkeerde vijand heeft gekozen. Ik ken een mooi liedje. "Rednecks, White Socks, and Blue Ribbon Beer". Wilt u het horen? Ik ben geen musicus, maar ik hou van volksliedjes.'

Hij stapte van zijn hoge kruk af, pakte zijn gitaar en kwam op de bank zitten. Een glanzende zwarte hond was de hut binnengekomen. Toen Will Campbell gitaar begon te spelen en begon te zingen, ging de hond overeind zitten en keek hij met schitterende ogen naar de hand die op de gitaar tokkelde en luisterde hij naar de stem van zijn baas.

'No, we don't fit in with that white-collar crowd.
We're a little too rowdy and a little too loud.

But there's no place that I'd rather be than right here,
With my red neck, white socks, and Blue Ribbon beer.'

Will Campbell zei: 'Dat is een lied over vervreemding. Het vertelt een heleboel. "We zijn een beetje te wild, een beetje te luidruchtig."'

Ik vroeg: 'Wie heeft dat geschreven?'

'Bob McDill. Als je er kritisch naar luistert, kun je heel veel leren.'

En toch kon men de geschiedenis, die Will Campbell zo in beslag nam, links laten liggen, zoals men in sommige streken het oude, te veeleisende geloof links had laten liggen.

Vijfentwintig minuten van het centrum van Nashville vandaan, in het stadje Smyrna, lag de zeer grote Nissanfabriek, waar vrachtwagens en auto's geassembleerd werden. Het waren drie fabrieken in één, op een terrein van driehonderdtwintig hectare. Het fabrieksgebouw was plat en rechtlijnig, grijs en bijna onopvallend in het vlakke land. Van buiten verstoorde het nauwelijks het terrein of het omringende landschap. Van binnen echter was het een eigen wereld: eenendertig aan elkaar grenzende hectaren onder een dak dat hoger leek als je eronder stond dan wanneer je het tegen de hemel zag. Het was een fabriek volgens Japanse beginselen, met werkkrachten uit het Zuiden, blanken en zwarten en een paar Aziaten, mannen en vrouwen, onderverdeeld in een soort kleine legereenheden, elk met een eigen leider, doelstellingen en bindingen.

Vijfenveertig kilometer ten zuiden van Nashville, in Spring Hill, werd een nog groter project aangelegd: de Saturnfabriek van General Motors, op vierhonderdvijfenveertig hectare, een autofabriek (geen assemblage, zoals Nissan in Smyrna). Het geheel zou drie komma zes miljard dollar kosten; en het zou de grootste fabriek worden die ooit in de Verenigde Staten was gebouwd. Ondanks automatisering en robots zou Saturn zo'n zesduizend mensen werk bieden. Maar vanaf de weg zou niets te zien zijn. General Motors was bezig het terrein aan te leggen, met een lage en niet al te opvallende heuvel die de grote fabriek

aan het oog zou onttrekken. Voor de automobilist die voorbij-
reed, zou het land op boerenland lijken. Maar wanneer Saturn
er eenmaal was, zou het land over kilometers in de omtrek feite-
lijk en cultureel veranderen. General Motors dacht dat het 'halo-
effect' in totaal veertien- tot vijftienduizend nieuwe banen zou
creëren in centraal Tennessee: nieuwe huizen, nieuwe voorzieningen, een nieuw soort werkende bevolking.

Op het moment was er nog weinig te zien. Het gebied stond
echter op het punt radicaal te veranderen. De grondprijzen waren gestegen. In Nashville had ik verhalen gehoord over de 'hebzucht' van sommige mensen die daar woonden, en over de
graagte waarmee oude Zuiderlingen, met het oog op aanstaande
rijkdom, oude farms en landerijen hadden verkocht en zichzelf
hadden losgemaakt van het verleden dat tot voor kort nog zo heilig voor hen was geweest.

Frank Bumstead echter, een zakenman uit Nashville die het
gebied goed kende, en me daar op een ochtend rondreed, was
minder afkeurend. Frank was voor in de veertig, een self-made
man, uit Texas, maar met voorouders uit Georgia; hij had de
universiteit bezocht met een basketballbeurs. Als iemand met
een aandeel in veel plaatselijke bedrijven beschikte hij over een
enorme hoeveelheid kennis; en hij had een zorgvuldig, analy-
tisch verstand.

Frank zei: 'De werkelijkheid is dat in 1985, en ook nu nog, een
efficiënte zelfstandige farmer zijn handen mocht dichtknijpen als
hij zijn variabele kosten kon dekken—zaad, voer, kunstmest,
chemicaliën, dieselolie enzovoort, arbeidsloon. Als hij een hy-
potheek heeft op zijn land of machines, zit hij in ernstige financiële moeilijkheden. Farmers kunnen niet betalen voor hun land
of machines. Ze kunnen alleen hopen hun variabele kosten te
dekken. Waarom zouden ze dan niet verkopen?

'Veel van de mensen hier waren verstard als kikkers die je 's
nachts met een lantaren in de ogen schijnt. Ze zagen de prijzen
stijgen en waren als de dood om te goedkoop te verkopen, of te
vroeg. Dat kan geïnterpreteerd worden als hebzucht. Het kan
ook geïnterpreteerd worden als de hevige angst van een farmer—
voor wie land even belangrijk is als zijn vrouw en God—om dier-

baar bezit te goedkoop te verkopen. Veel van de mensen die verkocht hebben, hadden die farms verscheidene generaties in hun families gehad.

'In veel gevallen hebben de mensen die verkochten, dat geld gebruikt om hun schulden af te lossen. Ik ken een farmer die een stuk land van ongeveer vierhonderdtachtig hectare bezat. Het grensde niet meteen aan het fabrieksterrein; het lag er ongeveer vijf kilometer vandaan. Hij heeft het verkocht voor driehonderdvijftigduizend dollar. En hij heeft daarvan driehonderdduizend dollar terugbetaald aan de bank. Na aftrek van de kosten heeft hij waarschijnlijk twintig- tot vijfentwintigduizend dollar overgehouden.'

Hij praatte over grondprijzen. 'Het Saturn-project is door General Motors in 1985 bekendgemaakt. Zes maanden daarvoor werd boerenland in Maury County, áls je het al kon verkopen – en er was vrijwel geen vraag naar – verkocht voor minimaal vier-, vijfhonderd dollar per *acre* en maximaal duizend tot vijftienhonderd dollar per *acre*, afhankelijk van het soort land, waarbij weidegronden goedkoper waren dan akkers. Een maand nadat Saturn was aangekondigd, werd een groot deel van het land in het noorden van Maury en het zuiden van Williamson (ten noorden van het project) verkocht voor minimaal vijfentwintighonderd dollar per *acre*. Er waren landerijen die voor prijzen tot tienduizend dollar per *acre* van de hand gingen, "gewoon" boerenland. Men beweert dat er ook verkocht is voor twintig- tot vijfentwintigduizend dollar. Met andere woorden: waanzin. Een groot deel van die speculatie was het werk van kopers uit Texas, die de hoogconjunctuur van land hadden meegemaakt in Dallas en Houston, en die halverwege een baisse in die markt zaten – crisis is een beter woord.

'In dat gebied is enorm veel rijkdom gecreëerd, van de ene dag op de andere. Ik ken iemand die zijn radiozender en zijn aandeel in een goed kabel-tv-systeem had verkocht en driehonderd *acres* had gekocht, een halve kilometer ten zuiden van Franklin City, aan u.s. Highway 31. Voor een groot deel langs die weg. Hij had gemiddeld drieduizend dollar per *acre* betaald, zo'n zes tot negen maanden voordat Saturn werd aangekondigd. Daarna heeft hij het land verkocht voor zeventienduizend dollar per *acre*–hij had het nog geen achttien maanden in zijn bezit gehad. Hij had ingezien dat het land veel te waardevol was om paarden te fokken. Hij zei dat hij meer geld met die farm had verdiend dan met die radiozender. En die farm had hij gekocht voor zijn pensioen. Zo zie je maar dat het zijn geld opbrengt als je gewoon boft, en niet alleen maar slim bent.'

Op een andere ochtend ging ik met Frank op bezoek bij de Nissanfabriek in Smyrna, en van het groene Tennessee kwam ik eerst terecht in kantoren in grijs en chroom, met opvallend dik, zacht tapijt. Veel mensen waren in uniform, donkerblauwe broek, lichtblauw shirt, met machinaal boven de linker borstzak NISSAN geborduurd, en boven de rechterzak de voornaam van de betrokkene.

De PR-mevrouw die ons begeleidde, zei op een gegeven moment in een gang: 'Dat was de president-directeur die zojuist langskwam.' Ook hij had het Nissan-uniform gedragen.

In een open kantoor zagen we een robot-postkarretje. Het reed over een chemische strip die in het grijze tapijt liep. Het karretje deed de ronde bij de kantoren en stopte op bepaalde punten, en dan kwam het pas weer in beweging wanneer iemand op een strip aan de bovenzijde drukte. Als iemand in de weg liep, floot het karretje.

De drie-in-één-assemblagefabriek was E-vormig. De ruggegraat was meer dan anderhalve kilometer lang: een straatje, een weg, vlak en kaarsrecht, en verdween aan beide uiteinden uit het gezicht. Frank had wel vaker zulke grote bedrijven gezien, en nog wel grotere ook; ik niet. We legden de grote afstanden of op een elektrisch wagentje; de PR-mevrouw stuurde en praatte. Er waren geen Japanners te zien (er waren maar elf Japanners op vijfendertighonderd employés); de mensen die Japans leken, waren Amerikaanse Chinezen of Amerikaanse oosterlingen. In open ruimten, hier en daar in de fabriek, hingen basketballnetten en stonden tafeltennistafels. Het idee van tafeltennis was meegebracht door de arbeiders die in Japan waren opgeleid voordat de fabriek was geopend. Op veel plaatsen waren tv-schermen, die voortdurend produktiegegevens en schema's doorgaven en soms belangrijke nationale of internationale nieuwsberichten.

Een echte wereld, een complete wereld. Maar het was een opluchting buiten te komen en in de verte een restant van de oude wereld te zien: een golfijzeren schuur, omgeven door bomen.

Toen ik opgroeide in Trinidad had ik nooit naar een dienstbetrekking verlangd. Ik had altijd een vrij man willen zijn. Dat was voor een deel het gevolg van mijn achtergrond van plattelands-Indiërs en de koloniale landbouwmaatschappij van Trinidad. En hoewel het in het begin niet gemakkelijk was geweest, was ik een vrij man gebleven. Als gevolg daarvan had ik vrijwel geen ervaring met de twintigste-eeuwse wereld van de arbeid; en ik begreep eigenlijk niets van de aanpassingen waartoe de mensen gedwongen werden. Hier, in deze Nissanfabriek, werden de mensen goed behandeld en goed betaald; er was een zekere vrijheid, en ook waardigheid. Maar ik kreeg wél de indruk dat ze heel weinig leefruimte hadden.

Een paar dagen later vroeg ik Frank, als zakenman en Zuiderling, me te vertellen wat wij volgens hem hadden gezien.

Hij zei: 'Het eerste wat je daar zag was de collectieve Nissancultuur. Het is een superieure collectieve cultuur, die draait om participatie van de werker in het arbeidsproces. Ook het welzijn van de werker staat centraal. Hun gemiddelde employé is hoog geschoold, krijgt bijzonder goed betaald en is geen lid van een vakbond. Het Japanse managementsidee is dat de hele fabriek verdeeld wordt in kleine werkgroepen, en die werkgroepen hebben een specifieke verantwoordelijkheid. Binnen zo'n groep kiezen ze een leider en verdelen ze de verantwoordelijkheden, en ze zijn voortdurend bezig efficiënter en produktiever te werken. Onderdeel van die cultuur is dat de werker wordt aangemoedigd de arbeidsplaats beter, efficiënter, veiliger en plezieriger te maken. Je hebt die tafeltennistafels zien staan.

'De collectieve cultuur is om verscheidene redenen overgenomen. Het salaris is aantrekkelijk. De fabriek is schoon, modern, verzorgd, en wat de produktie betreft een aangename omgeving om in te werken. Nissan biedt veel gunstige secundaire arbeidsvoorwaarden. "Gezondheid"–een proces van gezond worden en blijven. En mogelijkheden voor lichaamsbeweging. En het image van het team.

'De president-directeur kwam langsgelopen *in zijn uniform*, met zijn voornaam op zijn shirt geborduurd. Het dragen van het uniform is vrije verkiezing, maar verreweg de meesten droegen het. Iedereen krijgt het gevoel mee dat hij lid van het team is. En er zijn gunstige aanmoedigingsprijzen voor de beste werkers ingebouwd in de collectieve Nissancultuur. Die aanmoedigingen worden eerlijk en gelijkelijk verdeeld over de werkers en—wat nog belangrijker is—ze zijn haalbaar.

'Je hebt twee componenten gezien van de collectieve cultuur die belangwekkend zijn. Mensen zonder enige ervaring in het werken met robots werken naast robots. Dit zijn Zuiderlingen, mensen met wortels in het land en in de farms. De tweede cultuurschok is dat Nissan een hecht georganiseerd, zeer machtig, bijzonder groot bedrijf is dat werkt te midden van een beschaving die grotendeels agrarisch is geweest, grotendeels ongeorganiseerd en voor het merendeel informeel.

'En Nissan betekent voor mij de voorhoede van een discussie die zal gaan woeden in de middelgrote stedelijke gebieden van het Zuiden in de komende twintig jaar—in Nashville, Lexington in Kentucky, Raleigh-Durham in North Carolina, Charlotte in North Carolina. Die discussie gaat heel eenvoudig over industrialisatie. Tegenover het geld staat de opoffering van een levensstijl. De kwaliteit van het leven in het Zuiden is heel hoog, en zelfs als we verstandig industrialiseren, zullen er dingen moeten worden opgeofferd. Grotere verkeersdrukte en de bijbehorende spanningen; bevolkingstoename en de spanningen die daarmee gepaard gaan. Misdaad. En de toenemende druk op de plaatselijke overheid om te voorzien in groeiende behoeften.

'Vijfendertig procent van de Nissan-assemblagefabriek bestaat uit vrouwen. In het Zuiden werkten vrouwen niet. Vrouwen werkten in hun eigen huis.

'Nissan heeft geen effect op de grondprijzen gehad. Er is veel gespeculeerd, en de meesten hebben daarop verloren. Omdat Nissan een assemblagefabiek is, was er geen "halo-effect". En Nissan werkte met mensen van hier, mensen die hier al woonden. De meeste werkers van General Motors zullen uit het noorden van het Midden-Westen komen. Die zullen gehuisvest moeten worden. Dat zijn geen Zuiderlingen. We weten dat dat gevolgen zal hebben. Het zijn vakbondsleden. Nogmaals, daar komt een botsing van. Levensstandaard versus kwaliteit van het leven.

'Mijn indruk is dat de midden- en hogere middenklasse zich vaak verzetten tegen groei en verandering, zeker wanneer zij zelf behoorlijke banen hebben, plezierige huizen, goede scholen. De hogere klasse zal profiteren van de groei. De zeer rijken zijn vóór groei, want dat is goed voor het zakenleven. De armen worden pionnen in het spel.'

Het liep nu tegen het eind van de maand juli. Ik ging logeren op een landgoed in Noordwest-Georgia, maar ik zag dat gebied anders dan toen ik het heel in het begin van mijn reis had gezien.

Destijds was ik erheen gereisd vanuit Atlanta en had ik het gezien als een wildernis waar je nog Indianen zou verwachten. Nu kwam ik uit het noorden, uit Chattanooga, een industriestad die gedeeltelijk in verval was. Daar vond ik niet de hamburgertenten van de autowegen met hun hoge reclamepalen en bonte uniformen; alleen het ene pandjeshuis na het andere, handlezers en kaartleggers, kantoortjes waar leningen werden aangeboden en verkoopterreinen met stacaravans, waar soms lijnen met vlaggetjes wapperden. Buiten Chattanooga zag ik de stacaravans, vuil en zonder vlaggetjes, in hun eigen omgeving. Ik zag de kleine huizen; in sommige tuinen de verzameling oud ijzer: het Georgia van de armoedzaaiers, met af en toe een kleine, onthutsend zwarte figuur op het erf, bedoeld zoals hij eruitzag, een 'namaaknikker', een manier waarop men hier zijn tuin versierde, een herinnering aan het verleden.

Fort Oglethorpe was de dichtstbijzijnde stad; James Oglethorpe was de stichter van Georgia geweest. Er was een nieuwe weg naar Fort Oglethorpe over de heuvels. Er was een andere weg via de stad Lafayette (hier uitgesproken als 'Laf'ette') en vervolgens door Chickamauga Battlefield Park – oorlog als monumenten en retoriek en lastige strategie: Chickamauga was de laatste grote overwinning van het Zuiden op het Noorden geweest.

Mijn normale route naar Fort Oglethorpe liep over de heuvels; dat was sneller. Toen ik op een dag vandaar doorreed naar Chattanooga, zag ik vanuit de achterbuurt rond de Rossville Boulevard—en ik kon mijn ogen eerst niet geloven—de patronen van de witte grafstenen van het oorlogskerkhof: bogen van witte stippels, keurig regelmatig op de lage heuvels achter de zwarte en blanke achterbuurten, waartussendoor ik telkens even uitzicht had op de begraafplaats. Ik kende de streek niet; ik had daar geen begraafplaats verwacht, zo groot, met zulke patronen van witte stippellijnen; de naam Chickamauga had ik nauwelijks gekend voordat ik hierheen was gekomen, en nu—de tweede dag van die tweedaagse veldslag was misschien de bloedigste dag van die oorlog geweest, zoals ik later in Memphis zou horen van Shelby Foote, de historicus van de Burgeroorlog—schokte het me veel meer dan de begraafplaats in Canton in Mississippi. Belangrijk, die oorlog, noodzakelijk; toch leek het nu voorbij en dood, zinloos.

En toen ik arme zwarten en arme blanken (met hun zwierige baseballpetjes) in de vervallen stad zag—'pionnen in het spel'—kreeg ik even een visioen van de wereld die Will Campbell zag; en ik zag, opnieuw, de geschiedenis van het gebied in gemakkelijk te onderscheiden lagen: Indianenland, zwarten (soms namaak), oorlog, industrie, achterbuurt, met ver in het westen, in Nashville, het begin van een nieuw tijdperk, en waarheen dat zou leiden, wist niemand.

7 Chapel Hill
Rook

Het was heel warm geweest vanaf het begin, dat wil zeggen van-af half april, toen ik met Howard naar het Zuiden was gegaan om te zien wat hij als 'thuis' beschouwde; en ik was verrast ge-weest door de kleuren van het voorjaar in Carolina, het jonge groen van de bomen, de paarse bloemen in het gras langs de weg, de geelwitte bloesem van de kornoelje; en ik was nog meer verrast door de schoonheid–in roestrood, houtgrijs, verbleekt groen en Indiaas rood–van verlaten tabaksschuren en vervallen farms en bijgebouwen met puntige, laag overhangende golfijze-ren daken.

De hitte of warmte die ik dat paasweekend voelde had ik–na meer dan vijfendertig jaar in Engeland–niet geassocieerd met lente. En er was een ochtend halverwege mei geweest, in South Carolina–nog steeds lente in het Zuiden–die ik uitgesproken benauwd had gevonden: een vochtige ochtend met stekende zon, op het terrein van een groot huis aan de oever van een mod-derige rivier, onder een witte hemel, met zoveel bijtgrage voor-jaarsinsekten in de lucht dat er al tientallen binnenkwamen als je de deur van de auto maar even opendeed.

Daarna echter, na Tallahassee en Tuskegee, had ik me aange-past. Moderne airconditioningsystemen–niet die losse appara-ten in een kamer, die door hun lawaai en koude luchtstroom even hinderlijk waren als de hitte die ze wegzogen–hadden die aanpassing mogelijk gemaakt. De zomer werd iets waarmee ik had leren leven. Totdat in Noordwest-Georgia, ongeveer een week na mijn komst, plotseling de grote hitte losbarstte, met temperaturen van bijna zevenendertig graden. En die eerste hit-tegolf hield drie weken aan.

De eerste dag was ik me er niet van bewust dat het warm was geworden. De airconditioning van huis en auto en winkels had ervoor gezorgd dat ik contrasten in temperatuur verwachtte. Maar toen werd de aarde opgewarmd, evenals de lucht. Alles wat in de zon stond, straalde hitte uit. Als je in de open lucht was, ademde je warme, vochtige lucht in die de longen irriteerde.

Het huis waar ik logeerde lag op de helling van een heuvel, tussen akkers en bossen. Buiten het landgoed stonden veel kleine huizen. Vanaf de weg leek de streek niets dan een armoedzaaiersgebied. Maar vanaf het landgoed liet het uitzicht – en het was weids – geen andere huizen zien, niets dat lelijk of hinderlijk was. Vanaf het huis en de pijnbomen rondom het huis glooide de heuvel naar beneden, door ruig open weiland, naar een kunstmatige vijver en de oever van een kreek of rivier, waar takken op de grond lagen. Daarachter, tussen dicht geboomte, zag je af en toe andere velden en weilanden; en in de verte beboste bergen, blauw dat tot grijs verbleekte, de ene richel na de andere.

Er waren heel weinig vogels in het bos rond het huis geweest. Nu, met de hittegolf, leken er helemaal geen te zijn. De krekels begonnen echter als gewoonlijk in de namiddag, nog voordat het licht veranderde, een aanhoudend geluid dat echter af en toe merkwaardig wegstierf. De weilanden, dat voor het huis en de andere in de verte, werden na twee of drie dagen bruin; de bomen, zowel veraf als dichtbij, leken groener en donkerder. Toen werden de bladeren van een paar van de grote bomen rond het huis geel en dwarrelden ze massaal neer, soms minutenlang, alsof het herfst was.

De honden van het huis, die vóór die tijd opdringerig waren geweest, hadden willen wandelen, bij mensen hadden willen zijn, bleven nu, zolang het dag was, meer op zichzelf, ze tilden even hun staart op bij wijze van groet, lieten hem weer vallen, en liepen dan met opgetrokken schouders, met de kop naar beneden en de staart tussen de benen, naar de kuilen die ze zelf hadden gegraven in de aarde onder de vloer van de veranda. In een vijver langs de weg naar Fort Oglethorpe stond vee tot aan de buik in modderig water – ik had me in India kunnen wanen.

De hemel werd hier en daar in de verte donker. Dagenlang echter leek het of alleen andere plaatsen regen kregen. Maar op een dag kwam de regen, met wind. Ik zag de regen eerst op het water van het zwembad. Daarnaast, op de betonnen rand van het zwembad, op de zandige aarde en op de houten spanen van het dak, droogde de regen vrijwel onmiddellijk op. Maar zoals de eerste vlokken van een sneeuwbui kunnen smelten voordat de sneeuw blijft liggen, zo doorweekte de regen nu langzaam de dakspanen en begonnen de druppels te snel op de rand van het zwembad te vallen om nog onmiddellijk te kunnen verdampen. Langzaam werd de regen zichtbaar.

Ik deed de deur open om de regen te horen en te ruiken. Ik rook de geur van gebakken aarde—de geur van de eerste regen die in India door bepaalde parfumeurs wordt nagemaakt, met een soort klei op sandelhoutbasis, zodat een moessonodeur wordt verkregen. Daarbij kwam hier een zware dennegeur, van de vochtige, afkoelende grenen blokken waarvan het huis gebouwd was.

Na de regen waren de honden overal heel actief, ze holden rond op de rommelige erven of in de siertuinen van kleine huizen en stacaravans, of draafden vastberaden langs de wegen alsof ze drukke bezigheden hadden in het koelere weer, na hun langdurige gedwongen rust, en alsof ze overal naar toe werden geroepen door de aardse geuren die de regen had vrijgemaakt. Lang nadat de regen was gevallen, bleven de geasfalteerde wegen dampen.

De thermometer daalde tien graden in enkele uren. Maar het was een kortstondige opluchting, want de hitte keerde snel weer terug: en zolang de hittegolf duurde was je bewegingsvrijheid evenzeer beperkt als door een hevige koudegolf in het verre Noorden. Het was niet te begrijpen hoe mensen het hier hadden uitgehouden zonder airconditioning en ijzergaas. In de tijd voordat reizen eenvoudig was, zou een dergelijke hitte de mensen in zichzelf gekeerd hebben gemaakt, zoals men zegt dat de winters van het hoge Noorden Scandinaviërs in zichzelf gekeerd maken. En misschien waren die zes maanden zomerweer, heet en af en toe nog heter, een factor bij de nog zichtbare degeneratie

van een deel van de blanke plaatselijke bevolking (de 'pinelanders' die Fanny Kemble had gezien, moesten nakomelingen
hebben gekregen); en ook een factor bij de bijna Indiase obsessie
met godsdienst in het Zuiden, de gedachte van een leven aan ge-
ne zijde van de zintuiglijke wereld.

Ten westen van ons lag Nashville of de streek daaromheen,
wachtend op de veranderingen die de Saturn-fabriek met zich
mee zou brengen. In het oosten, in North Carolina, lag het gebied dat bekend stond als de 'Research Triangle', begrensd door
de universiteitscampussen van Chapel Hill, Raleigh en Durham, waar in een periode van bijna dertig jaar een groot indus-
triepark van drieduizend hectare was geschapen: dertigduizend
nieuwe banen, armoedig bosland in North Carolina dat her-
schapen was in de meest discrete industriële lusthof, veel moderne technologische en farmaceutische namen, vertegenwoor-
digd door nieuwe gebouwen, lange lage lijnen van baksteen of
beton en glas, die een indruk wekten van ruimte en orde en
elegantie–het land van pastorale armoede aangepast aan zijn
nieuwe functie, het Zuiden afgeschaft, zoals het was afgeschaft
in Huntsville, Alabama, de stad van ruimteonderzoek.

In Huntsville had de zakenman in mijn gezelschap me een katoenveld aangewezen–meer dan een akker: iets van het verleden–letterlijk tegenover een 'high-tech'-gebouw: katoen die, zo
zei de zakenman, je handen schramde en je rug brak (omdat de
planten laag zijn en je de hele dag moet bukken om katoen te
plukken).

Ongeveer op diezelfde manier werd mij eind augustus, aan de
rand van het Research Triangle Park in North Carolina, een
klein, goed onderhouden tabaksveld aangewezen: tabak was het
beroemde oude gewas van North Carolina, en de namen van een
paar stadjes waren nu eerder bekend als sigarettemerken:
Winston, Salem.

Toen ik met Pasen samen met Howard naar zijn geboorteplaats was gegaan, had ik gezien hoe de zaailingen op de tabaksvelden werden geplant. Ik kende de plant niet, en hoewel ik
daarna vaak tabak moet hebben gezien, wist ik niet waar ik naar

keek, tot op dit moment, nu het blad opvallend groot was. Ik had me laten vertellen dat de grote hitte, die we eind juli en in de eerste helft van augustus hadden gehad, goed was geweest voor de katoen; en ik dacht dat diezelfde hitte–die het loof van complete bossen had doen vergelen–de randen van de tabaksbladeren onderaan had verschroeid. Maar de tabaksbladeren waren eerder aan het rijpen dan aan het opdrogen. Op die manier rijpten tabaksbladeren, van onderaf.

Tabaksblad kon pas geplukt of geoogst worden wanneer het rijp was; een rij planten moest dus vaak afgewerkt worden. De onderste bladeren aan de planten waar we naar keken, waren al geplukt. Tabak vereiste niet alleen bukkend werk; het gewas moest ook geoogst worden in de tijd van de grootste hitte. De voren en richels van dit tabaksveld waren even schoon en vrij van onkruid als een aangeveegd aarden erf. Dit veldje, dat je zonder meer voorbij had kunnen lopen, vertelde van trage, zorgvuldige arbeid, even zwaar als de katoenpluk.

De man die ervoor zorgde dat ik dat alles zag was James Applewhite. Hij was afkomstig uit een oude tabaksfamilie in het oosten van North Carolina. Hij was tweeënvijftig. Hij was docent aan Duke University in Durham–de universiteit die gesticht was en in stand gehouden werd dank zij een fortuin dat in de tabak was gemaakt. Hij was tevens dichter. En hoewel hij geen deel meer uitmaakte van de tabakscultuur, en hoewel hij erover sprak alsof het allemaal heel ver weg was (al was het tamelijk dichtbij, twee uur met de auto), was die tabakscultuur van het oosten van North Carolina een van de onderwerpen van zijn gedichten, samen met dat oude, half landelijke familieleven.

Ik kende zijn gedichten niet toen ik hem ontmoette. Maar ik begon me bewust te worden van zijn kwaliteiten als mens toen hij bleef staan om me dat tabaksveld te wijzen: de gevoeligheid van een dichter en de toewijding en ernst van een farmer, met de gelijkmoedigheid van een academicus. Hij was een slanke man, met een smal middel; hij deed veel aan lichaamsbeweging. Hij nam al mijn vragen serieus en sprak ongekunsteld, met de nuchterheid van een farmer, en hij liet me onmiddellijk, toen hij zag dat ik er ontvankelijk voor was, in gedachten delen die hij kennelijk lange tijd had overwogen.

Durham was niet zijn landschap, zei hij; het was nog maar pas een rol gaan spelen in zijn gedichten. Geen landschap kon het opnemen tegen het eerste dat men had gekend. Hij werkte die gedachte nader uit, en hij kon onmogelijk weten hoe direct hij mij aansprak (nu de nauwelijks te dragen herinnering aan het eerste begin alleen nog in mijn hart bestond, niet meer echt bestond in het verwoeste, opnieuw bevolkte Trinidad van tegenwoordig). Ik begreep hoe het verleden waarover hij nadacht, in zijn geest heel ver weg was, al was het eigenlijk zo dichtbij en bestond het nog in Wilson County.

Hij nam me langs achterwegen mee naar zijn huis. Op een gegeven moment, nadat we een man op een grasmaaimachine hadden zien zitten in de tuin van een huis, praatte hij over het vegen van de aarden erven in de oude tijd. De aarde was zandig geweest, en werd geveegd met bezems die gemaakt waren van kornoeljetakken. 'En de strepen van dat vegen lieten ze expres achter op het erf, zodat men kon zien dat het geveegd was en schoon.' Werd dat vegen gedaan door personeel? Nee. 'De huisvrouw was er trots op dat te doen, als een bewijs van haar ordelijkheid.'

Dat raakte een snaar in mij. Maar op dat ogenblik kon ik alleen denken aan de Afrikaanse hutten met hun schone geelbruine erven op de oever van de Kongo- of Zaïre-rivier, die ik twaalf jaar daarvoor vanaf een stoomboot had gezien. De erven werden zo schoongeveegd, had men mij verteld, om slangen weg te houden. Jim Applewhite dacht dat daar wel wat in zat, zelfs hier in het Zuiden. En dat herinnerde me aan Will Campbells verhaal over de 'stomp' buiten het schone, kale erf van het huis van zijn familie in McComb, Mississippi.

Toch was er nog iets anders. Het schoot me later te binnen: een herinnering uit een niet te dateren tijd in mijn kinderjaren, aan de strepen van een *cocoye*-bezem, een bezem die gemaakt was van de harde middennerven–stijf van boven, maar dun en soepel onderaan–van de bladeren van een kokospalm. Die strepen in een hoek van een Indiaas erf in Trinidad die ik me nu herinnerde, vertegenwoordigden orde en reinheid, en bijna de vroomheid van een huis; ze maakten duidelijk dat men zich daar aan goede oude zeden hield. Het vegen van het erf bij Indiase of Hindoefamilies als de onze in het Trinidad van mijn kindertijd was een ritueel. Het moest 's ochtends als eerste worden gedaan; het hoorde bij de zuivering van het huis vóór de gebeden. En er bestond een zeker religieus taboe op het vegen na donker (ongetwijfeld omdat dan waardevolle dingen hadden kunnen worden weggeveegd en verloren zouden zijn geraakt). En misschien berustte ook de Japanse geharkte tuin op een dergelijke gedachte van godsdienst en vroomheid.

Farmer, kind en dichter kwamen samen wanneer Jim Applewhite nadacht over zijn kindertijd én daar ernstig en uitvoerig over sprak.

Zijn huis was buiten, aan een doodlopend weggetje met een paar andere huizen in een stuk bosland. Het was een houten huis. De achterwand van zijn zitkamer bestond uit brede, oude planken die diagonaal waren geplaatst. Aan de achterzijde was een open platform met uitzicht op bosland – een woonstijl die in andere landen slechts voor enkelen mogelijk was, maar die hier in de Verenigde Staten voor velen mogelijk was.

Hij gaf me een exemplaar van zijn nieuwe bundel, *Ode to a Chinaberry Tree*, in 1986 uitgegeven door de Louisiana State University Press. Terwijl hij thee zette, bekeek ik 'A Leaf of Tobacco'.

'Is veined with mulatto hands.'

Vervolgens zag hij die aderen als beken, '*a river system draining a whole basin*', dat alle historische afval van het Zuiden meevoerde. Tegelijkertijd:

'Scented and sweetened with rum and molasses,
Rolled into cigarettes or squared in a thick plug,
Then inhaled or chewed, this history is like syrupy
Moonshine distilled through a car radiator so the salts
Strike you blind. Saliva starts in the body. We die for
this leaf.'

Het gewas dat zoveel werk vereiste, van slaven en vrije mensen, het gewas dat deze streek een speciale kalender en cultuur had gegeven, was een verdovend middel, gevaarlijk voor mensen. Als handelsgewas liep tabak terug: alweer zo'n kleine ramp voor het Zuiden. Jim Applewhite rookte niet, had maar korte tijd gerookt, jaren geleden. Maar de cultuur stond nog zo dicht bij hem, dat het produkt in het gedicht bijna onwillekeurig aantrekkelijk wordt. De gedachte van rum en melasse en tabak, het zoete en het bittere, herinnerde me aan Will Campbells 'Beech Nut'-pruimtabak, geurig, vochtig, met de smaak van drop, en deed me denken aan het cellofaan of doorzichtige plastic om de blokjes tabak, donker en zwaar als fruitcake, bij de kassa's van supermarkten in het Zuiden.

Hij hield van tabak als cultuur, vanwege de formaliteiten die de teelt en het drogen en de verkoop van het gewas begeleidden. En toen ik later die avond in mijn hotelkamer zijn gedichten las, bleken ze verrijkt door wat hij had gezegd en de dingen die ik had gezien, en waren ze al half vertrouwd.

In 'For W.H. Applewhite' had hij over zijn grootvader geschreven. (En in mijn verbeelding zag ik het tabaksveld dat hij me had laten zien aan de rand van het Research Triangle Park.)

> 'He dug grey marl near the swamp, set out
> Tobacco by hand, broke the suckers and tops
> Before they flowered, leaving some for seed.
> Cropped the broad sand lugs, bent double
> In air hot rank in his face from the rained-on
> Soil.'

'How to Fix a Pig', een eerbetoon aan een geroosterd varken bij een barbecue aan het eind van de tabaksoogst, was ook een eerbetoon aan de man die het varken 'fikste' of roosterde, iemand die Dee Grimes heette en – nog steeds – de deelpachter op de oude Applewhite-farm was.

> 'It comes from down home, from
> When they cured tobacco with wood, and ears of corn

Roasted in ashes in the flue.
The pig was the last thing. The party
At the looping shelter when the crop was all in.
The fall was in its smell.
Like red leaves and money.'

Landbouwgemeenschappen worden gereglementeerd, van een kalender voorzien, door de gewassen die ze telen, en de oorsprong of het oorspronkelijk doel van het gewas wordt onbelangrijk: rijst op Java, tabak in North Carolina, suikerriet in het oude Trinidad. De woorden in dat gedicht over een viering aan het eind van de oogst–de zware oogst, oorspronkelijk het werk van slaven–wekten heel vage herinneringen aan iets dat 'crop-over' heette in Trinidad, wanneer alle suikerriet was gesneden, wanneer de horens van de zwarte waterbuffels die de suikerrietkarren trokken, werden versierd en er iets als muziek klonk op de hoofdweg van het plattelandsplaatsje waar ik woonde, vlak aan de rand van de suikerrietvelden, eindeloze hectaren, het toneel van bittere arbeid: herinneringen als kiekjes van heel lang geleden, toen ik zes was of zeven, herinneringen die heel veel tijd leken te beslaan, maar in werkelijkheid misschien de herinneringen aan niet meer dan een week waren.

De enorme uitgestrektheid van het land, de afstanden tussen de plaatsen–dat was een van de dingen die Jim Applewhites wereldvisie als kind moesten hebben onderscheiden van mijn eigen jeugdige visie op Trinidad. Was het weleens benauwend of angstwekkend geweest, vroeger? Voelden de mensen zich verloren? vroeg ik hem een paar dagen later, toen we elkaar spraken in het hotel waar ik logeerde.

Hij zei: 'Als mijn grootvader met de buggy naar Wilson reed, het centrum van het district en van de tabakshandel, vijftien kilometer heen en vijftien kilometer terug, dan was dat een dagreis.'

En zelfs dat was mij al vertrouwd uit zijn gedichten:

'His memory held an earlier era: a steamboat
To the New York fair, when soot spoiled his hat.
Horse and buggy courting, when ten miles two ways
Was a day.'

'Auto's begonnen in de jaren twintig in die streek te verschijnen, evenals elektrisch licht. De elektrificatie volgde vaak de wegen. De moeder van mijn vrouw zat eerder dit jaar herinneringen op te halen, ze wist nog hoe de elektrificatie het platteland had bereikt. De mensen hier voelden zich inderdaad verloren. Het gevoel dat ze een leven moesten ontwikkelen dat zijn eigen regelmaat had, zijn eigen formaliteiten–dat was een van de redenen waarom het geloof zo invloedrijk was. Daarom waren de formaliteiten van de tabakscultuur zo belangrijk.'

Ik vroeg hem naar het tabaksveld dat hij me had laten zien. Ik had dat gezien toen ik net was aangekomen en geografisch nog lichtelijk in de war was.

'Daar stonden we op de grens van Orange en Durham County. De oude weg van Durham naar Chapel Hill. Er groeiden daar ook wat sojabonen, vlak in de buurt. Wat zich in deze streek afspeelt is dat de landelijke, agrarische economie vervangen wordt door een andere economie. En daarom is die farm ongewoon. Die lag acht, negen kilometer van de campus van Duke University vandaan.'

Toen begon hij over de formaliteiten van de tabaksteelt.

'Tabak had te maken met een oudere levenswijze. Voor mij had het te maken met mijn grootvader, met een soort geritualiseerde, cyclische tijdsindeling, waar de cyclus van de seizoenen alles bepaalde, het uitplanten van de zaailingen in de vroege zomer, de oogst in hartje zomer. In augustus was je klaar met drogen en sorteren.'

'Sorteren?'

'Sorteren hield in dat je de bladeren van verschillende kwaliteit uit elkaar haalde. En van verschillende graad van rijpheid. Zodat de beste tabak bij elkaar kwam, samen werd verpakt, in die "bosjes", om de hoogste prijs te krijgen op de veiling. Er waren drie of vier tabaksfabrieken, of vijf misschien–in tijden van overvloed–, en die boden op de tabak waarvan de kwaliteit ze aanstond. De inkopers reisden naar de verschillende markten. Er was een soort volgorde in de verkoop. De markt begon in het zuiden en ging dan omhoog naar het noorden en volgde ongeveer het patroon van de rijpe en geoogste tabak.

'Ik geloof dat tabak in zijn beste incarnatie een soort volkskunst was. Een kunst die beoefend werd door mensen die buitengewoon bekwaam waren, maar misschien niet konden lezen en schrijven. Ik herinner me dat er, toen andere landen als Canada en Rhodesië ook tabak wilden gaan verbouwen, mensen naar North Carolina kwamen om die natuurlijke deskundigen mee te krijgen–mensen die misschien hun eigen handtekening niet konden zetten, maar alles wisten van tabak, hoe je tabak moest oogsten, drogen en sorteren.

'Dat element van kunst bij de oogst is weten wanneer tabak geoogst moet worden. Het blad droogt niet goed als het te vroeg of te laat geplukt is. In sommige jaren is geen blad volmaakt. Daarom kent tabak ook goede en slechte jaren, net als wijn.'

'Bent u zo'n deskundige?'

'Nee, nee. Ik weet alleen wat er allemaal bij komt kijken. Ik heb het mijn hele jeugd om me heen gezien. Ik denk dat ik vooral onder de indruk was van de esthetische kant van het tabaksritueel. Planten moest in de juiste tijd gebeuren, met de hand, individueel. Handwerk in de landbouw. Het is nu veel meer gemechaniseerd. Maar dat aspect van handwerk bij de tabak berustte op goedkope arbeidskrachten in het Zuiden in de tijd dat het Zuiden economisch in het nadeel was.

'Gewoonlijk was het land eigendom van mensen die niet meer echt op de farm woonden. Zoals mijn grootvader. Mensen die de boerenhuizen die hun groot- of overgrootouders in de tijd van de Burgeroorlog hadden gebouwd, hadden verlaten en verhuisd waren naar een stadje, naar dorpjes, zoals het plaatsje waar ik ben geboren. En in die huizen op de farm woonden dan de pachter of deelpachter. Dat kon een zwarte of een blanke zijn. Ik heb voornamelijk blanken meegemaakt. Die deelde in de oogst. De farmer kreeg de helft van de opbrengst. De eigenaar voorzag in landbouwgoederen en kapitaal. Meestal woonden er een of meer zwarte gezinnen in kleinere huizen op de farm, waar ze gratis woonden. Die deelden niet in de opbrengst, maar werkten als een soort knechts. Ze werkten voor geld, en hun grote gezinnen leverden de vele arbeiders die nodig waren voor de opslag van de tabak.'

'Opslag?'

'Het hele proces van het vervoer van de tabak van het veld naar de droogschuur en dan naar het pakhuis—waar ze de oogst samenpakten en opsloegen vóór de markt. Het was belangrijk een goed, stevig pakhuis te hebben, dat niet te vochtig was en waar het vooral niet lekte—je kon je niet veroorloven je tabak nat te laten regenen nadat hij gedroogd was. Als het te vochtig was, ging hij schimmelen en werd waardeloos.

'Voor de opslag had je ladingen mensen nodig, in teams met verschillende rangen, die een hiërarchische betekenis hadden, en verantwoordelijkheden. De plukkers die de bladeren van de stengel braken, waren in zekere zin het belangrijkst. Die moesten twee belangrijke dingen doen. Zware lichamelijke arbeid, en ze moesten beslissen welke bladeren ze plukten. En ze moesten heel snel werken. Dan waren er twee of drie of vier die door zo'n veld gingen en de bladeren plukten. Het moeilijkste was wanneer ze de bladeren onder aan de stengel plukten. Dan werkten ze de hele dag dubbelgebogen, bij heel heet weer.

'Sommigen kropen op hun knieën langs zo'n rij planten, om niet voorovergebukt te hoeven werken. Maar dat is óók zwaar werk. De plukkers werden gevolgd door een "tabakstruck" die getrokken werd door een muilezel of een tractor. Die tabakstrucks waren eigenlijk kleine houten karren met houten wielen. Die hadden staken op de hoeken en opzij jute lappen om het blad binnen te houden.'

Ik vertelde hem wat Howard had gezegd over de teer uit de tabak die zijn handen had gevlekt, en wat Howards moeder Hetty had gezegd over de geur van tabak die haar misselijk maakte.

'De meeste arbeiders klaagden over de kleverige teer die ze op hun handen en armen kregen. Doorgaans werd niemand ziek van de nicotine, tenzij het nat was.'

Hetty had het tegengestelde gezegd. Zij had gezegd dat zij en haar man, om die stank te vermijden, vroeg in de ochtend op de tabaksvelden waren gaan werken, wanneer de dauw nog op het blad lag.

'Ook heel erg belangrijk waren de "hangers". Die werkten in de schuren. Die bonden de tabaksbladeren met draden katoen aan de stokken, die dan horizontaal op rekken in de schuur werden gelegd, zodat de bladeren neerhingen van de stokken, met de stelen naar boven. Ook dat moest snel gebeuren. "Hangers" waren altijd vrouwen–soms de vrouw van de pachter. En dan waren er de "tillers". Die tilden de tabaksbladeren van de tabakstrucks naar de "hangers".

'Sommige mensen hebben tegenwoordig complete tabakstrucks met wielen en al omgebouwd tot salontafels. Een ouderwetse tabakstruck was maar half zo groot als een salontafel. Ze waren zo klein omdat ze tussen de rijen planten moesten rijden. Eén truck vol met ongeveer drie kubieke meter tabaksblad was heel zwaar, dat kon één man nog net aan. Tabak was zwaar voordat het blad gedroogd was.

'De "hanger" pakte vijf of zes tabaksbladeren met de steel naar zich toe, in haar linkerhand, en met een paar snelle bewegingen bond ze die stelen aan elkaar; en dan sloeg ze zo'n "bosje" om'– hij maakte een gebaar, maar wat hij beschreef was niet gemakkelijk te volgen–'zodat het aan weerszijden over de tabaksstok hing. Het was heel belangrijk dat de bladeren niet van de stok afvielen, want wanneer een paar bladeren losraakten en vielen en neerkwamen op de verwarmingsbuis van gegalvaniseerd staal daaronder, kon daar brand van komen, en dan was zo'n hele schuur in vijftien tot twintig minuten uitgebrand.'

'Gebeurde dat vaak?'

'Het was niet ongewoon dat een tabaksschuur in de fik vloog. Per seizoen verwachtte je dat een tot twee schuren afbrandden.'

Hij vertelde verder over de verschillende dingen die met tabak gedaan werden. Toen zei hij: 'Er ontstond een zekere maatschappelijke gelaagdheid. De zoons en dochters van de eigenaars werden stadsjongens en -meisjes. De zoons en dochters van de pachters werden plattelandsjongens en -meisjes. We gingen samen naar school. Ik had echt bewondering voor die plattelandsjongens en -meisjes, want ze werkten harder dan ik.'

Ik vroeg naar de gevolgen van mechanisatie. Zijn antwoord was onverwacht.

'De technische uitvindingen die veel van het zware werk hebben vervangen, zijn ook nadelig geweest voor de kwaliteit van de tabak. Er worden geen bosjes tabaksblad meer gebonden. De bladeren worden aan elkaar geniet in kolossale schuren en daar gedroogd.' Hij spelde het woord 'kolossaal' voor me, alsof dat woord iets van de grofheid van de nieuwe methode weergaf. 'Tabak wordt niet meer gesorteerd. Het blad wordt in canvas zeilen gegooid en verkocht.'

Veel van zijn dubbelzinnige houding tegenover tabak bleek uit zijn afkeer van de nieuwe methoden, die de mensen spaarden, maar slecht waren voor de tabak. Dat zei ik tegen hem. Hij wees het niet van de hand.

Hij zei: 'Het is een mysterie en een paradox. Voor mij heeft het een zekere betekenis, die hele tabaksbusiness, en het ligt dicht bij de paradox van de beschaving. Dat die in wezen giftige stof de basis vormde van een levenswijze die zoveel aantrekkelijke kanten had—een geritualiseerde gang van de seizoenen, die het land gelijkmatig gekamd achterliet met zijn voren, nadat de stengels waren afgesneden, in de herfst. En dan het spektakel van de tabaksmarkt, met goudgele stapels geurig blad die verkocht werden voor echt nogal aanzienlijke sommen.'

De vrouw van Jim Applewhite was ook afkomstig uit een tabaksfamilie. Ze hadden het laatst over tabak gehad, zei hij; en zijn vrouw had gezegd dat je vroeger, alleen door te kijken naar een bosje tabaksblad, kon zien wie het had gebonden—zo individueel was de werkwijze van de 'hangers'.

'Tabak was een produkt waardoor het Zuiden, in een tijd van nogal ernstig economisch nadeel, contant geld had gekregen uit het hele land, en zelfs uit het buitenland. Geen ander gewas leverde zoveel geld op per hectare en betaalde zo goed voor de moeite die eraan besteed was. In zekere zin moet het feit dat het produkt een soort volkskunst was en niet utilitair, mij hebben aangesproken, als dichter die nog niet wist dat hij dichter zou worden. Het uiteindelijk nut van tabak leek een sociaal gebaar. Van produktie tot consumptie was het stijlvol. De levensstijl is veranderd. Ik geloof niet dat het Zuiden nog zo dringend dit giftige produkt moet leveren.

'Ik zie de tabak als een oudtestamentisch aspect van een voorbije levenswijze, een soort traditionele, conservatieve, zondige wereld, een wereld die gebrandmerkt is door erfzonde, waarvan tabak een soort symbool was.'

Ik vroeg of mensen uit zijn familie rookten.

'Vader rookte wat. Niet veel. Dat hoort ook bij die paradox. De arbeiders rookten meestal wel. Twee van de deelpachters die in mijn tijd op de familiefarm werkten, zijn aan longkanker gestorven.'

Die sterfgevallen zaten hem hoog. Hij had daar met nadruk over gepraat toen we elkaar de eerste keer hadden ontmoet, haast nog terwijl hij me het veld met de rijpende tabak langs de oude weg naar Chapel Hill had laten zien. Maar, zoals steeds bij hem, had het vergif nog een andere kant.

'Je kunt redeneren dat elke geslaagde agrarische economie de meeste aspecten van de tabaksteelt vertoont. Wat andere produkten niet hebben is die kwaliteit van handwerk, van gesorteerde, aromatische, op de veiling verkochte produkten. De kwestie van de kwaliteit, zoals die bepaald werd door kleur, geur en smaak, was essentieel voor tabak. Wijn kent zijn speciale gebieden, en dat geldt in zekere zin ook voor tabak. Tabak heeft ook zijn speciale gebieden.'

Hij zei dat er in zijn huis iets was dat hij me had willen laten zien, maar hij was het vergeten. 'De wandplanken van een tabaksschuur van mijn familiefarm zitten in mijn zitkamer. En de balken aan het plafond waren vroeger palen in de schuur.'

Maar ik had de planken tegen de achterwand gezien, brede planken, diagonaal geplaatst.

Hij zei dat ze van grenehout waren, en zo hard waren geworden van de jaren van hitte tijdens het droogproces, dat hij een elektrische boormachine had moeten gebruiken om er spijkers in te slaan.

'De industrie is andere eisen gaan stellen toen de filtersigaretten opkwamen. De klassieke sigaret had geen filter, Lucky Strike, Chesterfield, Old Gold. Voor dat soort sigaretten wilden de maatschappijen de mooiste tabak, de mooiste, citroengele, "brightleaf"-tabak. Toen de filters kwamen, wilden ze een zwaarder soort tabak, minder licht van kleur, niet zo'n goede kwaliteit. Dus toen was het niet meer zo belangrijk om de lichtste "brightleaf" te telen. De hele produktiewijze is teruggelopen door veranderingen in de vraag en het ergst door wijzigingen in de teelt. Ze gebruiken chemische stoffen om uitlopers tegen te gaan en om kunstmatig het gewicht per blad te verhogen. Die stof heet MH 30. Die is ontwikkeld in North Carolina. Mechanisch verbouwde tabak geeft natuurlijk niet zoveel mensen te eten. Vroeger onderhield de tabaksteelt hele streken. Dat was de belangrijkste bron van inkomsten voor de afstammelingen van slaven, voor blanke boeren zonder eigen land en voor de landeigenaars. Tegenwoordig is er gewoon zoveel meer geld, en de tabak is niet meer zo belangrijk.'

Zijn verleden was min of meer opgeheven. Maar het was dat verleden geweest dat hem oog had gegeven voor het landschap waar hij in woonde—hoewel geen landschap het kon halen bij het eerste.

'Ik kan nu schrijven over het landschap van Durham County. Maar ik besef dat dat gedeeltelijk kan omdat het landschap voor mijn fantasie historisch is gemaakt door de tekenen die ik daar nog zie van een oudere agrarische economie, voordat het land weer door bomen werd overdekt.

'Als je een veld in het Zuiden met rust laat, wordt het overwoekerd door bezemzegge, en na een paar jaar schieten hier en daar pijnbomen op tussen de zegge. Na twintig of dertig jaar is het weer bosland.' Daarna groeiden hardhoutbomen in de beschutting van de pijnbomen; en vervolgens doodden de hardhoutbomen de pijnbomen. Hij woonde in een landschap van bos dat daar opnieuw was gegroeid, de afgelopen tachtig tot honderd jaar. 'Maar hier en daar vind je nog de oude voren van de farms, als golfjes in een baai, bevroren door de tijd. Dat zijn de voren van de laatste oogst van een farmer, misschien geplant in de vorige eeuw of in het begin van deze eeuw. En diep tussen de bomen zie je omgevallen schoorstenen, er zijn plekken waar in de lente nog steeds narcissen terugkomen, waar vroeger de tuin van het huis was. Een paar oude grafstenen, hier en daar. Een paar beuken waar namen en data nog leesbaar in de schors zijn gesneden, in 1908 of 1911 of 1914. Dat is zo ongeveer de periode van het begin van de veranderingen waarover we het hebben gehad – elektrificatie, wegen, auto's.'

Elke fase van de geschiedenis gemarkeerd door kleine ruïnes, een landschap vol kleine ruïnes – dat was mijn eerste impressie van het Zuiden geweest toen ik met Pasen hierheen was gekomen met Howard, om de plaats te zien die voor hem thuis was, niet ver hiervandaan.

Jim Applewhite zei: 'Het landschap van het oosten van North Carolina is voor mij altijd een soort landschap van het verleden geweest. In mijn eigen leven was er al die dichotomie tussen mijn vader en mijn grootvader. Mijn grootvader was geboren op die farm uit de tijd van de Burgeroorlog, en hij was voor mij altijd verbonden met de agrarische economie. Mijn vader had een benzinepomp en geloofde in vooruitgang en heeft een paar jaar elektrische apparaten verkocht. Hij had altijd haast. Mijn grootvader had nooit haast.

'We gingen naar mijn grootvaders huis – vlak tegenover ons huis – voor de rituele feesten die het jaar van de farmer markeerden. Mijn grootvader vertegenwoordigde een soort bestendigheid voor mij. Hij had een pakhuis – daar werd het vlees geconserveerd. Daar werden hammen en bouten gerookt. En ze deden prachtige dingen, zoals vet uitsmelten, worst maken. Heel zwaar werk. Maar geformaliseerd, omdat de mensen rechtstreeks in contact stonden met de noodzaak die hen dwong te doen wat ze deden. De varkens moesten op een heel koude dag in de winter worden geslacht. Anders bedierf het vlees. Maïs en bonen moesten worden ingemaakt wanneer ze rijp waren, anders bleven ze niet goed.'

'Canning
In kitchens with pots large as vats
Wrinkled aprons and skins with the steam.

Pigs were strung up from timbers in December.
Their blood steamed like ghosts in the cold.'

'Je hebt van die romantische gedachten, maar als je ernaar gaat
kijken, blijkt het geen bedenksel. Het bestaat echt. Op een halve
kilometer van die farm van mijn grootvader ligt een begraafplaats, en daar zijn de ouders van mijn grootouders begraven,
samen met een paar andere mensen.'

Men denkt dat het woord 'tabak' komt van Tobago, het zuster-
eiland van Trinidad. En voordat 'Virginia' in Engeland het
woord voor tabak werd, heette tabak soms 'Trinidado', naar het
eiland Trinidad dat deel had uitgemaakt van het Spaanse imperium sinds het in 1498 door Columbus was ontdekt. Tabak was
een inheems gewas dat door Indianen werd verbouwd. Na de
ontdekking en plundering van Mexico in 1519 en 1520 en van
Peru vijftien jaar later, waren de Spanjaarden echter alleen nog
geïnteresseerd geweest in goud en zilver; ze waren niet geïnteresseerd in tabak. Het waren de Engelsen en de Hollanders en
de Fransen die naar Trinidad gingen om hun schepen vol te laden met tabak. In de zestiende en zeventiende eeuw waren er
zelden meer dan vijftig Spanjaarden tegelijkertijd op Trinidad.

De Golf van Paria, tussen Trinidad en Venezuela, een uitgestrekte veilige haven, lag bijna altijd vol buitenlandse schepen.
Een Engelse ontdekkingsreiziger en diplomaat, sir Thomas Roe
(die later als vertegenwoordiger van koning Jacobus naar het hof
van de Mogols in Agra in India is gegaan), is eens in de Golf van
Paria geweest en zag daar vijftien Engelse, Franse en Hollandse
schepen liggen die 'rook laadden'. Een andere Engelse ambtenaar rapporteerde dat de tabakshandel mettertijd weleens meer
waard zou kunnen worden dan al het Spaanse goud en zilver uit
Noord- en Zuid-Amerika.

De handel was echter illegaal – al werd de tabaksteelt op Trinidad oogluikend toegestaan door de Spaanse gouverneur. Onder het Spaanse recht kon alleen Spanje handel drijven met een
Spaanse kolonie. In de Golf van Paria viel de Spaanse marine
af en toe buitenlandse schepen aan; en buitenlandse kapiteins

en zeelieden die gevangen werden genomen, konden ter plekke worden opgehangen. En de Indiaanse tabaksvelden werden met de grond gelijk gemaakt – terwijl tabak als gewas zoveel zorg nodig had, zoals ik nu in North Carolina had gezien; op deze manier is over een periode van driehonderd jaar zowel de inheemse Indianenbevolking als de tabak op Trinidad uitgeroeid.

Het eiland dat de Britten veroverden in 1797 (zonder dat er een schot viel), was een slavenkolonie waar suikerriet werd verbouwd. En om de suikerrietplantages te bewerken zijn, zo'n dertig jaar na de afschaffing van de slavernij in het Britse imperium in 1833, Indiërs als contractarbeiders daarheen overgebracht uit India. Het was het suikerriet geweest dat een ritme had gegeven aan het leven van de plattelandsgemeenschappen van Indiërs. Tabak werd op het eiland niet meer verbouwd.

Ik zou als kind ongelovig en verrukt hebben gereageerd als men mij had verteld dat Trinidad ooit beroemd was geweest om de tabak. Voor mij was tabak iets heel bijzonders en onbekends, uit Engeland (in waanzinnig luxueuze, luchtdichte blikjes) of Amerika (in zachte, geurige pakjes met cellofaan eromheen), iets uit een advertentie in *Life*.

Ze had een naamplaatje op haar blouse: *Paula*, wit op zwart plastic; het trok de aandacht en maakte dat je opmerkte dat ze bijna geen boezem had. Ze was dienster in een van de welvarende stadjes in de Research Triangle, in een vrij nieuwe 'gourmet'-bar waar salades en quiche werden geserveerd.

Ze zei: 'Wilt u een cocktail of iets anders drinken voor de lunch?' Het was een formaliteit. Zoals zij het uitsprak had het niets uitnodigends. Ze leek even weinig enthousiasme voor dergelijke dingen te voelen als ik, na al die maanden van restaurants en hotels. 'Ik zal u vertellen wat onze specialiteiten zijn,' en mechanisch noemde ze de specialiteiten op.

In het begin van deze reis, gedurende de eerste maand, had ik geglimlacht bij zo'n opsomming: het maakte een ironische indruk, een soort grap die de dienster en de klant deelden. Maar het was altijd doodernstig bedoeld; het personeel deed, vaak hardnekkig, wat was opgedragen.

Paula kwam aan het eind van haar verplichte opsomming. Toen kwam er, onverwacht, leven in haar stem. Ze zei: 'Ik ga hier vandaag weg.'

'Weg bij het restaurant?'

'Na deze dienst. Ik ga hier weg. Uit de stad. Ik ga naar Wilmington. Morgen.'

'Hebt u al gepakt? U hebt niet veel tijd meer.'

'Ik gooi het allemaal wel in de Chevvy. Zo'n kleine tweepersoonsauto. Een soort Pinto.'

'U neemt geen U-Haul-aanhanger mee?'

'Ik heb al een maand lang van alles weggegooid. Je gooit dingen weg, en dan merk je dat je nog steeds dingen hebt die je wilt weggooien.'

'Denkt u echt dat het allemaal in de Chevvy kan?' Het was een van mijn aanhoudende kleine bezorgdheden geworden op mijn reizen en bij mijn leven in hotels: opbellen voor de kruier, de kluis leeghalen, inladen, me afvragen of alles erin zat, of er ginds een portier zou zijn om me te helpen met al die dingen: zoveel boeken en papieren en mappen en bloknoots nu, zoveel kleine tassen en zakken.

Ze zei: 'Ach, weet u, mijn man en ik hebben een maand geleden ruzie gehad. En hij heeft de helft meegenomen, en ik bleef met zo'n beetje de andere helft zitten. Maar God heeft me de kracht gegeven om me daar doorheen te slaan.'

'Wat gaat u doen in Wilmington?'

'Daar is Peter. Ik ga bij hem wonen.'

'Uw man?'

'God heeft het wonder verricht. Ik zal u de salade brengen.'

Toen ze de salade bracht, zei ik: 'De mensen van U-Haul hebben een filiaal hier. Dat heb ik gisteren gezien.'

'We hebben al zoveel rekeningen. Die wil ik eerst afbetalen. Het kan allemaal best in de Chevvy.'

'Aha, rekeningen.'

'Dat was een van de dingen waarover we altijd ruzie hadden. Sommige betaalde hij. En andere weigerde hij te betalen.'

'Waarom?'

'Precies. Hij zei dat hij gered was. Net als ik.'

'Bent u gered?'

Haar stem beefde. 'O ja. Maar hij is eigenlijk niet gegroeid. Gegroeid in Jezus, zoals dat heet.' Dat laatste zinnetje, en de toon waarop ze sprak, deed me denken dat ze een beetje spotte met de kwestie, of een zekere afstandelijkheid bewaarde. Maar net als met de specialiteiten was ze volkomen serieus.

Ze droeg goedkope jeans, van een helder, fabrieksfris blauw. Haar lichaam onder de zware blauwe stof was mager. Ze was zwaar opgemaakt in Zuidelijke stijl, roze wangen onder een grote bril met getinte glazen, en boven een mager, bleek nekje. Een versleten vrouwtje met een boers accent; alle zwakte en alle vechtkracht, de wil tot overleven, in dat kleine lijfje.

Ze bracht de quiche, die oudbakken en vochtig was, en er flets uitzag door het lange staan.

Ze zei: 'We maakten altijd ruzie. Elke dag. We maakten ruzie en dan wilde hij weg en dan smeekte ik hem te blijven.'

'Was u lang getrouwd?'

'Drie jaar.'

'Dacht u niet dat u een ander zou vinden?'

'Ik was bang om alleen te zijn. Maar God heeft me deze keer de kracht gegeven. Ik heb niet gevraagd of hij bleef. Ik heb hem laten gaan. En toen heeft God het wonder verricht, in allebei onze harten.'

'Hoe bent u gered?'

'Gewoon, het is gebeurd.'

'Was er een pastor bij? Of volgde u de een of andere predikant?'

'Nee, zoiets was het niet. Ik voelde al een paar jaar dat ik iets moest doen. Ik voelde dat als ik niet iets deed –'

'Dat u dan ongelukkig zou zijn met uzelf?'

'Ongelukkig-er. Maar ik had het gevoel dat de God van de aarde of het heelal of wat dan ook niet geïnteresseerd kon zijn in zo'n onbelangrijk wezen als ik. En ik deed niets.'

'En niemand die u raad kon geven?' Veel van de woorden die ze gebruikte leken haar in de mond gelegd door iemand die alles afwist van het redden van zielen.

'Er was een dominee.' Ze noemde de naam van een fundamentalistische protestantse kerk. 'En op een dag weet ik niet wat er over me kwam – ik liep naar het altaar tijdens een dienst, en ik zei iets, ik weet niet wat, en ik wist dat ik gered was. Ik voelde gewoon de liefde des Heren in me. En daarna heb ik Peter ont-moet.'

'Was hij toen al gered?'

'Hij is later gered. Toen ik het hem vertelde. Maar Satan pro-beerde me te verleiden met een vroegere vriend.'

'Nadat u getrouwd was?'

'Nadat ik getrouwd was. Dat was toen Peter weigerde reke-ningen te betalen en moeilijk begon te doen over het betalen van tienden. En helemaal moeilijk begon te doen. En toen hadden we almaar ruzie.'

'Bent u bezweken toen Satan u verleidde?'

'Alleen in mijn hoofd.'

'Hebt u die vroegere vriend ontmoet?'

'Nee, nooit. Hij was niet in me geïnteresseerd. Hij had me nooit willen hebben. Dat was het probleem.'

'Wat was zo aantrekkelijk aan die vroegere vriend?'

'Dat kan ik niet zeggen. Ik weet het niet. Het was er gewoon, de verleiding door Satan.'

'Ik kan wel begrijpen dat uw man ongelukkig was.'

'Ik verwijt Peter niets. Maar de tienden en de rekeningen, en vooral die tienden – dat had nergens wat mee te maken. Maar God heeft me vorige maand de kracht gegeven, toen hij vertrok. Ik ben niet voor hem neergevallen met mijn armen om zijn knieën en ik heb niet gesmeekt of hij wilde blijven. Ik had ge-woon de kracht. Ik wist niet wat ik zou gaan doen, wat er met me zou gebeuren. Ik voelde gewoon de kracht die God me had gege-ven. En nu is het allemaal in orde.'

'Hoe vaak bidt u?'

'Elke ochtend. Een minuut of twintig.'

'Praat u met God in uw hoofd? Vindt u dat u iets met uw li-chaam moet doen? Knielt u?'

'Soms praat ik met God in mijn hoofd. Soms praat ik hardop met Hem.'

'Geniet u ervan?'

'Nou en of. En mijn gebeden worden verhoord. Bijvoorbeeld dat Peter en ik weer bij elkaar komen. Dat komt door het bidden. Dat komt door God. Maar Hij verhoort gebeden alleen als ze overeenkomstig Zijn wil zijn.'

'Hoe weet u of ze overeenkomstig Zijn wil zijn?'

'Ik bad vroeger dat ik mijn vroegere vriend zou krijgen. Maar dat was niet overeenkomstig Gods wil.'

'Wanneer hebt u gebeden dat u uw vroegere vriend zou krijgen? Nadat u gered was?'

'Nadat ik gered was.' Ze glimlachte omdat ze dat zomaar durfde te zeggen.

'Houdt u nu van uw man?'

'Daarom ga ik naar hem toe. Ik hou van hem. Ik hou van hem. God heeft het wonder verricht in allebei onze harten.'

'En uw vroegere vriend?'

'Die heb ik vergeven.'

Ze had ook kunnen zeggen dat ze hem had vergeten.

Satan en God die vochten om Paula's ziel, Paula zelf niet verantwoordelijk voor haar hartstochten, hulpeloos, alleen in staat te kiezen voor redding en God te vragen Zijn wil te openbaren: een middeleeuwse gedachte van chaos, en de eenzaamheid en hulpeloosheid van mensen, en de noodzakelijkheid van redding. Maar dit speelde zich niet af in een middeleeuwse wereld met pest en ziekten en ontberingen, de willekeur van de vorst en de nederigheid van de armen. We waren in een stadje in de Research Triangle; en deze cultuur draaide om overvloed en keuze, de opperheerschappij van het individu (al was het maar als consument), met schoonheid en luxe en sensuele bevrediging als directe mogelijkheid voor allen.

Overvloed en keuze was zelfs het motief van dit kleine restaurant, waar heel grote kleurenfoto's van broden en korenaren en onbevingerde glazen met doorschijnende rode wijn aan de wand hingen, en waar Paula zelfs op haar laatste dag plichtsgetrouw de specialiteiten opsomde.

'Hoe oud bent u?'

'Tweeëndertig.'

'Ik dacht dat u veel jonger was.'

En dat was zo. De oranje draad die in de richting van het kruis van haar blue jeans zigzagde, was niet zozeer een erotisch trekje, maar eerder de poging van een beginneling om modieus te zijn, een teken van de onervaren zwakheid van het lichaam eronder – het lichaam dat eigenlijk het kapitaal en de handicap was van deze tweeëndertigjarige vrouw. De grote getinte bril verborg haar ogen; en onder die bril verborg de dikke, schuins aangebrachte, Zuidelijke make-up de huid van haar wangen. Het was of ze zich vermomd had.

Ze zei, zoals men dat doet in het Zuiden: '*Dank u!* Dank u. Toen ik in de problemen zat, zag ik er veel ouder uit. Ik leek naar niks.'

Ik had Jim Applewhite gevraagd of de mensen op het platteland, vroeger, zich niet verloren hadden gevoeld. Hij had gezegd: 'De mensen hier voelden zich inderdaad verloren. Het gevoel dat ze een leven moesten ontwikkelen dat zijn eigen regelmaat had, zijn eigen formaliteiten – dat was een van de redenen waarom het geloof zo invloedrijk was.'

Naar het oosten was het een land met kleine farms, nooit echt platteland, geen grote steden. De maïs stond hoog en bruin op de velden. De grote, dikke bladeren van de tabak, die nu snel rijpten, waren citroengeel; en voor mij was het alsof ik, nu ik iets over het gewas te weten was gekomen, geleerd had de schoonheid ervan te zien: citroengeel, goudgeel, 'brightleaf', tegen het bruin en groen van andere velden: het groen van aardappels of sojabonen, lage planten, gespikkeld met de witte en paarse bloemen waarvan Jim Applewhite me later vertelde dat het de bloemen van haagwinde waren.

Overal stonden oude tabaksschuren, hoge, vierkante, dichte gebouwen, soms bekleed met een soort groen vilt aan de buitenkant, vilt dat (oorspronkelijk bedoeld om de schuur extra af te dichten, en nu op allerlei plaatsen gescheurd) op zijn plaats werd gehouden door dicht bijeen geplaatste verticale latten. Latten en gescheurd vilt wekten soms, uit de verte, de indruk dat een oude schuur tot op de draad was versleten. Onkruid en kleine bomen groeiden tot vlak bij de verlaten huizen en boerderijen; klimplanten bedekten schoorstenen; rode en witte kattestaart gaf aàn waar vroeger opritten en oude tuinen waren geweest.

Kleine akkers, kleine huizen, kleine ruïnes, kerken, kleine plaatsjes; de autowegen van het centrale deel van de staat weken voor volle en gevaarlijke tweebaanswegen—het land vertelde over de aard van de mensen, onafhankelijke kleine boeren, conservatief of fundamentalistisch in hun geloof, en conservatief in de politiek.

Ik had gehoord dat de politiek in deze streek 'tabakspolitiek' was, de politiek van kleine boeren, waarbij een belofte van handhaving van subsidie voor tabakstelers op de een of andere manier kon worden uitgelegd als een belofte om de zwarten op hun plaats te houden.

Dominee James Abrahamson echter, pastor van de Bible Church in Chapel Hill, was van mening dat het dom was het conservatisme van het oosten van North Carolina belachelijk te maken of te bagatelliseren.

Hij zei: 'De fundamentalistische politieke impuls is hier altijd geweest. Vanaf de jaren dertig zijn die opvattingen grotendeels onderdrukt omdat ze niet gesteund werden door de universiteiten. Ideologisch gesproken hebben de universiteiten hun boeltje gepakt en zijn ze naar de andere kant verhuisd. Ideologisch gesproken zijn ze overgestapt van een wereldvisie met een christelijke God naar het standpunt dat ze alleen een werkelijkheid erkenden die materieel was, meetbaar en wetenschappelijk te onderzoeken. Ze kruipen weer uit hun schulp—de fundamentalisten—omdat ze de druk van een seculiere maatschappij hebben gezien of gevoeld.

'Die conservatieve kant van het oosten van North Carolina wordt door velen beschouwd als "redneck" en afgezaagd. Onverantwoordelijk, fanatiek bijna. Onontwikkeld, met een tekort aan wat ik de drie I's noem—intelligentie, informatie en integriteit. Maar zij hebben een sterker argument in handen. Het is gemakkelijk om ze uit te lachen, en populair zullen ze nooit zijn. Misschien vernietigt onze beschaving zichzelf voordat zij de kans krijgen duidelijk uit te spreken dat zij voor gezond verstand pleiten – voor een beschaving die gebaseerd is op méér dan het ik en het materialisme.'

Jim Abrahamson – zo noemde hij zich wanneer hij de telefoon aannam – kwam uit het Midden-Westen. Hij was zelf een fundamentalist, en hij had de indruk dat zijn Bible Church voorzag in een behoefte in Chapel Hill. Hij had een aantal gepromoveerde academici in zijn gemeente; en zijn kerk groeide nog steeds. Er werd gewerkt aan een grote verbouwing toen ik hem bezocht. De Amerikaanse maatschappij, zei hij, was op een godsdienstig fundament gebouwd. Die kon niet in de lucht zweven. Uit een recente enquête was gebleken dat één op de drie Amerikanen een wedergeboren christen was. 'En dat zijn er heel wat.'

Maar hij had wel aanmerkingen op de fundamentalisten van North Carolina.

'Ik geloof dat er krachtige en rechtmatige en bijna eeuwige beginselen zijn die telkens en telkens weer optreden. Maar de mensen die voor die beginselen strijden, weten ze niet op een smakelijke manier onder woorden te brengen. "Religieus Rechts" schijnt niets te begrijpen van de wereldvisie die de linksen of de ongodsdienstige intelligentsia aanhangen. Ze zijn geneigd hen af te doen als God-haters of heidenen. En het kost ze moeite religieuze idealen te vertalen in politieke termen.'

Dat was ook het probleem van de islam – aangezien de islamitische staat nooit gedefinieerd is door de profeet – en het was de drijfveer van het fundamentalisme in veel landen: hoe kon men de waarheid kennen en zijn ziel behouden in een tijd van grote veranderingen.

Het was vreemd dat in een achtergebleven uithoek van de Verenigde Staten – die misschien de motor van verandering voor de gehele wereld was – diezelfde kwestie aan de orde was, diezelfde behoefte aan geborgenheid.

Niemand voelde zich méér geborgen in zijn geloof en in zijn politiek dan Barry McCarty. Politiek en geloof vormden voor hem een eenheid. Hij was pas drieëndertig, maar hij had al enige indruk gemaakt, en mensen die de politiek van de staat volgden, zagen hem als iemand van de nieuwe generatie van Nieuw-

Rechtse leiders, iemand wiens tijd over tien of vijftien jaar zou komen.

Hij had een opleiding gehad in theologie en retorica. (Precies zoals veel fundamentalistische leiders in islamitische landen zijn opgeleid: alweer die merkwaardige convergentie van twee tegengestelde beschavingen.) Hij had eerst een graad in bijbelkennis behaald op Roanoke Bible College in 1975; had doctoraal gedaan in voordracht en retorica aan Abilene Christian University in 1977; en was in 1980 gepromoveerd in retorica en argumentatie aan de University of Pittsburgh. Sinds 1980 was hij hoogleraar in 'Public Speaking and Debate' op zijn oude *college*, Roanoke Bible College.

Het *college* was een instelling van de Church of Christ. Het lag in Elizabeth City, een stadje ver in het oosten, aan de kust, bijna driehonderd kilometer van Raleigh en de aangelegde 'pinelands' van de Research Triangle.

Aan de overkant van de rivier de Chowan werd het land, dat al zonder enige heuvel of verhevenheid was geweest, geheel vlak, een deltagebied, onder een hoge hemel. Albemarle Sound (mij tot dat moment onbekend, zelfs van naam) gaf een grootse, continentale indruk van de kust van North Carolina, waardoor ik het half betreurde dat ik dit niet eerder had leren kennen en het verlangen kreeg terug te komen om een dag te verkeren in die openheid. Het was een van die streken waar je je gemakkelijk kon voorstellen met wat voor opwinding de eerste ontdekkingsreizigers voet aan wal hadden gezet in wat waarlijk een nieuwe wereld was.

De werkkamer van Barry McCarty was een kleine kamer op de bovenverdieping van een houten gebouw van rond de eeuwwisseling. Er hingen ingelijste gesigneerde kleurenfoto's van president Reagan en senator Jesse Helms aan de ene wand. Onder die foto's, en eveneens ingelijst, hingen de verschillende toegangsbewijzen van Barry McCarty als afgevaardigde bij de Republikeinse conventie van 1984 in Dallas. De schatten van een jonge politicus. Hij wees me ook op een vlag die tegen een andere wand uitgespreid hing; een vlag met twee rode banen en één witte, en zeven sterren in een kring, tegen een blauwe achtergrond. Hij vroeg of ik die vlag kende. Hij zei dat de zeven sterren een aanknopingspunt waren. Hij zei dat het de 'Stars and Bars' was, de eerste vlag van de Confederatie.

Hij was een kleine, stevig gebouwde man, koel, beheerst, met een roze gezicht en een bril. Hij zag er heel helder en keurig uit met zijn boord en das, even netjes als zijn werkkamer, zijn boekenplanken, zijn foto's, zijn kaartenbakken. Hij zag eruit als iemand met een vrij beroep, uit de middenklasse van een klein stadje; niet als een politicus, niet als iemand die graag indruk wilde maken.

Hij vereerde Jesse Helms. Over de telefoon, toen hij geprobeerd had me te overreden de driehonderd kilometer naar Elizabeth City af te leggen, had hij gezegd (alsof dat een voldoende beloning zou vormen): 'We zijn hier Jesse-craten.'

Ik vroeg hem nu wat een Jesse-craat was.

Hij zei: 'Dat is een conservatieve Democraat uit North Carolina die voor Jesse Helms stemt, en voor mensen als Jesse Helms. Ze vertegenwoordigen de conservatieve waarden van het oude Zuiden. Vertrouwen op God. Een zeker geloof in beperkte overheidsmacht. Een geloof in vrij ondernemerschap. Individuele vrijheid en individuele verantwoordelijkheid – twee denkbeelden die samengaan.'

En binnen die beginselen vielen al zijn politieke opvattingen, het complete conservatieve program. Hij liet me de tekst zien – getypt op een machine of tekstverwerker, in hoofdletters, met verbeteringen in handschrift – van een toespraak die hij had gehouden ter ere van Jesse Helms bij een diner voor deze senator. De toespraak begon als volgt: 'Het is de grootst mogelijke eer in mijn korte leven dat mij verzocht is u een van de grootste Amerikanen van onze tijd voor te stellen.' En vervolgens was hij heel snel begonnen, tussen lofprijzingen voor de senator en kritiek op diens vijanden door, een beschrijving te geven van het conservatieve program op het gebied van belastingen, bijstand, overheidsuitgaven, onderwijs, communisme; en dat alles had hij in verband gebracht met vrijheid en godsdienst.

In de toespraak was een verhaaltje over de senator verwerkt: 'Ik was een keer in zijn gezelschap toen hij een kamer nam in een hotel. De vrouw aan de balie vroeg de senator of hij een credit card had om te betalen. Hij keek haar aan en zei: "Jongedame, ik draag net zo lief een ratelslang in mijn zak." En hij betaalde contant.'

Was dat nog steeds zo, dat de senator geen credit card had?

Barry McCarty glimlachte. 'Hij heeft er nu wel een. Maar zo denkt iemand die verstandig omgaat met zijn eigen financiën.'

In 1985 had de gouverneur van North Carolina Barry McCarty voor vier jaar benoemd tot voorzitter van de 'Social Services Commission' van die staat.

'Wij hebben geprobeerd "workfare" in te voeren in plaats van "welfare" (bijstand). De grondgedachte is dat bijstandsgerechtigden die in staat zijn te werken, verplicht zijn te werken om hun uitkering te kunnen blijven trekken. Dat hoort bij de arbeidsethiek van het Zuiden.

'U moet bedenken dat de meeste grondleggers van dit land Zuiderlingen zijn geweest. De eerste Engelstalige kolonie in dit land is in 1584 gesticht door sir Walter Raleigh–nog geen negentig kilometer van waar we nu zijn–op Roanoke Island. Die koloniestaat bekend als "de verdwenen kolonie", want Walter Raleigh had de kolonie gesticht, en de volgende keer dat het provisieschip kwam, bleken ze verdwenen.'

(Maar sir Walter Raleigh had ook andere dingen die hem destijds bezig hielden. Hij kreeg belangstelling voor het idee van El Dorado. In 1595 overviel hij het eiland Trinidad met een hele legermacht. Hij doodde het kleine, half uitgehongerde Spaanse garnizoen en nam de Spaanse gouverneur gevangen, een getikte oude militair die zijn fortuin had verspild aan speurtochten naar El Dorado. Raleigh wilde Trinidad als zijn basis voor El Dorado; hij wilde de gevangen Spaanse gouverneur als zijn gids; en hij wilde dat de Indianen van Trinidad en Guyana–in de delta van de Orinoco–zijn bondgenoten werden. Hij nam Indianen mee naar Engeland, om de mensen te bewijzen waar hij was geweest; en in datzelfde jaar, 1595, schreef hij een boek, *The Discovery of the Large, Rich and Beautiful Empire of Guiana*, wat erop leek te wijzen dat hij El Dorado en zijn goudmijnen had ontdekt, zonder dat hij dat met zoveel woorden zei. Hij sprak over een

Engels-Indiaans Zuidamerikaans imperium, Raleana. Maar het kwam tot niets. Hij had de plaatselijke Indianen opgezet tegen de Spanjaarden, maar hij kon niets voor hen doen; ze werden neergeslagen door de Spanjaarden. In 1617, toen hij net zo getikt was als de Spanjaard die hij tweeëntwintig jaar daarvoor gevangen had genomen, werd hij vrijgelaten uit de Tower in Londen om te gaan zoeken naar de goudmijnen in Guyana waarover hij had geschreven–en die hij niet had gezien, en die niet bestonden. Zijn zoon is gestorven bij die frauduleuze expeditie; Raleigh gaf een heel oude vriend de schuld van die ramp en dreef zijn vriend tot zelfmoord. Het is een onsmakelijk verhaal. Maar omdat Raleigh voornamelijk bekend is uit zijn eigen geschriften, blijft hij een romantische, gekostumeerde figuur–en in de Carolina Inn in Chapel Hill hangt een prachtig wandtapijt van hem in historisch kostuum.)

Barry McCarty zei: 'Het land is hier in het Zuiden eigenlijk begonnen. En als u kijkt naar de leidende geesten van de constitutionele overheid in Amerika, ziet u dat veel van hen afkomstig waren uit het Zuiden–Jefferson, Washington, Patrick Henry, Randolph, de Madisons.

'Slavernij was niet de eigenlijke oorzaak van de Oorlog tussen de Staten. In werkelijkheid ging het om de macht van de federale overheid versus die van de staten. Hetzelfde wantrouwen jegens een centrale overheid, dezelfde bezorgdheid over individuele rechten die de eerste stichters ertoe gebracht heeft de "Bill of Rights" te eisen, diezelfde geest heeft eigenlijk de Zuidelijke staten aangespoord zich te verzetten tegen het Noorden in de kwesties die geleid hebben tot de Oorlog tussen de Staten.'

Was dat tegenwoordig nog van belang?

'Wij hebben een man–Jesse Helms–die gelooft dat de macht van de federale overheid strikt beperkt moet worden. De regering die van het meeste belang is voor het individu, zou het dichtst bij hem moeten staan. Hoe verder weg de overheid is, des te minder zou ze te maken moeten hebben met het leven van het individu.'

'Waar hebt u uw hartstocht voor politiek vandaan? Van uw vader, van uw familie?'

'De eerste invloed zou de godsdienst kunnen zijn geweest. De bijbel leert dat overheden nodig zijn om orde en recht te handhaven in de mensenmaatschappij.'

'Staat dat in de bijbel?'

'Romeinen dertien. Waar de apostel Paulus zegt dat overheden het gezag van God hebben.'

(Later, in mijn hotel, las ik dat hoofdstuk in de 'New International Version' van de bijbel. Ik vond dat het veel herhalingen bevatte en erg bezorgd klonk, het werk van een man die heel goed wist hoe machtig het Romeinse rijk was en niet wilde dat zijn kleine groepje vermorzeld werd. Het was meer dan 'Geef de keizer wat des keizers is'; Paulus leek een theologie te hebben bedacht om zijn doel te ondersteunen.

'Ieder mens moet zich onderwerpen aan de overheden die boven hem staan. Want er is geen overheid dan door God, en die er zijn, zijn door God gesteld. Wie zich dus tegen de overheid verzet, wederstaat de instelling Gods, en wie dit doen, zullen een oordeel over zich brengen. Want als iemand goed handelt, behoeft hij niet bevreesd te zijn voor de overheidspersonen, maar wel als hij verkeerd handelt. Wilt gij zonder vrees voor de overheid zijn? Doe het goede, en gij zult lof van haar ontvangen. Zij staat immers in dienst van God, u ten goede. Maar indien gij kwaad doet, wees dan bevreesd, want zij draagt het zwaard niet tevergeefs; zij staat immers in de dienst van God, als toornende wreekster voor hem die kwaad bedrijft. Daarom is het nodig zich te onderwerpen, niet slechts om de toorn, maar ook om des gewetens wil. Daarom brengt gij toch ook belastingen op...'

De brief kon gebruikt worden om alles te verdedigen. De interpretatie van Barry McCarty, die de zaak binnenstebuiten leek te keren ('Overheden zijn nodig om orde en recht te handhaven') was de interpretatie van een gelovige. Al leek die oproep om belasting te betalen strijdig met enkele van zijn politieke overtuigingen als Jesse-craat. Men zou zelfs kunnen zeggen dat dat hele hoofdstuk strijdig was met zijn denkbeelden over de overheid. Maar ik heb het pas later gelezen. Ik kon de kwestie niet aan de orde stellen terwijl ik met Barry McCarty praatte.)

Hij zei, verder sprekend over Romeinen dertien: 'Dat lijkt erop te wijzen dat de eerste functie van de overheid is dat ze orde sticht, overtreders bestraft.' Hij vervolgde: 'Maar nergens in de bijbel worden zaken als liefdadigheid opgedragen als taak van de overheid. Ze worden zeer bepaald wel opgedragen als taak van het individu, maar nooit van de overheid. Dus heb ik een persoonlijke verplichting de armen te eten te geven, te huisvesten en te kleden.'

'U?'

'Ja. De armen die ik kan helpen. Er is een andere bijbelse overtuiging die mijn hartstochtelijk verlangen naar strikt constitutioneel bestuur heeft beïnvloed. De bijbel leert dat wij zondige schepselen zijn, dat de mens van nature zondig is. De manier waarop constitutioneel bestuur dat kan verhelpen is door de collectieve macht van de mens in te tomen en in evenwicht te brengen. Ik geloof dat het fundamentele verschil tussen de liberalen en de conservatieven is dat de liberalen geloven in de volmaakbaarheid van de mens, en de conservatieven niet.

'Conservatieven geloven dat de mens een zondig schepsel is en dat de collectieve macht van de mens moet worden ingetoomd en in evenwicht gebracht. Kijkt u maar eens naar de uitgaven voor sociale zaken in dit land. Zij geloven–de liberalen geloven–dat ze, als ze de juiste mensen maar genoeg geld geven, de armoede zullen uitbannen. Ik denk niet dat dat ooit zal gebeuren. Wat er zal gebeuren is dat de mensen die alle macht en alle geld hebben, koning worden, en omdat ze mensen zijn, hoe dan ook zondige mensen, zullen ze een manier vinden om dat geld en die macht te misbruiken.

'Ik trek de moraliteit van het federale bijstandsstelsel in twijfel. Als u hongerig bent, en ik neem u mee naar huis en geef u te eten, dan is dat liefdadigheid, want ik heb gekozen om liefdadig op te treden tegenover u. Maar wanneer de federale overheid mij met toestemming van de wet leegplundert via de belastingen om geld aan u te kunnen geven, dan beschouw ik dat als immoreel.'

Hij was tot dat moment niet geïnteresseerd geweest in het beantwoorden van persoonlijke vragen. Hij had geen persoonlijke draai gegeven aan zijn denkbeelden. Ik had dus geen begrip kunnen opbrengen voor wat hem in politiek opzicht dreef. Nu probeerde ik het nogmaals. Ik wist dat hij niet in North Carolina was geboren, maar uit Atlanta afkomstig was. Ik vroeg naar zijn achtergronden.

Hij gaf geen rechtstreeks antwoord. Hij zei dat hij een bijgewerkte biografische schets in zijn tekstverwerker had. En hij zei, met een glimlachje en hoofdschuddend, hoe vreemd het was dat iemand als hij werkte met een tekstverwerker, maar hij ging voor het apparaat zitten, drukte een paar toetsen in en overhandigde me even later een geprinte tekst. Het was een formeel verhaal, een verslag van zijn opleiding en zijn ervaringen, zijn politieke leven en zijn loopbaan als predikant in de Church of Christ.

Ik legde het vel papier bij de andere die hij me had gegeven en vroeg wat zijn vader deed.

'Mijn vader was brandweerman. In de Tweede Wereldoorlog heeft hij dienst gedaan in de u.s. Navy, en gedurende de eerste elf jaar van mijn leven was hij brandbestrijder in East Point, Georgia—een voorstad van Atlanta. En tot 1981, het jaar van zijn dood, was hij veiligheidstechnicus bij een verzekeringsmaatschappij.

'Ik was twee weken oud toen ik voor het eerst in de kerk kwam. Ik ben opgegroeid in de Church of Christ. Ik ben afkomstig uit de stroming in die kerk die wel muziek gebruikt bij de eredienst. Onze mensen hebben niet de calvinistische overtuiging dat je een of ander wonderbaarlijk teken moet zien om een christen te worden. Onze benadering is meer rationeel.'

'Had u ook van die kampeerweekends?'

'Ik heb als jongen "Christian service camps" bijgewoond.'

'Iemand heeft me verteld dat hij die kampen saai vond.'

'Een paar van mijn beste herinneringen en jeugdvriendschappen dateren van mijn ervaringen in christelijke kampen.'

Hij was naar Roanoke Bible College gekomen toen hij achttien was. Hij was de eerste in zijn familie die naar *college* ging; en de studie die hij had gekozen, was als een verlengstuk van het geloof van zijn familie. Hij was trots op zijn doctorstitel van de University of Pittsburgh. Toen ik hem vroeg naar de vakken die hij daarvoor had bestudeerd – 'retorica en argumentatie' – zei hij: 'Ik voelde me aangetrokken tot de fundamentele vaardigheden van denken en spreken. Dat zijn twee sleutels tot alle streven in het leven.'

Ik vertelde hem wat ik in Nashville had gezien van de Church of Christ. Had hij twijfels, zoals twee van de mensen die ik had gesproken?

'Ik heb gemerkt dat ik elke keer als ik mijn geloof in twijfel trok, steeds in staat was te constateren dat het bewijsmateriaal mijn geloof eerder bevestigde dan ontkende. Ik geloof niet dat ik ooit een geloofscrisis heb doorgemaakt. Het is mijn leven lang een groeiproces geweest. Naarmate ik meer over natuurwetenschap leerde, is de wereld een steeds complexer en ingewikkelder verschijnsel gebleken, en dat bevestigt mijn geloof.'

Had hij het gevoel dat de kerk te veel eisen stelde aan de mensen?

'Wij leven in een seculiere maatschappij, en ware toewijding aan het christendom wordt steeds moeilijker. Ik geloof echter niet dat die opmerking gebruikt kan worden om te bewijzen dat het christendom waar is.'

Ik vroeg hoe groot de Church of Christ daar in de omgeving was.

'De beweging is in het begin van de negentiende eeuw op gang gekomen, door de inspanningen van een Schotse presbyteriaanse predikant, Alexander Campbell. Campbell zei dat hij alleen maar christen wilde zijn. Campbell woonde in West Virginia. Vandaar heeft de beweging zich naar het westen en zuiden verspreid.' Dus was het nog een vrij jonge kerk in North Carolina. Het *college* van de Church of Christ was in 1948 gesticht in Elizabeth City. 'Om te voorzien in predikanten en christelijke leiders aan de oostkust.'

Het was een indrukwekkend groepje gebouwen; het terrein besloeg twee woonblokken in wat volgens Barry McCarty het plezierigste deel van het stadje was. De meeste gebouwen waren houten huizen van rond de eeuwwisseling. Het *college* had ook zeven hectare aan de overkant van de weg gekocht, langs de rivier de Pasquotank. Dat was een Indiaans woord, zei Barry

McCarty, en betekende 'waar de stroom zich verdeelt'. De manier waarop hij dat zei gaf mij de indruk dat hij bepaalde romantische gevoelens had over het Indiaanse verleden van deze fraaie kust. Maar dat was niet zo; hij had dat van de Pasquotank uit *The North Carolina Manual*. Onlangs had men twee studentenhuizen, van baksteen, gebouwd op het land langs de Pasquotank. Het *college* had nu honderdzestig studenten. Over vijf jaar hoopte het er tweehonderd te hebben.

Zijn hele beroepsleven had met godsdienstige en aanverwante zaken te maken gehad, en hij had dat niet saai gevonden.

'Ik vind het christelijke leven een avontuur. God leren kennen en samenwerken om Hem aan anderen bekend te maken is de grootste speurtocht die een mens kan ondernemen. Ik zou zeggen dat mijn opvattingen strenger zijn dan van de meeste mensen. Dat wil ik wel toegeven.'

Ik vroeg of hij de mensen van deze streek wilde beschrijven.

'De meeste mensen hier zijn heel traditioneel en heel conservatief. Voor het merendeel van Europese afkomst.'

'Schotten? Dat heeft men me verteld.'

'Geen Schotten. De meesten gaan niet zo ver terug in hun herinnering. Ze zijn heel Amerikaans. Zuiderlingen. Een van de kreten die u misschien zult horen, of zien op een sticker op een autobumper, is "Amerikaan van geboorte, Zuiderling door de genade Gods". De mensen van deze streek zijn er trots op dat ze Amerikaan en Zuiderling zijn. Het zijn kleine farmers, vaak met veertig tot tachtig hectare. Sommigen zijn vissers. Sommigen werken in de toeristenindustrie. Er is niet veel zware industrie. De mensen hier zijn meer aan hun land gebonden dan in Raleigh of Charlotte. Ik houd van de kleinsteedse sfeer. De voorstad waar ik ben opgegroeid leek heel veel op een klein stadje waar je je buren kende, en zij jou.'

'Wat is volgens u het verschil tussen de mensen hier en die in de steden?'

'Ik kom waarschijnlijk in aanmerking voor de yuppie-maatschappij, als iemand met een doctorstitel van een grote Amerikaanse universiteit. Maar ik heb respect voor de oude waarden van de cultuur van het Zuiden. Geld verdienen is niet het belangrijkste in mijn leven. De mensen hier zijn meer toegewijd aan beginselen dan aan winst maken. Het grootste verschil met de steden is het materialisme. Mensen in steden zijn meer toegewijd aan dingen dan aan denkbeelden. De mensen hier bewonderen een staatsman, een principieel man.'

'Maar ze willen dat de mensen zelf voor hun economische belangen zorgen?'

'Helms is geïnteresseerd in het recht van het individu in zijn thuisstaat om zijn eigen brood te verdienen. De kleine farmer, de kleine ondernemer.'

Maar hoe konden de kleine farms blijven bestaan? Tabak was een aflopende zaak.

Dat gaf hij toe. Hijzelf vond de gedachte van subsidie voor tabaksteelt niet aantrekkelijk; en hij dacht dat de meeste farmers aanvaardden dat tabak een aflopende zaak was. 'Ik ken veel mensen hier in North Carolina die niet uitsluitend leven van hun farm. U zult mensen vinden die farmer zijn en timmerman, farmer en monteur, of farmer en nog wat. Of ze zijn farmer en handelen in hout. Ik heb nu geen houtkachel meer. Vroeger kocht ik brandhout van een man die 's zomers zijn farm had en 's winters hout verkocht. De gemiddelde bewoner van het oosten van North Carolina – "down East", zoals ze zeggen – is niet rijk. Het zijn mensen uit de arbeidersklasse.'

En wat hadden zij voor toekomst?

'Ik kan de toekomst van de kleine farm niet voorspellen. Maar ik wil twee opmerkingen maken. Ten eerste: eenvoudige, fatsoenlijke mensen hebben eeuwenlang in dit werelddeel gewerkt en overleefd, hier in Amerika. Ik zie de meeste mensen in het oosten van North Carolina als de zoons van pioniers. De mensen die dit land vanuit de wildernis hebben opgebouwd, hebben dat gedaan door eerzame arbeid, en er was geen gigantisch federaal systeem om voor iedereen te zorgen – voor de mensen op Roanoke Island en later in Jamestown.

'Mijn tweede opmerking is dat die eenvoudige, eerlijke mensen die hier werken, niet zo achterlijk zijn als ze lijken. Ze kijken naar dezelfde tv-programma's als mensen in Chicago of New-York of Atlanta. En velen laten hun kinderen studeren in Chapel Hill of Vanderbilt of Raleigh. Wat ik bedoel is dat het conservatisme en de waarden die men verdedigt, uit vrije wil worden verdedigd, en niet doordat men niet weet wat de moderne wereld te bieden heeft. Het zijn tijdeloze waarden, blijvende waarden.

'En als je, hier in het oosten van North Carolina, praat over de toekomst, praat je over iets dat alleen God met zekerheid weet. En deze mensen kennen God nogal goed.'

'Hoe zou u uw tegenstanders beschrijven?'

'Mensen die geloven dat de overheid alle oplossingen te bieden heeft.'

'En op plaatselijk niveau?'

'Het is moeilijk hier vurige liberalen te vinden.'

'Beschrijft u de streek eens?'

'Het is een van de streken waar oude Zuiderlijke waarden nog van kracht zijn. Het is een prachtig land, groen, met veel water. Het is een streek waar de mensen hecht verankerd zijn in het land, zelfs degenen die niet op een farm wonen. En er zijn veel mensen die van het water genieten. Er wordt gevist, gejaagd. Het is goed land.'

De schoonheid van de natuur, het buitenleven – ik had het eerder gehoord, van veel mensen.

Barry McCarty was een jager. Hij jaagde op eenden; hij keek uit naar het begin van de houtduivenjacht. En zonder dat ik hem iets had gevraagd begon hij over zijn verontwaardiging over de regels van de federale overheid aangaande vuurwapenbezit. Zijn conservatieve ideologie was compleet, zelfs op dit punt, het meest verwarrende aspect ervan: het recht om vuurwapens te bezitten.

Hij zei: 'Voor het eerst in dit gesprek maak ik me bijna bezorgd hoe ik die opvatting over vuurwapens duidelijk kan maken.' Ik vond dat 'bijna bezorgd' mooi: misschien was het afkomstig uit zijn opleiding in spreekvaardigheid en retorica. Hij vervolgde: 'Zuiderlingen worden vaak geportretteerd als racistische "rednecks" die met geweren zwaaien, en men beweert dat een Zuiderling die zich echt zorgen maakt om zijn recht een vuurwapen te bezitten, eigenlijk bij de Ku Klux Klan hoort. Dat houdt verband met wat we eerder besproken hebben over de "Bill of Rights". Artikel twee zegt dat het recht van de bevolking om wapens te dragen, niet geschonden zal worden. Ik denk dat u zult merken dat Zuiderlingen, omdat ze op al hun constitutionele rechten staan, ook het recht om vuurwapens te bezitten en te dragen, zullen verdedigen.

'Ik zal in vrede leven met mijn naaste. Maar ik zal niet aarzelen mijzelf en mijn vrouw en gezin te beschermen tegen een indringer. Onder dergelijke omstandigheden is een geweer de laatste verdedigingslinie van een beschaafd man tegen een onbeschaafd man.'

Ik zei dat ik in Mississippi had gehoord dat de jachtgebieden van de gewone mensen slonken. Gebeurde dat hier ook?

'Nog niet. De wereld verandert voortdurend. We moeten ons aanpassen. Je moet erop voorbereid zijn je levensstijl te verdedigen. Er zijn bepaalde waarden die nooit veranderen.'

'Maar de uitwendige wereld verandert wel.'

'Ja. Vroeger schreef ik met een pen. Tegenwoordig gebruik ik een tekstverwerker en een computer.'

Hoe verdedigde hij zijn levensstijl?

Hij zou betalen voor de opleiding van zijn kinderen op een particuliere christelijke school. Dat zou honderd dollar per jongen per maand kosten. Met drie jongens zou dat heel kostbaar worden. 'Maar we doen het.' En dat leidde tot zijn andere overtuiging. 'Overmatige belasting is een bedreiging van mijn levensstijl.'

Ik was geroerd door zijn hartstocht en directheid, en ik las hem voor wat Jim Abrahamson van de Bible Church van Chapel Hill tegen mij had gezegd over 'Religieus Rechts'. Dat waren mensen, had hij gezegd, die men gemakkelijk belachelijk kon maken; toch vertegenwoordigden ze een noodzakelijk gezond verstand.

Barry McCarty's ogen achter zijn brilleglazen werden zachter. Hij was verrast en blij met wat ik had voorgelezen; zoveel begrip had hij niet verwacht. Hij begon te filosoferen.

'Tot aan de zeventiende eeuw was de westerse beschaving in wezen christelijk. Binnen die wereldvisie hadden het heelal en alles daarin, inclusief de mens, een zin en een doel. Volgens de moderne wereldvisie is de wereld niet meer dan het ene verdomde ding na het andere. Een *afschuwelijke* wereldvisie. Uiteindelijk een wereldvisie waarmee mensen niet kunnen leven. Het kan niet zo blijven. Het zal zichzelf vernietigen.

'Als u kijkt naar de schilderijen van de oude Hollandse meesters en andere kunstenaars die geïnspireerd waren door de reformatie in Noord-Europa, dan is de wereldvisie die van een wereld die God geschapen heeft en die Hij beheerst. Een wereld waarin individuele mensen vrijheid en waardigheid bezaten omdat ze naar Gods beeld en gelijkenis waren geschapen. Daarom nam Rembrandt de moeite een schilderij te maken van een vrouw die vis schoonmaakt of brood snijdt. Omdat die vrouw van oneindige waarde was voor God – ze was naar Zijn beeld en gelijkenis geschapen.'

Gemakkelijk belachelijk te maken, conservatieven als hij? Maar hij had gestudeerd aan een grote universiteit, zei hij; hij had filosofie gestudeerd; hij kende de moderne wereld. Dat wisten de mensen van hem.

Hij zei: 'Daarom hebben zij het gevoel dat zo iemand, een man die de nieuwe wereld heeft bekeken en afgewezen, gevreesd moet worden.'

De ogen die zojuist nog zacht waren geweest, werden hard. En ik voelde – heel plotseling – dat binnen in hem, onder die correcte kleding en goede manieren, een vuur brandde.

Toen we getelefoneerd hadden om een afspraak te maken, had ik hem gevraagd of er iets instructiefs of verhelderends was in Elizabeth City dat hij me kon laten zien. Dat was hij niet vergeten. Aan het eind van onze ontmoeting nam hij me mee om me het Confederate Memorial op Court Square te laten zien. Het was in 1911 opgericht door de plaatselijke afdeling van de 'Daughters of the Confederacy', een afdeling, zo zei hij, die misschien niet meer bestond. Hij liet me het monument zien: de zuil (die aan massafabricage deed denken), de soldaat erbovenop. Hij zei er verder niets over; hij zei niets terwijl ik toekeek. En toen was het tijd om hem terug te rijden naar het Bible College.

Ik vroeg hem naar de zwarten in Elizabeth City. Hij sprak over hen met verwarring en verdriet. De meesten van hen bezaten de Zuidelijke arbeidsethiek, zei hij; de meesten waren, wat hun waarden en dagelijks leven betrof, conservatief. Maar ze stemden niet conservatief; ze stemden op zwarte kandidaten.

Het was een lange dag geweest, en het was een lange terugrit. Ongeveer vijfenzeventig kilometer van Elizabeth City vandaan, op de smalle, drukke weg, was een ongeluk gebeurd dat er akelig uitzag: één auto gekreukeld, een andere over de kop, mensen die erheen renden, en vervolgens het geluid van een naderende ziekenauto.

Mijn gedachten bleven daar een tijdlang bij hangen. En pas een dag later begreep ik dat Barry McCarty onze ontmoeting had geopend door me de 'Stars and Bars' in zijn werkkamer te laten zien, en had besloten door mij het 'Confederate Memorial' te laten zien.

Het verleden getransformeerd, verheven boven de feitelijke geschiedenis, met een bijna religieuze symboliek: politiek geloof en religieus geloof die in elkaar overgingen. Ik had gehoord dat de conservatieven van North Carolina in code spraken. Die code was soms doorzichtig. 'Tabak is een levensstijl' was het verzoek van de kleine farmer om overheidssubsidie. Maar in dit vlakke land van kleine akkers en kleine ruïnes leefden vrijwel zeker bepaalde emoties die te diep gingen om uitgesproken te kunnen woorden.

Jim Applewhite nam me op een dag mee naar zijn familiefarm in Wilson County, in wat volgens hem het hart was van het tabaksgebied van het oosten van North Carolina. Eerst gingen we naar Wilson, het hoofdstadje van het district. Dat lag vijftien kilometer van de farm vandaan—dat wist ik uit de gedichten en uit Jims verhalen.

Wilson was groter dan ik had verwacht. De woonwijken waar we doorheen reden, zagen er rijk en welvarend uit, met grote huizen diep in beboste tuinen. Vroeger was het geld in Wilson hoofdzakelijk van de tabaksmarkt gekomen. Aan de andere, industriële kant van de stad (daar reden we doorheen op de terugweg, 's middags) zagen we de tabakspakhuizen.

We stopten bij een supermarkt om noten en fruit te kopen voor de lunch. Vóór mij in de rij voor de kassa stond een jonge zwarte man, dronken, met blikjes bier. Hij praatte van nature al langzaam, Zuidelijk, maar de drank had hem nog lijziger gemaakt, en hij leek eerder wat geluiden uit te stoten dan woorden uit te spreken. De caissière, een blank meisje, was correct, deed of ze niets merkte en zei, zoals in alle supermarkten, dankuwel nadat hij betaald had en zij hem zijn wisselgeld had gegeven. Toen we terugkwamen op het pleintje, leek het minder aantrekkelijk: supermarktkarretjes, een paar rondhangende zwarten. Het was niet de plaats om te picknicken in de auto.

Jim zei: 'Laten we naar de farm gaan.'

We staken de spoorweg over. Die had vroeger de blanke wijk gescheiden van de zwarte. Er was nog een Amtrak-station; en een oude hotel, aan de kant die blank was geweest. Als een decor voor een eenvoudige film: station, rails, het kleine hotel.

'Daar logeerden handelsreizigers,' zei Jim.

'Wat een leven.'

'Sommigen hielden ervan.'

Aan de overkant van het spoor, in wat nog de zwarte stad was, stonden 'schietgeweer'-huizen, zo smal als stacaravans, vlak naast elkaar. Het Wilson van de grote huizen leek nu al ver weg.

De vijftien kilometer naar de farm vlogen voorbij. Overal stonden oude tabaksschuren, soms drie of vier bij elkaar op een veld. En nog voor ik erop was voorbereid, sloegen we af en parkeerden we op een open plek tussen een oud houten huis met een verdieping en veel bijgebouwen van gegalvaniseerd ijzer. Er stonden twee vrij oude auto's op het erf: ze hoorden bij de aanblik van metaal die het erf bood. Aan de andere kant van de weg lagen velden die bij de farm hoorden.

Jim had me verteld over het familiehuis en de farm, over de verhuizing van de familie naar het naburige plaatsje Stantonsburg, over de deelpachter en zijn gezin en de zwarte knechts. Maar ik had het niet allemaal tot me laten doordringen. Ik was in verwarring gebracht door alles wat hij me had verteld; en toen we stopten op het erf, wist ik niet helemaal precies waar ik was.

Ik dacht dat Jims familie in het oude houten huis zou wonen; ik zag de deelpachter als een soort employé.

Toen Jim uitstapte en het huis binnenging, maakte ik mijn blikje noten open en schonk ik sinaasappelsap in een kartonnen bekertje. Met noten in de ene hand en sinaasappelsap in de andere, en met mijn elleboog tegen het kartonnen pak sinaasappelsap uit de supermarkt dat naast me stond – zo zat ik erbij toen een zware, roze-en-witte man van achter in de veertig, in een donkerblauwe broek en een geruit overhemd en met een bril, het huis uit kwam, naar de auto, en naar me glimlachte.

Hij zei met een zeker zelfvertrouwen: 'Ik ben Dee Grimes.'

Die naam kende ik. Hij was de man aan wie eer werd bewezen in het gedicht 'How to Fix a Pig'. De manier waarop hij praatte, zijn leven in de tabak, waren omgezet in poëzie.

Hij wachtte of ik uit de auto zou komen – hij had gehoord dat ik zou komen. Maar ik zat klem. Ik kon op dat moment de deur niet opendoen, en kon de woorden niet vinden om dat uit te leggen. Hij werd verlegen, zei iets dat ik niet verstond over 'Mister Jim' en deed een stap terug.

Tenslotte zei ik dat ik het gedicht over hem had gelezen.

Dat vond hij leuk om te horen. Hij zei dat iemand anders die het gedicht had gelezen, gevraagd had of hij niet eens voor hem wilde koken.

En pas na enige tijd drong het tot me door – hoewel het me al was verteld – dat Dee Grimes, de deelpachter, woonde in het oude huis van de Applewhites – een van Jims heilige plaatsen.

'It stands today, upstairs porch railed in
Before narrow windows, their antique glass
Upright and open toward the cleanly furrows.
Their hand-blown panes show lines imperfectly,
As if miraging heat since the Civil War
Had imprinted ripples.'

Tussen het huis en de keuken, een afzonderlijk gebouwtje, was een brede overdekte gang, een 'passage', met open ijzergaas opzij. (In de oude tijd was er geen ijzergaas, zei Jim.) Daar gingen we tenslotte zitten, hoewel Dee Grimes graag had gewild dat we binnen van de airconditioning genoten.

Hij praatte—en ik kon hem slechts met moeite volgen: hij zat aan de andere kant van een tafel en een eindje ervanaf—over de droogte. Er was almaar geen regen geweest. Hij had geprobeerd een put te graven, maar hij had geen water gevonden. Hij praatte ook over Dan, een buurman. Dan had een irrigatiesysteem; Dan had deze zomer driemaal gesproeid. Dan had ook een mechanische tabaksplukker; daar had hij een paar jaar daarvoor vijfendertigduizend dollar voor betaald. Dan was die dag bezig tabak 'in te halen', gebruikte zijn mechanische plukker om het rijpe blad te oogsten, en daarna zouden zijn mensen het blad overbrengen naar de droogschuren.

Hij praatte over het huis; hij had gehoord dat ik dat misschien ook zou willen zien. Hij zei dat een van de opvallendste dingen van het huis was dat een groot gedeelte ervan met houten pinnen in elkaar was gezet, zelfs de balken van de passage. Hij nam ons mee naar binnen. Het huis was ruimer dan je van buiten zou hebben gedacht. De vloer voelde massief aan, geen holle geluiden in het houten huis, geen echo's. De voorkamers waren prachtig geproportioneerd, bijna vierkant, vijf meter tien bij vijf meter veertig, en hoog. Toen we weer buiten waren, bekeken we de bakstenen schoorstenen aan weerszijden van het huis, en de twee afgerasterde veranda's die uitkeken over de weg en de akkers aan de overkant daarvan.

Jim zei: 'Het is een heerlijk oud huis. Een nobel huis, op zijn onversierde manier. Ik hou vooral van die hoge ramen. Hoewel ik eigenlijk over de velden heb uitgekeken vanaf de bovenveranda, lijkt dat me een heel geschikt punt.'

De schuren voor het drogen van de tabak waren aan de andere kant van het open erf. Er stonden er drie of vier naast elkaar, en ze leken op kleine stacaravans. De hitte van binnen kwam van elektriciteit, en de lucht rondom de schuren rook naar warm groen blad. Toen Dee de deur van een van de schuren opendeed, was de lucht die eruit kwam heel heet, en de geur was lichtelijk weerzinwekkend. De buitenste bladeren op de rekken, blad dat al bruin was, waren gerafeld. Dee zei dat dat kwam van

de koudere lucht die erlangs woei, elke keer als hij de deur opendeed om te kijken; de bladeren verder naar binnen zouden beter
zijn.

In het pakhuis–waar de gedroogde tabak werd opgeslagen
nadat het blad 'in orde was gebracht' (dat wil zeggen bevochtigd)
om te voorkomen dat het gedroogde blad verkruimelde en uit-
eenviel–zagen we de matige oogst van dat jaar. In de grote ruimte lagen maar een paar balen goudgeel blad in jute. Hier hing een
warme, welige geur, en de vloerplanken glansden van de hars
van jaren. Zonder dat het hem gevraagd was, maakte Dee een
paar 'bosjes': hij pakte een stuk of zes bladeren, met de steel naar
boven, en bond ze stevig aan elkaar bij de steel (eerst volgens het
principe van de ceintuur en daarna volgens dat van de lenden-
doek), met een blad van goede kwaliteit dat hij twee of drie keer
had dubbelgevouwen.

Dee's vrouw–ze was weggeweest en net teruggekomen–
kwam het pakhuis binnen. Ze stond zwijgend naast ons en keek
toe hoe Dee de ouderwetse bosjes bond.

De oude muilezelschuur was er nog, alweer zo'n metalen gebouwtje op het erf: een herinnering aan andere werkmethoden
van vroeger. Er waren nu geen muilezels meer, maar wel herinneringen aan de muilezels die er waren geweest: de bovenste
planken van de boxen waren in een golfpatroon afgeknaagd.

Aan het eind van het erf stond een verbijsterend apparaat.
Het was een tabaksoogstmachine, met een zonnedak. Er waren
lage, metalen zitplaatsen voor vier plukkers, en het idee was dat
de zittende oogsters, terwijl het apparaat door een tractor werd
voortgetrokken, het rijpe blad van de planten zouden breken,
zonder de vermoeienis van gebukt of geknield werken. Maar als
je de bosjesbindsters meetelde, en de anderen die nodig waren
om het geplukte blad op te hangen, waren er elf mensen nodig
om de oogstmachine gaande te houden. Werken, werken in de
zomerhitte–en een eind verderop lag het lage huis waar de
zwarte knechts hadden gewoond, en waarvan alleen de daken en
de bovenkant van de muren zichtbaar waren.

Het huis, de oude en nieuwe schuren, het huis voor de
knechts achteraan–het was allemaal even eenvoudig aangelegd

als het station, de spoorbaan en het kleine hotel in Wilson. Maar een dichter had lange tijd naar dit erf gekeken; en alles daar straalde voor hem iets heerlijks uit. Zoals ik zag toen Dee en zijn vrouw, vlak voordat we vertrokken, begonnen te praten over het gevaar van takken die van de eiken bij het huis konden vallen.

Dee en zijn vrouw wilden de bomen snoeien. Jim deed bezorgd; hij wilde niet dat de bomen te veel werden teruggesnoeid, hun omtrekken verloren – hij had over die bomen geschreven. En ze praatten een tijdlang over en weer, beide partijen vanuit hun eigen belang.

We vertrokken tenslotte naar het plaatsje Stantonsburg. Daarheen was Jim Applewhites grootvader verhuisd nadat hij de familiefarm had verlaten. Daar was Jim geboren. Het was niet ver.

Jim zei: 'De Applewhites waren afkomstig uit Engeland, uit Suffolk, en schijnen geland te zijn op Barbados. Er zijn documenten in Barbados over Applewhites of Applethwaites. Dan zijn er documenten in Virginia, uit de achttiende eeuw, en in North Carolina, van weer later. Ze waren waarschijnlijk al in Stantonsburg voordat het stadje officieel gesticht is in 1818.

'Ik heb me laten vertellen dat de Applewhites vroeger het land bezaten aan weerszijden van de weg tussen Stantonsburg en Saratoga, het volgende plaatsje.'

Daar was het weer, het telkens terugkerende verhaal in het Zuiden over grote rijkdom in het verleden (het hele eiland Trinidad, een derde van een Engels graafschap, een kist vol goud die een wolk goudstof had doen opwervelen toen hij op de vloer werd geleegd). Maar dit verhaal was niet helemaal ongeloofwaardig: de Applewhites bezaten de winkel van Stantonsburg en een houtzaagmolen.

Het plaatsje was net Wilson in het klein. Er was zelfs een spoorweg die de zwarte wijk van de blanke scheidde, de dicht opeenstaande 'schietgeweer'-huizen van de houten huizen met hun grasvelden.

We kwamen langs wat de winkel van de Applewhites was geweest. Het was een laag, wit, houten gebouw met een afdak boven het trottoir. Het zag er nu leeg uit.

Jim zei: 'Daar kon je alles vinden wat je nodig had om de oogst op te slaan of je leven in te richten. Vroeger waren zulke winkels eigenlijk magazijnen. Met andere woorden: de farmers haalden alles wat ze nodig hadden op krediet, en rekenden af wanneer ze hun oogst hadden verkocht. En toen mijn grootvader veel land bezat, haalden de deelpachters hun spullen hier en betaalden ze bij hem.'

En op dat moment bedacht ik, toen we langs de nu lege winkel reden, dat mijn reis–zonder dat ik dat zo had geregeld–haast net zo eindigde als zij was begonnen. Ik was met Pasen naar het stadje Bowen gegaan met Howard en had zijn geboortestreek gezien vanaf de andere, de zwarte kant van de spoorlijn, als het ware. (Ik herinnerde me nog heel duidelijk mijn eigenaardige gevoel op die zondagochtend, toen we naar de kerk liepen en toen drie blanken waren gestopt in hun auto om de weg naar de country club te vragen.) Dit plaatsje leek naar omvang en uiterlijk op Bowen; en de Applewhites (zo zou ik horen, maar niet van Jim) hadden slaven bezeten, op een gegeven moment veertig. (En wat was het vreemd dat je, zodra je met de gedachte van slaven begon te leven, die andere manier overnam om rijkdom te berekenen–in slaven.)

Hetty, de dochter van een zwarte deelpachter, had me meegenomen om kennis te maken met Bowen, uit respect. Daarna had ze me meegenomen naar de zwarte begraafplaats waar haar vader begraven was. Ze had me de oude farm laten zien, nu een ruïne met kleine bomen en klimplanten die tegen de muren op groeiden, waar haar vader als deelpachter had gewoond. Zij had een speciale manier van kijken gehad: terwijl we door de omgeving reden had ze zangerig gezegd: 'Zwarten, zwarten, blanken, zwarten. Aan deze kant allemaal blanken, aan die kant allemaal zwarten.' Ze had gezegd, maar heel laat, onwillig om terug te keren naar de schaduwen van het verleden, dat tabak (die ze verbouwd had met haar vader en met haar man) haar aan het huilen had gemaakt.

In Bowen waren de bloemen in het gras langs de weg die lente paars geweest. Nu, in Stantonsburg, bijna aan het eind van de zomer, waren de bloemen geel, kleine, geheel gele madeliefjes.

En nu, met Jim Applewhite, bekeek ik een ander soort verleden: een verleden waar het kind compleetheid had gezien, zelfs in de dingen voor de pachters–in zijn grootvaders winkel: muilezeltuigwerk, tabaksdraad, tien-penny-spijkers ('Waarschijnlijk kreeg je er tien voor een penny'), hoeden, kinderschoenen.

'Ik had inderdaad het gevoel dat daar een soort complete wereld was. Gedeeltelijk omdat de huizen hier gebouwd waren zonder architect, zonder gespecialiseerde aannemer, en ik kreeg het gevoel dat de vaardigheid om die huizen te bouwen verborgen lag in de dingen in die winkel.'

Het huis van de Applewhites lag in een straat met woonhuizen en twee of drie kerken. Voor de baptistenkerk waren een paar zwarte mannen en een blanke aan het werk. De straat was vol kinderen, onder wie veel zwarte, en om de een of andere reden hadden ze allemaal grote ijshoorntjes in hun hand.

De oude heer Applewhite zat in de zitkamer en keek naar een football-wedstrijd op een groot televisietoestel. Hij was tachtig en een beetje trots op zijn leeftijd. Hij was veel kleiner dan zijn zoon, en dikker; zijn figuur leek te wijzen op een man die heel sterk was geweest. Hij legde uit wat er aan de hand was met die kinderen en die ijsjes. Een winkel hier bestond vijfenzeventig jaar en verkocht ijs voor vijf cent–de prijs die de winkel voor een ijsje had gerekend in 1912.

Op de tafel in de eetkamer stond eten voor ons bezoekers. Er lag een tijdschrift dat de oude man voor mij had opgezocht, *The Flue Cured Tobacco Farmer*, en een brochure voor tabakstelers, *How to Grow it Ripe*.

Jim at. Ik praatte met zijn vader.

Hij zei: 'Heeft mijn pachter u wat behoorlijks laten zien? Dit is de slechtste tabaksoogst sinds vijfendertig jaar. Het heeft in geen dertien weken geregend.'

Hij vertelde dat de farm tussen de honderdvijftig en honderdvijfenzeventig jaar oud was, en hij liet me een ingelijst certificaat zien waarop stond dat het huis op de Lijst van Historische Gebouwen stond. Hij vond dat Dee had moeten doorwerken aan die put en zes meter dieper had moeten graven; iemand die hij kende had op vijfenveertig meter diepte water gevonden.

Vervolgens werd hij filosofisch, religieus. 'We mogen niet klagen. De farm heeft het heel goed gedaan, tot aan dit jaar. Als je je naasten goed behandelt, zal alles goed gaan. Mijn vader stond er financieel het beste voor van alle mensen hier in de omgeving. En hij deed zo ongeveer wat de bijstand tegenwoordig doet. Hij was gezegend.'

Later, in een achterkamer, met uitzicht door een deur van ijzergaas op een schaduwrijk grasveld en het buurhuis, zaten Jim en ik te praten, en ik schreef op wat hij zei.

Hij had vanaf het begin gepraat alsof hij zichzelf had afgesneden van zijn verleden, een verre reis had ondernomen. Maar zijn verleden was er nog, een paar uur rijden van Durham vandaan—althans zoveel van het verleden als een man van tweeënvijftig redelijkerwijs mocht verwachten te vinden. Maar er was inderdaad een reis ondernomen; er was een breuk geweest.

'Op mijn zesde kreeg ik wat ze destijds reumatische koorts noemden. Mijn moeder heeft me de hele *Huckleberry Finn* voorgelezen. Ik heb een jaar in bed gelegen. Ik ben een paar jaar lang beschermder opgegroeid dan mijn medeleerlingen. Daardoor kwam ik in een uitzonderingspositie te verkeren. Iets dergelijks gebeurt altijd met iemand die later schrijver wordt.

'Ik denk dat ik me altijd bewust ben van het feit dat ik niet echt hoor bij de wereld die ik je heb laten zien. Ik heb nooit in de tabak gewerkt. Dee Grimes hoort echt bij die wereld, is echt een man van de tabak. Een echte "tobacco man", zoals ze hier zeggen. Hij heeft de school doorlopen van de zware klappen, van de ervaring. Ik voel een soort verwantschap en een soort afzondering als ik met hem samen ben.'

'Afzondering?'

'Waarschijnlijk is dat begonnen toen ik als kind afgezonderd was, toen ik niet meer hoorde bij de kinderen die onbekommerd hun rol speelden in deze wereld van het oosten van North Carolina, wat een wereld is van doen, niet van denken.'

Afzondering en verwantschap. De naam Applewhite stond niet meer op de ramen van de winkel. Maar voor Jim bestonden de letters op het glas—goudkleurig, en in een boog geplaatst—nog steeds, 'op een spookachtige manier'.

'Ik herinner me dat ik thuiskwam in de eerste jaren dat ik studeerde en opnieuw voelde wat ik nu bijna ben vergeten – en dat is het gevoel dat je zo volkomen thuis bent in en deel uitmaakt van een omgeving dat je je er op de een of andere manier volledig mee verweven voelt.

'Aan de andere kant is er een gevoel van afzondering omdat ik voor een deel zelf een observerende vreemde ben in mijn eigen geboortestreek. Zozeer dat ik soms gefascineerd werd door de gedachte van de preëxistentie van de ziel. En vooral door het oorspronkelijke boek van Edgar Rice Burroughs, *Tarzan of the Apes*, het eerste en beste van de Tarzanboeken. Omdat in dat boek de latere Tarzan in de jungle terechtkomt doordat het vliegtuig van zijn ouders verongelukt. Iets in die gedachte – dat iemand uit een andere beschaving uit de hemel kon komen vallen in een tropische omgeving – fascineerde me.'

Het was ongelooflijk. Niet alleen merkte ik dat Jim Applewhite (zoals al meermalen was voorgekomen) mede namens mij sprak, dingen onder woorden bracht die ik als kind en jongen in Trinidad had gevoeld. Hij praatte ook – al kwam hij van de andere kant van het spoor – net als Howard, Hetty's zoon. In New York, op het vliegveld, had Howard over de plaats die voor hem thuis was gezegd: 'Ik vond het er afschuwelijk toen ik jong was, omdat alles altijd hetzelfde bleef.' Ik had me afgevraagd wat hij met 'hetzelfde' bedoelde. Het had betekend oude dingen, oude gebouwen (zoals tabaksschuren en boerenhuizen) die nog overeind stonden en een plaats saai maakten. Het had ook betekend – naar later bleek – de oude gewoonten die bleven bestaan. Toen we na ons weekend in het Zuiden terugkeerden naar New York, had Howard gezegd: 'Ik ben anders. Ik voelde me al anders op de middelbare school. Je wordt anders door wat je denkt en wat je voelt. Ik heb me altijd anders gevoeld. Wat mij het gevoel geeft dat ik in de verkeerde plaats ben geboren. Als zoveel mensen.'

Jim Applewhite zei: 'Het dubbele gevoel dat ik in die tijd had, was dat ik me fysiek bevond in de wereld waarmee ik me identificeerde, een wereld echter die totaal geen aandacht had voor een complete andere kant van mijn psyche of ziel. Hier was nog

sprake van een culturele overdracht–van iets totaal anders–
door de kerk, de gezangen, de woorden en de muziek, de poëzie
van de psalmen in de King-Jamesbijbel, en door boeken. Mijn
oom kwam 's zomers logeren. Hij was waarschijnlijk de eerste
die me literair heeft beïnvloed. Toen ik zes was, vertelde hij me
verhalen waarvan ik later begreep dat ze uit de *Odyssee* afkomstig
waren.

'Er was een dubbele wereld aanwezig toen ik een kind en later
een jongeman was, een gevoel dat waarschijnlijk niet zo ongewoon
is voor iemand met een artistieke aanleg, maar er ontstond een bijzonder grote spanning door de hevigheid waarmee zoveel mensen
in de wereld van dit kleine stadje zich verzetten tegen waarden die
hun vreemd waren–de culturele waarden die van zo grote afstand
werden overgedragen. Het Zuiden heeft een soort onafhankelijkheid–dat het zichzelf is, zichzelf kent, en verder niets nodig heeft.
Door dat gevoel van belegerde onafhankelijkheid kan het buitengewoon koppig worden. Het kan onwetendheid koesteren. Het
kan het onredelijke, de redeloosheid koesteren.

'En ik snakte naar uitleg over dingen. Ik herinner me dat ik
omhoogkeek naar de sterrenbeelden en de namen van die sterrenbeelden niet kende. Of de namen van bomen niet kende. Nu
heb ik een telescoop, maar toen niet.

'Tenslotte wilde je bewustzijn hebben, het recht van bewustzijn, van het benoemen in taal, in harmonieuze taal, of in muziek–benoemen van dingen, of anders eenvoudig benoemen.
Kunst is een soort goddelijke nutteloosheid. Dat is een van de
redenen waardoor ik me ook aangetrokken voel tot de tabak. Het
is niet praktisch. Het is niet om te gebruiken voor iets waar
iemand wat aan heeft.'

We hadden veel gehoord, van Dee Grimes en van Jim Applewhites vader, over Dan de buurman, de gelukkige met het irrigatiesysteem en de mechanische plukker, die juist die dag tabak
'inhaalde'. En toen we wegreden uit Stantonsburg, gingen we
op bezoek bij Dan.

Hij was een vriendelijke, gespierde man van middelbare leeftijd met een bril, in lichtbruine kleding en met een donkerbruine

baseballpet op ('Pride in Tobacco')–hoewel hij zelf niet rookte. Zijn handen waren zwart van smeer en ook van tabaksteer, van het blad dat hij 'inhaalde'–de tabaksteer van het groene blad waarover ik het eerst had gehoord van Howard.

Zijn plukmachine–met een zwarte man aan het stuur–was aan het werk, en ging tal van rijen tegelijk af. Het was fascinerend te kijken naar die grote machine, die er lomp uitzag, maar heel voorzichtig was, en die het wrede, zware werk van de tabaksoogst overbodig had gemaakt. De wielen van de plukmachine, en de zitplaats van de bestuurder, bewogen zich langs de voren; aan weerszijden grepen twee lange rubberen rollers met weinig tussenruimte naar de tabaksstengels, waarvan ze het blad op een bepaalde hoogte afplukten. De geplukte bladeren vielen in bakjes en werden door snel bewegende lopende banden naar de grote bladmand vervoerd. De tabaksstengels met de ongeplukte hogere bladeren schoten terug in verticale stand; en tenslotte gaf alleen hier en daar een geelgroen blad op de aarde aan dat de plukker net was langsgekomen.

Onder het afdak voor Dans moderne schuren pakten vier zwarten, twee mannen en twee vrouwen (losse arbeiders, te oordelen naar hun vrij goede kleding; geen overalls), het blad uit, ze bevestigden het in metalen klemmen die ze over de rekken in de schuren schoven. Het 'inhalen' in een moderne schuur was eenvoudiger dan in de oude hoge schuren, waar iemand op een ladder had moeten klimmen om de stokken over de hoogste rekken te hangen. Een paar jaar daarvoor, vertelde Jim, was Dee Grimes van een hoog rek gevallen en had hij zijn hand gebroken. De opgehangen bladeren in de moderne schuren leken op enorme groene kroppen sla.

Het werk in de moderne schuren was gemakkelijker geworden. Maar een deel van het ritueel van vroeger, dat de jongen op de farm van de Applewhites had bestudeerd, was ook verdwenen–de vele zwarte vrouwen die tabaksblad op stokken hadden gehangen, de verwarming in de schuren die de hele nacht in het oog moest worden gehouden, de suikermaïs die op vurige kolen werd geroosterd, het varken op de barbecue.

Het veld met de oude begraafplaats van de familie Applewhite was geen eigendom meer van de familie. Maar er is altijd een recht van overpad naar een begraafplaats, en een karrespoor in het gras leidde erheen vanaf de weg. Het was een klein, ingesloten stuk land, ongeveer negen bij zes meter. Het ijzeren hek was overwoekerd door onkruid en klimplanten met oranje, trompetvormige bloemen. De oudste steen, die bijna niet meer te ontcijferen was, was geplaatst in 1849. Kleine stenen markeerden de graven van kinderen. Er waren twee houten grafpaaltjes.

Jim zei: 'Waarschijnlijk kernhout van grenen. Wat ze "fatlightwood" noemen. Misschien een slaaf. Soms plaatsten ze een houten paaltje op het graf van een slaaf.'

De paaltjes zagen er verschroeid uit. Ik dacht dat het van ouderdom kwam, maar Jim zei dat er brand kon zijn geweest. Het zachtere hout was afgesleten langs de ringen van harder materiaal.

Aan de andere kant van het karrespoor was een tabaksveld, het geaderde, veerkrachtige, parasolvormige blad hing wat slap na al die weken droogte. Deze kleine velden en roestige oude tabaksschuren – zo pittoresk toen ik ze voor het eerst had gezien – vertelden nu van zware en moeizame arbeid. En op de begraafplaats in het midden van het veld kon je je gemakkelijk voorstellen hoe beperkt het leven vroeger moest zijn geweest, voordat er wegen en auto's en elektriciteit waren, en dat een reis naar het stadje Wilson, vijftien kilometer verderop, een dagreis was geweest.

> '... Closed in by miles
> Which sandy roads, pine barrens, swamps, made
> A limit to curiosity. – The stars' light,
> The King James Bible and Wesley's hymns,
> Travelled equivalent distances, unquestioned.'

Maar nu leidde er een goede weg naar Durham.

Door zijn intensieve observatie van de wereld van zijn kinderjaren – waardoor ik me met hem verwant voelde, hoewel zijn wereld heel anders was geweest dan de mijne – en door zijn afzondering van die eerste wereld, was Jim Applewhite getreden buiten de geloofswereld van zijn vader en grootvader en was hij uitgekomen bij een gevoel voor 'de heiligheid van de kleinste gebaren.'

Het was een fantasievolle, poëtische oplossing, heel anders in haar kalmte, haar beaming en haar betekenis dan het gevoel dat Barry McCarty, als politicus en dominee van de Church of Christ, had voor de schoonheid van het eenvoudige leven – dat voor hem ook verbonden leek met de gedachte van een wereld die op hol dreigde te slaan.

Twee zulke verschillende mannen; en toch hadden ze bepaalde belangrijke dingen gemeen. Ze waren gevormd door dezelfde geschiedenis. En het was dat gevoel van een speciaal verleden, het verleden als wond, dat ik miste, bijna zodra ik naar het noorden reed, naar Virginia, naar Charlottesville.

Geschiedenis was daar in overvloed aanwezig – Jefferson, Monticello, de University of Virginia. Maar dat was geschiedenis als iets feestelijks, de geschiedenis van de vakantieplaats, de geschiedenis die ertoe leidde dat de 'subdivisions' (of buitenwijken) zich vermenigvuldigden in Virginia, en die zelfs een bedreiging vormde voor de vossejacht (er werden al honden getraind om te jagen op vossen, en alleen op vossen, in speciaal verhuurde vossengebieden met diep ingegraven omheiningen; de jager wist waar alle vossen waren op zijn 'landje', en entte alle welpen in tegen hondsdolheid).

Ik had tot die tijd – en misschien had ik daardoor zo goed kunnen opschieten met de mensen van het Zuiden of Zuidoosten – verbleven bij mensen die bezig waren te leren leven met een wanhopiger soort geschiedenis van de Nieuwe Wereld, in een armoediger land, dat die geschiedenis weerspiegelde – de geschiedenis die Jim Applewhite in zijn gedicht 'Southern voices' beschrijft als *nederlaag*, cursief gedrukt, de nederlaag die hij beluistert in de spreekwijze van het Zuiden:

> 'This colourless tone, like flour
> Patted onto the cheeks, is poor-white powder
> To disguise the minstrel syllables lower
> In our register, from a brownface river.'

april-december 1987

Vertaling van de Engelse teksten

p. 9
Er is een geschiedenis in de levens van alle mensen, en die geeft weer wat de aard was van voorbije tijden.

p. 201–2
Reken zelf maar uit, jongen. Je hebt alles wat de grootste mannen hebben gehad: twee armen, twee handen, twee benen, twee ogen, en hersens om te gebruiken, als je verstandig bent.

p. 247
Lang geleden heeft het laatste tromgeroffel geklonken, en vrede heerst nu waar soldaten hun glanzende sabels trokken voor dappere daden, aangevoerd door Ad Harvey.

p. 298
En elk meisje op de heuvel van Natchez zal huilen wanneer wij langskomen.

p. 313
Nu schenk ik whisky in, breek het ijs, leg mijn voeten hoger, sluit mijn ogen en doe mijn best te luisteren naar wat mijn hart misschien zegt, probeer het rijmwoord te vinden dat me mee terug neemt in de tijd, om hier met jou te zijn, hoe laat het ook is.

p. 330
Katoen in de wegberm, katoen in de greppel, we plukten allemaal katoen, maar we zijn nooit rijk geworden.

Spoorwegstations, middernachtelijke treinen, eenzame vlieg-velden in de regen, en iemand staat daar met tranen in de ogen. Het is het bekende oude tafereel, telkens weer. Dat is de ellende met de hele mensheid. Iemand zegt altijd vaarwel.

Taxi's die vertrekken in de nacht, Greyhoundbussen met rode achterlichten. Iemand vertrekt en iemand blijft achter. Ach, ik weet niet hoe het zo gekomen is, maar waar je ook kijkt tegenwoordig, iemand zegt altijd vaarwel.

Neem twee mensen als jij en ik, we hadden er wat van kunnen maken. We zijn gewoon te gauw uit elkaar gegaan. O, wij twee-en hadden alles kunnen hebben, als we het maar hadden gepro-beerd.

Maar zo is de liefde nu eenmaal, naar het schijnt. Net als je iets heel goeds hebt, zegt iemand altijd vaarwel.

Mama zei, kom niet in de buurt van die rivier. Hang niet rond bij die ouwe Catfish John. Maar in de ochtend was ik er altijd en liep ik in zijn voetstappen in de zoete dageraad van de Delta.

Toen ik klein was bracht Uncle Remus me naar bed, met een plaatje van Stonewall Jackson boven mijn hoofd. Dan kwam pappie om zijn kleine man te kussen, hij rook naar gin en had een bijbel in zijn hand. En hij praatte over eer en dingen die ik moest weten. Dan wankelde hij een beetje wanneer hij de deur uit-ging... Ik denk dat we allemaal worden wat we worden. Dus wat doe je met goeie ouwe kerels als ik?

Nikkers, luister goed, ik zal jullie vertellen hoe jullie kunnen voorkomen dat je gemarteld wordt wanneer de Klan op het oor-logspad is. Blijf 's nachts binnen, doe je deur stevig op slot. Ga niet naar buiten, anders vinden jullie die kruisen die helder branden.

Verhuis die nikkers naar het Noorden, verhuis die nikkers naar het Noorden. Als onze gewoonten in het Zuiden ze niet aanstaan, verhuis die nikkers naar het Noorden.

Nee, we passen niet bij die witteboordjeslui. We zijn een beetje te wild en een beetje te luidruchtig. Maar er is geen plek waar ik liever zou zijn dan hier, met mijn rooie nek, witte sokken en Blue-Ribbonbier.

Is geaderd met mulattohanden.
Een netwerk van rivieren dat een heel stroomgebied ontwatert.

Van geur en zoetheid voorzien door rum en melasse, gerold tot sigaretten of verpakt tot een vierkant pakje pruimtabak, dan geïnhaleerd of gepruimd, is deze geschiedenis als mierzoete illegaal gestookte drank die gedestilleerd is door een autoradiator, zodat de zouten je blind maken. Speeksel ontstaat in het lichaam. Wij sterven voor dit blad.

Hij spitte de grijze mergel bij het moeras om, plantte tabak met de hand, brak de uitlopers en knoppen af voordat ze bloeiden, liet er een paar zitten voor zaad. Oogstte de brede zandige rijen, dubbelgebogen in hete lucht die scherp was in zijn gezicht, van de natgeregende aarde.

Het komt van bij ons thuis, van toen ze tabak droogden met hout, en toen maïskolven lagen te roosteren in de as in de verwarmingsbuis. Het varken was het laatste. Het feestje in het hangschuurtje wanneer de oogst helemaal binnen was. De herfst was in die geur. Als rood blad en geld.

p. 366

Zijn geheugen bevatte een vroeger tijdperk: een stoomboot naar de beurs in New York, toen roet zijn hoed bedorven had. Paard en buggy samen, toen vijftien kilometer heen en weer terug een dagreis was.

p. 373-4

De inmaak in keukens met potten groot als vaten deed schorten en huid rimpelen van de stoom. Varkens werden aan balken gehangen in december. Hun bloed dampte als spoken in de kou.

p. 398

Het staat er nog, de bovenveranda afgerasterd voor smalle ramen, met antiek glas rechtop en open naar de keurige voren. Hun met de hand geblazen ruiten vertonen onvolmaakte strepen, alsof ze hitte weerspiegelen sinds de Burgeroorlog er rimpels in heeft gedrukt.

p. 408

Ingesloten door mijlen, die met zandwegen, ruig land met pijnbomen, moerassen, een grens stelden aan de nieuwsgierigheid. – Het licht van de sterren, de King-Jamesbijbel en Wesley's gezangen legden gelijke afstanden af, niet in twijfel getrokken.

p. 409

Die kleurloze toon, als meel op de wangen aangebracht, is poeder van arme blanken ter vermomming van de 'black minstrel'-klanken lager in ons stemregister, afkomstig van een bruin glanzende rivier.

Pandora Atlas

De mooiste reisverhalen in pocket!